marcada para morrer

KIM HARRISON

marcada para morrer

Tradução de

Frank de Oliveira
Julio Monteiro de Oliveira

pavana

Copyright © 2004 Kim Harrison
Copyright da tradução © 2013 Tordesilhas

Publicado mediante acordo com HarperCollins Publishers.
Publicado originalmente sob o título *Dead Witch Walking*.

Todos os direitos reservados. Nenhuma parte desta edição pode ser utilizada ou reproduzida – em qualquer meio ou forma, seja mecânico ou eletrônico –, nem apropriada ou estocada em sistema de banco de dados sem a expressa autorização da editora.

O texto deste livro foi fixado conforme o acordo ortográfico vigente no Brasil desde 1º de janeiro de 2009.

EDIÇÃO UTILIZADA NESTA TRADUÇÃO Kim Harrison, *Dead Witch Walking*, Nova York, HarperCollins Publishers, 2004
REVISÃO Marina Bernard e Márcia Moura
CAPA Edição Pavana
ILUSTRAÇÃO DE CAPA Larry Rostant/Bernstein & Andriulli
IMPRESSÃO E ACABAMENTO EGB – Editora Gráfica Bernardi Ltda.

1ª edição, 2014

CIP-Brasil. Catalogação na publicação
Sindicato Nacional dos Editores de Livros, RJ

H261m
Harrison, Kim
Marcada para morrer / Kim Harrison; tradução Frank de Oliveira, Julio Monteiro de Oliveira. – 1. ed. – São Paulo: Pavana, 2014.
il. (Hollows; 1)
Tradução de: Dead witch walking

ISBN 978-85-7881-223-2

1. Fantasia – Ficção americana. 2. Ficção americana. I. Oliveira, Frank de. II. Oliveira, Julio Monteiro de. III. Título. IV. Série.

14-10590   CDD-813
                                                     CDU: 821.111(73)-3

2014
Pavana é um selo da Alaúde Editorial Ltda.
Rua Hildebrando Thomaz de Carvalho, 60
04012-120 – São Paulo – SP
www.edicoespavana.com.br

Ao homem que disse que gostou do meu chapéu.

Um

Eu estava parada nas sombras da fachada de uma loja abandonada, na frente do pub Sangue e Cerveja, tentando disfarçar ao ajeitar minhas calças de couro pretas de volta ao lugar onde deviam ficar. "Isso é patético", pensei, observando a rua esvaziada pela chuva. Eu era boa demais para aquilo.

Apreender bruxas sem licença e praticantes de magia negra era meu trabalho de sempre, pois é preciso uma bruxa para capturar outra. Mas naquela semana as ruas estavam mais quietas do que de costume. Todos os que tinham conseguido viajar para a Costa Oeste estavam lá, para nossa convenção anual, e sobrou para mim essa beleza de trabalho. Uma simples captura e apreensão. Fora a Virada que me colocara aqui no escuro e na chuva.

— A quem quero enganar? — sussurrei, puxando a alça da minha bolsa para o ombro. Havia um mês que eu não era enviada para capturar uma bruxa, fosse ela sem licença, branca, negra, das trevas ou qualquer outra. Prender o filho do prefeito por se transformar em lobisomem fora da lua cheia provavelmente não tinha sido a melhor ideia.

Um carro lustroso virou a esquina, parecendo preto sob o poste de luz. Era a terceira vez que contornava o quarteirão. Meu rosto se contraiu numa careta enquanto o carro se aproximava, diminuindo a velocidade.

— Droga — sussurrei. — Preciso de um lugar mais escuro.

— Ele acha que você é uma prostituta, Rachel. — Meu reforço riu baixinho em meu ouvido. — Não avisei que a blusa vermelha de alcinha era de piriguete?

— Alguém já disse que você tem cheiro de morcego bêbado, Jenks? — murmurei, meus lábios mal se movendo. O reforço estava perturbadoramente próximo essa noite, a ponto de ter se empoleirado no meu brinco.

Um negócio enorme pendurado na minha orelha – o brinco, não o pixie. Eu tinha descoberto que Jens era um arrogante pretensioso com uma postura irreverente e um temperamento na mesma linha. Mas ele sabia de que lado do jardim estava o néctar. E, pelo visto, um pixie era o melhor reforço que me deixavam ter desde o incidente com o sapo. Eu podia jurar que fadas eram grandes demais para caber na boca de um sapo!

Caminhei tranquilamente até o meio-fio, conforme o carro parava, barulhento, no asfalto molhado. Pude ouvir o som do vidro esfumaçado sendo baixado. Inclinei-me, mostrando meu sorriso mais bonito enquanto exibia a identificação de trabalho. O olhar desejoso do Monocelha sumiu, dando lugar a um rosto pálido. O carro entrou em movimento com um pequeno gemido dos pneus.

– Turistas... – comentei com desdém. "Não", pensei, num lampejo de arrependimento. Aquele homem era um mundano, um humano. Mesmo que fossem precisos, os termos "turista", "criado", "paquera", "disponibilidade imediata" e, meu favorito, "lanchinho", eram considerados politicamente incorretos. Mas, se ele tentava lucrar garotas na calçada de Hollows, podia ser chamado de "morto".

O carro passou no farol vermelho sem desacelerar. Virei em direção às vaias das prostitutas que havia desalojado no pôr do sol. Elas não estavam nada contentes e faziam poses ousadas na esquina à minha frente. Acenei de leve; a mais alta delas me mostrou o dedo do meio e logo em seguida girou para exibir sua bunda aumentada com um feitiço. A prostituta e seu "amigo" notavelmente musculoso conversavam alto enquanto tentavam esconder o cigarro que passavam de mão em mão. Não cheirava a tabaco comum. "Não é problema meu esta noite", pensei, retornando para as sombras.

Recostada na pedra fria da construção, meu olhar se demorava nas luzes traseiras do carro que freava. Franzindo a testa, olhei para mim mesma. Com cerca de um metro e setenta de altura, eu era alta para uma mulher, mas minhas pernas perdiam para as pernas da prostituta no círculo de luz em frente. Minha maquiagem também não era carregada como a dela. Quadris estreitos e seios quase inexistentes não faziam de mim a típica puta de rua. Antes de descobrir as lojas de roupas para leprechauns, minhas roupas eram compradas na seção infantil. É difícil encontrar algo sem corações nem unicórnios ali.

Meus ancestrais imigraram para os Estados Unidos por volta de 1800. De alguma forma, ao longo de gerações, todas as mulheres conseguiram manter os inconfundíveis cabelo ruivo e olhos verdes, combinação característica da Irlanda, terra natal da família. As sardas, no entanto, estavam escondidas por um feitiço que meu pai comprou para o meu aniversário de treze anos. O minúsculo amuleto foi colocado num anel que uso no dedo mindinho e sem o qual nunca saio de casa.

Deixei um suspiro escapar quando arrumei a alça da bolsa no ombro. As calças de couro, as botas vermelhas e a blusa de alcinha não eram muito diferentes da roupa que colocava nas sextas-feiras casuais para irritar meu chefe, mas usá-las numa esquina à noite...

– Droga – murmurei para Jenks. – Estou parecendo uma prostituta.

Sua única resposta foi uma risadinha. Eu me esforcei para não reagir quando me voltei para o bar. A chuva, forte demais, espantava a freguesia que, em outro clima, chegaria cedo; então, fora meu reforço e as "senhoritas" mais à frente, a rua encontrava-se vazia. Eu tinha ficado parada ali fora por quase uma hora sem nenhum sinal do meu alvo. Era melhor eu entrar e esperar. Além disso, uma vez que estivesse lá dentro, ia parecer uma cliente do bar, em vez de uma profissional das ruas.

De maneira decidida, puxei do meu topete alguns fios dos meus cabelos cacheados, que chegavam à altura do ombro, arrumei-os engenhosamente de modo que caíssem sobre meu rosto e por fim cuspi o chiclete que mastigava. O clique das minhas botas fazia um contraponto ritmado ao balançar das algemas que trazia no quadril enquanto atravessava a rua molhada e entrava no bar. Os anéis de aço pareciam um enfeite espalhafatoso, mas eram de verdade e bem-usados. Estremeci. Não era de espantar que o Monocelha tivesse parado o carro. Mas essas algemas são usadas para *trabalho*, e não para o tipo de coisa em que você está pensando.

Haviam me enviado para Hollows na chuva para prender um leprechaun por sonegação de impostos. Quão mais fundo, me perguntava, é esse poço em que estou? Devo estar sendo castigada por ter prendido aquele cão-guia na semana passada. Como ia saber que não se tratava de um lobisomem? Ele era igualzinho à descrição que tinha recebido.

Parada no hall estreito, sacudindo a umidade, percorri com o olhar a decoração típica de um bar irlandês: cachimbos de cano longo presos às paredes, cartazes sobre cerveja verde, assentos de vinil preto e um palco minúsculo onde um aspirante a estrela ajeitava seus saltérios e gaitas de fole no meio de uma torre de amplificadores. Havia um cheiro de Enxofre de contrabando. Meus instintos predadores se agitaram. O cheiro de três dias atrás não era forte o suficiente para ser rastreado. Se conseguisse capturar o fornecedor, sairia da lista negra do meu chefe. Talvez até recebesse uma missão à altura dos meus talentos.

– Ei – uma voz grave grunhiu. – Você é a substituta de Tobby?

Deixando o Enxofre de lado por um momento, pisquei os olhos e me virei, ficando com o olhar na direção de um peitoral vestido com uma camiseta verde brilhante. Meus olhos subiram, percorrendo um homem gigante feito um urso. Típico segurança. O nome na camiseta dizia "Cliff". Combinava.

– Quem? – ronronei, retirando a água da chuva daquilo que chamo, de maneira generosa, de "meu decote". O gesto não o afetou de maneira nenhuma; era deprimente.

– Tobby, a prostituta que foi presa. Ela vai voltar para cá?

Do meu brinco, uma voz baixinha cantarolou:

– Eu avisei.

Meu sorriso se tornou forçado.

– Não sei – disse entre os dentes. – Não sou prostituta.

Ele grunhiu de novo enquanto observava minha roupa. Vasculhei a bolsa e lhe entreguei minha identificação de serviço. Qualquer um que visse a cena de fora diria que o homem estava conferindo se eu era maior de idade. Dada a facilidade em conseguir feitiços para disfarçar a idade, o procedimento era obrigatório – bem como o amuleto de busca de feitiços que ele carregava no pescoço. O amuleto emitiu uma fraca luz vermelha em resposta ao anel no meu mindinho. Ele não ia fazer uma revista completa só por causa do anel, então não invoquei os talismãs na minha bolsa. Não que fosse precisar deles naquela noite.

– Segurança dos Impercebidos – eu disse, quando ele pegou o cartão. – Estou num serviço para encontrar alguém, não para incomodar sua clientela habitual. Por isso o... bem... disfarce.

– Rachel Morgan – o homem leu em voz alta, os dedos grossos quase envolvendo por completo o cartão laminado. – Caça-recompensas da Segurança Impercebidos. Você é uma caça-recompensas da SI? – Ele olhou do cartão para mim e de volta para o cartão, os lábios carnudos se abrindo num sorriso. – O que aconteceu com seu cabelo? Brigou com um maçarico?

Comprimi os lábios. A foto era de três anos atrás. Não havia sido um maçarico, e sim um trote, uma iniciação informal ao meu cargo de caça-recompensas. Muito engraçado.

O pixie saltou do meu brinco, fazendo-o balançar com seu impulso.

– Cuidado com o que diz! – avisou, inclinando a cabeça enquanto olhava para a identificação. – O último grandalhão que riu da foto dela passou a noite no pronto-socorro com um palito de dente enfiado no nariz.

Fiquei empolgada.

– Você conhece essa história? – perguntei, pegando o cartão e guardando-o.

– Todo mundo no departamento de apropriações conhece essa história. – O pixie riu, feliz. – Também sei da vez em que você tentou capturar um lóbis usando um feitiço de coceira, mas perdeu o rastro no banheiro.

– Tente você capturar um lóbis numa noite tão próxima da lua cheia sem ser mordido – disse, na defensiva. – Não é tão fácil quanto parece. Tive de usar uma poção. Essas coisas são caras.

– E remover os pelos de todas as pessoas que estavam num ônibus? – Suas asas de libélula ficaram vermelhas com sua risada e o consequente aumento de circulação sanguínea. Vestido de seda preta, com uma bandana vermelha, o pixie parecia um Peter Pan em miniatura fingindo ser um membro de alguma gangue da periferia. Dez centímetros de um comportamento irritante e temperamento esquentado.

– Isso não foi minha culpa – disse. – O motorista passou num buraco. – Franzi a testa. Além disso, alguém havia trocado meus feitiços. Eu estava tentando enrolar os pés do alvo, mas acabei removendo o cabelo do motorista e de todas as pessoas nas três primeiras fileiras. Ao menos capturei meu alvo, embora tenha gasto todo o salário em táxis nas três semanas seguintes, até o motorista deixar que eu subisse novamente no ônibus.

– E o sapo? – Jenks voou para trás e para a frente enquanto o segurança tentava acertá-lo com um peteleco. – Eu sou o único que estava disposto a acompanhá-la esta noite. Estou recebendo um extra pelo risco. – O pixie voou vários centímetros para cima, parecendo estar cheio de orgulho.

Cliff continuou falando, sem se deixar impressionar. Eu estava chocada.

– Olhe – comecei. – Tudo que quero é sentar ali e tomar uma bebida em paz. – Acenei para o palco, onde o pós-adolescente lutava contra um emaranhado de fios dos amplificadores. – Quando isso começa?

O segurança deu de ombros.

– O cara é novato. Acho que daqui a uma hora. – Ouviu-se um estrondo, seguido de palmas, quando um amplificador caiu do palco. – Talvez duas.

– Obrigada. – Ignorando a tentativa de Jenks de participar da conversa com uma risada, perambulei entre as mesas vazias até chegar às cabines mais escuras. Escolhi a cabine sob uma cabeça de alce e afundei quase um palmo a mais do que teria afundado numa almofada flácida. Tão logo encontrasse o pequeno meliante, eu cairia fora. Aquilo era um insulto. Fazia três anos que trabalhava na SI – sete se contasse os quatro anos de estágio – e ali estava eu, desempenhando a função de uma estagiária.

Eram os estagiários que se encarregavam do policiamento rotineiro de Cincinnati e de seu maior subúrbio do outro lado do rio, conhecido de maneira afetuosa como Hollows. Ficávamos com os casos sobrenaturais com que o FIB, a agência Federal de Investigação, que era administrada por humanos, não conseguia lidar. Os estagiários da SI lidavam com pequenos distúrbios causados por feitiços e resgates de familiares, que agem como serventes. Mas, que droga, eu já era uma caça-recompensas formada! Era melhor que aquilo. *Tinha provado* ser melhor que aquilo.

Fora eu quem rastreara e apreendera, sozinha, os bruxos negros que burlavam os feitiços de segurança do Zoológico de Cincinnati para roubar macacos e vendê-los a um laboratório clandestino. E recebi algum reconhecimento por isso? É claro que não.

Fora eu a perceber que o maluco que desenterrava cadáveres do cemitério estava ligado a uma enxurrada de mortes na ala de substituição de órgãos em um dos hospitais administrados por humanos. Todos achavam que o cara coletava materiais para fazer feitiços ilegais, não para encantar órgãos e torná-los temporariamente saudáveis, com o objetivo de vendê-los no mercado negro.

E os roubos de caixas eletrônicos que tinham atormentado a cidade no último Natal? Foram necessários seis talismãs simultâneos para eu aparentar ser um homem, mas capturei a bruxa. Ela usava uma combinação de talismã de amor e feitiço de esquecimento para enganar e roubar humanos ingênuos. Aquela havia sido uma prisão especialmente gratificante. A perseguição se estendeu por três ruas, e não tive tempo de lançar um feitiço quando a bruxa tentou me acertar com o que parecia ser um talismã fatal. Então estava absolutamente certa em nocauteá-la para valer com um chute circular. Ainda por cima, o FIB estivera atrás dela por três meses, e eu levei apenas dois dias para pegá-la. Fiz com que parecessem uns bobos, mas alguém disse "Bom trabalho, Rachel"? Consegui, pelo menos, uma carona para o prédio da SI com meu pé inchado? Não.

E ultimamente conseguia ainda menos: garotas usando talismãs para roubar TV a cabo para repúblicas universitárias, roubo de familiares, feitiços usados como trotes – sem esquecer meu trabalho favorito: expulsar trasgo que ficam debaixo de pontes e galerias antes que comam todo o cimento. Um cara mexeu comigo enquanto eu olhava para o bar. Patético.

Jenks desviou das minhas tentativas apáticas de esmagá-lo enquanto se ajeitava no meu brinco. O fato de ele cobrar o triplo para me acompanhar não era um bom sinal.

Uma garçonete de verde se aproximou saltitando, assustadoramente animada para um começo de noite.

– Oi! – começou, mostrando os dentes e as covinhas nas bochechas. – Meu nome é Dottie. Sou sua garçonete esta noite. – Toda sorrisos, colocou três drinques à minha frente: Bloody Mary, Old Fashioned e Shirley Temple. Que legal.

– Obrigada, querida – respondi, com um suspiro cansado. – De quem são?

Ela girou os olhos em direção ao balcão. Tentava aparentar uma sofisticação entediada, mas parecia uma aluna no baile da escola. Espreitando por trás de sua cintura fina envolta por um avental, olhei para três sujeitos, olhos desejosos e, a julgar pelo volume em suas calças, felizes em me ver. Era uma velha tradição. Aceitar um drinque significava aceitar o convite por trás dele. Mais uma coisa para a senhorita Rachel resolver. Os três pareciam mundanos, mas nunca se sabe.

Sentindo que a conversa não ia longe, Dottie partiu, saltitante, para continuar o trabalho de garçonete.

– Dê uma conferida neles, Jenks – sussurrei, e o pixie saiu voando, as asas tomadas por um rosa pálido de excitação. Ninguém o viu partir. Vigilância de pixie no mais alto nível.

O pub estava quieto, mas, como havia dois atendentes atrás do balcão, um homem idoso e uma mulher jovem, achei que o movimento ia aumentar logo. Sangue e Cerveja era um local popular, aonde mundanos iam para se misturar com impercebidos. Depois atravessavam o rio e dirigiam de volta para casa, com as portas travadas e os vidros bem fechados, animados e se achando o máximo. E, embora um humano solitário se destacasse no meio de impercebidos como uma espinha no rosto da garota mais popular do colégio, um impercebido conseguia se misturar facilmente com a humanidade. É uma tática de sobrevivência aperfeiçoada desde antes de Pasteur. Por isso, o pixie. Fadas e pixies conseguem farejar um impercebido mais rápido do que eu consigo piscar.

Examinei sem empolgação o bar quase vazio, meu humor azedo dando lugar a um sorriso quando encontrei um rosto conhecido do escritório. Ivy.

Ivy era uma vamp, a estrela dos caça-recompensas da SI. Tínhamos nos conhecido anos atrás no meu último ano de estágio, quando nos designaram para trabalhar juntas durante um ano em missões semi-independentes. Ela havia acabado de ser contratada como caça-recompensas, após cursar seis anos na universidade em vez de optar por dois anos de faculdade e quatro de estágio, como foi meu caso. A ideia de nos juntar deve ter sido alguma piada.

Trabalhar ao lado de uma vampira – viva ou não – havia me assustado para valer até eu descobrir que ela praticamente não era uma vamp e que havia jurado não beber sangue. Éramos tão diferentes quanto duas pessoas podiam ser, mas os seus pontos fortes eram os meus fracos. Queria poder dizer que os pontos fracos dela eram os meus fortes, mas Ivy não tinha pontos fracos – além da tendência de planejar tanto que tirava a diversão de tudo.

Não trabalhávamos juntas havia anos, e, apesar de eu ter recebido uma promoção – dada com má vontade –, Ivy ainda estava num patamar superior. Ela sabia a coisa certa para dizer à pessoa certa no momento certo. O fato de ela fazer parte da família Tamwood, um nome tão antigo quanto Cincinnati, ajudava. Ivy era o último membro vivo da família, com posse de uma alma e tão viva quanto eu, tendo sido infectada pelo vírus vamp por sua mãe enquanto esta ainda vivia. O vírus havia a moldado quando ela crescia no útero da mãe, dando-lhe um pouco de ambos os mundos, o dos vivos e o dos mortos.

Acenei com a cabeça e ela se aproximou. Os homens no balcão se acotovelaram, virando-se para observá-la, apreciando-a. Em troca, receberam um olhar desdenhoso, e juro que ouvi um suspiro.

– Como vai, Ivy? – perguntei enquanto ela se instalava no banco à frente.

O assento de vinil rangeu e Ivy se reclinou na cabine com as costas contra a parede, os saltos das botas na mesa comprida, e os joelhos aparecendo sobre a borda da mesa. Medindo quase um palmo a mais, ela era elegante e esbelta, enquanto eu parecia apenas uma mulher alta. O tipo ligeiramente oriental lhe conferia um ar enigmático, fazendo jus à minha teoria de que a maioria das modelos deviam ser vamps. Ela também se vestia como uma modelo: saia de couro e blusa de seda toda desenhada e costurada por vamps; preta, é claro. O cabelo era uma onda macia preta, que acentuava a pele pálida e o rosto oval. Não importava o que fizesse com o cabelo, ele sempre dava um ar exótico. Já eu podia passar horas arrumando o cabelo, que sempre saía ruivo e frisado. O Monocelha não teria parado para abordá-la: Ivy tinha classe.

– Oi, Rachel – disse. – O que está fazendo em Hollows? – A voz era melodiosa e baixa, fluindo como se fosse uma seda cinza cheia de sutilezas. – Achei que você estaria pegando câncer de pele na costa oeste esta semana – acrescentou. – Denon ainda está irritado por causa do cachorro?

Dei de ombros, encabulada.

– Não. – Na verdade, a cabeça do chefe quase explodira. E eu ficara a um passo de ser rebaixada a faxineira do escritório.

– Você não fez isso por mal. – Ivy deixou a cabeça cair num movimento lânguido para expor o longo comprimento do pescoço. Limpo, sem uma única cicatriz. – Qualquer um poderia ter feito aquilo.

"Qualquer um menos você", pensei, azeda.

– É? – respondi em voz alta, enquanto empurrava o Bloody Mary em sua direção. – Bem, se avistar meu alvo, me dê um toque. – Balancei os talismãs que carregava nas minhas mangas, tocando o trevo feito de oliveira.

Seus dedos finos abraçaram o copo como se o acariciassem. Aqueles mesmos dedos podiam quebrar meu pulso se fizessem algum esforço para isso. Só depois de morta Ivy teria força suficiente para quebrá-lo sem pensar, mas ainda assim era mais forte que eu. Metade do drinque vermelho desapareceu, descendo por sua garganta.

– Desde quando a SI está interessada em leprechauns? – perguntou, olhando o resto dos talismãs.

– Desde que o chefe teve seu último dia difícil.

Ela deu de ombros, puxando o crucifixo que estava debaixo da camisa para passar a corrente de metal por entre os dentes de forma provocativa. Seus caninos eram afiados como os de um gato, mas não maiores que os meus. Ela conseguiria as versões estendidas depois que morresse. Desviei o olhar, preferindo observar a cruz de metal. Era tão comprida quanto minha mão e feita de prata muito bem talhada. Ivy havia começado a usá-la nos últimos tempos para irritar a mãe. As duas não se davam muito bem.

Toquei a cruz minúscula no meu punho, pensando que devia ser difícil ter uma mãe morta-viva. Só tinha conhecido um punhado de vampiros mortos. Os realmente velhos se mantinham reservados e os novos costumavam tomar uma estaca no coração a não ser que aprendessem a se manter reservados.

Vamps mortos eram completamente sem consciência, um instinto implacável encarnado. Seguir as regras da sociedade era um jogo para eles, e esse era o único motivo pelo qual o faziam. Além disso, vampiros mortos conheciam as regras. A continuada existência da espécie dependia delas, que, se desafiadas, significavam morte ou dor. A primeira, é claro, era "nada de sol". Eles precisavam de sangue diariamente para se manterem sãos. O sangue de qualquer um resolvia, e tomar o dos vivos era a única felicidade da qual dispunham. E eram poderosos, com uma força e uma resistência incríveis, além da capacidade de se curar com uma rapidez sobrenatural. Era difícil destruí-los, a não ser que se usasse os métodos tradicionais de degolá-los e cravar-lhes uma estaca no coração.

Em troca da alma, eles tinham a imortalidade, que vinha com a perda da consciência. Os vampiros mais velhos diziam que essa era a melhor parte: a capacidade de realizar todas as necessidades carnais sem culpa quando alguém morria para lhes dar prazer e mantê-los sãos por mais um dia.

Ivy tinha tanto o vírus vamp quanto uma alma, presa num terreno intermediário até ela morrer e se tornar uma morta-viva de verdade. Embora não fosse tão poderosa nem perigosa como um vamp morto, a capacidade de andar sob o sol e praticar uma religião sem dor a tornavam invejada pelos colegas mortos.

As argolas de metal de seu colar produziram um som rítmico de estalos ao baterem contra os dentes brancos, e ignorei aquela sensualidade conscientemente moderada. Gostava mais de Ivy durante o dia, quando ela tinha mais controle sobre aquela conduta de predadora sexual.

Ao voltar, o pixie pousou nas flores falsas que estavam dentro de um vaso cheio de bitucas de cigarro.

– Meu Deus – Ivy disse, baixando a cruz. – Um pixie? Denon deve estar possesso.

As asas de Jenks congelaram por um instante antes de voltarem a ser uma mancha indistinta de movimento.

– Vai se Virar, Tamwood – reclamou, com voz estridente. – Você acha que fadas são as únicas que têm nariz?

Estremeci quando Jenks pousou pesadamente sobre meu brinco.

– Apenas o melhor para a senhorita Rachel – comentei, seca. Ivy riu, e os pelos em minha nuca ficaram em pé. Embora sentisse falta do prestígio de trabalhar com Ivy, ela ainda me perturbava. – Posso voltar depois se acha que vou atrapalhar seu trabalho – acrescentei.

– Não – respondeu. – Você é joia. Eu tenho um par de agulhas encurralado no banheiro. Surpreendi-os tentando pegar caça fora da temporada. – Com a bebida na mão, deslizou até a extremidade do banco e levantou. Alongou-se de maneira sensual, deixando escapar um gemido quase inaudível. – Parecem sovinas demais para ter um feitiço de transformação – disse ao terminar. – Mas estou com minha grande coruja lá fora por segurança. Se tentarem virar morcegos para escapar por uma janela quebrada, vão virar ração de passarinho. Estou só esperando eles quererem sair. – Ela deu um gole, os olhos castanhos me observando por sobre a borda do copo. – Se capturar seu alvo cedo o suficiente, vamos dividir um táxi?

Ao ouvir um leve indício de perigo na voz de Ivy, concordei com a cabeça de forma evasiva enquanto ela se afastava. Com os dedos a brincar nervosamente com um cacho do cabelo, decidi que, antes de dividir um táxi tarde da noite, me certificaria de seu estado. Talvez Ivy não precisasse de sangue para sobreviver, mas era óbvio que ainda o desejava, apesar de seu voto público de abstenção.

O pessoal no balcão dava condolências para o sujeito do Bloody Mary, já que apenas dois drinques permaneciam próximos a meus cotovelos. Jenks continua reclamando com a voz esganiçada, num ataque de raiva.

– Relaxe, Jenks – disse, tentando impedi-lo de arrancar meu brinco. – Gosto de ter um reforço pixie. Fadas não fazem porcaria nenhuma se o sindicato não autorizar antes.

– Você notou? – disse. Minha orelha coçou com o vento que o movimento irregular de suas asas faziam. – Só por causa de um poema todo ridículo escrito por um bundão antes da Virada, acham que são melhores que nós. Publicidade, Rachel. É só isso. Elas sabem molhar as mãos de quem importa. Você sabia que fadas ganham mais do que pixies pelo mesmo trabalho?

– Jenks? – interrompi, afofando meu cabelo, que caía sobre o ombro. – O que está acontecendo no balcão?

– E aquela foto! – continuou, fazendo o brinco tremer. – Você viu? A do fedelho humano invadindo a festa de faculdade? Aquelas fadas estavam tão bêbadas que nem perceberam que estavam dançando com um humano. E ainda recebem royalties!

– Feche a matraca, Jenks – disse com firmeza. – Qual é a do pessoal no balcão?

Ele deu uma bufada minúscula, e o brinco balançou.

– O candidato número um é personal trainer – resmungou. – O candidato número dois conserta aparelhos de ar-condicionado. E o número três é jornalista. São turistas. Todos eles.

– E o cara no palco? – sussurrei, cuidando para não olhar naquela direção. – A SI só me deu uma descrição básica, já que nosso alvo deve estar usando um feitiço de disfarce.

– *Nosso* alvo? – Jenks disse. Percebi que o vento das asas cessou, e a voz perdeu a raiva. Talvez tudo de que ele precisasse fosse ser incluído.

– Por que você não dá uma conferida nele? – perguntei em vez de exigir. – Ele não parece saber qual ponta da gaita de fole ele deve soprar.

Jenks deu uma risadinha e, com um ânimo melhor, se dirigiu até o sujeito. A confraternização entre o caça-recompensas e o reforço era desencorajada, mas... caramba, Jenks se sentia melhor, e talvez minha orelha ainda estivesse inteira quando o sol nascesse.

Os fortões do bar se acotovelaram e eu passava o dedo indicador na borda do copo para extrair um som enquanto esperava. Estava entediada, e um pouco de flerte era bom para a alma.

Um grupo entrou; a conversa barulhenta me dizia que a chuva havia aumentado. Eles se aglomeraram na extremidade mais distante do balcão, todos falando ao mesmo tempo, os braços se esticando para pegar os drinques enquanto exigiam atenção. Olhei para eles. Um aperto leve no estômago me dizia que ao menos uma pessoa do grupo era um vamp morto. Era difícil dizer qual deles, em meio a toda aquela parafernália gótica.

Meu chute era o jovem quieto no fundo. Sua aparência era a mais normal dentre aquelas pessoas tatuadas e cheia de piercings – usava jeans e uma camisa de botões em vez de couro manchado pela chuva. Ele estava se dando bem, acompanhado por um bando de humanos magros e anêmicos cujos pescoços estavam marcados por cicatrizes. Mas eles pareciam felizes o suficiente, contentes naquele bando que lembrava uma família. Estavam sendo especialmente gentis com uma loira bonita, apoiando-a e tentando convencê-la a comer alguns amendoins. A mulher parecia cansada enquanto sorria. Devia ter sido o café da manhã deles.

Como que puxado por meus pensamentos, o homem atraente se virou e baixou os óculos escuros. Perdi toda a expressão no rosto quando meu olhar encontrou o seu. Respirei fundo, notando, mesmo do outro lado da sala, gotas de chuva em seus cílios. Fui tomada por uma necessidade súbita de secá-los. Quase podia sentir em meus dedos a umidade da chuva, como parecia ser macia. Os lábios dele se moviam enquanto sussurrava, e era como se eu pudesse ouvir, mas não entender, suas palavras num turbilhão atrás de mim, me dando impulso para a frente.

Com o coração batendo, lancei a ele um olhar de quem tinha entendido tudo e balancei a cabeça negativamente. Um sorriso tênue e charmoso puxou os cantos de sua boca, e ele desviou o olhar.

A respiração que eu estava segurando até aí escapou de mim quando me forcei a desviar o olhar. Sim. Aquele homem era um vamp morto. Um vamp vivo não conseguiria ter me enfeitiçado nem aquele pouquinho. Se ele estivesse tentando de verdade, eu não teria chance. Mas era para isso que as leis existiam, certo? Vamps mortos deviam aceitar apenas iniciados voluntários e somente após papéis de autorização serem assinados – mas quem saberia dizer se a assinatura tinha sido antes ou depois do encanto? Bruxas, lóbis e outros impercebidos eram imunes à transformação em vampiros. Um pequeno conforto caso um vamp perdesse o controle e você tivesse a garganta dilacerada. É claro, havia leis sobre isso também.

Ainda inquieta, olhei para cima a fim de localizar o músico, que vinha numa linha reta até mim, os olhos acesos com um desejo febril. Pixie estúpido. Tinha deixado que o pegassem.

– Veio me ouvir tocar, linda? – o garoto disse quando chegou à minha mesa, num esforço óbvio para manter a voz baixa.

– Meu nome é Sue, não Linda – menti, olhando por cima de seu ombro, em direção à Ivy. Ela estava rindo de mim. Beleza. Aquilo ia parecer fantástico no informativo do escritório.

– Você mandou seu amigo fada para *me... conferir...* – disse, quase cantando as palavras.

– Ele é um pixie, não uma fada – corrigi. O sujeito era um mundano estúpido ou um impercebido esperto que fingia ser um mundano estúpido. Minhas fichas estavam na primeira hipótese.

Ele abriu a mão e Jenks voou vacilante até meu brinco. Tinha uma das asas torta, e pó de pixie caiu de seu corpo e formou breves raios de sol na mesa e no meu ombro.

Fechei os olhos numa piscada brusca, tentando reunir forças. Eu ia levar a culpa por aquilo, já sabia.

As reclamações enfurecidas de Jenks tomaram conta do meu ouvido, e fiz uma careta em pensamento. Nenhuma de suas sugestões sobre o que fazer com ele podiam ser implementadas devido a limitações anatômicas – mas ao menos sabia que o garoto era um mundano.

– Venha ver minha grande gaita na van – o garoto disse. – Aposto que posso fazer você cantar.

Olhei para ele. A proposta do vamp morto tinha me deixado inquieta.

– Vá embora.

– Vou fazer sucesso, garota – gabou-se, interpretando meu olhar hostil como um convite para se sentar. – Vou para a Costa assim que ganhar dinheiro suficiente. Tenho um amigo no ramo da música. Ele conhece um cara, que conhece um cara que limpa a piscina da Janice Joplin.

– Vá embora – repeti, mas o rapaz se recostou no assento e contorceu o rosto, cantando num falsete agudo, batendo na mesa com um ritmo quebrado.

Era embaraçoso. Eu ia ser perdoada por acabar com ele? Mas não, eu era uma boa soldadinha no combate a crimes contra mundanos, mesmo que ninguém concordasse com isso. Sorrindo, inclinei-me para a frente até deixar o decote à mostra. Isso sempre chamava a atenção deles, embora não tivesse muito para mostrar. Estiquei a mão até o outro lado da mesa, agarrei os pelos curtos do seu peito e os torci. Isso também chama a atenção deles e é bem mais gratificante.

Tê-lo feito uivar e parar de cantar era como a cereja do bolo, tão doce!

–Vá embora – sussurrei. Coloquei o Old Fashioned em sua mão frouxa. – E livre-se disso para mim. – Seus olhos ficaram arregalados quando dei um pequeno puxão. Soltei os dedos com relutância e ele bateu em retirada, derramando metade da bebida enquanto corria.

Ouvi um "viva!" vindo do bar. Olhei e vi o velho barman sorrindo. Ele tocou a lateral do nariz, e eu respondi inclinando a cabeça.

– Garoto estúpido – murmurei. Ele não devia estar em Hollows. Alguém deveria jogá-lo no outro lado do rio antes que se machucasse.

Ainda havia um copo à minha frente, e o bar provavelmente estava apostando se eu ia ou não bebê-lo.

– Você está bem, Jenks? – perguntei, já imaginando a resposta.

– Aquele grandalhão estúpido quase fez picadinho de mim, e você ainda pergunta se *estou bem*? – rosnou. Sua voz minúscula era hilária, e minhas sobrancelhas se levantaram. – Quase quebrou minhas costelas. Me deixou com um cheiro insuportável de muco. *Meu Deus*, estou fedendo. E olha o que ele fez com *minhas roupas*. Você sabe como é difícil tirar fedor de seda?! Minha esposa vai me fazer dormir em caixas de flores se eu chegar em casa com esse cheiro. Enfie o pagamento triplo naquele lugar, Rachel. Você não vale a pena!

Jenks não percebeu que eu tinha parado de ouvir. Como não tinha mencionado a asa, eu sabia que ele ia ficar bem. Irritada, afundei no sofá da cabine. Estava tudo acabado com Jenks vazando pó daquele jeito. Eu estava Virada para valer. Se voltasse de mãos vazias, não ia conseguir nenhum trabalho além de distúrbios na lua cheia e reclamações sobre talismãs defeituosos até o próximo ano. E a culpa não era minha.

Com Jenks incapaz de voar sem ser notado, eu podia muito bem ir para casa. Se comprasse alguns cogumelos maitake para ele, talvez não contasse ao responsável pelo departamento de apropriações o que entortara sua asa. "Caramba", pensei. "Por que não aproveitar, então?" Uma última loucura antes de o chefe pregar minha vassoura numa árvore, por assim dizer. Podia parar no shopping para comprar sais de banho e um novo disco de slow jazz. Minha carreira estava em queda livre, mas não havia motivo para não aproveitar a situação.

Com um brilho perverso no olhar, peguei a bolsa e o Shirley Temple, levantando para me dirigir ao balcão. Não deixo as coisas em suspenso. Com um sorriso no rosto, o concorrente número 3 se levantou e sacudiu a perna para se ajeitar. Deus do céu. Homens conseguem ser muito nojentos. Estava cansada, irritada e me sentindo completamente desvalorizada. Sabia que qualquer coisa que dissesse poderia fazê-lo pensar que estava dando uma de difícil, então joguei a bebida nele e continuei andando.

Dei um sorriso malvado diante do seu berro de ultraje, então franzi a testa ao sentir uma mão pesada no meu ombro. Agachando, fiz com a perna uma meia-lua rígida para derrubá-lo no chão. Ele acertou o assoalho de madeira com um forte barulho de pancada. Depois de um suspiro momentâneo, o bar ficou em silêncio. Eu estava sentada em cima de seu peito antes que ele sequer percebesse que havia caído.

Minhas unhas vermelho-sangue se destacaram quando agarrei o pescoço do homem, e dei petelecos em seu queixo. Ele tinha os olhos arregalados. Cliff estava parado na porta com os braços cruzados, contente em observar.

– Caramba, Rachel – Jenks disse, enquanto balançava descontroladamente no brinco. – Onde aprendeu tudo isso?

– Com meu pai – respondi, e então me inclinei até ficar acima do rosto do sujeito.

– Oh, desculpe – sussurrei num sotaque forte de Hollows. – Você quer brincar, docinho? – Ficou assustado ao perceber que eu era uma impercebida, e não uma gracinha querendo uma noite selvagem de faz de conta. Ele era um docinho, sem dúvida. Algo gostoso para ser desfrutado e esquecido. Não ia machucá-lo, mas ele não sabia disso.

– Mãe da Fada Sininho! – Jenks exclamou, desviando minha atenção do humano que choramingava. – Sente esse cheiro? Trevo.

Afrouxei os dedos. O homem engatinhou para longe e, sem jeito, se colocou de pé, arrastando seus dois colegas para as sombras com eles sussurrando alguns insultos.

– Um dos atendentes do bar? – sussurrei enquanto me levantava.

– É a mulher – disse, fazendo com que uma onda de agitação percorresse o meu corpo. Levantei os olhos, examinando-a. Ela preenchia de forma admirável o uniforme colado verde e preto, com o ar de uma competência entediada enquanto se movia de maneira confiante atrás do balcão.

– Você está viajando, Jenks? – murmurei ao tentar ajeitar com discrição minhas calças de couro, que tinham subido pelo traseiro. – Não pode ser ela.

– Certo! – reclamou. – Como se *você* pudesse saber. *Ignore* o pixie. Eu podia estar em casa na frente da tevê. Mas nã-ã-ã-ã-o. Estou preso passando a noite com uma varapau cuja intuição feminina funciona ao contrário e que acha que pode fazer meu trabalho melhor que eu. Estou com frio, com fome e minha asa está quase dobrada em duas. Se a veia principal quebrar, vou ter de esperar a asa inteira crescer. Faz ideia de quanto isso demora?

Olhei ao redor do bar, aliviada por todos terem retornado às suas conversas. Ivy não estava lá e provavelmente havia perdido a coisa toda. Tanto melhor.

– Cale a boca, Jenks – murmurei. – Finja ser parte da decoração.

Andei de mansinho até o velho, que abriu um sorriso esburacado quando me inclinei para a frente. Rugas marcaram seu rosto que parecia couro quando ele me deu um sorriso de apreciação enquanto seus olhos olhavam para qualquer lugar do meu corpo menos para meu rosto.

– Me dê algo – sussurrei. – Algo doce. Algo que vai fazer com que eu me sinta bem. Algo suculento, cremoso e... perigoso.

– Preciso ver sua identidade, mocinha – o velho disse num forte sotaque irlandês. – Você não parece ter idade suficiente para estar longe de casa.

O sotaque era falso, mas o sorriso que dei por causa do elogio, não.

– Ora, com certeza, querido. – Enfiei a mão na bolsa para pegar a carteira de motorista, disposta a entrar no jogo, já que nós dois estávamos nos divertindo. – Ops! – Ri quando o documento caiu atrás do balcão. – Que desastrada!

Apoiada no banco, inclinei-me bastante para conseguir uma boa visão da parte de trás do balcão. Ter meu traseiro no ar não apenas distraía os homens, mas me permitia uma vista excelente. Sim, era degradante se eu pensasse muito a respeito, mas funcionava. Encontrei o velho sorrindo, achando que eu estava dando uma checada nele, mas era na mulher que estava interessada agora. Ela estava de pé numa caixa.

Tinha quase a altura certa, estava no lugar certo e Jenks a havia marcado. Parecia mais jovem do que eu esperava, mas, se você tivesse cento e cinquenta anos, com certeza ia aprender alguns segredos de beleza. Jenks riu no meu ouvido, como um mosquito arrogante.

– Não disse?

Sentei no banco e o barman me devolveu a habilitação junto com uma Vaca Morta e uma colher: um monte de sorvete num copo pequeno de Bailey's. Delícia. Guardando o documento, dei a ele uma piscada travessa. Deixei o copo sobre o balcão e me virei para conferir os fregueses que haviam acabado de entrar. Pulso acelerado e formigamento na ponta dos dedos. Hora de trabalhar.

Um rápido olhar ao redor e me certifiquei de que ninguém observava. Inclinei o copo, e minha perturbação não era inteiramente fingida quando tentei salvar ao menos o sorvete.

O jorro de adrenalina me chacoalhou quando a atendente do bar respondeu às minhas desculpas com um sorriso condescendente. Essa sensação era mais valiosa do que o cheque que encontrava jogado na minha mesa toda semana. Mas sabia que aquilo ia desaparecer tão rápido quanto viera. Meus talentos estavam sendo desperdiçados. Nem precisava de um feitiço para aquela ali.

"Se isso é tudo o que a SI vai me dar", pensei, "talvez devesse largar esse salário fixo e seguir sozinha." Era raro que alguém deixasse a SI, mas havia precedentes. Leon Bairn era uma lenda viva antes de se tornar independente – e então foi prontamente morto por um feitiço preparado de forma errada. Segundo rumores, a SI tinha colocado sua cabeça a prêmio por quebrar um contrato de trinta anos. Mas isso acontecera mais de uma década atrás. Caça-recompensas sumiam o tempo todo, mortos por presas mais inteligentes ou sortudas. Colocar toda a culpa na corporação de assassinos da SI era sacanagem. As pessoas ficavam na empresa porque o dinheiro era bom e o horário era bom, só isso.

"É...", pensei, ignorando o alerta que tinha tomado conta de mim. A morte de Leon Bairn fora exagerada. Nada tinha sido provado. E eu só estava empregada porque não podia ser demitida legalmente. Talvez devesse trabalhar por conta própria. Não seria uma experiência pior do que estava vivendo agora. Eles iam ficar felizes em me ver partir. "Com certeza", pensei, sorrindo. Rachel Morgan, caça-recompensas particular. Todos os direitos defendidos com seriedade. Todos os erros vingados com sinceridade.

Sabia que meu sorriso era nebuloso enquanto a mulher passava a toalha entre meus cotovelos para limpar a bebida derramada. Respirei, emitindo um som rápido. Baixando a mão esquerda, agarrei o pano e a enrolei com ele. Minha direita girou para trás e então para a frente com as algemas, fechando-as em torno dos pulsos. Em um instante estava feito. A mulher piscou, chocada. Caramba, eu era boa.

Os olhos dela se arregalaram quando percebeu o que tinha acontecido.

– Chamas e perdição! – gritou, com seu sotaque irlandês. O dela não era falso. – O que diabos acha que está fazendo?

O barato que eu sentia virou cinzas, e com um suspiro escapou de mim enquanto eu olhava o sorvete que sobrara no drinque.

– Segurança dos imperceptidos – disse, enquanto mostrava a identificação da SI. O barato já tinha passado. – Você é acusada de fabricar um arco-íris com a intenção de adulterar a renda gerada pelo dito arco-íris, falhar em preencher os formulários de requisição apropriados para o dito arco-íris, falhar em notificar a Autoridade Arco-Íris do fim do dito arco-íris...

– Mentira! – a mulher gritou, contorcendo-se nas algemas. Seus olhos percorreram selvagemente o bar enquanto toda a atenção se concentrava nela. – É tudo mentira! Encontrei aquele pote legalmente.

– Você tem o direito de manter sua boca calada – improvisei, enchendo a colher de sorvete. Minha garganta ficou gelada, e o resto de álcool era um substituto fraco para o calor da adrenalina que diminuía. – Se abrir mão do direito de manter a boca calada, vou calá-la por você.

O barman bateu no balcão.

– Cliff – urrou, sem qualquer traço de sotaque irlandês. – Coloque o cartaz de "Estamos contratando" na janela. E depois volte aqui e me ajude.

– Certo, chefe – veio o grito distante, do tipo "não estou nem aí" de Cliff.

Coloquei a colher de lado, estiquei a mão e puxei a leprechaun sobre o balcão e para o chão antes que diminuísse de tamanho. Ela encolhia conforme os talismãs nas algemas lentamente superavam seu feitiço de mudança de tamanho, mais fraco que eles.

– Você tem direito a um advogado – disse, guardando a identificação. – Se não puder pagar um, se deu mal.

– Você não pode me pegar! – a leprechaun ameaçou, lutando. Os gritos da multidão ficavam cada vez mais entusiasmados. – Anéis de aço não me seguram. Já escapei de reis, sultões e crianças cruéis usando redes!

Tentei prender meu cabelo úmido enquanto ela lutava e brigava, aos poucos aceitando a prisão. As algemas encolhiam junto com ela e a mantinham confinada.

– Vou escapar disso... em um... minuto – ofegou, olhando para os pulsos. – Ah, pelo amor de São Pedro. – A leprechaun encolheu e percebeu a decoração das algemas: lua amarela, trevo verde, coração rosa e estrela laranja. – Que o cão do demo se esfregue na sua perna. Quem lhe contou sobre os talismãs? – Então olhou mais de perto. – Fui pega com quatro? *Quatro?* Achei que os talismãs antigos não funcionassem mais.

– Pode me chamar de antiquada – disse. – Mas quando algo funciona, continuo usando.

Ivy passou por nós, seus dois vamps de capa preta diante dela, elegantes em seu tormento sombrio. Um deles apresentava uma marca roxa debaixo do olho, o outro mancava. Ivy não era nada amigável com vamps que atacavam menores de idade. Ao me lembrar da atração que senti pelo vamp morto mais cedo naquela noite, entendi o motivo. Uma garota de dezesseis anos não ia conseguir resistir àquilo. Não ia *querer* lutar contra aquilo.

– Ei, Rachel – Ivy disse, animada. Quase parecia humana agora que não estava mais em serviço. – Estou indo embora. Quer rachar um táxi?

Voltei a pensar na SI enquanto pesava os riscos de me tornar uma empreendedora faminta em relação a viver da captura de ladrõezinhos de esquina e vendedores ilegais de talismãs. Não que a SI fosse colocar um preço pela minha cabeça. Ao contrário. Denon ia ficar extasiado em rasgar meu contrato. Eu não podia pagar um escritório em Cincinnati, mas talvez em Hollows. Ivy passava um bom tempo ali e saberia me indicar um lugar barato.

– É... – disse, notando que seus olhos eram de um castanho belo e sereno. – Quero perguntar uma coisa.

Ela fez que sim com a cabeça e empurrou seus dois alvos. A multidão abriu caminho, um mar de roupas pretas que parecia absorver a luz. O vamp morto acenou respeitosamente em minha direção, como se dissesse "Boa captura". Com um pulso de emoção me causando um barato falso, retribuí o aceno em concordância.

– Muito bem, Rachel – Jenks opinou. Sorri. Fazia muito tempo desde a última vez em que tinha ouvido aquelas palavras.

– Obrigada – respondi, enxergando-o no espelho do bar, sentado no brinco. Empurrei o copo para o lado, peguei minha bolsa e meu sorriso aumentou quando o barman disse que o drinque era por conta da casa. Sentindo-me quente por mais motivos do que apenas o álcool, deslizei para fora do banco e puxei a leprechaun aos tropeços para que ficasse de pé. Em pensamento, visualizei uma porta com meu nome escrito em letras douradas. A imagem girou na minha cabeça. Aquilo era sinônimo de liberdade.

– Não! Espere! – a leprechaun gritou enquanto eu agarrava a bolsa e a puxava para fora do bar. – Desejos! Três desejos. Combinado? Você me deixa ir e eu lhe concedo três desejos.

Eu a empurrei para a chuva quente e segui nos seus calcanhares. Ivy já tinha conseguido um táxi, suas presas armazenadas no bagageiro de modo a liberar espaço para o resto do grupo. Aceitar desejos de um criminoso era um jeito certeiro de terminar no lado errado do cabo de uma vassoura – mas só se você fosse pega.

– Desejos? – repeti, ajudando a leprechaun a entrar no banco de trás. – Vamos conversar.

Dois

– O que você disse? – perguntei enquanto me virava no assento da frente para encarar Ivy, que gesticulou inutilmente no fundo do carro. O ritmo da música boa e o do para-brisa quebrado lutavam para superar um ao outro numa mistura bizarra de guitarras lamurientas e plástico guinchando contra o vidro. "Rebel Yell" bradava dos alto-falantes. Não conseguia competir com aquilo. A convincente imitação que Jenks fazia de Billy Idol ao girar com a dançarina havaiana presa no painel do carro também não ajudava. – Posso abaixar? – perguntei ao taxista.

– Não toque no rádio! Não toque no rádio! – gritou num sotaque estranho. Seria ele das florestas da Europa? O leve cheiro almiscarado sugeria se tratar de um lóbis. Estendi a mão para alcançar o botão de volume, ao que o motorista tirou do volante a mão coberta de pelos e deu um tapa na minha.

O taxista deu uma guinada para a faixa ao lado. Seus talismãs, todos aparentemente estragados, deslizaram pelo painel e caíram no meu colo e no chão. A corrente de alho que balançava no espelho retrovisor me atingiu bem no olho. Engasguei conforme o fedor lutava com o cheiro de um penduricalho em forma de árvore que também balançava do espelho.

– Garota ruim – disse, voltando para a outra faixa e me lançando contra ele.

– Se eu for uma boa garota – resmunguei, enquanto me recostava no assento –, posso abaixar a música?

O motorista sorriu. Ele não tinha um dos dentes. E, se dependesse de mim, ia perder mais um.

– Sim – respondeu. – Eles estão falando agora. – A música abaixou até ser silenciada e foi substituída por um locutor que falava rápido e gritava mais alto do que a música que estava antes.

– Meu Deus – murmurei, abaixando o rádio. Fiz uma careta ao ver uma mancha de graxa no botão. Limpei os dedos nos amuletos que ainda estavam no meu colo, afinal, eles não serviam para mais nada. O sal produzido pelas manipulações por demais frequentes do motorista os arruinara. Lançando um olhar de desgosto ao lóbis, os joguei no porta-copos lascado.

Virei-me para Ivy, esparramada no banco de trás. Uma mão impedia que sua coruja caísse pela janela conforme balançávamos pela rua, a outra segurava o próprio pescoço. Os faróis dos carros que passavam e os ocasionais postes de luz que funcionavam iluminavam de forma fugaz sua silhueta preta. Escuros e estáticos, seus olhos encontraram os meus, antes de se voltarem para a noite vista pela janela e para a noite. Minha pele pinicava com o ar de tragédia antiga que Ivy exalava. Ela não estava projetando uma aura – estava apenas sendo ela mesma –, mas mesmo assim me dava calafrios. Aquela mulher nunca sorria?

A leprechaun se pressionava contra a outra extremidade do banco, o mais longe de Ivy possível. Suas botas verdes só chegavam até o fim do assento, e ela parecia uma daquelas bonecas vendidas na TV. "Três simples pagamentos de 49,95 dólares por essa versão bastante detalhada de Becky, a Garçonete. Bonecas semelhantes triplicaram, até mesmo quadriplicaram, de valor!" Aquela boneca, no entanto, tinha um brilho sorrateiro nos olhos. Ela acenou a cabeça de maneira furtiva para mim, e Ivy me olhou por um instante com um ar suspeito.

O carro deu um solavanco, fazendo com que a coruja piasse de dor e abrisse as asas para manter o equilíbrio. Pelo menos aquele era o último buraco da rua. Tínhamos cruzado o rio e chegávamos a Ohio. O percurso agora era suave e o taxista diminuiu a velocidade. Deve ter lembrado para que servem os sinais de trânsito.

Ivy tirou a mão da coruja e passou os dedos pelo cabelo comprido.

– Eu disse "Você nunca aceitou dividir um táxi comigo antes". O que está acontecendo?

– Ah, sim. – Coloquei um braço em torno do assento. – Você sabe onde posso alugar um apartamento barato? Em Hollows, talvez?

Ivy me encarou com firmeza, o rosto oval perfeito parecendo pálido sob as luzes da rua. Agora, havia luzes em todos os cantos, o que tornava tudo quase tão iluminado quanto se fosse dia. Mundanos paranoicos. Não que eu os culpasse.

– Você vai se mudar para Hollows? – perguntou, com uma expressão inquisidora.

Não pude deixar de sorrir.

– Não. Vou sair da SI.

Isso chamou a atenção de Ivy. Pude notar pela maneira como piscou. Por sua vez, Jenks parou de tentar dançar com a boneca minúscula no painel e me encarou.

– Você não pode quebrar o contrato com a SI – Ivy advertiu. Olhou para a leprechaun, que sorriu. – Não está pensando em...

– Eu? Infringir a lei? – disse num tom bem-humorado. – Sou boa demais para precisar disso. Mas não vou poder fazer nada se essa for a leprechaun errada – acrescentei, sem me sentir nem um pouco culpada. – A SI já deixou bem claro que não está mais interessada em meus serviços. O que devo fazer? Rolar no chão com a barriga para cima e lamber o... bem, focinho de alguém?

– Papelada – interrompeu o taxista. O sotaque tinha se tornado abruptamente tão suave quanto a rua pela qual passávamos. Era preciso se adequar ao tom de voz e aos modos necessários para conseguir e manter corridas naquele lado do rio. – Perder a papelada. Acontece o tempo todo. Acho que tenho em algum lugar a confissão de Rynn Cormel da época em que meu pai conduziu os advogados da quarentena para os tribunais durante a Virada.

– É. – Fiz um aceno positivo com a cabeça e sorri para ele. – O nome errado no papel errado. Pronto!

Ivy não piscava os olhos.

– Leon Bairn não explodiu de forma espontânea, Rachel.

Bufei. Não ia cair naquelas histórias. Elas eram apenas isso: histórias para impedir que o rebanho de caça-recompensas da SI quebrasse o contrato assim que já tivesse aprendido tudo o que a empresa tinha para ensinar.

– Isso aconteceu há mais de uma década – disse. – E a SI não teve nada a ver com aquilo. Eles querem que eu vá embora, então não vão me matar por quebrar o contrato. – Franzi a testa. – Além disso, ser virada do avesso seria mais divertido do que o que estou fazendo.

Ivy se inclinou para a frente e me recusei a recuar.

– Dizem que demorou três dias para encontrarem partes dele suficientes para caber numa caixa de sapato – comentou. – Rasparam a última parte do teto de sua varanda.

– O que posso fazer? – questionei, retraindo o braço. – Não tenho uma tarefa decente há meses. Olhe para isso. – Apontei para minha presa. – Uma leprechaun sonegadora de impostos. É um insulto.

A pequena mulher se enrijeceu.

– Bem, descu-u-u-u-ul-pe-me.

Jenks abandonou a nova namorada e sentou na aba do chapéu do taxista.

– É – o pixie disse. – Rachel vai virar faxineira se eu tiver que sair de licença médica.

Mexeu de maneira espasmódica a asa danificada. Dei a ele um sorriso acabrunhado.

– Maitake? – perguntei.

– Cem gramas – disse em contraproposta, e aumentei mentalmente duzentos e cinquenta. Ele era legal, para um pixie.

Ivy franziu a testa, entretendo-se com a corrente do crucifixo.

– Há um motivo pelo qual ninguém quebra o contrato. A última pessoa que tentou foi sugada por uma turbina.

Com a mandíbula cerrada, virei para janela da frente. Eu me lembrava. Fazia quase um ano. Aquilo o teria matado se ele já não estivesse morto. O vamp deveria voltar ao escritório algum dia, em breve.

– Não estou pedindo permissão – declarei. – Estou perguntando se conhece algum lugar barato para alugar. – Ivy estava em silêncio, e me voltei para olhá-la. – Tenho um pouco de dinheiro guardado. Posso colocar uma placa, ajudar pessoas que precisam...

– Oh, pelo amor do sangue – Ivy interrompeu. – Abrir uma loja de amuletos, vá lá. Mas sua própria agência? – Balançou a cabeça negativamente, o cabelo preto se agitando. – Não sou sua mãe, mas, se você fizer isso, está morta. Jenks? Diga que está morta.

Jenks concordou com a cabeça de maneira solene, e eu me afundei no assento para olhar pela janela. Eu me sentia estúpida por ter pedido ajuda. O taxista fazia que sim com a cabeça.

– Morta – ele disse. – Morta, morta, morta.

Aquilo ficava cada vez melhor. Entre Jenks e o taxista, a cidade toda ia saber que eu largara o emprego antes mesmo de entregar o aviso prévio.

– Deixe para lá. Não quero mais falar sobre isso – murmurei.

Ivy deixou um braço cair sobre o assento.

– Não pensou que alguém pode estar armando para você? Todo mundo sabe que leprechauns tentam subornar os captores para escapar. Se você for pega, não vai ter uma desculpa que cole.

– É. Pensei nisso – respondi. Não havia pensado, mas não ia contar isso a ela. – Meu primeiro desejo será o de não ser pega.

– Sempre é – a leprechaun sentenciou, maliciosa. – Esse é seu primeiro desejo? – Num ataque de raiva, concordei com a cabeça. Ela riu, as covinhas aparecendo; estava a meio caminho de ficar livre.

– Olhe – eu disse para Ivy. – Não preciso da sua ajuda. Obrigada por nada. – Vasculhei a bolsa em busca da carteira. – Pode me deixar aqui. Quero um café. Jenks, Ivy vai deixá-lo na SI. Você pode fazer isso por mim, Ivy? Pelos velhos tempos?

– Rachel – ela protestou, – você não está me ouvindo.

O taxista sinalizou com cuidado e encostou no meio-fio.

– Se cuide, delícia.

Saí do carro, abri a porta de trás com violência e agarrei a leprechaun pelo uniforme. As algemas tinham neutralizado completamente sua magia de mudança de tamanho. Agora ela estava mais para uma gorducha criança de dois anos.

– Aqui – eu disse, jogando uma nota de vinte no assento. – Minha parte.

– Mas ainda está chovendo! – a leprechaun se queixou.

– Cale a boca. – Gotas caíam, arruinando meu topete e fazendo as mechas soltas grudarem no pescoço. Bati a porta quando Ivy se inclinou para falar algo. Eu não tinha nada a perder. Minha vida era uma pilha de esterco mágico, com a qual não conseguia nem fazer adubo.

– Mas estou me molhando – a leprechaun reclamou.

– Quer voltar para o carro? – perguntei. Tinha a voz calma, mas fervia por dentro. – Podemos esquecer a coisa toda se quiser. Tenho certeza que Ivy vai cuidar da papelada. Dois trabalhos numa noite. Vai receber até um bônus.

– Não – disse com a voz baixinha e mansa.

Irritada, avistei um Starbucks. Atendimento aos esnobes que precisavam de sessenta maneiras diferentes de fazer um café para, no fim, não ficarem satisfeitos com nenhuma delas. Provavelmente estaria vazio àquela hora, por estar do outro lado do rio. Era o lugar perfeito para me lamentar e me recompor. Arrastei a leprechaun para a porta, tentando adivinhar o preço de uma xícara de café pelo número de badulaques pré-Virada na janela da frente.

– Rachel, espere – Ivy abaixou o vidro do carro, e, pelo som alto, percebi que o taxista havia aumentado o volume da música. "A Thousand Years", do Sting. Deu até uma vontade de voltar para o carro.

Abri com força a porta do café, o que acionou uma campainha. Fiz uma careta para aquele barulhinho animado.

– Café. Preto. E uma cadeira para crianças – gritei para o garoto atrás do balcão enquanto andava até o canto mais escuro, a leprechaun de reboque. Dane-se tudo. O garoto parecia todo certinho em seu avental e com um cabelo perfeito. Provavelmente um estudante de universidade. Eu podia ter ido para a universidade boa em vez de uma faculdade qualquer. Ao menos por um semestre ou dois. Teria sido aceita e tudo mais.

A cabine que escolhi era acolchoada e macia, com uma mesa coberta por pano de verdade. E minhas pernas não estavam espremidas, o que com certeza era algo positivo. O garoto ainda me olhava com uma expressão de superioridade, então tirei as botas e sentei com as pernas cruzadas para incomodá-lo. Ainda estava vestida como uma prostituta. Acho que ele tentava decidir entre chamar a SI ou sua contraparte humana, o FIB. Aquilo ia ser engraçado.

Meu bilhete de saída da SI se levantou no assento à frente e se mexeu, inquieta.

– Posso pedir um café com leite? – choramingou.

– Não.

A campainha tocou. Olhei para a porta e vi Ivy entrar a passos largos com a coruja no braço, as garras pressionando o bracelete grosso que ela usava. Jenks empoleirava-se no seu ombro, tão longe da coruja quanto possível. Fiquei rija e me voltei para a foto na mesa, bebês vestidos como se fossem parte de uma salada de fruta. Provavelmente a intenção era decorar o lugar com uma imagem meiga, mas só conseguiu me deixar com fome.

– Rachel. Precisamos conversar.

Aquilo era aparentemente demais para o atendente certinho.

– Desculpe, senhora – disse, em sua voz perfeita. – Não são permitidos animais de estimação. A coruja tem que ficar lá fora.

"Senhora?", pensei, tentando impedir uma risada histérica.

O garoto ficou pálido quando Ivy o olhou. Cambaleando, quase caiu ao tentar recuar sem olhar para trás. Ela estava usando uma aura nele. Não era um bom sinal.

Ivy olhou em minha direção, e deixei a respiração escapar de uma vez só, conforme me recostava na cabine. Olhos negros e predadores me prenderam ao assento de vinil. Uma fome brutal atacava meu estômago. Meus dedos se agitaram.

A tensão era intoxicante. Não conseguia desviar o olhar. Não era nada parecido com a proposta que o vamp morto havia feito no Sangue e Cerveja. Aquilo era raiva, dominação. Graças a Deus não estava brava comigo, mas sim com o atendente certinho atrás do balcão.

E, de fato, assim que viu a expressão no meu rosto, a raiva em seu olhar vacilou e se apagou. As pupilas se contraíram, ajustando a coloração dos olhos de volta ao tom castanho de costume. Num instante, o véu de poder havia caído, retornando às profundezas do inferno de onde saíra. Tinha de ser do inferno. Uma dominação tão bruta não podia vir de um encanto. Minha raiva voltou. Se estava com raiva, não podia estar com medo, certo?

Fazia anos que Ivy não jogava uma aura sobre mim. Na última vez, estávamos discutindo como capturar um vamp de sangue inferior sob suspeita de seduzir menores de idade com algum tipo de RPG idiota. Usando um talismã de sono, a fiz desmaiar, pintei a palavra "idiota" com esmalte vermelho em suas unhas, a amarrei numa cadeira e só então a acordei. Ela foi uma amiga modelo desde então, embora um pouco fria às vezes. Acho que ficou grata por eu não ter contado a ninguém.

O atendente pigarreou.

– Você... han... não pode ficar se não fizer um pedido, senhora... – propôs, sem muito ânimo.

"Corajoso", pensei. "Deve ser um impercebido."

– Suco de laranja – Ivy disse em voz alta, enquanto permanecia de pé à minha frente. – Sem bagaço.

Fiquei surpresa.

– Suco de laranja? – Franzi a testa. – Olhe... – comecei, abrindo os punhos e colocando a bolsa de talismãs no colo sem delicadeza. – Não me importo se Leon Bairn se deu mal. Vou largar o emprego. E nada que possa dizer vai me fazer mudar de ideia.

Ivy passou o peso de um pé para o outro. A demonstração de inquietação extinguiu o resto da minha raiva. Ivy estava preocupada? Nunca tinha visto isso acontecer.

– Quero ir com você – disse finalmente.

Por um momento, não consegui fazer mais que encará-la.

– O quê? – reagi.

Ela sentou com um ar afetado de indiferença e deixou a coruja tomando conta da leprechaun. Soltou os fechos do bracelete, fazendo o som alto de algo rasgando, e o colocou no banco ao lado. Jenks saltitou até a mesa, os olhos arregalados e a boca fechada – para variar um pouco. O atendente trouxe a cadeira para crianças e as bebidas. Esperamos em silêncio enquanto, com as mãos trêmulas, dispunha tudo sobre a mesa e saía para se esconder na sala dos fundos.

Recebi uma xícara lascada e cheia só até a metade. Considerei a ideia de voltar outro dia para colocar um talismã embaixo da mesa que azedasse qualquer creme a um metro de distância, mas decidi que tinha coisas mais importantes com que lidar. Como, por exemplo, o motivo pelo qual Ivy queria jogar sua ilustre carreira na privada e dar a descarga.

– Por quê? – perguntei, abismada. – O chefe a adora. Você pode escolher seus alvos. Conseguiu férias remuneradas no ano passado.

Ivy examinou a foto, me evitando.

– E daí?

– Foram quatro semanas! Você foi para o Alasca ver o sol da meia-noite!

Suas sobrancelhas negras finas se aproximaram, e ela estendeu a mão para arrumar as penas da coruja.

– Metade do aluguel, metade da água, luz, telefone; metade de tudo é minha responsabilidade, a outra metade é sua. Cada uma é responsável por arranjar e lidar com seus próprios trabalhos. Se for necessário, trabalhamos juntas. Como antes.

Eu me recostei, sem conseguir demonstrar como estava irritada, já que só havia um forro bem acolchoado sobre o qual cair.

– Por quê? – perguntei de novo.

Ivy baixou os dedos que acariciavam a coruja.

– Sou muito boa no que faço – disse, sem me responder. Um indício de vulnerabilidade surgiu de mansinho em sua voz. – Não vou atrapalhá-la, Rachel. Nenhum vamp vai ousar me atacar. Posso estender essa proteção a você. Mantenho os assassinos vamps longe até que você consiga o dinheiro para pagar seu contrato. Com minhas conexões e seus feitiços, vamos permanecer vivas tempo suficiente para que a SI retire a ameaça contra nós. Mas quero um desejo.

– Nossas cabeças não estão a prêmio – disse rapidamente.

– Rachel... – começou, em tom de súplica. Os olhos castanhos demonstravam preocupação, o que me deixou alarmada. – Rachel, elas vão estar. – Ela se inclinou para a frente até eu ter de lutar para não me afastar. Farejei de leve procurando o cheiro de sangue em minha interlocutora, mas senti apenas um odor forte de suco de laranja. Ivy estava errada. A SI não ia pagar uma recompensa pela minha morte. A empresa queria que eu partisse. Era ela quem devia se preocupar.

– Eu também – disse Jenks, de repente, e então saltou para a borda da minha xícara. Uma poeira iridescente caiu da asa dobrada e formou uma película oleosa sobre meu café. – Quero entrar nessa. Quero um desejo. Largo a SI e me torno reforço das duas. Vocês vão precisar de um. A Rachel fica com as quatro horas antes da meia-noite e a Ivy, com as quatro depois. Ou alguma outra divisão de horário, como preferirem. Quero uma folga a cada três dias, sete feriados pagos e um desejo. Eu e minha família vamos viver nas paredes do escritório, bem quietinhos. Quanto ao pagamento, deve ser quinzenal e com o mesmo valor que ganho atualmente.

Ivy concordou com a cabeça e tomou um gole do suco.

– Parece bom para mim. O que acha?

Fiquei boquiaberta. Não podia acreditar no que estava ouvindo.

– Não posso dar meus desejos para vocês.

A leprechaun balançou a cabeça, discordando.

– Sim, você pode.

– Não – eu disse, impaciente. – Preciso deles. – Uma pontada de preocupação se alojou em meu estômago com a ideia de que talvez Ivy estivesse certa. – Já usei um para não ser pega por deixar a leprechaun escapar. Tenho que fazer um desejo para eliminar meu contrato.

– Han... – a leprechaun titubeou. – Não posso fazer nada a respeito se estiver registrado por escrito.

Jenks deu uma risadinha de escárnio.

– Não é boa o suficiente, hein?

– Cale a boca... inseto! – retrucou, as faces ruborizadas.

– Cale a sua, pano de limpar musgo! – ele mandou de volta.

"Isso não pode estar acontecendo", pensei. Eu queria cair fora do emprego, não liderar uma revolução.

– Você não pode estar falando sério – desabafei. – Ivy, me diz que isso tudo é seu senso de humor bizarro finalmente fazendo uma aparição.

Ela me olhou com firmeza. Nunca soube dizer o que se passa por trás do olhar de uma vamp.

– Pela primeira vez na minha carreira – começou –, vou voltar de mãos vazias. Deixei minhas presas irem embora. – Ela acenou para o ar vazio. – Abri o porta-malas e os deixei correr. Quebrei as regras. – Um sorriso tímido surgiu por um instante e desapareceu em seguida. – Isso é sério o suficiente para você?

– Vá encontrar seu próprio leprechaun. – Comecei a estender a mão para pegar a xícara, mas me detive. Jenks ainda estava sentado na asa.

Ivy riu. Foi uma risada seca, e dessa vez tive calafrios.

– Eu escolho meus trabalhos – assinalou. – O que acha que aconteceria se eu fosse atrás de um leprechaun, falhasse e então tentasse sair da SI?

A leprechaun suspirou.

– Não há desejos suficientes para melhorar a situação – opinou. – Já vai ser difícil o bastante fazer isso parecer uma coincidência.

– E você, Jenks? – perguntei, a voz rachando.

Jenks deu de ombros.

– Quero um desejo. Assim ganho algo que a SI não pode me dar. Quero ficar estéril para minha esposa não me deixar. – O pixie voou de jeito irregular até a leprechaun. – Ou isso é demais para você também, verdinha? – zombou, fazendo pose com os pés distanciados e as mãos nos quadris.

– Inseto – murmurou, os talismãs tinindo enquanto ela ameaçava esmagá-lo. As asas de Jenks ficaram vermelhas de raiva, e me perguntei se o pó que deixava cair podia pegar fogo.

– Estéril? – perguntei, lutando para não dispersar o assunto.

Ele mostrou o dedo do meio para a leprechaun e andou de forma pomposa pela mesa na minha direção.

– Sim. Você sabe quantos fedelhos tenho?

Até Ivy pareceu surpresa.

– Você arriscaria sua vida por isso? – perguntou.

Jenks deu uma risada tilintante.

– Quem disse que estou arriscando minha vida? A SI não vai dar a mínima se eu sair. Pixies não assinam contratos. Precisamos ser substituídos muito rápido. Sou um agente livre. Sempre fui. – Sorriu, parecendo astucioso demais para alguém tão pequeno. – Sempre vou ser. Imagino que minha expectativa de vida vai ser um pouco maior se tiver apenas duas grandalhonas como vocês de quem cuidar.

Eu me virei para Ivy.

– Sei que assinou um contrato. Eles a adoram. Se alguém devia estar preocupada com uma ameaça de morte, seria você. Por que arriscaria isso por... por... – Hesitei. – Por nada? Que desejo pode valer isso?

O rosto de Ivy congelou. Um indício de sombra negra pairou sobre ela.

– Não sou obrigada a contar.

– Não sou estúpida – arrisquei, tentando esconder minha inquietação. – Como sei que você não vai voltar a praticar de novo?

Claramente insultada, Ivy me encarou até que baixei o olhar, gelada até os ossos. "Isso", pensei, "definitivamente não é uma boa ideia."

– Não sou uma vamp praticante – disse por fim. – Não mais. Nunca mais.

Forcei-me a baixar a mão ao perceber que estava mexendo no meu cabelo úmido. Suas palavras eram apenas ligeiramente tranquilizadoras. Seu copo estava meio vazio, e eu só a tinha visto tomar um gole.

– Parceiras? – Ivy disse e estendeu a mão até o outro lado da mesa.

"Parceira de Ivy? De Jenks?" Ivy era a melhor caça-recompensas da SI. Era mais do que lisonjeiro que quisesse trabalhar comigo de forma permanente, embora também fosse um pouco preocupante. De qualquer forma, seríamos apenas colegas de trabalho. Estendi lentamente a mão para cumprimentá-la. Minhas unhas bem-feitas e pintadas de vermelho pareciam espalhafatosas perto das dela, sem esmalte. Não sobrara nenhum desejo. Bem, eu provavelmente os teria desperdiçado.

– Parceiras? – disse, tremendo com o frio da mão de Ivy quando a apertei.

– É isso! – Jenks gritou, voando, e aterrissou em nosso aperto de mão. A poeira que caía do pixie parecia aquecer o toque de Ivy. – Parceiros!

Três

– Meu Deus – gemi baixinho. – Não me deixe passar mal. Não aqui. – Fechei os olhos numa piscada demorada, esperando que a luz não os machucasse quando os abrisse. Estava na minha baia, no vigésimo quinto andar do prédio da SI. O sol da tarde se inclinava, mas não iria me alcançar, pois minha mesa ficava no meio de um labirinto. Alguém tinha trazido donuts, e o cheiro da cobertura fez meu estômago revirar. Tudo que desejava era voltar para casa e dormir.

Abri a gaveta com um puxão e a remexi em busca de um amuleto para dor. Grunhi ao descobrir que havia usado todos eles. Depois de bater a testa na borda da mesa de metal e olhei, para além do meu cabelo encaracolado, as minhas botas, que iam até o tornozelo, aparecendo além da bainha do jeans. Tinha colocado uma roupa conservadora em respeito à decisão de pedir demissão: jeans e uma camisa de linho vermelha enfiada dentro da calça. Iria ficar sem couro apertado por um tempo.

A noite anterior fora um erro. Tinham sido necessárias muitas bebidas, mas no fim fiquei suficientemente estúpida a ponto de, em caráter oficial, dar meus desejos restantes a Ivy e Jenks. Eu estivera contando com aqueles últimos dois desejos. Qualquer um que saiba algo sobre eles sabe que é impossível desejar mais desejos. O mesmo se aplica à riqueza. Dinheiro não aparece, simplesmente. Ele vem de algum lugar, e, a não ser que um dos desejos seja não ser pega, você acaba sendo presa por roubo.

Desejos são coisas traiçoeiras, e é por isso que a maioria dos impercebidos havia feito campanha para conseguir um mínimo de três por vez. Em retrospecto, eu não tinha conduzido as coisas tão mal. Por ter desejado não ser pega por soltar a leprechaun, sairia da SI com uma ficha limpa. Se Ivy estivesse certa e a empresa fosse me atacar por quebrar o contrato, eles iam ter de fazer parecer um acidente. Mas por que se dariam ao trabalho? Ameaças de morte eram caras, e a SI queria que eu fosse embora.

Ivy tinha recebido um vale para invocar seu desejo mais tarde. Parecia uma moeda velha com um buraco no meio, pelo qual tinha passado um cordão roxo, pendurando-o no pescoço. Jenks, no entanto, gastou seu desejo ali mesmo, e foi embora na mesma hora para dar a notícia à esposa. Eu devia ter ido embora com Jenks, mas Ivy parecia querer ficar. Fazia muito tempo desde a última vez em que saíra à noite para me divertir, então achei que podia encontrar coragem no fundo de uma garrafa para dizer ao chefe que estava caindo fora. Não encontrei.

Passados cinco segundos do meu discurso ensaiado, Denon abriu um envelope de papel-manilha, tirou o contrato, o rasgou e me mandou sair do prédio em meia hora. Minha identificação e algemas estavam na mesa dele; os talismãs que as haviam decorado permaneciam no meu bolso.

Os sete anos que passara na SI tinham me deixado com uma grande pilha desordenada de adereços e memorandos obsoletos. Com os dedos tremendo, estendi o braço para pegar o vaso barato, que não via uma flor em meses. Ele foi direto para o lixo, igual ao cretino que o havia dado para mim. Coloquei a tigela de dissolução em uma caixa aos meus pés. A cerâmica azul incrustada de sal rangeu num som áspero contra o papelão. Tinha secado na semana anterior, e a cobertura de sal deixada pela evaporação estava empoeirada.

Um pino de madeira de sequoia canadense estalou ao seu lado. Não podia ser matéria-prima de uma varinha; era grosso demais – e, de qualquer forma, eu não era boa o suficiente para fazer uma varinha. Tinha comprado o pino para construir um conjunto de amuletos detectores de mentira, mas acabei deixando o projeto para lá. Era mais fácil comprá-los. Dei uma alongada e peguei o caderninho de contatos antigos. Olhei rapidamente em torno para garantir que ninguém me observava, e, escondida, o enfiei ao lado da tigela de dissolução, cobrindo-a com o aparelho de som e fones de ouvido.

Precisava devolver alguns livros de referência para Joyce, na outra ponta do corredor, mas o recipiente de sal que os mantinha de pé tinha pertencido ao meu pai. Coloquei-o na caixa, perguntando-me o que ele pensaria sobre a minha saída.

– Ele ficaria feliz demais – sussurrei, cerrando os dentes para conter a ressaca. Levantei os olhos, passando o olhar por aquelas feias divisórias amarelas.

Meus olhos se estreitaram conforme o resto do escritório olhava para outro lado. Estavam todos fofocando em pequenos grupos, enquanto fingiam estar ocupados. Os sussurros abafados me irritavam. Inspirando devagar, estendi o braço para pegar a foto em preto e branco de Watson, de Crick e da mulher por trás de tudo, Rosalind Franklin. Estavam parados diante de seu modelo de DNA, e o sorriso dela tinha o mesmo humor oculto do da Monalisa. Parecia que Rosalind já sabia o que ia acontecer. Na época eu me perguntava se ela era uma impercebida. Muita gente fazia o mesmo. Guardei a foto para me lembrar de como o mundo gira com base em detalhes que muitos não notam.

Fazia quase quarenta anos desde que um quarto da humanidade tinha perecido por causa de um vírus que sofrera uma mutação, o T4 Anjo. E, apesar de acusações frequentes, não tinha sido nossa culpa. Tudo começara e terminara por causa da velha e boa paranoia humana.

Na década de 1950, Watson, Crick e Franklin tinham juntado suas cabeças e, em seis meses, solucionado a charada do DNA. As coisas podiam ter parado ali, mas os então soviéticos capturaram a tecnologia. Sob o impulso gerado pelo medo de uma guerra, o dinheiro fluiu na ciência em desenvolvimento. No começo dos anos 1970, tínhamos insulina produzida por bactérias. Seguiu-se uma vasta gama de remédios produzidos pela bioengenharia, inundando o mercado com os subprodutos da busca mais sombria dos EUA por armas criadas pela bioengenharia. Nunca chegamos à lua, voltando a ciência para dentro em vez de para fora para nos matarmos.

E então, lá pelo fim da década, cometeu-se um engano. O debate sobre qual dos lados foi responsável – os americanos ou os soviéticos – é irrelevante. Em algum lugar dos laboratórios gelados do Ártico, uma cadeia letal de DNA escapou. Deixou um rastro de morte até o Rio de Janeiro que foi identificado e contido, e a maioria das pessoas permaneceu alheia ao problema. Mas, enquanto cientistas escreviam as notas finais sobre o caso nos registros do laboratório e as arquivavam, o vírus sofria uma mutação.

Ele se ligou a um tomate criado pela bioengenharia; a conexão foi feita por meio de um ponto fraco no DNA modificado que os pesquisadores acharam minúsculo demais para ser digno de preocupação. O fruto era conhecido oficialmente como tomate T4 Anjo – sua identificação de laboratório; daí veio o nome do vírus, Anjo.

Como ninguém sabia que o vírus usava o tomate Anjo como hospedeiro intermediário, ele foi transportado por companhias aéreas. Dezesseis horas depois era tarde demais. A população dos países de terceiro mundo foram dizimadas em assustadoras três semanas, e em quatro os EUA fechavam as fronteiras, cuja militarização foi acompanhada de uma política governamental do tipo "Desculpe, não podemos ajudar". Os EUA sofreram e pessoas morreram, mas, em comparação com o ossuário em que o resto do mundo se tornou, foi moleza.

Mas o principal motivo pelo qual a civilização permaneceu intacta foi este: a maioria das espécies de impercebidos era resistente ao vírus Anjo. Bruxas, mortos-vivos e espécies menores como trasgos, pixies e fadas não foram de maneira alguma afetadas. Lóbis, vampiros vivos e leprechauns tiveram uma gripe. Os elfos, no entanto, morreram todos. Acredita-se que a sua prática de copular com humanos a fim de aumentar a população tornou-os suscetíveis ao Anjo – enfim, um tiro que saiu pela culatra.

Quando a poeira baixou e o vírus foi erradicado, o número de habitantes das várias espécies de impercebidos, combinadas, quase se equiparava ao da humanidade. Foi uma chance que agarramos rapidamente. A Virada, como veio a ser chamada, começou ao meio-dia com um único pixie e terminou à meia-noite com a humanidade se escondendo embaixo da mesa, tentando aceitar o fato de que vivera ao lado de bruxos, vampiros e lobisomens desde antes do tempo das pirâmides egípcias.

No começo, a reação instintiva da humanidade foi querer nos erradicar da face da Terra, mas logo mudaram de ideia quando jogamos na cara deles que havíamos mantido a estrutura da civilização em funcionamento enquanto o resto do mundo se despedaçava. Se não fosse por nós, a taxa de mortalidade teria sido bem maior.

Mesmo assim, os primeiros anos pós-Virada foram insanidade pura. Com medo de nos atacar, a humanidade tornou ilegal a pesquisa médica, como se fosse o demônio que estava por trás dos infortúnios pelos quais passavam. Derrubaram laboratórios biológicos, e bioengenheiros que escaparam da praga foram julgados e morreram no que pôde ser considerado pouco mais do que assassinato legalizado. Houve uma segunda onda de morte, mais sutil, assim que a fonte dos novos remédios foi inadvertidamente destruída junto com a biotecnologia.

Foi só uma questão de tempo antes que a humanidade insistisse na criação de uma instituição formada apenas por humanos para monitorar as atividades dos impercebidos. E assim surgiu a Agência Federal de Investigação, dissolvendo e substituindo as agências locais de manutenção da lei ao redor do país. Os policiais e agentes federais impercebidos que ficaram desempregados formaram sua própria força policial, a SI. A rivalidade entre as duas permanece firme até hoje, servindo para conter os impercebidos mais agressivos.

Quatro andares do prédio principal do FIB em Cincinnati são reservados para a equipe devotada a encontrar os laboratórios biológicos ilegais remanescentes, em que, por certo preço, é possível conseguir insulina limpa e remédios para controlar temporariamente uma leucemia. Administrado por humanos, o FIB é tão obcecado em encontrar tecnologia banida quanto a SI é em tirar a Enxofre, uma droga alteradora de mentes, das ruas.

"E tudo começou quando Rosalind Franklin percebeu que haviam mexido em seu lápis e que alguém estava lá quando não deveria estar", pensei, esfregando com a ponta dos dedos minha cabeça dolorida. Pequenas pistas. Indícios escassos. É isso que faz o mundo girar. E era isso que fazia de mim uma caça-recompensas tão boa. Sorrindo de volta para Rosalind, limpei as impressões digitais da moldura e a coloquei na caixa de coisas para guardar.

Ouvi uma explosão de risadas nervosas e abri a gaveta seguinte, remexendo em clipes e post-its. Minha escova de cabelo estava ali onde sempre a deixava, e um nó de preocupação se desmanchou quando a joguei na caixa. Cabelo podia ser usado para fazer com que feitiços tivessem um alvo específico. Se Denon fosse lançar uma ameaça de morte sobre mim, ele a teria pego.

Tateando, encontrei a forma lisa e pesada do relógio de bolso de meu pai. Após esvaziar a gaveta, fechei-a com força. Minha cabeça parecia prestes a explodir. Os ponteiros estavam congelados em sete para meia-noite – ele costumava brincar dizendo que o relógio parara na noite em que eu fora concebida. Afundando na cadeira, enfiei-o no bolso da frente. Podia ver meu pai de pé na porta da cozinha, olhando do relógio de pulso para o da parede, com um sorriso que curvava o rosto comprido enquanto pensava em onde tinham ido parar todos os momentos perdidos.

Coloquei o Senhor Peixe – um beta que vivia num aquário que tinha ganhado na festa de Natal do escritório do ano passado – na tigela de dissolução, confiando na sorte de que nem a água nem o peixe acabassem no chão. Joguei junto o tubinho de comida para peixe. Uma batida abafada do outro lado da sala atraiu minha atenção para além das divisórias, na direção da porta fechada de Denon.

– Você não vai passar daquela porta, Tamwood – soou um grito abafado, silenciando o burburinho das conversas. Aparentemente, Ivy tinha acabado de pedir as contas. – Tenho um contrato. Você trabalha para mim, não o contrário! Se for embora... – Houve um ruído de algo se chocando atrás da porta fechada. – Minha nossa... – continuou num tom mais baixo. – Quanto é isso?

– O suficiente para pagar meu contrato – Ivy disse, a voz fria. – O suficiente para você e os engravatados do edifício. Chegamos a um acordo?

– Sim – respondeu, no que parecia um assombro ganancioso. – Sim. Você está despedida.

Minha cabeça parecia estar cheia de papel higiênico, e a apoiei nas mãos. Ivy tinha dinheiro? Por que não tinha dito nada sobre isso na noite anterior?

– Vá se Virar, Denon – Ivy disse, suas palavras completamente audíveis no silêncio total. – Estou pedindo as contas. Você não me despediu. Pode ter meu dinheiro, mas não pode pagar para ser de sangue superior. Você é de segunda categoria, e não importa quanto dinheiro tenha, isso não vai mudar. Se precisar viver na sarjeta comendo ratos, ainda assim vou ser melhor que você, e o fato de eu não ter mais de obedecer às suas ordens está matando você.

– Não pense que isso a deixa segura – o chefe gritou, colérico. Quase podia ver a veia saltando em seu pescoço. – Acidentes acontecem ao redor dela. Aproxime-se demais, e você pode acordar morta.

A porta de Denon se abriu e Ivy saiu apressada, batendo-a com tanta força que as luzes piscaram. Tinha o rosto tenso, então acho que nem me viu quando passou pela minha baia em disparada. Em algum momento entre a hora em que me deixara só e agora, ela tinha vestido uma capa de poeira de seda que ia até a panturrilha. Eu me sentia segura o bastante com a minha orientação sexual para admitir que a capa caía muito bem nela. A bainha balançou em ondas enquanto Ivy marchava como se quisesse matar alguém. Indícios de raiva apareciam em seu rosto pálido. Ela exalava tensão, que era quase visível de tão forte.

Ivy não estava dando uma de vampira; estava brava para valer. Mesmo assim, deixou atrás de si um rastro gelado que a luz do sol que entrava pelas janelas não podia tocar. Levava uma sacola vazia sobre o ombro e o desejo em volta do pescoço. "Garota esperta", pensei. "Vai guardá-lo para dias piores". Ivy avançou pelas escadas, e fechei os olhos em sofrimento quando a porta corta-fogo metálica bateu contra a parede.

Jenks veio disparado até minha baia, zumbindo em torno da minha cabeça como uma mariposa louca enquanto me mostrava o conserto na asa.

– Oi, Rachel – disse, irritantemente feliz. – O que é que está pegando?

– Não tão alto – sussurrei. Teria dado qualquer coisa por um café, mas não tinha certeza se valia a pena andar os vinte passos até a cafeteira. Jenks vestia trajes civis de cores chamativas e conflitantes. Roxo não vai bem com amarelo. Nunca combinou, nunca vai combinar. Deus do céu, a fita na asa era roxa também.

– Você não fica de ressaca? – murmurei.

Ele sorriu, pousando no porta-caneta.

– Não. O metabolismo dos pixies é alto demais. O álcool se transforma em açúcar muito rápido. Não é uma beleza?!

– Maravilhoso. – Enrolei cuidadosamente uma foto da minha mãe e eu num chumaço de papel higiênico e a coloquei ao lado da imagem de Rosalind. Pensei por um instante em contar para minha mãe que estava desempregada, mas decidi ficar calada por motivos óbvios. Era melhor esperar até conseguir um novo.
– Ivy está bem? – perguntei.

– Sim. Ela vai ficar bem – Jenks voou rápido para cima do pote de loureiro. – Só está irritada por ter sido necessário usar todo o dinheiro para rescindir o contrato e garantir sua própria segurança.

Concordei com a cabeça, feliz pela empresa concordar com a minha saída. As coisas iam ser bem mais fáceis se nenhuma de nós tivesse a cabeça a prêmio.

– Você sabia do dinheiro?

Jenks sacudiu uma folha que tinha se prendido no seu corpo e sentou. Adotou um ar de superioridade, o que é difícil de fazer quando você tem dez centímetros de altura e está vestido como uma borboleta infectada com raiva.

– Bem... Ivy é o último membro vivo de um clã. Seria bom dar um tempo para ela nos próximos dias. Ela está brava feito uma vespa molhada. Perdeu a casa de campo, terras, ações... Tudo que lhe resta é a mansão próxima ao rio, que pertence à mãe.

Eu me recostei de novo na cadeira, desembrulhei meu último pedaço de chiclete de canela e o enfiei na boca. Ouvi um barulho de pancada quando Jenks pousou na minha caixa de papelão e começou a remexê-la.

– Ah, sim – murmurou. – Ivy disse que já alugou um lugar. Estou com o endereço.

– Saia do meio das minhas coisas. – Dei um peteleco em Jenks, que voou de volta para o loureiro, ficando em cima do ramo mais alto para observar as fofocas de todo mundo. Minhas têmporas pulsaram quando me dobrei para limpar a gaveta de baixo. "Por que Ivy dera a Denon tudo que ela tinha? Por que não usar seu desejo?"

– Levante a cabeça – ordenou, e em seguida deslizou pela planta para se esconder nas folhas. – Lá vem ele.

Eu me aprumei e avistei Denon a meio caminho da minha mesa. Francis, o dedo-duro puxa-saco lambe-botas do escritório, se afastou de um grupo de pessoas e o seguiu. Os olhos do meu ex-chefe se fixaram em mim por cima das paredes da baia. Engasgando, engoli o chiclete sem querer.

Resumindo a situação, o chefe parecia um lutador profissional de luta-livre com especialização em ser descolado: um cara grande com músculos firmes, pele cor de mogno perfeita. Deve ter sido uma rocha numa vida passada. Como Ivy, Denon era um vamp vivo. Mas, diferentemente dela, havia nascido humano e se transformado. Isso fazia dele um vampiro de sangue inferior, parte de uma segunda classe bem distante da primeira no mundo vamp.

Mesmo assim, Denon era uma força que não podia ser ignorada, tendo trabalhado duro para superar seu início ignóbil. A superabundância de músculos fazia mais do que deixá-lo bonito; o mantinha vivo quando estava perto de seus parentes mais fortes e adotados. Denon possuía a aparência eterna de alguém que se alimentava regularmente do sangue de um verdadeiro morto-vivo. Só um morto-vivo pode transformar humanos em vampiros, e, a julgar pela aparência saudável, Denon com certeza era um favorito de seu patrono. Metade do andar queria ser seu brinquedinho sexual. A outra metade morria de medo do cara. Eu tinha orgulho de ser membro de carteirinha do segundo grupo.

Minhas mãos tremeram quando peguei a xícara de café do dia anterior e fingi tomar um gole. Os braços de Denon balançavam como pistões enquanto se deslocava, a camisa polo amarela em contraste com a calça preta. Elas estavam vincadas com esmero, ressaltando as pernas musculosas e o peitoral definido do chefe. As pessoas começaram a sair do caminho. Algumas deixaram o andar. Eu precisaria de ajuda divina se tivesse fracassado no meu único desejo e fosse pega.

Houve um som de plástico rangendo quando ele se inclinou contra o alto das paredes de pouco mais de um metro. Preferi não olhar, concentrando-me, em vez disso, nos buracos que as tachinhas tinham feito nas divisórias. Senti a pele dos meus braços pinicar como se Denon estivesse me tocando. Sua presença parecia criar redemoinhos ao meu redor, a corrente me empurrando contra as divisórias da baia e aumentando até ele parecer estar atrás de mim. Meu pulso se acelerou, e me concentrei em Francis.

O nojento tinha se ajeitado na mesa de Joyce e desabotoava a jaqueta de poliéster azul. Estava sorrindo para mostrar os dentes perfeitos, obviamente cobertos por coroas. Enquanto eu observava, ele puxou as mangas da jaqueta para trás a fim de exibir os braços magrelos. O rosto triangular era enquadrado pelo cabelo na altura da orelha, que constantemente afastava dos olhos. Ele achava que isso conferia um charme juvenil. Para mim, isso dava a aparência de quem tinha acabado de acordar.

Embora fossem apenas três da tarde, um resto de barba grossa escurecia seu rosto. O colarinho da camisa havaiana estava virado de maneira intencional para cima. A piada no escritório é que ele tentava parecer com Sonny Crockett, mas seus olhos eram tortos e o nariz comprido demais para dar certo. Patético.

– Sei o que está acontecendo, Morgan – Denon disse, conseguindo minha atenção. Ele tinha a voz grave e gutural que só homens negros e vampiros podiam ter. É uma regra em algum lugar. Grave e doce. Persuasiva. A promessa nela enrijeceu minha pele, e fui inundada pelo medo.

– Perdão? – disse, feliz por minha voz não ter vacilado. Tomada de coragem, fiz contato visual. Minha respiração saiu rápida e fiquei tensa. Ele tentava lançar sua aura sobre mim às três da tarde. *Caramba.*

Denon se inclinou sobre a divisória e apoiou os braços. Os bíceps se contraíram, inchando as veias. O pelo na minha nuca se eriçou, e lutei contra a vontade de olhar para atrás.

– Não é segredo que você pediu demissão por causa dos trabalhos horríveis que venho dando – disse, sua voz tranquilizadora acariciando as palavras conforme passavam por seus lábios. – É a verdade.

Ele se aprumou, fazendo o plástico ranger. Dei um pulo. O castanho de seus olhos tinha desaparecido por trás das pupilas que se dilatavam. *Caramba mesmo.*

– Tenho tentado me livrar de você durante os últimos dois anos – admitiu. – Não é azar. – Sorriu, mostrando dentes humanos. – Sou eu. Reforço vagabundo, mensagens distorcidas, vazamento de informação para os alvos. Mas quando finalmente consigo que vá embora, você leva junto minha melhor caça-recompensas. – Seus olhos se tornaram intensos. Abri a palma das mãos forçosamente, desviando a sua atenção para elas. – Nada bom, Morgan.

"Não fui eu", pensei, um alarme soando em minha cabeça com a súbita percepção. Não era eu. Todos aqueles erros *não eram* meus. Mas então Denon se moveu para o espaço entre paredes que era a minha porta.

Em meio a um estrépito de metal e plástico, me descobri de pé, pressionada contra a mesa. Os papéis estavam amassados e o mouse tinha caído da mesa, balançando. Os olhos de Denon estavam negros como suas pupilas. Meu pulso martelou.

– Não gosto de você, Morgan – declarou. Sua respiração me cobriu com uma sensação viscosa. – Nunca gostei. Você é relaxada e descuidada, igual ao pai. É incapaz de capturar um leprechaun. Inacreditável! – Seu olhar ficou distante, e percebi que eu estava segurando a respiração à medida que minha visão começou a ficar embaçada e a minha compreensão parecia dançar para fora do alcance.

"Por favor, funcione", pensei, em desespero. "Dá para meu desejo funcionar?" Denon se inclinou para perto e enfiei as unhas na palma da mão, tentando não me esquivar dele. Eu me forcei a respirar.

– Inacreditável! – repetiu, como estivesse tentando entender. Então balançou a cabeça num horror fingido.

O ar escapou de mim quando Denon se afastou. Ele quebrou o contato visual e olhou para o meu pescoço, onde eu sabia que meu pulso estava martelando. Aproximei minha mão lentamente para cobri-lo, e ele sorriu como um amante para sua garota preferida. O cara tinha apenas uma cicatriz no belo pescoço. Eu me perguntava onde as outras estavam.

– Quando sair daqui – sussurrou –, será um alvo fácil.

O choque se misturou ao meu sobressalto numa mistura nauseante. Minha cabeça ia ser colocada a prêmio.

– Você não pode... – balbuciei. – Você queria que eu saísse.

O chefe permaneceu estático, mas só sua rigidez já fez meu medo aumentar. Meus olhos se arregalaram com sua inspiração lenta e seus lábios, que ficaram cheios e vermelhos.

– Alguém vai morrer por isso, Rachel – sussurrou. A maneira como disse meu nome me fez gelar. – Não posso matar Tamwood. Então você vai ser o bode expiatório no lugar dela. – Ele me olhou por debaixo das sobrancelhas. – Parabéns.

Tirei a mão do pescoço quando Denon saiu da minha baia. Ele não era tão perfeito quanto Ivy. Essa era a diferença entre os vampiros de sangue superior e os de sangue inferior; entre os que nasceram vampiros e os foram transformados. Uma vez no corredor, a ameaça pesada em seus olhos se dissipou. Tirou um envelope do bolso de trás da calça e o jogou na minha mesa.

– Aproveite seu último pagamento, Morgan – disse alto, mais para os outros do que para mim. Então se virou e foi embora.

– Mas você queria que eu saísse – sussurrei enquanto ele desaparecia no elevador. As portas se fecharam e a seta vermelha que apontava para baixo se acendeu. Denon também tinha um chefe ao qual se reportar. Ele devia estar brincando. Não ia colocar minha cabeça a prêmio por algo tão estúpido quanto Ivy sair comigo. Ou ia?

– Muito bem, Rachel.

Virei em direção à voz nasalada. Eu tinha me esquecido de Francis. Ele deslizou da mesa de Joyce e se inclinou contra a minha divisória. Depois de ver Denon fazer a mesma coisa, o efeito era risível. Lentamente, sentei de novo em minha cadeira giratória.

– Faz seis meses que espero você se irritar o bastante para ir embora – disse Francis. – Devia saber que você só precisava ficar bêbada.

Uma onda de raiva eliminou o resquício de medo que ainda tinha e voltei a empacotar as coisas. Meus dedos estavam frios, e os esfreguei para aquecê-los um pouco. Jenks saiu do esconderijo e silenciosamente voou até o topo da minha planta.

Francis arregaçou as mangas da jaqueta até os cotovelos. Empurrou meu cheque com um só dedo e sentou-se na mesa, mantendo um dos pés no chão.

– Levou bem mais tempo do que esperava – zombou. – Ou você é muito teimosa ou é muito estúpida. De qualquer forma, está praticamente morta. – Fungou, fazendo um barulho estridente com o nariz fino.

Fechei a gaveta da mesa com um estrondo, quase prendendo os dedos dele.

– Você quer me dizer alguma coisa, *Francis?*

– Meu nome é Frank – disse, numa tentativa de parecer superior. Em vez disso, acabou dando a impressão de estar resfriado. – Não se dê ao trabalho de apagar os arquivos do computador. Eles são meus, junto com essa mesa aqui.

Olhei para meu monitor com um protetor de tela de um sapo de olhos arregalados. De tempos em tempos, ele comia uma mosca com a cara de Francis.

– Desde quando os engravatados do andar de baixo deixam um *feiticeiro* ir atrás de um caso? – perguntei, ressaltando sua classificação. Francis não era bom o suficiente para ser classificado como bruxo. Conseguia invocar um feitiço, mas não tivera o conhecimento para fazer um no caldeirão. Eu tinha, embora costumasse comprar meus amuletos. Era mais fácil e provavelmente mais seguro. Não era minha culpa que milhares de anos de estereótipos tivessem colocado as mulheres como bruxas e os homens como feiticeiros.

Aparentemente, era isso mesmo que ele queria que eu perguntasse.

– Você não é a única que sabe cozinhar, Rachel. Tirei a licença na semana passada. – Inclinando-se, pegou uma caneta da minha caixa e a colocou de novo no porta-caneta. – Poderia ter me tornado um bruxo muito tempo atrás. Só não queria sujar as mãos aprendendo a mexer um feitiço com a colher. Não devia ter esperado tanto tempo. É tão fácil!

Peguei a caneta de volta e a enfiei no bolso de trás da calça.

– Bom para você. – "Francis tinha passado na prova para bruxo?", pensei. "Eles devem ter baixado o nível de exigência."

– Sim – continuou, limpando embaixo das unhas com uma das minhas adagas de prata. – Consegui sua mesa, seus casos, até seu carro da empresa.

Tomando a faca da mão dele, joguei-a na caixa.

– Não tenho um carro da empresa.

– Eu tenho. – Deu um peteleco no colarinho da camiseta com imagens de palmeiras, muito feliz consigo mesmo. Eu tinha prometido que ia ficar quieta para não dar mais uma chance a Francis de contar vantagem. – É – ele disse com um suspiro exagerado. – Vou precisar de um carro mesmo. Denon me mandou entrevistar o conselheiro municipal Trenton Kalamack na segunda-feira. – Deu uma risadinha. – Enquanto você estava estragando sua captura simples, dirigi a operação que apreendeu dois quilos da droga Enxofre.

– Grande porcaria – disse, pronta para estrangulá-lo.

– O que importa não é a quantidade. – Afastou o cabelo dos olhos. – E sim a identidade do portador.

A informação captou meu interesse. Trent ligado à Enxofre?

– Quem? – perguntei.

Francis deslizou para sair da mesa. Tropeçou nos meus chinelos felpudos cor-de-rosa que usava no escritório e quase caiu. Segurando-se, apontou o dedo para baixo como se fosse uma pistola.

– Tome cuidado, Morgan.

Aquilo foi a gota d'água. Contorcendo o rosto, coloquei o pé no seu caminho. Ele caiu, dando um grito recompensador. Antes que ele chegasse ao chão, eu estava com o joelho nas costas daquele casaco horrível de poliéster. Procurei minhas algemas, por força do hábito. Jenks aplaudiu, voando acima da cena. O escritório ficou quieto depois de um suspiro alarmado. Ninguém ia interferir. Nem sequer me olhavam.

– Não tenho nada a perder, docinho – resmunguei, me inclinando até poder sentir o cheiro de seu suor. – Como disse, já estou morta, então a única coisa que me impede de arrancar suas pálpebras agora mesmo é simples curiosidade. Vou perguntar de novo. Quem você prendeu pela posse de Enxofre?

– Rachel – gritou. Ele podia me fazer cair de bunda, mas tinha medo de tentar. – Você está per... Ai! Ai! – exclamou quando enfiei as unhas fundo em sua pálpebra direita. – Yolin. Yolin Bates!

– O secretário de Trent Kalamack? – Jenks disse, pairando sobre meu ombro.

– É – Francis disse, o rosto raspando no carpete. Virou a cabeça para mim. – Ou melhor, não é mais; já morreu. Droga, Rachel. Saia de cima de mim!

– Ele está morto? – Bati a poeira do meu jeans enquanto me colocava de pé. Francis se levantou. Parecia taciturno, mas tinha prazer em me contar aquilo; do contrário, já teria ido embora.

– *Ela*, não ele – disse enquanto levantava o colarinho. – Eles a encontraram morta, dura como pedra na prisão da SI ontem. Literalmente. Yolin era uma feiticeira.

A última parte foi dita com um tom condescendente, e dei a ele um sorriso azedo. Como é fácil desprezar algo que você era apenas uma semana atrás. "Trent...", pensei, sentindo meu olhar se tornar distante. Se pudesse provar que Trent fazia tráfico de Enxofre e entregá-lo para SI numa bandeja de prata, Denon ia ter que sair do meu cangote. A SI estava atrás dele havia anos e o tráfico de Enxofre continuava a crescer. Ninguém sequer sabia se ele era humano ou imperceptível.

– Nossa, Rachel – Francis se lamuriou, dando batidinhas no rosto. – Você fez meu nariz sangrar.

Meus pensamentos clarearam, e o olhei com zombaria.

– Você é um bruxo. Vá fazer um feitiço – Sabia que ele não podia ser tão bom ainda. Ele ia ter de pegar um emprestado, como fazia quando era feiticeiro, e isso o irritava. Sorri quando ele abriu a boca para dizer algo. Pensando melhor, ele pressionou os dedos no nariz e se virou para ir embora.

Senti um puxão; Jenks tinha pousado no meu brinco. Francis caminhava apressado pelo corredor, a cabeça inclinada num ângulo embaraçoso. O andar afetado fazia a bainha do casaco esportivo balançar, e não pude evitar dar uma risadinha quando Jenks assobiou o tema de *Miami Vice*.

– Que pano de limpar musgo – o pixie disse quando me virei para minha mesa.

Franzi a testa e enfiei o pote de loureiro na caixa. Minha cabeça doía, e eu queria ir para casa tirar um cochilo. Depois de conferir se não tinha esquecido nada na mesa, peguei os chinelos joguei-os na caixa. Os livros da Joyce ficaram na cadeira com um recado dizendo que eu ia ligar mais tarde. "Pegar meu computador, hein?", pensei, fazendo uma pausa antes de abrir um arquivo. Três cliques e tornei praticamente impossível mudar o protetor de tela sem estragar o sistema inteiro.

– Vou para casa, Jenks – sussurrei, olhando para o relógio na parede. Eram três e meia. Estava no trabalho havia apenas meia hora. Pareciam eras. Um último olhar pelo andar só mostrou cabeças abaixadas e costas curvadas. Como se eu não existisse. – Quem precisa deles? – murmurei, apanhando minha jaqueta na cadeira e esticando a mão para pegar o cheque.

– Ei! – gritei. Jenks tinha beliscado meu ouvido. – Droga, Jenks. Pare com isso!

– É o cheque – exclamou. – Caramba, mulher. Ele amaldiçoou o cheque!

Eu congelei. Deixando a jaqueta cair na caixa, me inclinei sobre o envelope de aparência inocente. Com os olhos fechados, respirei fundo, procurando o cheiro de sequoia canadense. Então, provei no fundo da minha garganta tentando discernir o cheiro de enxofre que pairava sobre magia negra.

– Não sinto cheiro nenhum.

Jenks deu uma pequena risada.

– Eu sinto. Tem de ser o cheque. É a única coisa que Denon deu. Cuidado, Rachel. É magia negra.

Fiquei nauseada. Denon não podia estar falando sério.

Ele não podia.

Olhei pela sala, sem encontrar ajuda. Preocupada, tirei o vaso do lixo, derrubando um pouco da água do Senhor Peixe. Joguei uma porção de sal no vaso, provei com o dedo, então acrescentei um pouco mais. Satisfeita pela salinidade ser igual à do oceano, joguei a mistura sobre o cheque. Se tivesse enfeitiçado, o sal ia quebrar o feitiço.

Um indício de fumaça amarela pairou sobre o envelope.

– Droga... – sussurrei, assustada. – Cuidado com o nariz, Jenks – disse, indo para debaixo da mesa.

Com uma efervescência abrupta, a magia negra se dissolveu. A fumaça amarela e sulfúrica formou uma massa, que subiu em direção ao teto, para ser sugada pelos respiradouros – causando gritos de horror e nojo pelo escritório. Em debandada, todos correram para a saída. Eu estava preparada, mas ainda assim o cheiro de ovo podre fez meus olhos lacrimejarem. O feitiço era da pesada, feito sob medida para mim, já que tanto Denon quanto Francis haviam tocado no envelope. Não tinha saído barato.

Abalada, saí debaixo da mesa e olhei ao redor do escritório deserto.

– Está tudo bem agora? – perguntei, tossindo. Jenks concordou, fazendo meu brinco mexer. – Obrigada, Jenks.

Com o estômago revirando, joguei o cheque molhado na caixa e saí apressada para além das baias vazias. Parecia que Denon estava falando sério sobre a ameaça de morte. Que maravilha...

Quatro

– Ra-a-a-che-e-e-e-l – cantou uma voz minúscula e irritante. Ela atravessou a mudança de marcha e o gorgolejo engasgado do motor a diesel do ônibus. A voz de Jenks me irritava mais do que giz no quadro-negro, e minha mão tremeu pelo esforço de evitar agarrá-lo. Nunca ia conseguir pegá-lo. O pequeno paspalho era rápido demais.

– Não estou dormindo – declarei antes que a cantoria recomeçasse. – Só estou descansando os olhos.

– Se continuar descansando os olhos vai passar do ponto... *Delícia*. – Usou de propósito o apelido que o taxista da noite anterior havia me dado, e abri uma das pálpebras.

– Não me chame disso. – O ônibus virou uma esquina e apertei com mais força a caixa equilibrada sobre o colo. – Ainda tem mais dois quarteirões – disse, com mau humor. Tinha superado a náusea, mas a cabeça ainda latejava. Reconheci o som do treino do time infantil de beisebol, no parque; faltavam apenas dois quarteirões para o meu apartamento. Ia haver outro treino depois do pôr do sol, para os notívagos.

Ouvi um bater de asas quando Jenks trocou o brinco pela caixa.

– Mãe da Fada Sininho! Você recebe essa mixaria?! – exclamou.

Abri os olhos no mesmo instante.

– Pare de mexer nas minhas coisas! – Peguei o cheque úmido e o enfiei num bolso da jaqueta. Jenks fez uma cara zombeteira, e esfreguei o polegar e o indicador juntos como se estivesse esmagando algo. Ele entendeu o recado e moveu a calça pantalona de seda roxa e amarela para fora do meu alcance, ajeitando-se no alto do assento à minha frente. – Você não tem outra coisa para fazer? – perguntei. – Tipo ajudar sua família a se mudar?

Jenks deu uma risada que mais parecia um uivo.

– Ajudá-los a se mudar? De jeito nenhum. – As asas se agitaram. – Além disso, alguém devia cheirar sua casa e se assegurar de que você não vai explodir enquanto usa o banheiro. – Ele riu de forma histérica, e várias pessoas olharam para mim. Dei de ombros como se dissesse "Pixies...".

– Obrigada – disse, azeda.

Um guarda-costas pixie. Denon riria até morrer. Estava em dívida com Jenks por ter detectado o feitiço no cheque, mas a SI não tinha tido tempo de montar mais nada. Eu imaginava dispor de alguns dias, caso Denon estivesse levando a sério a ideia de me apagar. Mas o mais provável era isso ser um lance do tipo "não deixe o feitiço matá-la quando sair".

Levantei quando o ônibus parou. Lutando contra os degraus, aterrissei no sol do final de tarde. Jenks descreveu círculos irritantes ao meu redor. Ele era pior que um mosquito.

– Lugar legal – alfinetou com sarcasmo enquanto esperava o trânsito diminuir antes de cruzar a rua para meu apartamento. Concordei em silêncio. Eu morava no centro de Cincinnati, no que tinha sido uma boa vizinhança vinte anos atrás. O prédio de tijolos, com quatro andares, fora construído originalmente para alunos dos últimos anos da universidade. Tinha visto suas últimas provas finais anos atrás e agora estava reduzido àquilo.

As caixas de correio pretas presas ao portão eram feias e estavam amassadas – algumas obviamente tinham sido arrombadas. Eu recebia minhas cartas diretamente da senhoria. Suspeitava de que era ela quem arrombava as caixas, para poder bisbilhotar as cartas dos inquilinos sossegada. Em cada lado dos degraus largos havia uma faixa fina de grama e uma moita desgrenhada. Ano passado, tinha plantado sementes de milefólio que ganhara na promoção do correio da *Feitiço Semanal*, mas o Senhor Dinky, o chihuahua da senhoria, as tinha desenterrado – junto com a maior parte do quintal. Havia pequenos torrões de terra por toda parte, o que fazia o quintal parecer um campo de batalha de fadas.

– E eu achava que minha casa era ruim... – Jenks sussurrou quando pulei o degrau de madeira caruchado.

As chaves tiniram quando tentei equilibrar a caixa e abrir a porta ao mesmo tempo. Uma voz na minha cabeça dizia a mesma coisa havia anos. O cheiro de comida frita me atingiu quando entrei no vestíbulo, e então meu nariz se contraiu. Puído e desfiado, o carpete verde passava pelas escadas. A senhora Baker havia desatarraxado a lâmpada da escadaria de novo, mas o sol que atravessava a janela no alto do lance de escadas e recaía sobre o papel de parede de botões de rosa iluminava o caminho.

– Ei – Jenks disse enquanto eu subia as escadas. – Essa mancha no teto tem o formato de uma pizza.

Levantei os olhos. O pixie estava certo. Engraçado, nunca tinha reparado nisso.

– E esse amassado na parede? – continuou, ao chegarmos no primeiro andar. – É do formato certinho de uma cabeça. Cara... se essas paredes pudessem falar...

Descobri que ainda era capaz de sorrir. "Espere até chegar ao meu apartamento", pensei. Alguém tinha queimado o chão e feito um buraco em forma de coração.

Meu sorriso sumiu quando virei no topo do segundo lance de escadas. Todas as minhas coisas estavam no corredor.

– Caramba. O que é isso? – sussurrei. Chocada, coloquei a caixa no chão e olhei para o fim do corredor para a porta da senhora Talbu. – Eu paguei o aluguel!

– Ei, Rachel? – Jenks disse, do teto. – Onde está seu gato?

Num crescente de raiva, encarei minha mobília. Parecia tomar muito mais espaço quando estava amontoada num corredor em cima de um carpete horrível.

– O que ela pensa que...

– Rachel! – Jenks gritou. – Onde está seu gato?

– Não tenho gato – praticamente rosnei. Era um assunto delicado para mim.

– Achei que todas as bruxas tinham gatos.

Com os lábios franzidos, atravessei o corredor.

– Gatos fazem o Senhor Dinky espirrar.

Jenks voou ao lado do meu ouvido.

– Quem é Senhor Dinky?

– Ele – apontei para a gigantesca foto emoldurada de um chihuahua, pendurada na porta da senhoria. O cachorro feioso e de olhos esbugalhados usava um daqueles lacinhos que os pais colocam no bebê para você saber que é uma garota. Bati na porta. – Senhora Talbu? Senhora Talbu!

Ouvi os latidos agudos do Senhor Dinky e o som de unhas na parte de trás da porta, seguido pouco depois pelos berros da senhoria tentando fazer aquela coisa calar a boca. O Senhor Dinky redobrou o barulho, raspando o chão como se fosse cavar o caminho até chegar a mim.

– Senhora Talbu! – gritei. – Por que minhas coisas estão no corredor?

– O pessoal já está sabendo, Delícia – Jenks disse para o teto. – Você é encrenca.

– Eu disse para não me chamar *disso*! – berrei, socando a porta enquanto dizia a última palavra.

Ouvi uma porta batendo dentro do seu apartamento, e os latidos do Senhor Dinky ficaram mais abafados e frenéticos.

– Vá embora – disse numa voz fina e esganiçada. – Você não pode mais morar aqui.

A palma da minha mão doía, e a massageei.

– Você acha que não posso pagar o aluguel? – disse, sem me importar que o prédio inteiro escutasse. – Eu tenho dinheiro, senhora Talbu. Você não pode me expulsar. Estou com o aluguel do mês que vem bem aqui. – Tirei o cheque empapado do bolso e o balancei para a porta.

– Troquei sua fechadura – a senhora Talbu disse numa voz trêmula. – Vá embora antes que seja morta.

Encarei a porta, incrédula. Ela tinha ficado sabendo da ameaça da SI? E dar uma de velhinha era uma farsa. Seus gritos atravessavam paredes quando achava que eu estava ouvindo música alto demais.

– Você não pode me despejar! – exclamei, desesperada. – Tenho direitos.

– Bruxas mortas não têm direitos – Jenks disse para a luminária.

– Droga, senhora Talbu! – gritei para a porta. – Ainda não estou morta!

Não houve resposta. Fiquei parada ali, pensando. Não tinha muito o que fazer, e ela sabia disso. Imaginei que podia ficar no meu novo escritório até encontrar algo. Voltar para a casa da minha mãe não era uma opção, e eu não falava com meu irmão desde que tinha entrado para a SI.

– E quanto ao depósito de garantia? – perguntei. A porta permaneceu silenciosa. Fui tomada por uma raiva lenta e contínua, que poderia durar dias. – Senhora Talbu, se não me entregar a diferença do aluguel do mês e o depósito de segurança, vou sentar bem na frente da sua porta. – Fiz uma pausa e esperei por uma resposta. – Vou sentar aqui até me enfeitiçarem. Provavelmente, vou explodir bem aqui. Fazer uma gigantesca mancha de sangue no carpete. E você vai ter que olhar para essa enorme mancha de sangue todos os dias. Está me escutando, senhora Talbu? – ameacei baixinho. – Pedaços de mim vão ficar grudados no teto do corredor.

Ouvi um suspiro.

– Oh, meu Deus, Dinky – a senhora Talbu garganteou. – Onde está o talão de cheques?

Olhei para Jenks e dei um sorriso amargo. Ele fez o sinal de positivo.

Ouvi um farfalhar, seguido de um momento de silêncio e do som inconfundível de papel sendo rasgado. Por que ela se dava ao trabalho de se passar por uma velhinha frágil? Todo mundo sabia que ela era mais dura que cocô de dinossauro petrificado e provavelmente ia viver mais que todos nós. Nem a Morte a queria.

– Vou contar para todo mundo, sua atrevida – a senhora Talbu gritou pela porta. – Você não vai achar outro local para alugar em nenhuma parte da cidade.

Jenks deu um rasante quando um pedaço de papel foi passado por debaixo da porta. Depois de pairar por um momento, sinalizou com a cabeça que estava tudo certo. Peguei o cheque e li a quantia.

– E o depósito de garantia? – perguntei. – Você quer vir comigo até meu apartamento e dar uma olhada? Ter certeza de que não há buracos de pregos nas paredes ou runas embaixo do carpete?

Ouvi um xingamento abafado, seguido do som de rabiscos, e mais um pedaço de papel apareceu.

– Caia fora do meu prédio – a senhora Talbu gritou. – Antes que mande o Senhor Dinky para cima de você!

– Eu também amo você, sua velha coroca – Joguei a chave do prédio no chão. Com raiva, mas satisfeita, agarrei o segundo cheque.

Voltei para minhas coisas, diminuindo o ritmo ao sentir o cheiro revelador de enxofre que elas emanavam. Meus membros se enrijeceram de preocupação conforme encarava minha vida amontoada contra as paredes. Tudo estava enfeitiçado. Eu não podia tocar em nada. Deus do céu. Estava sob uma ameaça de morte da SI.

– Não posso submergir tudo em sal – constatei, enquanto ouvia o clique de uma porta se fechando.

– Conheço um sujeito que tem um depósito – Jenks soava surpreendentemente solidário, e levantei os olhos enquanto agarrava os cotovelos. – Se eu pedir, ele vem buscar e guarda tudo lá. Você pode dissolver os feitiços depois. – Hesitou, olhando para os discos de música jogados de qualquer jeito na tigela grande de cobre para feitiços.

Fiz que sim com a cabeça, recostando na parede e me deixando deslizar até bater com a bunda no chão. Minhas roupas, meus sapatos, minha música, meus livros... *minha vida?*

— Oh, não — Jenks disse baixinho. — Seu disco *O Melhor de Takata* está enfeitiçado.

— É autografado — sussurrei, e o zumbido das asas dele diminuiu. O plástico ia sobreviver quando fosse mergulhado em água salgada, mas o encarte ia ser arruinado. Será que Takata me mandaria outro se eu lhe escrevesse? Ele podia se lembrar de mim. Nós tínhamos passado uma noite selvagem perseguindo sombras nas ruínas dos velhos laboratórios biológicos de Cincinnati. Acho que ele até fez uma canção a respeito. "Lua nova surgindo, não vista antes, / Sombras da fé criam uma vacina arriscada." Ficou no Top 20 das paradas de sucesso por dezesseis semanas seguidas. Franzi a testa. — Tem alguma coisa que eles não enfeitiçaram? — perguntei.

Jenks pousou na lista telefônica e deu de ombros. Ela tinha sido deixada aberta na seção de serviços funerários.

— Maravilha. — Com o estômago dando nós, me coloquei de pé. Meus pensamentos voltaram para o que Ivy havia dito na noite anterior sobre Leon Bairn. Pequenos pedaços de bruxo espalhados por toda sua entrada. Engoli em seco com força. Não podia ir para casa. "Como diabos ia pagar Denon para parar com aquilo?"

Minha cabeça começou a doer de novo. Jenks pousou no meu brinco, mantendo a boca fechada enquanto pegava minha caixa de papelão e descia as escadas. Primeiro, as prioridades.

— Qual é o nome do sujeito que tem o depósito? — perguntei quando chegamos à portaria. — Se eu der um dinheiro extra, ele dissolve os feitiços?

— Se você ensiná-lo. O cara não é bruxo.

Pensei, lutando para me recompor. Meu celular estava na bolsa, mas não tinha bateria. O carregador estava em algum lugar no meio das minhas coisas enfeitiçadas.

— Posso ligar para ele do escritório — disse.

— Ele não tem telefone — Jenks deslizou para fora do brinco e voou um pouco para trás, ficando na altura da visão. A fita em sua asa tinha se desgastado, e pensei se deveria me oferecer para consertá-la. — Esse meu conhecido vive em Hollows — acrescentou. — Vou contar seu caso para ele. O cara é tímido.

Estendi a mão para virar a maçaneta, mas hesitei. Encostei na janela e puxei a cortina amarela, desbotada pelo sol, para espiar lá fora. O quintal desarrumado estava quieto ao sol da tarde, vazio e imóvel. O barulho de cortador de grama e o zunido dos carros eram abafados pelo vidro. Pressionando os livros com força, decidi esperar até ouvir o ônibus chegando.

– Ele prefere ser pago em dinheiro vivo – Jenks disse, ficando de pé no peitoril. – Eu o levo até o escritório depois que tiver guardado suas coisas.

– Bem, todas as coisas que não tiverem sido roubadas antes disso – resmunguei, embora soubesse que tudo estava, ao menos em parte, seguro. Em geral, feitiços, especialmente de magia negra, eram feitos para atacar um alvo específico, mas nunca se sabe. Ninguém ia arriscar ser extinto só pra roubar minhas coisas baratas. – Obrigado, Jenks. Com aquela, eram duas vezes que ele tinha salvado minha vida. Isso me deixava inquieta. E com um pouco de culpa.

– Ei, é para isso que existem os parceiros – disse, apesar de isso não ter ajudado nem um pouco.

Dando um sorriso tênue para seu entusiasmo, coloquei a caixa no chão e esperei.

Cinco

O ônibus estava tranquilo, já que a maior parte do tráfego vinha de Hollows àquela hora do dia. Jenks tinha partido pela janela pouco depois de cruzarmos o rio em Kentucky. Ele achava que a SI não ia me atacar num ônibus cheio de testemunhas. Apesar de não estar pronta para acreditar naquilo, não podia pedir para continuar comigo.

Informei o endereço, e o humano concordou em me avisar quando chegássemos lá. Magrelo, vestia um uniforme azul desbotado folgado, apesar das inúmeras bolachas que enfiava na boca feito jujubas.

A maior parte dos motoristas de transporte público de Cincinnati se sentia confortável com impercebidos, mas não todos. A reação da humanidade em relação a nós variava muito. Alguns tinham medo, outros não. Alguns queriam ser como a gente, outros queriam nos matar. Alguns tiravam vantagem do imposto mais baixo e viviam em Hollows, a maioria não.

Pouco depois da Virada, houve uma migração inesperada – quase todos os humanos que tinham dinheiro para isso se moveram para a parte interior das cidades. Os psicólogos da época chamaram o fenômeno de "síndrome de busca do ninho" e, em retrospecto, o que ocorria por todo o país era compreensível. Os impercebidos estavam mais do que ansiosos em adquirir propriedades nos arredores da cidade, atraídos pela possibilidade de ter um terreno maior para chamar de seu, sem contar as drásticas quedas de preço dos imóveis.

A composição da população começou a se igualar apenas recentemente, quando impercebidos ricos foram morar na cidade e os humanos menos afortunados e mais bem informados decidiram que é melhor viver num bairro impercebido bacana do que num bairro humano ruim. Em geral, no entanto, os humanos vivem em Cincinnati e os impercebidos, do outro lado do rio, em Hollows – com exceção de uma pequena área em torno da universidade. Não nos importamos com o fato de os humanos desprezarem nossos bairros como faziam com guetos na pré-Virada.

Hollows virou o bastião da vida impercebida, confortável e casual na superfície, enquanto mantinha seus potenciais problemas devidamente escondidos. A maioria dos humanos se surpreende com a aparência normal de Hollows, mas se pensar a respeito, faz sentido. Nossa história é a história da humanidade. Não caímos do céu em 1966; emigramos por meio da ilha Ellis. Lutamos na Guerra de Secessão, na primeira e na segunda Guerra Mundial – alguns de nós participaram das três. Sofremos no período de Depressão e dançamos "Thriller", do Michael Jackson – igual a todo mundo.

Mas diferenças perigosas existem, e qualquer impercebido com mais de cinquenta anos passou o começo de sua vida disfarçando-as, uma tradição que se mantém firme até hoje.

As casas são modestas, pintadas de branco, de amarelo e às vezes de rosa. Não existem casas assombradas, com exceção do Castelo Loveland em outubro, quando eles o transformam na casa mal-assombrada mais incrível da cidade. Há balanços, piscinas, bicicletas nos quintais e carros estacionados no meio-fio. É preciso um olhar atento para perceber que as flores têm encantos antimagia negra e as janelas do subsolo normalmente são tampadas com cimento. A realidade selvagem e perigosa floresce apenas nas profundezas da cidade, onde as pessoas se reúnem e a animação corre solta: parques de diversão, casas noturnas, bares, igrejas. *Nunca* em nossas casas.

E o bairro é silencioso – mesmo à noite, quando todos os moradores estão acordados. É sempre o silêncio que os humanos percebem primeiro, o que os deixa desconfortáveis e em alerta total.

Fiquei menos tensa quando olhei pela janela e contei as persianas negras à prova de luz. A tranquilidade da vizinhança parecia ser absorvida pelo ônibus. Mesmo as poucas pessoas restantes no veículo tinham ficado calmas. Havia algo em Hollows que era sinônimo de lar.

Meu cabelo foi jogado para a frente quando o ônibus parou. Com os nervos aflorados, me sacudi quando um sujeito bateu no meu ombro ao levantar. Em suas botas barulhentas, o homem se apressava em ultrapassar os degraus em direção à porta.

O motorista avisou que minha parada era a próxima e me levantei ao mesmo tempo em que o sujeito gentil parou do lado de uma rua secundária para eu poder descer até a calçada. Parei junto a uma sombra irregular, de pé com os braços em torno da caixa e tentando não respirar a fumaça do ônibus que se afastava. Ele desapareceu ao virar a esquina, levando o barulho e os últimos vestígios de humanidade com ele.

Lentamente, tudo se silenciou e o som dos pássaros passou a ser audível. Em algum lugar próximo, crianças falavam alto – não; gritavam – e um cachorro latia. Runas de giz multicoloridas decoravam a calçada quebrada, e uma boneca esquecida com presas pintadas nela dava um sorriso sem expressão para mim. Havia uma pequena igreja de pedra do outro lado da rua; o campanário era bem mais alto que as árvores.

Eu me virei num salto, examinando o que Ivy havia alugado para nós: uma casa de um andar que podia facilmente ser convertida num escritório. O teto parecia novo, mas o cimento da chaminé estava desmanchando. A parte frontal tinha grama, que parecia ter sido cortada na semana anterior. Havia até um estacionamento, cuja porta escancarada mostrava um moedor de grama enferrujado.

"Vai servir", pensei, enquanto abria o portão da cerca de arame que rodeava o quintal. Um homem negro e idoso estava sentado na varanda, vendo a tarde passar no ritmo da cadeira de balanço. "Será o senhorio?", pensei, sorrindo. Teorizei que talvez fosse um vamp, já que usava óculos escuros ao sol do fim de tarde. Parecia desmazelado, apesar da barba feita. O cabelo com cachos bem curtos ficava grisalho perto das têmporas. Os sapatos estavam sujos de lama, também presentes nos joelhos do jeans azul. Tinha um ar esgotado – colocado de lado como um cavalo puxador de arado que já não é mais útil, mas que ainda anseia por mais uma estação de plantio.

Ele colocou um copo alto no parapeito da varanda quando cheguei à entrada.

– Não quero – sentenciou enquanto tirava os óculos e os guardava no bolso da camisa. Sua voz era rouca.

Hesitando, olhei para ele do fundo das escadas.

– Perdão?

O homem tossiu, limpando a garganta.

– Seja lá o que você esteja vendendo nessa caixa, não quero. Tenho velas para maldição, doces e revistas suficientes. Não tenho dinheiro para novas coberturas para as paredes, um purificador de água ou um solário.

– Não estou vendendo nada – disse. – Sou a nova inquilina.

Ele sentou-se mais ereto, o que de alguma forma o fez parecer ainda mais desalinhado.

– Inquilina? Ah, da casa do outro lado da rua? – Confusa, apoiei a caixa na outra coxa.

– Aqui não é o número 1597 da Rua Oakstaff?

Ele riu.

– É do outro lado da rua.

– Desculpe ter incomodado. – Virei-me para partir, levantando a caixa.

– Sim – o homem disse. Parei, não querendo ser rude. – Os números são ao contrário nesta rua. Os ímpares estão do lado errado. – Ele sorriu, vincando as rugas em torno dos olhos. – Mas não me perguntaram quando colocaram os números. – Estendeu a mão. – Meu nome é Keasley – disse, esperando que eu subisse as escadas e retribuísse o cumprimento.

"Vizinhos", pensei, girando os olhos enquanto subia as escadas. "Melhor ser simpática."

– Rachel Morgan – disse, sacudindo seu braço uma vez. Ele sorriu e deu um tapinha em meu ombro de maneira paternal. A força do aperto era surpreendente, assim como o cheiro de sequoia canadense que o homem emanava. Era um bruxo, ou no mínimo um feiticeiro. Sentindo-me desconfortável com o gesto de intimidade, dei um passo para trás quando soltou minha mão. Era mais frio na varanda, e me sentia mais alta sob o teto baixo.

– Você é amiga da vamp? – perguntou, apontando para o outro lado da rua com o queixo.

– Ivy? Sim.

Ele meneou a cabeça, como se não fosse importante.

– Vocês largaram o emprego juntas?

Pisquei.

– As notícias voam.

Ele riu.

– Sim. Elas fazem isso.

– Você não tem medo que eu seja enfeitiçada na sua varanda e leve você comigo?

– Não. – Ele se recostou na cadeira de balanço e pegou os óculos. – Tirei isso de você. – Ele segurou um pequeno amuleto autoadesivo entre o indicador e o polegar, que jogou no copo enquanto meu queixo caía de surpresa. O líquido que achava ser limonada espumou conforme o feitiço se dissolvia. Uma fumaça amarela subiu, e o homem acenou de maneira dramática. – Ah, cachorrinhos, essa é da pesada.

"Água salgada?" Ele sorriu ao perceber meu choque.

– Aquele sujeito no ônibus... – balbuciei conforme me afastava da varanda. O enxofre amarelo desceu as escadas como se tentasse me encontrar.

– Prazer em conhecê-la, senhorita Morgan – o homem disse enquanto eu tropeçava no caminho ensolarado da entrada. – Uma vamp e um pixie podem mantê-la viva por alguns dias, mas para isso você precisa tomar mais cuidado.

Meus olhos se voltaram para a rua em direção ao ônibus que há muito partira.

– O sujeito no ônibus...

Keasley fez que sim com a cabeça.

– Você tem razão em achar que, pelo menos de início, não vão tentar nada onde houver testemunhas, mas tem de ficar alerta com amuletos que só são acionados quando você está sozinha.

Tinha me esquecido dos feitiços de efeito retardado. Mas onde Denon estava conseguindo o dinheiro para aquilo? Fiz uma careta ao entender: o dinheiro de Ivy para subornar Denon estava pagando por minha ameaça de morte. Que maravilha.

– Estou em casa o dia todo – Keasley disse. – Apareça se quiser conversar. Quase não saio mais. Artrite. – Deu um tapinha no joelho.

– Obrigada – respondi. – Por... por encontrar o talismã.

– O prazer foi meu – disse, o olhar no teto da varanda e no ventilador que girava preguiçosamente.

Meu estômago estava dando nós quando percorri o caminho de volta à calçada. A cidade inteira sabia que eu tinha largado o emprego? Ou talvez Ivy tivesse conversado com Keasley.

Eu me sentia vulnerável na rua vazia. Tensa, atravessei a rua conferindo o número das casas.

– Mil quinhentos e noventa e três – murmurei, olhando para a pequena casa amarela com duas bicicletas no quintal. – Mil seiscentos e um – continuei, olhando para o outro lado, uma casa de tijolos bem cuidada. Franzi os lábios. A única coisa entre elas era uma igreja de pedra. Uma igreja?

Um zumbido desagradável passou ao lado dos meus ouvidos e me abaixei instintivamente.

– Oi, Rachel! – Jenks parou, flutuando um pouco além do meu alcance.

– Droga, Jenks! – gritei, corando ao ouvir o velho rir. – Não faça isso!

– Já ajeitei suas coisas – anunciou. – Fiz meu conhecido colocar tudo em cima de blocos.

– É uma igreja – disse.

– Não me diga, Sherlock. Espere até ver o jardim.

Permaneci imóvel.

– É uma *igreja*.

Jenks pairou, esperando por mim.

– Há um quintal gigantesco nos fundos. Ótimo para festas.

– Jenks – eu disse entre os dentes. – É uma igreja. O quintal é um *cemitério*.

– Não completamente. – Começou a balançar de forma impaciente. – Não é mais uma igreja. Ela serviu de creche nos últimos dois anos. Ninguém é enterrado aqui desde a Virada.

– E transferiram os corpos?

O pixie parou de voar de um lado para o outro e flutuou, imóvel.

– É claro que transferiram os corpos. Você acha que sou *estúpido*? Você acha que ia viver onde existem *humanos* mortos? Deus me livre. Os insetos saindo deles, doenças, vírus e porcarias se infiltrando no solo e se misturando com tudo!

Abracei com mais força a caixa, atravessando a rua sombreada a passos largos e subindo os degraus da igreja. Jenks não tinha ideia se os corpos haviam sido movidos para outro lugar. Os degraus de pedra cinza estavam arqueados no meio devido às décadas de uso, e eram escorregadios. Havia duas portas gêmeas mais altas do que eu, feitas de uma madeira avermelhada e acopladas com metal. Uma delas trazia uma placa atarraxada.

– Creche da Donna – murmurei, lendo a inscrição. Puxei a porta para abri-la, surpresa com a força necessária para movê-la. Nem tinha tranca, só um ferrolho no lado de dentro.

– É claro que transferiram os corpos – Jenks disse, e então saiu voando pela igreja. Apostaria cem dólares que ele estava indo para o quintal investigar.

– Ivy? – gritei, tentando bater a porta atrás de mim. – Ivy, você está aqui? – O eco da minha voz voltou, vindo do santuário que eu ainda não tinha visto. Um som abafado, baixinho, que percorreu os vitrais grossos.

Meu maior contato com uma igreja desde que meu pai morrera era ler as frases bonitinhas que colocavam nos cartazes com iluminação por trás que havia em todas elas, nos gramados da frente. O saguão dessa edificação era escuro, sem janelas e com painéis de madeira negros. O ar estava quente e parado, espesso com a presença das liturgias passadas. Coloquei a caixa no chão de madeira e escutei o sussurro verde e âmbar escapando do santuário.

– Já vou aí! – veio o grito distante de Ivy. Ela parecia quase feliz, mas onde, diabos, ela estava? Sua voz parecia vir de todos os lugares e de lugar nenhum ao mesmo tempo.

Ouvi o clique fraco de um fecho, e ela deslizou, saindo de trás de um painel. Uma escadaria em espiral subia por trás dela.

– Coloquei minhas corujas no campanário – declarou. Seus olhos castanhos estavam mais vivos do que jamais tinha visto. – É perfeito para armazenamento. Muitas prateleiras e varais. Alguém deixou suas coisas lá também. Quer examiná-las comigo mais tarde?

– É uma igreja, Ivy.

Ela parou. Cruzou os braços e olhou para mim, o rosto abruptamente sem expressão.

– Há pessoas mortas no quintal – acrescentei. Ela deu um impulso para cima e entrou no santuário. – Você pode ver as lápides da rua – continuei enquanto a seguia.

Os bancos e o altar tinham sido removidos, deixando apenas uma sala vazia e um palco ligeiramente elevado. A mesma madeira negra fazia um friso que corria embaixo das altas janelas de vitrais, que não abriam. Uma sombra surrada na parede era o que restava da enorme cruz que antes ficava pendurada sobre o altar. O teto tinha três andares, e dirigi meu olhar para o madeiramento aberto, pensando que devia ser difícil manter aquela sala quente no inverno. Era nada além de um espaço aberto despojado... mas o vazio absoluto parecia aumentar a sensação de paz.

– Quanto isso tudo vai custar? – perguntei, lembrando que eu deveria estar brava.

– Setecentos dólares por mês, água, luz... han... inclusas – Ivy disse baixinho.

– Setecentos dólares? – hesitei, surpresa. Minha parte ficaria em trezentos e cinquenta. Eu pagava quatrocentos e cinquenta no centro pela minha mansão de um quarto só. Aquilo não era nada mal. Nada mal mesmo. Principalmente por ter um quintal. "Não", pensei, sentindo o mau humor voltar. "Era um cemitério."

— Aonde você está indo? — disse, enquanto Ivy se afastava. — Estou falando com você.

— Vou pegar uma xícara de café. Quer uma? — perguntou e desapareceu pela porta atrás do palco elevado.

— Certo, então o aluguel é barato — disse. — Era o que eu queria, mas ainda assim é uma igreja! Você não pode dirigir um negócio numa igreja!

Fumegando de raiva, segui-a, passando pelos banheiros. Mais além havia uma porta à direita. Era um cômodo vazio de bom tamanho, o chão e as paredes lisas ecoavam minha respiração. O vitral de santos estava aberto com o auxílio de uma vareta, a fim de arejar o lugar, e podia ouvir pardais discutindo lá fora. Provavelmente o cômodo já fora usado como escritório e depois tinha sido modificado para agrupar berços. O chão estava empoeirado, mas a madeira era sólida e só tinha arranhões leves.

Satisfeita, espiei a porta no fim do corredor. Caixas abertas e uma cama arrumada. Antes que pudesse ver mais, Ivy se colocou à minha frente e fechou a porta atrás de si.

— Essas são suas coisas — afirmei, encarando-a. O rosto dela estava vazio, o que me dava mais calafrios do que se estivesse lançando uma aura.

— Vou ter que ficar aqui até conseguir alugar um quarto. — Ela hesitou, colocando o cabelo negro atrás da orelha. — Tem algum problema com isso?

— Não — disse baixinho, fechando os olhos numa longa piscada. Pelo amor de Santa Filomena. Eu ia ter que viver no escritório até conseguir me ajeitar. Abri os olhos e me assustei com o olhar estranho de Ivy, uma mistura de medo e... antecipação?

— Vou ter que dormir aqui também — disse. Não gostava da situação, mas não via outra possibilidade. — Fui despejada. A caixa na porta da frente é tudo que tenho até conseguir desenfeitiçar minhas coisas. A SI jogou magia negra em tudo que estava no meu apartamento e quase me pegou no ônibus. E, graças a minha senhoria, ninguém na cidade quer alugar um quarto para mim. Denon colocou um preço pela minha cabeça, exatamente como você disse. — Tentei reprimir o tom de lamúria, mas ele estava lá.

Os olhos de Ivy ainda tinham aquela luz estranha, e me perguntei se ela havia me contado a verdade sobre ser uma vamp não praticante.

– Você pode ficar com o quarto vazio – anunciou, a voz cuidadosamente monótona.

Dei a ela um aceno de cabeça positivo e conciso. "Certo", pensei, respirando fundo. Estava morando numa igreja – com cadáveres no quintal –, sendo ameaçada de morte pela SI e com uma vamp do outro lado do corredor. Fiquei me questionando se Ivy ia perceber se eu trancasse meu quarto por dentro. Depois comecei a pensar se ia mesmo fazer diferença...

– A cozinha é aqui no fundo – disse, e fui atrás dela e do cheiro de café. Meu queixo caiu quando virei na arcada aberta e me esqueci de ficar brava de novo.

A cozinha era metade do tamanho do santuário, tão equipada e moderna quanto o santuário era estéril e medieval. Havia metal resplandecente, cromo reluzente e luzes fluorescentes brilhantes. A geladeira era enorme. Um forno e um fogão a gás se encontravam numa ponta da sala; um fogão elétrico tomava a outra. No meio de tudo, uma ilha de aço inoxidável com prateleiras vazias embaixo. O rack acima estava repleto de utensílios de metal, panelas e tigelas. Era a cozinha dos sonhos de uma bruxa; não teria de preparar feitiços e o jantar no mesmo fogão.

Com exceção das cadeiras de madeira surrada no canto, a cozinha parecia o cenário de um programa de culinária. Numa ponta da mesa havia um monitor widescreen, que piscava furiosamente enquanto girava entre linhas abertas para tentar encontrar e reclamar a melhor ligação contínua com a internet. Era um programa caro; levantei as sobrancelhas.

Ivy pigarreou enquanto eu abria o armário junto da pia. Três canecas aleatórias na prateleira de baixo, mais nada.

– A nova cozinha foi montada cinco anos atrás por exigência do departamento de saúde – ela disse, atraindo minha atenção. – A congregação não era muito grande, então quando tudo terminou não puderam pagar a reforma. É por isso que estão alugando, para tentar pagar o banco.

O som de café sendo servido encheu a sala enquanto eu passava o dedo sobre o metal imaculado da bancada da ilha. Nunca tinha sido sujo por sequer uma torta de maçã ou um cookie de escola dominical.

– Eles querem a igreja de volta – Ivy disse, parecendo mais magra enquanto se recostava na bancada com a caneca aninhada nas mãos pálidas. – Mas está morrendo. A igreja, quer dizer – acrescentou quando a olhei nos olhos. – Nenhum membro novo. É triste, na verdade. A sala de estar é lá atrás.

Não sabia o que dizer, então mantive a boca fechada e a segui pelo salão e por uma porta estreita no fim do corredor. A sala de estar era aconchegante, mobiliada com tanto bom gosto que todas aquelas coisas só podiam ser da Ivy. Era a primeira manifestação de suavidade e de calor que tinha visto em toda a igreja – mesmo sendo apenas em tons de cinza – e os vidros das janelas eram simples. Adorável. Senti minha tensão diluir. Ivy agarrou o controle do som, e um jazz da meia-noite pairou no ambiente. Talvez aquilo não fosse tão ruim.

– Você quase foi pega? – Ivy jogou o controle na mesa de café e se ajeitou numa das poltronas de camurça cinza ao lado da lareira vazia. – Você está bem?

– Sim – admiti de cara azeda, enquanto afundava os pés no tapete. – Essas são todas as suas coisas? Um sujeito topou comigo e colocou um talismã em mim que só ia ser invocado quando não houvesse nenhuma testemunha ou vítima... que não eu. Não acredito que Denon está sendo tão sério quanto a isso. Você estava certa. – Fiz um esforço para manter a voz casual, para que Ivy não visse o quanto eu estava abalada. – Tive uma sorte enorme de o velho do outro lado da rua tirá-lo de mim. – Peguei uma foto em que Ivy aparecia com um golden retriever. Ela estava sorrindo para mostrar os dentes: reprimi um calafrio.

– Que velho? – Ivy disse rapidamente.

– Do outro lado da rua. Ele tem a observado.

Coloquei o porta-retratos de metal no lugar e ajustei a poltrona de frente à dela. Móveis combinando, que bacana. Um velho relógio de parede fazia tique--taque, de maneira suave e reconfortante. Havia uma TV widescreen com um aparelho de som embutido. O DVD tinha um monte de funções. Ivy era conhecedora de aparelhos eletrônicos.

– Vou trazer minhas coisas depois de dissolver os feitiços – disse e então estremeci, imaginando como minhas coisas iam parecer vagabundas perto das dela. – O que sobreviver ao mergulho em água salgada – acrescentei.

"Sobreviver ao mergulho?", pensei de repente, fechando os olhos e esfregando a testa.

– Oh, não – disse, baixinho. – Não posso dissolver os feitiços dos meus talismãs.

Ivy balançou a caneca num joelho enquanto folheava uma revista.

– Hein?

– Talismãs – reclamei. – A SI colocou feitiços de magia negra em todo o meu estoque de talismãs. Mergulhá-los em água salgada para quebrar o feitiço vai arruiná-los. E não posso comprar mais. – Fiz uma careta diante da sua expressão de incompreensão. – Se a SI entrou no meu apartamento, tenho certeza de que foi para a loja também. Devia ter comprado um bando de talismãs ontem antes de pedir as contas, mas não achei que fossem se importar com a minha saída. – Ajustei, indiferente, a sombra do abajur de mesa. Eles não tinham se importado até Ivy sair também. Deprimida, joguei a cabeça para trás e olhei para o teto.

– Achei que você já sabia como fazer feitiços – Ivy disse de forma desconfiada.

– Eu sei, mas é uma chateação. E onde vou conseguir os ingredientes? – Fechei os olhos, angustiada. Ia ter que *fazer* todos os meus talismãs.

Ouvi um farfalhar de papel e, ao levantar a cabeça, vi Ivy lendo a revista. Havia uma maçã e uma Branca de Neve na capa. O espartilho de couro da Branca de Neve era cortado para mostrar o umbigo. Uma gota de sangue brilhava como uma joia no canto de sua boca. Isso dava uma nova interpretação ao lance de sono encantado. O senhor Walt Disney ficaria chocado. A não ser, é claro, que tivesse sido um impercebido. Isso explicaria muita coisa.

– Você não pode comprar apenas o que precisa? – Ivy perguntou.

Eu me enrijeci com o tom de sarcasmo em sua voz.

– Sim, mas vou ter que mergulhar tudo em água salgada para me assegurar de que nada foi enfeitiçado. É quase impossível remover todo o sal e isso vai fazer a mistura ficar errada.

Jenks voou zumbindo para fora da lareira, carregando uma nuvem de fuligem e uma lamentação irritante. Eu me perguntei há quanto tempo ele estava ouvindo dentro da chaminé. O pixie aterrissou numa caixa de lencinhos e limpou a asa, parecendo uma mistura de libélula e gato em miniatura.

– Minha nossa, como você é obcecada – ele disse, o que respondia à minha pergunta. Sim, ele estivera ouvindo.

– Queria ver se fosse você que a SI estivesse tentando matar com magia negra. Aposto que também ia ficar um pouco paranoico. – Ansiosa, bati na caixa na qual Jenks estava sentado até ele sair voando.

Pairou entre mim e Ivy.

– Você ainda não viu o jardim, não é, Sherlock?

Joguei uma almofada nele, mas o espertinho se desviou com facilidade. Ela derrubou o abajur ao lado de Ivy, que esticou o braço de maneira casual, pegando-o antes que ele acertasse o chão. Não tirou os olhos da revista, nem derramou uma gota do café apoiado no joelho. O pelo do meu pescoço ficou eriçado.

– Não me chame disso também – disse, para encobrir minha inquietação. Ele tinha um ar bastante presunçoso enquanto pairava no ar. – O quê? – perguntei com sarcasmo. – O jardim tem algo além de ervas daninhas e pessoas mortas?

– Talvez.

– Verdade? – Talvez essa fosse a primeira coisa boa a acontecer comigo de novo, e me levantei para sair pela porta de trás. – Vamos? – perguntei para Ivy enquanto colocava a mão na maçaneta.

Sua cabeça estava inclinada sobre uma página com fotos de cortinas de couro.

– Não – respondeu, claramente desinteressada.

Jenks me acompanhou pela porta de trás até o jardim. O sol que se punha estava intoxicante e forte, deixando os cheiros claros conforme extraía a umidade do solo úmido. Havia uma tramazeira em algum lugar. Inspirei fundo, identificando os aromas. E uma bétula e um carvalho. O que devia ser os filhos de Jenks voando de maneira barulhenta de um lado para o outro, perseguindo uma borboleta amarela sobre os montes de vegetação que se elevavam. Pilhas de plantas forravam as paredes da igreja e a cerca de pedra em torno dela. O muro rodeava a propriedade toda, para isolar de maneira educada a igreja dos vizinhos.

Outro muro baixo o suficiente para se pular separava o jardim do pequeno cemitério. Franzi os olhos, avistando algumas plantas em meio à grama alta e às lápides, mas apenas aquelas que ficavam mais potentes quando cresciam em meio aos mortos. Quanto mais eu olhava, mais assombrada ficava. O jardim era completo. Mesmo espécies raras podiam ser encontradas ali.

– É perfeito – sussurrei, passando os dedos por um tufo de citronela. – Tudo de que eu poderia precisar. Como tudo isso chegou aqui?

A voz de Ivy soou logo atrás de mim.

– De acordo com a velha senhora...

– Ivy! – disse, girando nos calcanhares. Ela estava completamente parada e silenciosa no caminho de um raio de sol âmbar de fim de tarde. – Não faça isso!

– "Vamp sinistra", pensei. "Devia colocar um sino no pescoço dela."

Ivy franziu os olhos e os protegeu com uma das mãos, levantada contra a luz que se esvaía.

– Ela disse que o último pastor era um bruxo. Ele fez o jardim. Consigo um desconto de cinquenta dólares se o mantivermos do jeito que está.

Examinei aquele tesouro todo.

– Pode deixar comigo.

Jenks se aproximou, vindo de um canteiro de violetas. Suas calças roxas tinham manchas de pólen que combinavam com a camisa amarela.

– Trabalho manual? – questionou ele. – Com essas unhas?

Olhei para as ovais vermelhas perfeitas que minhas unhas faziam.

– Isso não é trabalho, é... terapia.

– Que seja. – Jenks voltou a atenção aos filhos, e atravessou rapidamente o jardim para resgatar a borboleta pela qual brigavam.

– Você acha que tem tudo de que precisa aqui? – Ivy perguntou enquanto se virava para entrar na igreja.

– Praticamente. Não é possível enfeitiçar sal, então meu estoque provavelmente está bom, mas vou precisar de uma boa panela para feitiços e de todos os meus livros.

Ivy parou no caminho.

– Achei que era preciso conseguir fazer uma poção de cor, sem livros, para conseguir a licença de bruxa.

Fiquei envergonhada, e abaixei para tirar uma erva daninha que estava ao lado de uma muda de alecrim. Ninguém fazia seus próprios talismãs se podia comprá-los.

– Sim – disse ao deixar a erva daninha cair, tirando a sujeira de debaixo das unhas. – Mas estou sem prática – suspirei. Aquilo ia ser mais difícil do que parecia.

Ivy deu de ombros.

– Você não pode conseguir as receitas na internet?

Olhei incrédula para ela.

– Confiar em algo da internet? Claro, eis aí uma boa ideia.

– Tem alguns livros no sótão.

– Com certeza – confirmei, sarcástica. – Cem feitiços para iniciantes. Toda igreja tem uma cópia.

Ivy enrijeceu.

– Não seja esnobe – disse, o castanho dos olhos desaparecendo atrás das pupilas dilatadas. – Só pensei que, como um membro do clero era bruxo e as plantas certas estão aqui, talvez ele tenha deixado seus livros. A velha senhora disse que ele fugiu com uma das paroquianas mais novas. Provavelmente, as suas coisas estão no sótão para o caso de voltar.

A última coisa de que precisava era morar com uma vamp brava.

– Desculpe. Vou olhar. E, se tiver sorte, quando for ao galpão procurar um serrote para cortar os amuletos, vai ter um saco de sal para usarmos quando os degraus da frente congelarem.

Ivy tomou um pequeno susto e olhou o galpão, que tinha o tamanho de um armário. Passei por ela, parando no peitoril.

– Você vai comigo? – disse, determinada a não deixar que a transição do modo vamp me abalasse. – Ou as corujas não vão se importar com a minha presença?

– Não... quero dizer, sim. – Ivy mordeu o lábio. Era um gesto decididamente humano, e levantei as sobrancelhas. – Elas vão deixar você subir, é só não fazer muito barulho. Eu... eu vou daqui a pouco.

– Que seja... – murmurei, me virando para pegar o caminho até o campanário.

Como Ivy tinha prometido, as corujas me deixaram quieta. Descobri que no sótão havia uma cópia de tudo que tinha perdido no meu apartamento e mais. Vários dos livros eram tão velhos que estavam despedaçando. A cozinha contava com vários potes de cobre, provavelmente usados, Ivy disse, para fazer chili para a congregação. Eles eram perfeitos para fazer feitiços, já que não tinham sido selados para reduzir manchas.

Encontrar tudo de que precisava era meio assustador, tanto que ao sair para procurar um serrote no galpão fiquei aliviada por não encontrar sal. Não, estava no chão da despensa.

Tudo estava indo bem demais. Algo tinha que estar errado.

Seis

De pernas cruzadas, sentei em cima na mesa antiga da Ivy e balancei os pés calçando os seus chinelos felpudos cor-de-rosa. Os vegetais fatiados tinham sido cozidos até a perfeição, ainda tostados e crocantes, e empurrei-os pela caixa de papelão branca com meus pauzinhos, os hashis, procurando mais frango.

— Isso é fantástico — murmurei de boca cheia. Um tempero vermelho e de sabor forte queimou minha língua. Lacrimejei. Bebi um terço do copo de leite que tinha deixado em espera. — Apimentado — disse quando Ivy levantou os olhos da caixa aninhada em suas mãos compridas. — Minha nossa, é apimentado demais!

Ivy arqueou as sobrancelhas negras e finas.

— Que bom que você aprova. — Ela estava sentada na mesa, na frente do computador. Enquanto olhava para sua caixa de comida delivery, uma onda do cabelo preto caiu para a frente, formando uma cortina sobre seu rosto. Ela o enfiou atrás da orelha, e observei a linha de sua mandíbula se mover lentamente enquanto comia.

Minha habilidade em comer com hashi era apenas o suficiente para não parecer uma idiota, mas Ivy os movia com precisão, colocando pedaços de comida na boca com um ritmo e, de certa forma, erotismo. Desviei o olhar, subitamente desconfortável.

— Qual é o nome? — perguntei, enfiando os pauzinhos na caixa de papel.

— Frango com curry vermelho.

— Só isso? — perguntei, e ela fez que sim com a cabeça. Emiti um pequeno ruído. Podia me lembrar daquilo. Encontrei outro pedaço de carne. O curry explodiu na minha boca, e o coloquei para dentro com um gole de leite. — Onde você conseguiu?

– Na Piscary's.

Arregalei os olhos. A Piscary's era uma combinação de pizzaria e balada vamp. Comida muito boa em uma atmosfera única.

– Isso veio de lá? – perguntei enquanto mastigava um broto de bambu crocante. – Achei que não entregavam nada além de pizza.

– E não entregam... normalmente.

O tom rouco da sua voz chamou minha atenção, mas a descobri absorta na comida. Ivy levantou a cabeça e piscou os olhos quase em forma de amêndoas para mim.

– Minha mãe deu a receita a eles – contou. A Piscary's faz a entrega especialmente para mim. Nada demais.

Ela voltou a comer. Uma sensação de inquietação percorreu meu corpo, e o som dos grilos se sobrepôs ao atrito suave de nossos hashis. O Senhor Peixe nadava em seu aquário, no peitoril da janela. O barulho gentil e abafado de Hollows à noite quase não podia ser ouvido sobre as pancadas rítmicas das roupas na secadora.

Não aguentava a ideia de usar a mesma roupa no dia seguinte, mas Jenks disse que seu amigo ia conseguir desenfeitiçar minhas roupas até domingo. Então só me restava lavar as que tinha e torcer para não encontrar com nenhum conhecido. Naquele momento, vestia uma camisola e uma túnica que Ivy tinha me emprestado. Elas eram pretas, óbvio, mas Ivy disse que a cor combinava comigo. O cheiro tênue de cinza de madeira não era desagradável, mas parecia grudar em mim. Olhei para o ponto vazio acima da pia onde um relógio deveria estar.

– Que horas você acha que são?

– Três e pouco – Ivy respondeu, sem olhar para seu relógio.

Mexi na caixinha, suspirando depois de perceber que tinha comido todo o abacaxi.

– Queria que as roupas ficassem prontas. Estou muito cansada.

Ivy cruzou as pernas e se reclinou sobre o jantar.

– Eu tiro da máquina para você. Vou ficar acordada até umas cinco.

– Não, vou ficar acordada. – Bocejei, tapando a boca com as costas da mão. – Não é como se tivesse que levantar para trabalhar amanhã. – Fiquei amarga. Ivy fez um pequeno sinal de concordância, e diminuí o ritmo com que cavoucava o jantar. – Pode me interromper se não for da minha conta, mas por que se juntou à SI se não queria trabalhar para eles?

Ela pareceu surpresa ao levantar os olhos. Numa voz monótona e significativa, disse:

— Fiz isso para irritar minha mãe. — Um flash do que parecia dor passou por seu rosto, sumindo antes mesmo de eu ter certeza que estivera lá. — Meu pai não está feliz por eu ter largado o emprego — acrescentou. — Ele disse que eu devia ter me mantido firme ou matado Denon.

O jantar esquecido, a encarei, sem saber se ficava mais surpresa por seu pai ainda estar vivo ou pelo conselho um tanto criativo para uma promoção no emprego.

— Jenks tinha dito que você é o último membro vivo de seu clã — comentei, por fim.

A cabeça de Ivy se moveu num aceno positivo lento e controlado. Seus olhos castanhos me observavam e ela movia os hashis entre a caixa e os lábios numa dança lenta. A sensualidade sutil me surpreendeu, e me ajeitei inquieta na parte da mesa onde estava empoleirada. Ela nunca tinha sido tão terrível assim quando trabalhávamos juntas. Bem, é preciso considerar que normalmente saíamos do trabalho antes da meia-noite.

— Meu pai entrou para a família depois do casamento — disse entre bocados de comida, e me perguntei se ela sabia como era provocativa. — Sou o último membro vivo do clã. Por causa do acordo pré-nupcial, o dinheiro da minha mãe é todo meu. Ou melhor, era. Ela ficou brava pra caramba por eu ter largado o emprego. Quer que eu encontre um vamp vivo de sangue superior e legal, me estabeleça e tenha quantos filhos puder para garantir que a linhagem viva não morra. Ela vai me matar se eu morrer antes de ter um filho.

Concordei como se entendesse, mas não entendia nada.

— Entrei para a SI por causa do meu pai — admiti. Embaraçada, voltei a atenção para o jantar. — Ele trabalhava para a SI na divisão arcana. Voltava para casa toda manhã com aquelas histórias espantosas sobre pessoas que tinha ajudado ou capturado. Ele fazia tudo parecer incrível! — Dei uma risadinha. — Nunca mencionou a papelada. Quando morreu, achei que seria uma maneira de permanecer próxima dele, uma forma de me lembrar do meu pai. Estúpido, não?

— Não.

Levantei os olhos, mastigando uma cenoura.

— Eu precisava fazer alguma coisa. Passei um ano observando minha mãe pirando. Ela não é louca, mas é como se não acreditasse que ele tinha morrido.

É impossível ter uma conversa sem que ela diga algo como: "Eu fiz pudim de banana hoje; é o favorito do seu pai". Minha mãe sabe que ele está morto, mas não consegue superar isso.

Ivy olhava pela janela escura da cozinha, mas enxergava uma memória.

— Meu pai passa o tempo todo ajudando minha mãe a se manter firme. Odeio isso.

Diminuí o ritmo da mastigação. Não são muitos os vamps que conseguem pagar os custos de se manter depois da morte. Só as precauções elaboradas contra a luz do sol e o seguro de acidentes já eram suficientes para colocar a maioria das famílias na rua. Sem mencionar o suprimento contínuo de sangue fresco.

— Eu mal o vejo — acrescentou num sussurro. — Não entendo, Rachel. Ele ainda tem toda a vida pela frente, mas não a deixa conseguir o sangue de que ela precisa de ninguém além dele. Se não está com ela, meu pai está desmaiado no chão pela perda de sangue. Impedir que ela morra completamente o está matando. Uma pessoa sozinha não é capaz de sustentar um vampiro morto. Os dois sabem disso.

A conversa tinha tomado um rumo desconfortável, mas eu não podia simplesmente parar.

— Talvez esteja fazendo isso porque a ama? — propus, hesitante.

Ivy franziu a testa.

— Que tipo de amor é esse? — Ela se levantou, as longas pernas se desdobrando num lento e gracioso movimento. Com a caixa de papelão na mão, desapareceu pelo corredor.

O silêncio súbito martelou meus ouvidos. Encarei com surpresa a cadeira vazia. Ela tinha saído andando. Como podia simplesmente sair andando? Estávamos conversando! A conversa era interessante demais para deixar de lado, então saí da mesa e a segui para a sala de jantar.

Ivy tinha se jogado numa das poltronas de camurça cinza, se esparramado com ar de total despreocupação, com a cabeça em um dos braços grossos do móvel e os pés balançando sobre o outro. Hesitei, surpresa pela imagem que ela passava. Como uma leoa em seu lar, satisfeita depois da caçada. "Bem", pensei, "Ivy é uma vampira." Como esperava que ela estivesse?

Lembrando a mim mesma que Ivy não era uma vamp praticante e que eu não tinha com que me preocupar, me ajeitei com cuidado na poltrona à sua frente, com a mesinha de centro entre nós. Apenas um dos abajures estava ligado, e as bordas da sala eram indistintas e perdidas na sombra. As luzes do equipamento eletrônico brilhavam.

– Então se juntar à SI foi ideia do seu pai? – perguntei.

Ivy tinha colocado sua pequena caixa de papelão branco em cima da barriga. Sem devolver meu olhar, ela deitou de costas para baixo e comeu de maneira indolente um broto de bambu, olhando para o teto enquanto mastigava. Deu mais uma mordida.

– Foi ideia da minha mãe no início. Ela queria que eu trabalhasse na administração. – Ivy comeu mais um bocado. – Era pra eu ficar tranquila e segura. Minha mãe achou que seria bom para desenvolver habilidades sociais. – Deu de ombros. – Mas eu queria ser uma caça-recompensas.

Dando pequenos chutes, tirei os chinelos e sentei sobre os pés. Curvada sobre minha caixa de comida delivery, lancei um olhar para Ivy enquanto ela afastava lentamente os hashis dos lábios. A maior parte da alta gerência na SI era composta por mortos-vivos. Sempre achei que era porque o trabalho ficava mais fácil quando não se tinha alma.

– Ela não podia me impedir – Ivy continuou, falando para o teto. – Então, para me punir por fazer minhas vontades em vez das dela, se assegurou de que eu fosse chefiada por Denon. – Deixou escapar uma risadinha. – Achou que eu ia ficar tão irritada que ia pular para um cargo no escritório na primeira oportunidade. Nunca considerou que ia trocar minha herança para romper o contrato. Acho que mostrei a ela que não ia ser assim – disse, sarcástica.

Afastei os hashis de uma minúscula espiga de milho a fim de pegar um pedaço de tomate.

– Você jogou todo aquele dinheiro fora porque não gostava do chefe? Não gosto dele também, mas...

Ivy se enrijeceu. A força do seu olhar me fez congelar. Minhas palavras travaram na garganta com o ódio no seu rosto.

– Denon é um carniçal – afirmou, as palavras levando embora o calor da sala. – Se tivesse que aguentar a encheção dele por mais um dia, ia arrancar sua garganta.

Hesitei.

– Um carniçal? – disse, confusa. – Achei que era um vamp.

– Ele é. – Diante do meu silêncio, ela ficou ereta e colocou as botas no chão. – Olhe – disse, parecendo incomodada. – Você deve ter percebido que Denon não parece um vamp. Seus dentes são humanos, certo? Não consegue manter uma aura ao meio-dia, hein? E se move de maneira tão barulhenta que você pode ouvi-lo chegando a um quilômetro de distância...

— Não sou cega, Ivy.

Ela envolveu a caixa de papelão branco com as duas mãos e me encarou. O ar da noite que entrava pela janela era frio para o fim da primavera, então me enrolei mais na túnica.

— Denon foi mordido por um vampiro, então tem o vírus de vampiro — continuou. — Isso permite que faça alguns truques, o deixa bem bonito e imagino que seja bastante assustador se deixá-lo intimidá-la, mas o cara é pau-mandado de alguém, Rachel. É um brinquedinho e sempre vai ser.

Houve um barulho baixo de raspão quando ela colocou a caixa branca na mesa de centro entre nós e se inclinou para a frente até o fim da cadeira para poder alcançar a mesa.

— Mesmo que morra e alguém se dê ao trabalho de transformá-lo num morto-vivo, Denon sempre vai ser de segunda classe — assinalou. — Faça contato visual direto da próxima vez que o vir. Ele tem medo. Toda vez que deixa um vamp se alimentar dele, precisa confiar que o vamp vai trazê-lo de volta como um morto-vivo se perder o controle e o matar por acidente. — Ivy respirou devagar. — Ele tem razão de ter medo.

O curry perdeu o gosto. Com o coração batendo forte, examinei seu olhar, rezando para ser apenas Ivy me encarando de volta. Os olhos ainda estavam castanhos, mas havia algo neles. Algo antigo que eu não entendia. Senti meu estômago se contrair e, de repente, estava insegura de mim mesma.

— Não tenha medo de carniçais feito Denon — sussurrou. Acho que ela tentou me tranquilizar, mas suas palavras endureceram minha pele até formigar. — Há coisas bem mais perigosas das quais ter medo.

"Como você?", pensei, mas não disse. Seu ar súbito de predadora reprimida disparou um alarme na minha cabeça. Achei que devia levantar e sair dali. Levar meu traseiro magrelo de bruxa de volta para a cozinha, onde eu devia estar. Mas ela se ajeitara de novo na poltrona, e eu não queria que percebesse que estava me assustando. Não era como se não tivesse visto Ivy ficar toda vampiresca antes. Só que não depois da meia-noite. Na sala de estar dela. Sozinha.

— Coisas como a sua mãe? — questionei, esperando não ter ido longe demais.

– Coisas como a minha mãe – suspirou. – É por isso que estou morando numa igreja.

Lembrei da cruz minúscula no meu novo bracelete com o resto dos talismãs. Nunca deixava de me impressionar com o fato de algo tão pequeno conseguir deter uma força tão poderosa. Não conseguiria deter um vamp vivo – só os mortos-vivos –, mas aceitava qualquer proteção que pudesse ter.

Ivy colocou os calcanhares sobre a beirada da mesa de centro.

– Minha mãe tem sido uma verdadeira morta-viva nos últimos dez anos, mais ou menos – comentou, o que me afastou dos pensamentos sombrios com um susto. – Odeio isso.

Surpresa, não pude evitar a pergunta:

– Por quê?

Ela empurrou o jantar para longe num óbvio gesto de inquietação. Seu rosto trazia um vazio assustador, e ela não me olhava diretamente.

– Tinha dezoito anos quando minha mãe morreu – sussurrou. A voz era distante, como se nem tivesse percebido que estava falando. – Ela perdeu algo, Rachel. Quando você não pode andar sob o sol, perde algo tão nebuloso que nem sabe dizer com certeza o que é. Mas está perdido. É como se ela estivesse presa num padrão de comportamento, mas não conseguisse lembrar por quê. A única coisa que lhe traz alguma vida é tomar sangue, e ela é terrivelmente selvagem ao fazer isso. Quando está saciada, quase posso ver minha mãe no que resta dela. Mas não dura. Nunca é o bastante.

Ivy levantou os olhos sob a testa abaixada.

– Você tem um crucifixo, não tem?

– Bem aqui – respondi com uma vivacidade forçada. Não ia permitir que Ivy soubesse que estava me deixando inquieta. Levantando a mão, balancei de leve o braço para que a manga da túnica caísse até o cotovelo e revelasse meu novo bracelete de talismãs.

Ivy pôs os pés no chão, numa posição menos provocadora. Relaxei até que ela se inclinou sobre metade da mesinha de centro. Ivy estendeu o braço com uma rapidez irreal, agarrando meu pulso antes que percebesse que ela tinha sequer se mexido. Congelei, ciente do calor que seus dedos emanavam. Ela estudou atentamente o talismã de metal incrustado com madeira enquanto eu lutava com o desejo de puxar minha mão para longe.

– É abençoado? – perguntou.

Com o rosto frio, respondi afirmativamente e Ivy me soltou, reclinando para trás com uma lentidão estranha. Foi como se eu ainda pudesse sentir o aperto de sua mão, uma firmeza aprisionadora que não aumentaria a não ser que me afastasse.

– O meu também – disse, tirando a cruz de baixo da camisa.

Impressionada de novo com o crucifixo, deixei o jantar de lado e aproximei a poltrona. Não podia evitar estender o braço para pegá-la. A prata talhada implorava para ser tocada, e ela se reclinou sobre a mesa para que eu pudesse trazê-la mais para perto. Runas ancestrais estavam gravadas, junto com bênçãos mais tradicionais. Era tão bela e eu me perguntava quantos anos tinha.

De repente, percebi a respiração quente de Ivy sobre minha pele.

Eu me recostei, a cruz ainda na minha mão. Seus olhos estavam escuros e seu rosto, sem expressão. Não havia nada lá. Assustada, desviei o olhar por um instante para a cruz. Não podia simplesmente soltá-la. Ia bater direto no peito dela. Mas tampouco podia largá-la gentilmente.

– Aqui – disse, terrivelmente desconfortável com seu olhar vazio. – Pegue-a.

Ivy estendeu a mão, os dedos roçando nos meus quando agarrou o metal antigo. Engolindo em seco com força, puxei a cadeira para trás e ajustei a túnica de Ivy para cobrir minhas pernas.

Movendo-se com uma lentidão provocativa, Ivy tirou a cruz. A corrente de prata se enroscou no brilho preto do seu cabelo. Ela desenroscou o cabelo, que caiu numa cascata reluzente, e colocou a cruz na mesa entre nós. O barulho do metal indo de encontro à madeira foi alto. Sem piscar os olhos, se aninhou na poltrona de frente para mim, sentada sobre os próprios pés, e me encarou.

"Caramba!", pensei numa súbita onda de compreensão e pânico. Ela estava dando em cima de mim. Era isso que estava acontecendo. Como eu pude ser tão cega?

Cerrei a mandíbula enquanto minha mente disparou tentando encontrar um jeito de sair daquela situação. Eu era hétero. Nunca tivera um pensamento diferente disso. Gostava de homens mais altos que eu e não tão fortes, para que pudesse prendê-los contra o chão num momento de paixão se quisesse.

– Hum, Ivy... – comecei.

– Eu nasci vampira – disse baixinho.

A voz cinza percorreu minha espinha e me fechou a garganta. Segurando a respiração, encarei o negro dos seus olhos. Não disse nada, temendo que isso a fizesse se mover, e eu desesperadamente não queria que isso acontecesse. Algo havia se transformado, e não tinha certeza do que mais estava acontecendo.

— Ambos os meus pais são vampiros — ela disse, e, embora continuasse parada, senti a tensão na sala inflar até não poder mais ouvir os grilos. — Fui concebida e nasci antes de minha mãe se tornar uma verdadeira morta-viva. Você sabe o que isso significa, Rachel? — Suas palavras eram lentas e precisas, caindo de seus lábios com a permanência gentil de salmos sussurrados.

— Não — respondi, mal respirando.

Ivy inclinou a cabeça para que o cabelo formasse uma onda de obsidiana que reluziu na luz suave. Ela me observou através dele.

— O vírus não teve que esperar eu morrer para me moldar — disse. — Ele fez isso conforme eu me desenvolvia no útero, dando a mim um pouco de ambos os mundos, o dos vivos e o dos mortos.

Então, ela abriu os lábios, e estremeci com a visão daqueles dentes afiados. Não tive intenção. O suor começou a pingar das minhas costas, e, como se em resposta, Ivy inspirou e segurou o ar.

— É fácil para mim lançar uma aura — declarou enquanto expirava. — Na verdade, o difícil mesmo é reprimi-la.

Ela se desenrolou da poltrona e minha respiração sibilou pelo nariz. Ivy balançou com o som. De forma lenta e metódica, colocou as botas no chão.

— E, embora meus reflexos e minha força não sejam tão bons quanto os de um morto-vivo verdadeiro, eles são melhores que os seus — disse.

Eu sabia disso, e a dúvida sobre o que a estava motivando a dizer aquilo aumentou meu medo em dez vezes. Lutando para não trair meu temor, me recusei a recuar quando ela colocou a palma das mãos sobre a mesa em ambos os lados da cruz e se inclinou para a frente.

— E mais, é garantido que vou me tornar uma morta-viva, mesmo que morra sozinha com a última gota de sangue em meu corpo. Não há com que se preocupar, Rachel. Já sou eterna. A morte só vai me tornar mais forte.

Meu coração bateu forte. Não conseguia desviar dos olhos dela. Droga. Aquilo era mais do que eu queria saber.

— E você sabe qual é a melhor parte? — perguntou.

Balancei a cabeça negativamente, com medo da minha voz falhar. Estava andando no fio da navalha. Queria saber em que mundo Ivy vivia, mas lutava para não fazer parte dele.

Seus olhos se tornaram ainda mais ferventes. Com torso imóvel, ela apoiou um dos joelhos contra a mesinha e depois o outro. Caramba, ela estava dando em cima de mim!

– Vamps vivos podem encantar pessoas... se elas quiserem ser enfeitiçadas – sussurrou. A gentileza de sua voz se esfregou contra minha pele até formigar. Caramba mesmo.

– De que serve isso se só funciona em quem dá permissão? – perguntei, a voz áspera em comparação com a essência líquida da dela.

Os lábios de Ivy se abriram para mostrar as pontas dos dentes dela. Eu não conseguia desviar o olhar.

– Serve para um ótimo sexo... Rachel.

– Ah. – Essa expressão débil foi tudo que consegui emitir. Seus olhos estavam inundados de desejo.

– E tenho o gosto da minha mãe por sangue – disse, se ajoelhando na mesa entre nós. – É como o desejo de algumas pessoas por açúcar. Não é uma boa comparação, mas é a melhor que posso fazer a não ser que você... experimente.

Ivy exalou, movendo o corpo todo. Sua respiração enviou um choque que reverberou por mim. Meus olhos se arregalaram de surpresa e confusão quando reconheci o que sentia: desejo. O que, diabos, estava acontecendo? Eu era hétero. Por que de repente queria saber quão macio era o cabelo dela?

Tudo que eu tinha a fazer era estender a mão. Ela estava a centímetros de mim. Equilibrada. Esperando. No silêncio, podia ouvir meu coração bater com força. O som ecoava em meus ouvidos. Observei com horror quando Ivy desviou seu olhar do meu, passando-o para minha garganta onde eu sabia que meu pulso martelava.

– Não! – gritei, em pânico.

Esperneei, arfando de medo quando descobri seu peso sobre mim, me prendendo contra a cadeira.

– Ivy, não! – gritei. Tinha que tirá-la de cima de mim. Lutei para me mover. Tomei uma golfada de ar, que explodiu num grito de impotência. Como eu podia ser tão estúpida? Ela era uma vampira!

— Rachel... pare!

Sua voz era calma e macia. Uma das mãos segurava meu cabelo, prendendo minha cabeça para trás de forma a expor meu pescoço. Doía, e me ouvi choramingar.

— Você está piorando as coisas — acrescentou, e balancei, arfando quando o aperto dela em meu pulso aumentou até doer.

— Me solta... — disse, sem fôlego, como se estivesse correndo. Meu Deus, Ivy. Me solta. Por favor. Eu não quero. — Estava implorando. Não podia evitar. Estava aterrorizada. Eu tinha visto as fotos. Doía. Meu Deus, ia doer.

— Pare — repetiu. A voz estava tensa. — Estou tentando largá-la, Rachel, mas você tem que parar. Você está tornando as coisas piores. Tem que acreditar em mim.

Sem ar, inspirei e segurei a respiração. Lancei o olhar por um instante para o que conseguia ver de sua figura. A boca de Ivy estava a centímetros do meu ouvido. Os olhos estavam pretos, numa fome que fazia um contraste assustador com o som calmo da sua voz. Tinha o olhar fixo no meu pescoço. Uma gota de saliva caiu quente sobre minha pele.

— Deus, não — sussurrei, estremecendo.

Ivy se agitou, o corpo tremendo onde tocava o meu.

— Rachel. Pare — disse novamente. O terror correu por meu corpo quando ouvi o indício de pânico em sua voz. Minha respiração estava ofegante e irregular. Ela realmente estava tentando sair de cima de mim. E, pelo som que fazia, estava perdendo a batalha.

— O que faço? — sussurrei.

— Feche os olhos — disse. — Preciso que me ajude. Não pensei que ia ser tão difícil.

Aquele tom de garotinha perdida em sua voz fez com quem minha boca ficasse seca. Usei toda a força de vontade que tinha para fechar os olhos.

— Não se mova.

Sua voz era uma seda cinza. Fui derrubada pela tensão. A náusea me virava o estômago. Conseguia sentir meu pulso contra a sua pele. Pelo que pareceu um minuto inteiro, fiquei deitada embaixo dela, todos meus instintos insistindo para eu fugir. Os grilos estrilavam, e senti lágrimas escorrerem das minhas pálpebras agitadas quando a sua respiração atingiu meu pescoço exposto.

Gritei quando Ivy soltou meus cabelos. Em seguida, saiu de cima de mim, e soltei minha respiração numa arfada irregular. Não podia mais sentir o cheiro dela. Estava congelada, imóvel.

– Posso abrir os olhos? – sussurrei.

Não houve resposta.

Sentei e vi que estava sozinha. Escutei o som fraco da porta do santuário se abrindo e a cadência rápida de seus passos na calçada, e depois disso mais nada. Entorpecida e perturbada, estendi a mão para limpar os olhos e o pescoço, espalhando sua saliva num ponto frio. Passei os olhos pela sala, sem encontrar nenhum calor no cinza suave. Ivy tinha partido.

Exaurida, levantei, sem saber o que fazer. Coloquei os braços em volta de mim com tanta força que doeu. Pensei no terror que senti e, antes disso, no flash de desejo que tinha tomado conta de mim, tão potente e embriagante. Ivy disse que só podia encantar alguém que estivesse disposto a isso. Será que ela tinha mentido ou eu realmente queria que ela me prendesse contra a poltrona e rasgasse minha garganta?

Sete

O sol não batia mais inclinado sobre a cozinha, mas ainda estava quente. Não quente o suficiente para aquecer o cerne da minha alma, mas confortável. Eu estava viva. Tinha todos os meus fluidos e todas as partes do meu corpo intactas. Era uma tarde boa.

Estava sentada na ponta da mesa que não estava coberta de coisas, estudando o livro surrado que tinha encontrado no sótão. Parecia velho o suficiente para ter sido impresso antes da Guerra Civil. De alguns dos feitiços nunca tinha ouvido falar. Era uma leitura fascinante, e admito que a chance de experimentar um ou dois me instigava perigosamente. Não havia uma única menção a artes sombrias, o que me agradou bastante. Machucar alguém com magia era vil e errado. Ia contra tudo em que eu acreditava – e o risco não valia a pena.

Toda magia exigia um preço pago em mortes em variados tons de gravidade. Eu era estritamente uma bruxa de terra. Minha fonte de poder vinha da terra por meio de plantas e era acelerado pelo calor, pela sabedoria e por sangue de bruxa. Como só lidava com magia branca, o custo era pago pelo término da vida de plantas. Não era um problema. Não reflito sobre a moralidade de matar plantas, ou de outra forma ficaria louca toda vez que aparasse o gramado da casa da minha mãe. Existem, é claro, bruxos de terra praticantes de magia negra, e usam ingredientes sinistros como partes de corpos e sacrifícios. O simples pensar em juntar os materiais necessários para magia negra era suficiente para manter a maioria dos bruxos de terra como praticantes de magia branca.

Bruxos de linhas de ley, no entanto, eram outra história. Eles extraíam seu poder direto da fonte, bruto e sem ser filtrado por seres vivos. Também precisavam da morte, mas ela era mais sutil – a morte lenta da alma, que não era necessariamente a deles. A morte da alma necessária pelos bruxos de linhas de ley praticantes de magia branca não era tão severa quanto a exigida pelos praticantes de magia negra, usando a analogia "cortar a grama *versus* abater bodes no porão". Mas criar uma magia poderosa projetada para machucar ou matar deixava uma ferida profunda na essência de uma pessoa.

Para contornar a situação, bruxos de linhas de ley praticantes de magia negra jogavam o pagamento para outra pessoa, normalmente prendendo-o no talismã, o que proporcionava ao recebedor um duplo ataque de má sorte. Mas se essa pessoa era "pura de espírito" em níveis altíssimos, ou mais poderosa que o bruxo, o custo, embora não o talismã, voltava direto para o criador. Dizia-se que escuridão suficiente na alma de uma pessoa tornava fácil para um demônio puxar essa pessoa de maneira involuntária para o todo-sempre.

"Do jeito que meu pai foi...", pensei, enquanto esfregava o polegar na página. Sabia com todo o meu ser que ele fora um bruxo de magia branca até o fim. Ele teria sido capaz de encontrar o caminho de volta à realidade, mesmo que não sobrevivesse para ver o próximo pôr de sol.

Um ruído chamou minha atenção e levantei os olhos. Enrijeci ao descobrir Ivy numa túnica de seda preta, apoiada na verga da porta. A lembrança da noite anterior inundou o meu corpo, dando nós no estômago. Não pude impedir minha mão de se esgueirar até o pescoço, e mudei o movimento para ajustar o brinco enquanto fingia estudar o livro diante de mim.

– Bom dia – disse, de maneira cautelosa.

– Que horas são? – Ivy perguntou num sussurro rouco.

Lancei um olhar breve. Seu cabelo, normalmente liso, estava amarfanhado, amassado pelo travesseiro. O rosto oval estava frouxo, com olheiras fundas. O cansaço do começo de tarde tinha sobrepujado completamente o ar de predadora à espreita. Ela segurava um livro fino de capa de couro com uma das mãos, e me perguntei se a sua noite tinha sido tão insone quanto a minha.

– São quase duas – disse, cautelosa, enquanto, com o pé, empurrava para longe uma cadeira a fim de evitar que Ivy sentasse ao meu lado. Ela parecia bem, mas não sabia mais como tratá-la. Eu carregava meu crucifixo – não que isso fosse detê-la – e minha faca, guardada no tornozelo – o que não ajudava muito. Um amuleto de sono a faria desmaiar, mas eles estavam na bolsa, pendurada numa cadeira, e difíceis de serem alcançados. Ia levar uns bons cinco segundos para invocar um. Mas, para ser honesta, ela não parecia uma grande ameaça no momento.

– Eu fiz muffins – comentei. – Usei suas compras do supermercado. Espero que não se importe.

– Hum – disse, arrastando-se pelo chão reluzente até o pote de café em seus chinelos pretos. Serviu a si mesma uma xícara do líquido morno, recostando-se no balcão para sorvê-la. Seu desejo havia desaparecido de seu pescoço. Fiquei pensando no que ela tinha desejado. E me perguntei se tinha algo a ver com a noite anterior.

– Você está vestida – Ivy suspirou ao se afundar na cadeira que tinha chutado em sua direção, na frente do computador. – Há quanto tempo está acordada?

– Desde o meio-dia. – "Que mentira", pensei. Eu tinha ficado acordada a noite toda fingindo dormir no sofá. Decidi começar oficialmente o dia quando voltasse a colocar minhas próprias roupas. Ignorei-a e virei uma página amarelada. – Estou vendo que gastou seu desejo – murmurei, cautelosa. – O que pediu?

– Não é da sua conta – respondeu. O alerta de perigo estava óbvio.

Minha respiração se soltou numa exalação lenta, e mantive os olhos abaixados. Um silêncio desconfortável invadiu o ambiente e o deixei crescer, recusando-me a quebrá-lo. Eu quase tinha ido embora na noite anterior. Mas a morte que esperava por mim sem a proteção de Ivy era certa, enquanto a morte pelas mãos dela era apenas possível. Talvez... talvez eu tenha desejado descobrir qual é a sensação dos dentes dela cravando em mim.

Esse *não* era o caminho que eu queria que meus pensamentos tomassem. Ivy me matava de medo, mas, vendo-a na luz brilhante do começo de tarde, ela parecia humana. Inofensiva. Ousaria dizer... de mau humor?

– Tem algo que eu gostaria que você lesse – Ivy disse. Levantei os olhos ao mesmo tempo em que o livro fino que ela segurava atingiu a mesa entre nós. Não havia nada escrito na capa e a gravação em alto-relevo estava quase totalmente gasta.

– O que é? – perguntei, seca, sem estender a mão para pegá-lo.

Baixando os olhos, lambeu os lábios.

– Desculpe por ontem à noite – disse ela. Senti o estômago se apertar. – Você provavelmente não vai acreditar, mas me assustou também.

– Não tanto quanto a mim. – Trabalhar com ela por um ano não tinha me preparado para a noite anterior. Eu só testemunhara o seu lado profissional. Não tinha pensado na possibilidade de ela agir de forma diferente longe do escritório. Focalizei o olhar em Ivy por um instante e depois os desviei. Ela parecia completamente humana. Truque bacana aquele...

– Não sou uma vamp praticante há três anos – disse, baixinho. – Não estava preparada para... não percebi... – Levantou os olhos castanhos numa expressão de súplica. – Você tem de acreditar em mim, Rachel. Não queria que aquilo acontecesse, mas você estava me mandando todos os sinais errados. E quando ficou assustada e entrou em pânico piorou.

– Piorou? – retruquei, decidindo que raiva era melhor que medo. – Você quase rasgou minha garganta!

– Eu sei – respondeu. – Desculpe. Mas não fui até o fim.

Lutei para não tremer enquanto lembrava do calor da sua saliva em meu pescoço.

Ela empurrou o livro para mais perto de mim.

– Sei que podemos evitar que os eventos de ontem à noite se repitam. Quero que isso funcione. Não há motivo para não funcionar. Eu devo algo a você por ficar com um dos seus desejos. Se você for embora, não vou poder protegê-la dos assassinos vamps. E, acredite, você não quer morrer nas mãos deles.

Cerrei a mandíbula. Não. Não queria morrer nas mãos de um vampiro – ou de uma vampira. Especialmente nas mãos de uma que ia pedir desculpas enquanto me matava.

Olhei em seus olhos, na extremidade oposta da mesa abarrotada. Ela estava sentada com a túnica preta e chinelos, parecendo tão perigosa quanto uma esponja. A necessidade que ela tinha de eu aceitar suas desculpas era tão crua e óbvia que me causava sofrimento. Não podia fazer aquilo. Ainda não. Estendi um dedo para puxar o livro mais para perto.

– O que é isso?

– Um... han... guia de namoro? – respondeu, de forma hesitante.

Respirei uma vez rapidamente e afastei a mão como se aquilo fosse me morder.

– Ivy, não!

– Espere – disse. – Não é isso que quis dizer. Você está me passando sinais confusos. Minha cabeça sabe que você não quer fazer isso, mas meus instintos... – Franziu a testa. – É embaraçoso, mas vampiros, vivos ou mortos, são guiados por instintos acionados na maioria das vezes pelo... cheiro? – Terminou se desculpando. – Só leia a parte sobre o que excita um vampiro, tá bom? E não faça nada da lista.

Eu me ajeitei na cadeira. Lentamente, puxei o livro para perto, observando como ele era antigo, a julgar pela encadernação. Ivy tinha dito "instintos", mas acho que "fome" era uma palavra mais precisa. Foi só porque percebi como tinha sido difícil para ela admitir que era manipulada por algo tão estúpido quanto o cheiro que não atirei o livro na cara dela. Ivy se orgulhava do seu autocontrole, e o fato de ter confessado tal fraqueza foi mais eficaz que uma centena de pedidos de desculpas para me convencer de que lamentava de verdade.

– Tudo bem – disse, e ela respondeu com um sorriso aliviado, sem mostrar os dentes.

Ivy pegou um muffin e puxou para si a edição noturna do *Cincinnati Enquirer* que eu tinha encontrado na entrada da igreja. O ar ainda estava tenso, mas aquilo já era um começo. A igreja era segura, e eu não queria abrir mão disso, mas a proteção da Ivy era uma faca de dois gumes. Ela reprimira seu desejo de sangue por três anos. Se fraquejasse, eu poderia acabar morta.

– "Conselheiro municipal Trenton Kalamack culpa a negligência da SI pela morte da secretária" – leu, numa clara tentativa de mudar de assunto.

– É... – assenti de maneira cautelosa. Coloquei o livro na pilha junto dos livros de feitiços, para ler mais tarde. Meus dedos estavam sujos, e limpei-os no jeans. – Dinheiro não é uma maravilha? Tem outra história sobre Trenton ser eximido de qualquer suspeita de tráfico de Enxofre.

Ela ficou em silêncio, virando as páginas entre as mordidas do muffin até encontrar o artigo.

– Ouça isso – disse baixinho. – "Estou chocado por descobrir sobre a outra vida da senhora Bates. Ela parecia uma funcionária exemplar. Eu vou, é claro, pagar pela educação de seu filho que sobreviveu." – Ivy deu um riso fraco, de quem não achava graça. – Típico. – Então foi para página de quadrinhos. – E aí, vai fazer feitiços hoje?

Balancei a cabeça negativamente.

– Vou para a câmara de registros antes de eles fecharem para o fim de semana. – Isso... – dei um peteleco no jornal – ... é inútil. Quero saber o que realmente aconteceu.

Ivy colocou o muffin na mesa, as sobrancelhas finas elevadas num ar de questionamento.

— Se puder provar que Trent está traficando Enxofre e entregá-lo para a SI, a empresa vai esquecer o meu contrato – eu disse. – Ela tem um mandado em aberto sobre ele. – "E então vou poder dar o fora dessa igreja", acrescentei silenciosamente.

— Provar que Trent comanda o tráfico de Enxofre? – zombou Ivy. – Eles não conseguem nem provar se o cara é humano ou impercebido. O dinheiro o torna mais escorregadio do que cuspe de sapo em tempestade. Dinheiro não compra inocência, mas pode comprar o silêncio. – Mordiscou o muffin. Vestida em sua túnica e com o cabelo desarrumado, ela podia ser qualquer uma das minhas colegas de quarto esporádicas dos últimos anos. Era enervante. Tudo mudava quando o sol estava no céu.

— Esses muffins são bons – Ivy disse, segurando um dos bolinhos. – Que tal o seguinte? Eu faço as compras se você fizer o jantar. No café da manhã e no almoço eu me viro, mas não gosto de cozinhar.

Fiz uma cara de compreensão e concordância – também não apreciava as artes mais elevadas do domínio culinário –, mas então pensei a respeito. Cozinhar para duas ia tomar meu tempo, mas não ter que ir ao supermercado parecia ótimo. Mesmo se Ivy tivesse se oferecido só para não ter de colocar minha vida em risco por uma lata de feijões, parecia justo. Eu ia cozinhar de qualquer forma, e para duas era mais fácil do que para uma pessoa só.

— Tudo bem – disse lentamente. – Podemos experimentar por um tempo.

Ela fez um ruído baixinho.

— Está combinado.

Olhei para o relógio. Uma e quarenta. Raspando o linóleo, a cadeira rangeu quando levantei e peguei um muffin.

— Bem, vou sair. Tenho de arranjar um carro ou algo parecido. Esse lance de ônibus é terrível.

Ivy colocou a seção de quadrinhos em cima da bagunça que rodeava seu computador.

— A SI não vai deixar você entrar.

— Eles têm que deixar. São registros públicos. E ninguém vai me pegar no meio de um bando de testemunhas, que depois vão precisar ser subornadas para ficarem quietas. Pejudicaria os lucros – terminei, de maneira amarga.

O arco formado pelas sobrancelhas de Ivy dizia mais claramente que palavras que ela não estava convencida.

– Olhe – disse, enquanto tirava a bolsa de cima da cadeira e remexia nela. – Eu ia usar um feitiço de disfarce, tá bom? E vou embora ao primeiro sinal de problema.

O amuleto que balancei no ar pareceu satisfazê-la, mas, antes de voltar para os quadrinhos, murmurou:

– Leva Jenks com você?

Não era exatamente uma pergunta, e fiz uma careta.

– Sim, com certeza. – Sabia que ele era uma babá, mas, quando enfiei a cabeça pela porta de trás e o chamei, decidi que ia ser bom ter companhia, mesmo que fosse a de um pixie.

Oito

Eu me afundei no canto do assento do ônibus, tentando me assegurar de que ninguém ia olhar sobre meu ombro. O ônibus estava cheio de gente e não queria que soubessem o que estava lendo.

"Se seu par vampiro está saciado ou saciada e não se excita, tente usar algo dele ou dela", li. "Não precisa ser muito, apenas um lenço ou uma gravata. O cheiro do suor de vocês se misturando é irresistível até para o vampiro mais contido."

Certo. Nunca mais usar a túnica nem a camisola de Ivy.

"Com frequência, lavar as roupas dos dois junto deixa cheiro suficiente para que seu ou sua amante saiba que você se importa com ele ou ela."

Certo. Lavar as roupas separadamente.

"Se seu par vampiro se desloca para um local mais privado no meio de uma conversa, pode ter certeza de que ele ou ela não está rejeitando você. É um convite. Vá com tudo. Leve um pouco de comida ou bebida para deixar as mandíbulas soltas e a saliva se movendo. Não fique só na provocação. Vinho tinto está fora de moda. Tente uma maçã ou algo igualmente crocante.

"Caramba."

"Nem todos os vampiros são iguais. Descubra se seu par gosta de conversar na cama. Preliminares podem assumir muitas formas. Uma conversa sobre laços passados e linhagens com certeza vai gerar uma resposta emocional e incitar orgulho – a não ser que ele ou ela seja de uma casa secundária."

"Caramba mesmo." Eu era uma vadia. Uma tremenda de uma safada para vampiros.

Com os olhos fechados, deixei a cabeça cair contra as costas do assento. Uma respiração quente coçou meu pescoço. De supetão, fiquei ereta e girei para trás. As costas da minha mão golpearam a palma de um homem atraente. Ele riu com o barulho, levantando as mãos num gesto de apaziguamento. Mas foi o humor gentil e especulador em seus olhos que me deteve.

– Já experimentou a página quarenta e nove? – perguntou, inclinando-se para a frente a fim de descansar os braços cruzados nas costas do meu assento.

Eu o encarei sem expressão, e seu sorriso se tornou sedutor. O cara era quase bonito demais, as feições fluidas mostravam um entusiasmo quase infantil. Seu olhar deslizou para o livro na minha mão.

– Quarenta e nove – repetiu, as palavras se tornando mais graves. – Você nunca mais vai ser a mesma.

Tensa, folheei até chegar a página certa. Oh... meu... Deus. O livro era ilustrado. Hesitei, franzindo a testa em confusão. Havia uma terceira pessoa ali? E o que, diabos, estava pregado na parede?

– Desse jeito – o homem disse, estendendo a mão sobre o assento e virando o livro de lado. Sua colônia era amadeirada e de qualidade. Era tão gentil quanto sua voz tranquila e sua mão macia roçou a minha de maneira intencional. Ele era o clássico paga-pau de vampiro: corpo bem definido, roupas pretas e uma necessidade assustadora de ser admirado. Sem falar na sua falta de compreensão de espaço pessoal dos outros.

Desviei o olhar dos olhos dele quando ele bateu no livro com o dedo.

– Ah – eu disse, pois de repente fez sentido. – Ah! – exclamei, ruborizando e fechando o livro com força. Havia duas pessoas. Três se você contar a com... o que era aquilo?

Levantei os olhos, procurando os dele.

– Você sobreviveu a isso? – perguntei, incerta se deveria estar chocada, horrorizada ou impressionada.

Seu olhar se tornou quase reverente.

– Sim. Não pude mover minhas pernas por duas semanas, mas valeu a pena.

O coração acelerado, enfiei o livro na bolsa. O homem se levantou com um sorriso charmoso e caminhou vagarosamente para descer no ponto. Não pude deixar de perceber que mancava. Estava surpresa de que pudesse andar! Ele me observou enquanto descia as escadas, os olhos profundos ainda nos meus.

Engolindo em seco, forcei-me a desviar o olhar. A curiosidade venceu e, antes de as últimas pessoas saírem do ônibus, peguei o livro de novo. Tinha os dedos frios enquanto o abria. Ignorei a imagem e li a pequena advertência embaixo das alegres instruções de "Como fazer". Meu rosto ficou gelado e senti um nó no estômago.

Tratava-se de um aviso para não permitir que seu par vampiro ou vampira o coagisse a fazer aquilo até que você tivesse sido mordido ao menos três vezes. Caso contrário, poderia não haver saliva vamp suficiente em seu sistema para sobrepujar os receptores de dor, enganando seu cérebro e fazendo-o achar que dor era prazer. Havia até instruções sobre como evitar desmaiar se, de fato, não houvesse saliva suficiente e você se descobrisse numa dor agonizante. Aparentemente, se a sua pressão sanguínea caísse, a satisfação do seu par também diminuía. Nada sobre como fazê-lo ou fazê-la parar, no entanto.

Fechando as pálpebras, deixei o coração bater forte contra a janela. Abri os olhos com o barulho dos passageiros entrando, e pisquei quando meu olhar parou na calçada. O homem estava ali, me observando. Coloquei um braço em volta de mim, com frio. Ele sorria como se não tivessem delicadamente feito uma incisão em sua virilha, extraído o sangue e o consumido como se numa comunhão. Ele tinha gostado, ou ao menos achava que tinha.

O homem levantou três dedos, imitando a saudação dos escoteiros, tocou a ponta deles com os lábios e soprou um beijo. O ônibus se colocou em movimento num sacolejo, e ele se afastou, a bainha da jaqueta balançando.

Senti uma forte náusea. Ivy tinha feito parte de algo assim? Talvez tivesse matado alguém por acidente. Talvez fosse por isso que não era mais praticante. Talvez devesse perguntar a ela. Ou talvez devesse manter minha boca calada para poder dormir à noite.

Fechei o livro e o empurrei para o fundo da bolsa, tomando um susto ao encontrar um pedaço de papel entre as páginas com um número de telefone escrito. Amassei o papel e o enfiei junto com o livro na bolsa. Levantei os olhos; Jenks voava, voltando de uma conversa com o motorista.

Pousou nas costas do assento à minha frente. Com exceção de um espalhafatoso cinto vermelho, estava usando preto da cabeça aos pés: seu uniforme de trabalho.

– Nenhum dos novos passageiros está carregando um feitiço destinado a você – disse num tom animado. – O que aquele sujeito queria?

– Nada. – Empurrei a lembrança daquela imagem para fora da minha mente. Onde Jenks estava na noite anterior quando Ivy tinha me imobilizado? Era isso que eu queria saber. Teria perguntado, mas estava com medo de ele dizer que aquilo tudo tinha sido minha culpa.

– Não, sério – Jenks insistiu. – O que o cara queria?

Eu o encarei.

– Não, sério. Nada. Agora, pare com isso – disse, grata de já estar sob o feitiço de disfarce. Eu definitivamente não queria que o Senhor Página Quarenta e Nove me reconhecesse na rua algum dia desses.

– Certo, certo – respondeu, disparando para pousar no meu brinco.

Jenks assobiava "Strangers in the Night". Suspirei, sabendo que eu ia ficar com a música na cabeça o resto do dia. Peguei meu espelhinho de mão e fingi arrumar o cabelo, cuidando para bater pelo menos duas vezes no brinco em que Jenks estava. Agora, eu tinha um nariz comprido e cabelos castanhos, presos num rabo de cavalo. Ele ainda era comprido e encaracolado – algumas coisas são mais difíceis de enfeitiçar que outras. Minha jaqueta jeans estava virada ao contrário e mostrava um cashmere florido. Na cabeça, um boné da Harley-Davidson, que ia devolver a Ivy com muitos pedidos de desculpa tão logo a visse. Nunca ia usá-lo de novo. Com todas as coisas erradas que eu fizera na noite anterior, não era de se espantar que ela tivesse perdido o controle.

O ônibus entrou na sombra dos prédios altos. Ia descer na próxima parada, então juntei minhas coisas e me levantei.

– Preciso arranjar outro meio de transporte – disse a Jenks enquanto minhas botas atingiam a calçada e eu olhava ao redor da rua. – Talvez uma moto – reclamei, ajeitando meu ritmo de modo a não ter de tocar a porta de painel de vidro para entrar no saguão do prédio de registros da SI.

Uma risadinha irônica veio do meu brinco.

– Se fosse você, não faria isso – aconselhou. – É fácil demais enfeitiçar uma motocicleta. Continue usando o transporte público.

– Eu podia estacionar lá dentro – protestei, olhando de maneira nervosa as poucas pessoas no pequeno saguão de entrada.

– Então, você não ia poder andar nela, Sherlock – disse de forma sarcástica. – Sua bota está desamarrada.

Olhei para baixo. Não estava.

– Muito engraçado, Jenks.

O pixie murmurou algo que não consegui ouvir.

– Não – disse num tom impaciente. – Quer dizer, finja amarrar a bota para eu checar se você está segura o suficiente.

– Ah.

Obediente, fui até uma cadeira no canto e continuei com a cena. Mal podia rastrear Jenks enquanto pairava pelos poucos caçadores de recompensas que estavam por ali, farejando em busca de feitiços que me tivessem como alvo. Meu timing foi preciso. Era sábado, dia em que a câmara só abria como cortesia, e apenas por algumas horas. Ainda assim, havia algumas pessoas: gente entregando informações, atualizando arquivos, copiando coisas, tentando passar uma boa impressão ao trabalhar no fim de semana.

– Pelo cheiro, está tudo certo – Jenks disse ao voltar. – Devem ter achado que você não fosse vir aqui.

– Bom.

Sentindo-me mais confiante do que deveria, fui a passos largos até a mesa da recepção. Era meu dia de sorte. Megan estava trabalhando. Dei a ela um sorriso e seus olhos se arregalaram. Ela rapidamente estendeu a mão para ajustar os óculos. A armação de madeira era enfeitiçada para enxergar através de quase tudo. Equipamento padrão para recepcionistas da SI. Houve um borrão de movimento diante de mim e parei bruscamente.

– Cuidado, Rachel! – Jenks gritou, mas era tarde demais. Alguém tinha roçado em mim. Só o instinto me manteve de pé quando uma perna se enfiou entre as minhas para me fazer tropeçar. Em pânico, girei e me agachei. Meu rosto estava frio quando parei, pronta para qualquer coisa.

Era Francis. "Que Virada ele está fazendo aqui?", pensei, levantando enquanto ele colocava a mão na barriga e ria. Devia ter deixado a bolsa em casa. Mas não esperava ver alguém que me conhecia sob o talismã de disfarce.

– Bonito chapéu, Rachel – Francis praticamente gemeu enquanto colocava para cima o colarinho da camisa espalhafatosa. O tom da sua voz era uma mistura nojenta de bravata e um medo evanescente por quase ter sido atacado. – Ei, comprei seis números do bolão da firma. Não tem jeito de você morrer amanhã entre sete e meia-noite?

– Por que você mesmo não me pega? – disse, com zombaria. Ou o cara era desprovido de orgulho ou não percebia como parecia ridículo, parado ali com um dos sapatos desamarrados e o cabelo filamentoso caindo de seu cacheado melhorado por um feitiço. E como ele poderia ter um restolho de barba tão grosso tão cedo no dia? Devia tê-lo pintado com um spray de tinta.

– Se eu mesmo a pegasse, eu perderia. – Francis adotou o costumeiro ar de superioridade, totalmente desperdiçado comigo. – Não tenho tempo para falar com uma bruxa praticamente morta – disse. – Preciso fazer umas pesquisas antes do meu compromisso com o conselheiro municipal Trenton Kalamack. Você sabe o que é isso? Pesquisa? Já fez alguma? – Fungou com o nariz fino. – Não pelo que ouvi dizer.

– Vá rechear um tomate, *Francis* – disse baixinho.

Ele olhou para o corredor que levava à câmara.

– Oooh – provocou, de maneira arrastada. – Estou assustado. É melhor ir embora agora se quer ter alguma chance de voltar viva para a sua igreja. Se Meg não tocar o alarme avisando que você está aqui, eu toco.

– Pare de gritar – reclamei. – Está começando a me irritar.

– Vejo você mais tarde, moça. Tipo, nos obituários. – Sua risada era aguda demais.

Lancei um olhar fulminante, e ele assinou o livro de visitantes diante de Megan com um floreado. Virou-se e balbuciou: "Corra, bruxa. Corra". Tirando o celular do bolso, apertou alguns botões e andou empertigado passando pelos escritórios escuros dos VIPs até a câmara. Megan estremeceu num ar de desculpas enquanto liberava a entrada dele pelo botão do interfone.

Meus olhos se fecharam numa piscada longa. Quando os abri, dei a Megan um aceno como se dissesse "só um minuto" e sentei em uma das cadeiras da recepção para remexer na bolsa como se procurasse algo. Jenks pousou no meu brinco.

– Vamos embora – disse, parecendo preocupado. – Voltamos hoje à noite.

– Sim – concordei. O feitiço de Denon em meu apartamento tinha sido apenas um assédio. Enviar uma equipe de assassinos seria caro demais, não valia a pena. Mas era melhor não arriscar.

– Jenks – sussurrei. – Você pode entrar na câmara sem ser visto pelas câmeras de segurança?

– Claro que sim! Esgueirar-se sem ser notado é a especialidade dos pixies. "Você pode entrar sem ser visto pelas câmeras?", ela pergunta. Quem você acha que faz a manutenção? Eu digo: são os pixies. E nós recebemos um mínimo de crédito? Nã-ã-ã-o. É sempre o grandalhão da manutenção que fica sentado com sua bunda gorda no primeiro degrau das escadas, que dirige o caminhão, que abre a caixa de ferramentas, que se entope de donuts. Mas ele de fato faz alguma coisa importante? Nã-ã-ã-o...

– Isso é ótimo, Jenks. Cale a boca e ouça. – Dei uma olhada para Megan. – Verifique quais são os documentos em que Francis está interessado. Vou esperar por você o máximo que puder, mas, se houver algum sinal de risco, vou embora. Você consegue chegar em casa sem problemas, certo?

As asas de Jenks criaram uma brisa, fazendo uma mecha do meu cabelo roçar no pescoço.

– Sim, consigo. Você quer que eu jogue pó de pixie enquanto estiver lá?

Levantei as sobrancelhas.

– Jogar pó de pixie? Você pode fazer isso? Achei que era... hum... conto de fadas.

Ele pairou diante de mim, as pequenas feições presunçosas.

– Vou deixá-lo com coceira. É a segunda especialidade dos pixies. – Hesitou, dando um sorriso malicioso. – Na verdade, é a terceira.

– Tudo bem. – suspirei.

Jenks se elevou silenciosamente com suas asas de libélula. Começou a estudar as câmeras, pairando por um instante para cronometrar o movimento delas. Disparando para o teto, descreveu um arco avançando pelo longo corredor, passando ao lado dos escritórios e chegando por fim à porta da câmara. Se não tivesse o observado com atenção, nunca o teria visto percorrer o caminho.

Tirei uma caneta da bolsa, coloquei a tampa e caminhei até Megan. A mesa de mogno maciço separava completamente o saguão de entrada dos escritórios não vistos dos peões atrás dela. Megan era o último bastião entre o público e a força de trabalho responsável pelos detalhes que mantinham os registros corretos. O som de uma voz feminina elevando-se numa risada escapou pela arcada aberta atrás de Megan. Ninguém trabalhava muito no sábado.

– Oi, Meg – disse, enquanto me aproximava.

– Boa tarde, senhorita Morgan – respondeu exageradamente alto enquanto ajustava os óculos.

Sua atenção parecia fixa sobre meu ombro, e lutei contra a vontade de me virar para ver. "Senhorita Morgan?", pensei. "Desde quando ela me chama de senhorita Morgan?"

– O que está acontecendo, Meg? – perguntei, olhando atrás de mim para o saguão vazio.

Ela ficou bem rígida.

– Graças a Deus você ainda está viva – sussurrou entre os dentes, os lábios ainda curvados num sorriso. – O que está fazendo aqui? Você deveria estar escondida num porão. – Antes de poder responder, ela inclinou a cabeça como um cocker spaniel, sorrindo como a loira que ela queria ser. – O que posso fazer por você hoje... senhorita Morgan?

Fiz uma cara de interrogação, e Megan olhou de maneira significativa por cima do meu ombro. Um ar de irritação tomou conta dela.

– A câmera, idiota – murmurou. – A câmera.

Então compreendi. Eu estava mais preocupada com o telefone de Francis do que com a câmera. Ninguém examinava as fitas a não ser que algo acontecesse. Quando faziam isso, já era tarde demais.

– Estamos todos torcendo por você – sussurrou Megan. – As apostas são de duzentos para um de que vai sobreviver a essa semana. Pessoalmente, dou cem para um.

Eu me senti enjoada. Seu olhar pulou para trás de mim, e ela se enrijeceu.

– Alguém está atrás de mim, não está? – disse. Megan estremeceu. Suspirei, me movendo de forma que a bolsa ficasse fora do caminho enquanto dava um giro lento.

Ele vestia um terno preto alinhado, camisa branca engomada e gravata preta fina. Segurava os braços atrás das costas de maneira confiante e ainda estava de óculos escuros. Notei um cheiro tênue de almíscar e, pelo leve tom avermelhado da barba, imaginei que se tratava de um raposomem, uma subespécie de lóbis.

Outro homem, também de óculos escuros, se juntou a ele, formando um obstáculo para que eu alcançasse a porta da frente. Eu os encarei, avaliando-os. Devia haver um terceiro em algum lugar, provavelmente atrás de mim. Assassinos sempre trabalhavam em três. "Não mais. Não menos. Sempre três", pensei de forma seca, sentindo o estômago se contorcer. Três contra uma não era justo. Olhei pelo corredor em direção à câmera.

– Vejo-o em casa, Jenks – sussurrei, sabendo que não podia me ouvir.

Os dois matadores se posicionaram, eretos. Um deles desabotoou o casaco para mostrar o coldre. Levantei a sobrancelha. Não iam atirar a sangue frio na frente de uma testemunha. Denon podia estar irritado, mas não era estúpido. Estavam esperando eu correr.

Coloquei as mãos nos quadris e afastei as pernas para me equilibrar. Atitude era tudo.

– Não acham que podemos conversar sobre isso, rapazes? – disse, mordaz, o coração disparando.

O homem com o casaco desabotoado sorriu. Os dentes eram pequenos e afiados. Um tufo de cabelo ruivo cobria as costas da sua mão. Estava certa. Um raposomem. Que ótimo. Eu trazia minha faca, mas a intenção era ficar longe o suficiente para não precisar usá-la.

De trás de mim, veio o grito irado de Megan:

– Não aqui no saguão. Resolvam isso lá fora.

Meu pulso saltou. Meg ia ajudar? "Talvez ela só não quisesse uma mancha no carpete", pensei enquanto saltava sobre o balcão num movimento gracioso.

– Por ali – Megan apontou para a arcada em direção aos escritórios do fundo.

Não houve tempo para agradecer. Disparei pela entrada, me descobrindo numa área aberta cheia de baias de escritório. Atrás de mim, passos abafados e xingamentos ditos aos berros. A sala, do tamanho de um depósito, era separada pelo tipo de divisória favorita do mundo corporativo. Menos de um metro e meio, formando um labirinto de proporções bíblicas.

Sorri e acenei para os rostos assustados das poucas pessoas que trabalhavam. Minha bolsa batia contra as divisórias enquanto eu corria. Empurrei o bebedouro ao passar, gritando um pedido de desculpas pouco sincero quando caiu. Ele não quebrou, mas se separou em partes. O som da água logo foi sobrepujado por gritos de consternação e gente pedindo um esfregão.

Olhei para trás. Um dos matadores tinha o caminho bloqueado por três funcionários do escritório que lutavam para assumir o controle do pesado galão. Sua arma estava escondida. Até ali, tudo bem. A porta de trás me chamava. Corri para a parede distante e abri com tudo a porta corta-fogo, desfrutando do ar gelado.

Alguém estava esperando, e agora apontava uma arma com uma embocadura larga em minha direção.

– Droga! – exclamei, voltando e batendo a porta. Antes de ela fechar, um esguicho molhado acertou a divisória atrás de mim e deixou uma mancha gelatinosa. Senti a nuca queimar. Estendi a mão, gritando quando descobri uma bolha do tamanho de uma moeda de um real. Os dedos que usei para tocá-la se queimaram.

– Que beleza – sussurrei enquanto limpava a gosma transparente na bainha da jaqueta. – Não tenho tempo para isso. – Chutando a trava de emergência para trancar a porta, disparei pelo labirinto de novo. Eles não estavam mais usando feitiços de efeito retardado. Esses estavam armados e carregados de bolas de quebra em impacto. Que beleza mesmo. Aquilo devia ter sido um feitiço de combustão espontânea. Se eu tivesse recebido mais do que um respingo, estaria morta. Uma bela pilha de cinzas no carpete. Jenks nunca poderia ter detectado tal perigo pelo cheiro, mesmo que estivesse comigo.

Pessoalmente, preferia ser morta por uma bala; era mais dramático. No entanto, era mais difícil rastrear o fabricante de um feitiço letal do que identificar o fabricante de uma bala ou arma convencional. Sem mencionar que um bom talismã não deixa nenhuma evidência. Ou, no caso de feitiços de combustão espontânea, não sobrava muito do corpo. Sem corpo, sem crime, sem cadeia.

– Ali! – alguém gritou. Eu me joguei sob uma mesa. Aterrissei apoiada no meu cotovelo, sentindo um dor pungente. Meu pescoço parecia estar em chamas. Tinha de colocar um pouco de sal, neutralizar o feitiço antes que espalhasse.

Meu coração bateu com força quando me sacudi para tirar a jaqueta, decorada com respingos da gosma. Se não a estivesse usando, provavelmente estaria morta. Joguei-a numa lata de lixo qualquer.

Ouvi pessoas gritando alto por um esfregão enquanto tirava um frasco de água salgada da bolsa. Meus dedos queimavam e meu pescoço estava em agonia. Com as mãos trêmulas, mordi a tampa de plástico do tubo, e, segurando a respiração, despejei o seu conteúdo pelos dedos e pelo pescoço arqueado. Minha respiração escapou num sibilo com a picada súbita e o cheiro de enxofre quando a magia negra foi rompida. Água salgada pingava da minha pele para o chão. Por um momento glorioso apreciei a cessação da dor.

Trêmula, dei uma palmada de leve no pescoço com a bainha da manga. A bolha doeu, mas a palpitação da água salgada era reconfortante em comparação à queimadura. Permaneci onde estava, me sentindo uma idiota enquanto pensava em um jeito de sair dali. Eu era uma bruxa boa. Todos os meus talismãs eram defensivos, não de ataque. Tirar o controle do alvo até subjugá-los era meu jeito de fazer as coisas. Sempre tinha sido a caçadora, nunca a caça. Franzi a testa ao perceber que não tinha nada para usar naquela situação.

Consegui localizar todo mundo através das reclamações absurdamente altas de Megan. Senti a bolha da queimadura de novo. Ela não estava se espalhando. Tive sorte. Prendi a respiração ao ouvir passos leves a apenas algumas baias de distância. Droga, queria não suar tanto. Os lóbis têm um olfato excelente, mas só pensam em uma coisa por vez. Provavelmente o cheiro de enxofre que ainda pairava no ar o estava impedindo de me encontrar. Mas eu não podia continuar ali. Uma leve batida na porta de trás confirmou que era hora de cair fora.

A tensão pulsou em minha cabeça ao espiar por cima das paredes e ver o matador número um atravessando as baias a fim de deixar o matador número três entrar. Tentando não fazer barulho, desloquei-me na direção oposta, correndo meio agachada. Estava apostando minha vida na ideia de que os assassinos tinham mantido um dos seus na porta da frente e que, assim, não ia topar com ele na metade do caminho.

Graças à reclamação infindável de Megan sobre a água no chão, cheguei à arcada para o saguão sem ser notada. Com o rosto gelado, olhei ao redor e descobri a mesa de recepção deserta. Papéis sujavam o chão, canetas rolavam... O teclado de Megan pendia do cordão, ainda balançando. Quase sem ar, me esgueirei até a abertura no balcão onde ele estava virado para cima. Ainda no chão, lancei um olhar para além da mesa da frente.

Meu coração acelerou. Havia um matador próximo à porta. Estava inquieto e parecia mal-humorado por ter sido deixado para trás. De qualquer forma, tinha bem mais chances de escapar de um do que de dois.

A voz lamurienta de Francis veio da câmara.

– Aqui? Denon soltou os caras em cima dela aqui? Ele deve estar fulo. Não, já volto. Tenho que ver isso. Vai ser bem engraçado.

Sua voz estava se aproximando. "Talvez Francis queira fazer um passeio comigo", pensei, a esperança fortalecendo o meu corpo. Uma coisa na qual podia contar em relação a Francis era sua curiosidade *e* estupidez, uma combinação perigosa nessa profissão. Com a adrenalina correndo pelo corpo, esperei – até que ele levantou o painel e ficou atrás da mesa.

– Que bagunça – comentou, interessado no amontoado de coisas no chão. Ele estava tão ocupado coçando a própria cabeça que nem viu eu me levantar atrás dele. Com a precisão de um relógio, enfiei um braço em torno do seu pescoço e prendi um dos seus braços nas costas, quase levantando-o do chão.

– Ai! Droga, Rachel! – gritou, assustado demais para perceber como seria fácil me dar uma cotovelada no estômago e fugir. – Me solte! Isso não tem graça.

Engolindo em seco, dirigi meu olhar assustado para o matador próximo à porta, com a arma mirada para mim.

– Não tem mesmo, docinho – sussurrei no ouvido de Francis, dolorosamente ciente de quão próximos da morte estávamos. Francis não tinha entendido a gravidade da situação, e a ideia de que ele podia fazer algo estúpido me assustava mais do que a arma. Meu coração martelava no peito e senti os joelhos ficarem frouxos. – Fique paradinho. Se ele achar que pode me acertar com um tiro, vai acabar tentando.

– E o que isso tem a ver comigo? – resmungou em resposta.

– Você está vendo alguém aqui além de você, eu e o cara armado? – disse baixinho. – Não seria muito difícil ele se livrar de apenas uma testemunha, seria?

Francis ficou rígido. Ouvi um pequeno suspiro quando Megan apareceu na entrada para os escritórios do fundo. Mais pessoas espiavam em torno dela, sussurrando alto. Lancei meu olhar disparando entre eles, sentindo uma pitada de pânico. Havia pessoas demais. Chances demais para algo dar errado.

Eu me senti melhor quando o matador relaxou a posição e guardou a pistola. Em seguida, colocou os braços nas laterais do corpo, as palmas para fora num gesto duvidoso de aquiescência. Acabar comigo na frente de tantas testemunhas ia ser custoso demais. Tínhamos chegado a um impasse.

Mantive Francis na minha frente como um escudo involuntário. Houve um burburinho quando os outros dois matadores vieram dos escritórios. Permaneceram encostados na parede de trás do escritório de Megan. Um deles empunhava a arma, mas avaliou a situação e a guardou no coldre.

– Certo, Francis – disse. – É hora do seu passeio da tarde. Devagar e tranquilo.

– Vá se danar, Rachel – respondeu, a voz trêmula e o suor formando gotas na testa. Saímos de trás da mesa, eu lutando para manter Francis ereto enquanto ele escorregava nas canetas no chão. O raposomem próximo à porta abriu espaço com gentileza. Sua mensagem era bem clara. Eles não estavam com pressa. Tinham tempo. Sob seu olhar atento, Francis e eu saímos pela porta e para a rua ensolarada.

– Me solte – Francis disse, começando a se debater. Os pedestres nos abriam um bom espaço, e os carros diminuíram a velocidade para assistir. Odeio enxeridos, mas talvez aquilo me ajudasse. – Vamos lá, corra. É o que você faz melhor, Rachel.

Apertei-o até que gritasse.

– Não, não é. Fugir não é minha especialidade, caçar presas, sim. – As pessoas na calçada começavam a se afastar ao perceber que aquilo era mais do que uma briga de namorados. – Quem vai querer começar a fugir é você – ameacei, torcendo para que a confusão aumentasse.

– Caramba, do que está falando?

O suor de Francis fedia, misturado à colônia. Atravessei a rua arrastando-o comigo, costurando entre os carros que tinham diminuído a velocidade. Os três matadores vieram assistir. Estavam parados perto da porta com seus óculos escuros e ternos pretos e observavam com uma atenção tensa.

– Eles devem achar que você está me ajudando. Afinal... – provoquei – um bruxo grande e forte feito você não consegue se soltar de uma garota frágil e delicada como eu? – Ouvi-o inspirar rápido e compreender. – Bom garoto. Agora corra.

Com o tráfego entre mim e os matadores, larguei Francis e corri, me perdendo em meio ao tráfego de pedestres. Francis foi para o outro lado. Eu sabia que se conseguisse tomar distância suficiente entre nós, não seria seguida até em casa. Lóbis eram supersticiosos e não violavam o santuário de terreno sagrado. Eu ia estar segura – até Denon mandar outra coisa atrás de mim.

Nove

"Outra coisa", pensei enquanto virava a página amarelada e quebradiça que cheirava a gardênias e éter. Um feitiço de imperceptibilidade seria ótimo, mas pedia sementes de samambaia, e estávamos fora da época. Talvez o Mercado Findlay tivesse, mas eu não dispunha de tempo para isso. "Caia na real, Rachel", pensei, fechando o livro e deixando minhas costas dolorosamente eretas. "Você não consegue preparar algo tão difícil."

Ivy estava sentada à minha frente na mesa da cozinha, preenchendo formulários de mudança de endereço e mastigando aipo com molho. Esse era o jantar que tivera tempo de preparar. Ela parecia não se importar. Talvez fosse sair e comer um lanche mais tarde. Amanhã ia fazer um jantar de verdade — se eu sobrevivesse, é claro. Talvez uma pizza caseira. Esta noite a cozinha não estava propícia para cozinhar.

Eu estava preparando feitiços e tinha feito uma bagunça. Terra, plantas picadas, tigelas manchadas de verde com grades deixadas para esfriar e potes de cobre sujos que transbordavam da pia. Uma mistura da cozinha do mestre Yoda com a de um programa de culinária. Mas, como resultado, consegui amuletos de detecção, indutores de sono e alguns novos talismãs de disfarce, que me faziam parecer mais velha em vez de mais nova. Não podia evitar uma onda de satisfação por tê-los com minhas próprias mãos. Tão logo encontrasse um feitiço forte o suficiente para invadir a câmara de registros da SI, Jenks e eu íamos sair dali.

O pixie tinha voltado naquela tarde com um lóbis lento, grande e peludo atrás de si — o amigo do armazém, que estava com as minhas coisas. Comprei a cama portátil com cheiro de mofo que ele carregava, agradecendo-lhe por trazer as poucas peças de roupa que não tinham sido enfeitiçadas: um casaco de inverno e um par de roupas de malha cor-de-rosa que estavam enfiadas numa caixa no fundo do armário. Tinha dito ao lóbis para não se importar com mais nada além das roupas, dos artigos de música e dos apetrechos de cozinha. Ele saiu arrastando os pés com uma nota de cem nas mãos e prometeu ter pelo menos minhas roupas prontas no dia seguinte.

Suspirando, levantei os olhos do livro e concentrei-me no jardim negro, além do peitoril da janela. Envolvi a bolha no meu pescoço com a mão e empurrei o livro para longe de forma a abrir espaço para outro. Denon devia estar muito fulo para colocar lóbis atrás de mim em plena luz do dia, quando ficam em forte desvantagem. Se fosse à noite, provavelmente estaria morta – sendo noite de lua nova ou não. O fato de estar desperdiçando dinheiro me dizia que o chefe devia ter tomado uma bronca séria por deixar Ivy sair.

Depois de escapar dos lóbis, eu tinha gastado um dinheiro a mais para pagar um táxi. Disse a mim mesma que isso evitava possíveis assassinos no ônibus, mas a verdade era outra – eu não queria que ninguém me visse tremendo. A tremedeira começou três quarteirões após entrar no táxi e não parou até eu ficar no chuveiro por tempo suficiente para acabar com toda a água quente. Nunca tinha sido caça, sempre caçadora. Eu não gostava nada desse lado. No entanto, tanto quanto isso, me assustava a ideia de que talvez precisasse fazer e usar magia negra para me manter viva.

Boa parte do meu trabalho envolvia prender fazedores de "magia cinza", isto é, bruxos que pegavam uma magia branca, como um talismã do amor, e faziam mal uso dela. Os praticantes sérios de magia negra também estavam à solta, e era meu dever capturá-los: os especialistas nas formas mais sombrias de aprisionamento, os bruxos que podiam fazer alguém desaparecer – e, por mais alguns dólares, enfeitiçar seus parentes para não lembrarem que a pessoa sequer existiu –, os impercebidos que conduziam as lutas pelo poder do submundo de Cincinnati. Houve vezes em que o melhor que pude fazer foi encobrir a feia realidade, assim a humanidade não saberia como é difícil conter impercebidos para os quais humanos são iguais a gado. Mas nunca havia sido atacada daquele jeito antes. Não sabia muito bem como me proteger sem sujar meu carma.

O resto das horas sob a luz do dia foi gasto no jardim. Mexer na terra com crianças pixies se metendo no caminho é uma ótima maneira de se centrar, e descobri que devia a Jenks um grande agradecimento – mais de um, na verdade.

Só quando entrei em casa com um nariz queimado de sol, carregando os materiais para montar feitiços, descobri o motivo dos gritos e chamados alegres. Eles não estavam brincando de esconde-esconde, mas sim interceptando bolas de quebra com impacto.

A pequena pirâmide de bolas de quebra com impacto empilhada de maneira organizada perto da porta de trás me chocou para valer. Cada uma delas continha minha morte. Eu não tinha percebido. Não fazia ideia. Aquela visão me deixou irritada, com raiva, em vez de assustada. Da próxima vez que os caçadores me encontrassem estaria pronta. Era uma promessa.

Depois do redemoinho de preparação de feitiços, minha bolsa estava cheia dos talismãs de sempre. O pino de sequoia canadense do trabalho tinha me salvado. Qualquer madeira pode armazenar feitiços, mas a sequoia apresenta maior durabilidade. Os amuletos que não estavam na bolsa pendiam dos ganchos no lava-louças, feitos para pendurar xícaras – e que, de outra forma, estariam vazios. Tinha feito ótimos feitiços, no entanto, precisava de algo mais forte. Suspirando, abri o livro seguinte.

– Transmutação? – Ivy disse, colocando os formulários de lado e puxando o teclado para perto de si. – Você é tão boa assim?

Passei uma tachinha embaixo da unha para limpá-la.

– A necessidade é a mãe da coragem – murmurei, e então examinei o índice. Precisava de algo pequeno, de preferência que pudesse defender a si mesmo.

Ivy voltou a navegar na internet enquanto emitia um barulho de aipo sendo mastigado. Eu a observava com atenção desde o pôr do sol. Ela estava sendo um modelo de colega de quarto, fazendo um esforço claro para minimizar suas reações vampirescas como pudesse. Provavelmente, o fato de eu ter lavado de novo minhas roupas ajudava. No momento em que ela começasse a parecer sedutora, ia pedir que saísse.

– Aqui está um – comentei baixinho. – Um gato. Preciso de vinte e oito gramas de alecrim, meia xícara de menta, uma colher de chá de extrato de capitão-de-sala colhido após a primeira geada... Bom, aí não dá. Não tenho nenhum extrato, e não vou à loja agora.

Ivy pareceu ter engolido uma risadinha. Continuei desbravando o índice. Não tinha um morcego, nem um freixo no jardim, e provavelmente ia precisar de um pouco da casca interna. Além disso, não ia passar o resto da noite aprendendo a voar por ecolocalização. O mesmo se aplicava a pássaros – a maioria dos listados não voava à noite. Um peixe era simplesmente absurdo. Mas talvez...

– Um camundongo – disse, indo para a página correspondente e examinando a lista de ingredientes. Nada exótico. Já tinha quase tudo de que precisava na cozinha. Havia uma nota escrita à mão na parte de baixo, e franzi os olhos para ler a caligrafia desbotada e de aparência masculina: "Pode ser adaptado de forma segura para qualquer roedor". Olhei para o relógio. Aquilo ia servir.

– Um camundongo? – repetiu Ivy. – Você vai fazer um feitiço para se transformar num camundongo?

Levantei, fui até a ilha de aço inoxidável no centro da cozinha e apoiei o livro para que ficasse na vertical.

– Com certeza. Tenho tudo aqui, com exceção do pelo. – Ergui as sobrancelhas. – Será que eu posso pegar uma das pelotas das suas corujas? Preciso filtrar o leite em algum tipo de pelo.

Ivy lançou a onda de cabelo preto sobre o ombro, as sobrancelhas finas altas.

– Claro, vou pegar uma para você. – Balançando a cabeça negativamente, fechou o site em que navegava e levantou, alongando-se tanto que mostrou seu diafragma desnudo. Pisquei ao notar uma joia vermelha num piercing em seu umbigo, e depois desviei o olhar. – Preciso deixá-las sair mesmo – disse, enquanto se contraía de volta.

– Valeu.

Voltei à minha receita, repassando os ingredientes necessários e juntando-os na ilha. Quando Ivy desceu do campanário, estava tudo medido e à espera. Só faltava preparar.

– É toda sua. – Ela colocou a pelota no balcão e foi lavar as mãos.

– Obrigada – sussurrei.

Com um garfo, separei a massa de feltro, tirando três pelos do meio dos ossos minúsculos. Fiz uma careta, lembrando a mim mesma que, se aquilo não havia atravessado a coruja, havia apenas sido regurgitado. Agarrando um punhado de sal, virei-me para Ivy.

– Vou fazer um círculo de sal. Não tente cruzá-lo, tá bom? – Ela me encarou, então acrescentei: – Esse feitiço pode ser perigoso. Não quero que nada entre na panela por acidente. Você pode continuar na cozinha, só não cruze o círculo.

Parecendo incerta, ela concordou com a cabeça.

– Está bem.

Eu até que gostei de vê-la desestabilizada, e fiz o círculo maior do que de costume, envolvendo toda a ilha central, inclusive as minhas parafernálias. Ivy sentou-se num canto do balcão, com os olhos arregalados de curiosidade. Se fosse fazer bastante daquilo, talvez valesse a pena perder a caução e talhar um sulco no linóleo. Para que serve a caução se você morrer por causa de um feitiço desalinhado?

Meu coração batia acelerado. Fazia um tempo que tinha fechado o círculo, e o fato de Ivy me observar me deixava nervosa.

– Certo, então... – murmurei. Respirei devagar, concentrando-me em esvaziar a mente e fechar os olhos. Lentamente, minha segunda visão se focou.

Eu não fazia aquilo com frequência, pois o negócio era confuso para valer. Um vento que não era deste lado da realidade levantou alguns fios mais leves do meu cabelo. Meu nariz se enrugou com o cheiro de âmbar queimado. Imediatamente, senti como se estivesse do lado de fora conforme as paredes desapareciam, deixando apenas indícios prateados. Ivy, ainda mais transitória que a igreja, também tinha desaparecido. Apenas o terreno e as plantas permaneciam, suas silhuetas trêmulas com o mesmo brilho avermelhado que engrossava o ar. Era como se estivesse no mesmo lugar, mas antes de ser encontrado pela humanidade. Senti um calafrio na pele ao perceber que as lápides existiam em ambos os mundos, com a aparência branca e sólida como se a lua estivesse no céu.

Com os olhos ainda fechados, lancei minha segunda visão pelos arredores, buscando a linha de ley mais próxima.

– Minha nossa – murmurei surpresa, descobrindo uma mancha avermelhada de poder que corria direto pelo cemitério. – Você sabia que tem uma linha de ley passando pelo cemitério?

– Sim – Ivy disse baixinho. Sua voz vinha de lugar nenhum.

Estendi minha vontade e a toquei. Minhas narinas se dilataram quando a força correu por mim, atirando-se contra minhas extremidades teóricas até o poder se equalizar. A universidade de Cincinnati estava assentada sobre uma linha de ley tão grande que podia ser invocada de quase qualquer lugar da cidade. A maioria das cidades era construída sobre pelo menos uma linha de ley. Manhattan tinha três de tamanho considerável. A maior linha de ley na Costa Oeste corria por uma fazenda próxima de Woodstock. Coincidência? Acho que não.

A linha de ley no quintal era minúscula, mas estava tão próxima e subutilizada que me deu mais força do que a linha da universidade jamais tinha me dado. Embora nenhuma brisa dessa realidade me tocasse, minha pele formigava com o vento que soprava no todo-sempre.

Utilizar uma linha de ley era um barato, embora fosse perigoso. Eu não gostava. Seu poder corria por mim como água e parecia deixar um resíduo que se acumulava cada vez mais. Não conseguia mais manter os olhos fechados, e eles se abriram com tudo.

A visão vermelha surreal do todo-sempre foi substituída pela cozinha da igreja. Encarei Ivy, empoleirada no balcão, enxergando-a com a sabedoria da terra. Há vezes em que uma pessoa parece completamente diferente. Fiquei aliviada de ver que Ivy parecia a mesma. Sua aura – a aura real, não a aura de vamp – estava perpassada por faíscas. Que estranho. Ela estava buscando algo.

– Por que você não me disse que havia uma linha de ley tão perto? – perguntei.

Os olhos de Ivy esvoaçaram brevemente sobre mim. Dando de ombros, cruzou as pernas e tirou os sapatos com pequenos chutes no ar, fazendo-os aterrissar sob a mesa.

– Teria feito alguma diferença?

Não. Não teria feito nenhuma diferença. Cerrei os olhos para fortalecer a segunda visão enquanto fechava o círculo. O fluxo intoxicante de poder latente me deixava desconfortável. Com minha vontade, movi a estreita faixa de sal dessa dimensão para o todo-sempre. Ela foi substituída por um anel igual de realidade do todo-sempre.

O círculo se fechou com um choque de formigar a pele, e pulei.

– Caramba – sussurrei. – Talvez eu tenha usado sal demais. – A maior parte da força que puxei do todo-sempre agora fluía pelo círculo. O pouco que tinha permanecido em redemoinhos dentro de mim fazia meus pelos se eriçarem. O resíduo ia continuar crescendo até que eu quebrasse o círculo e me desconectasse da linha de ley.

Conseguia sentir a barreira da realidade do todo-sempre me rodeando com uma pressão tênue. Nada podia cruzar as bandas de realidades alternativas que mudavam de lugar rapidamente. Com a segunda visão, via a cintilante onda de vermelho borrado levantar do chão e se arquear, se fechando logo acima da minha cabeça. A meia esfera percorria a mesma distância embaixo de mim. Eu precisaria fazer uma inspeção atenta depois para ter certeza de que não estava cortando nenhum cano ou linha de eletricidade, o que deixaria o círculo vulnerável a rompimentos caso algo tentasse passar de maneira efetiva por aquele caminho.

Ivy estava me observando quando abri os olhos. Dei um sorriso melancólico e me virei. Lentamente, a segunda visão diminuiu para o nada, sobrepujada pela visão normal. – Tudo bem travado – eu disse quando sua aura pareceu sumir. – Não tente cruzar. Vai machucar.

Ela concordou com a cabeça, o rosto plácido solene.

– Você está... mais bruxa – Ivy comentou lentamente.

Sorri, feliz. Por que não deixá-la ver que a bruxa também mordia? Peguei a menor tigela de mistura de cobre, quase o tamanho das minhas mãos em concha, e coloquei-a sobre o braseiro portátil que Ivy tinha comprado. Usara o fogão para preparar feitiços menores, mas, como mencionei, um cano de gás funcional deixaria uma abertura no círculo.

– Água... – murmurei enquanto enchia o cilindro com água de nascente e franzia os olhos para ter certeza de que estava lendo direito. A água fez um barulho de chiado quando a acrescentei e levantei a tigela da chama. – Camundongo, camundongo, camundongo... – pensei em voz alta, tentando não mostrar como estava nervosa. Era o feitiço mais difícil que já tinha tentado fora da aula.

Ivy desceu do balcão, e me enrijeci. O cabelo na minha nuca se arrepiou quando ela ficou atrás do meu ombro, mas ainda fora do círculo. Parei o que estava fazendo e olhei para ela, que mostrou um sorriso encabulado e se moveu para a mesa.

– Não sabia que você acessava o todo-sempre – disse, ajeitando-se diante do monitor.

Levantei os olhos da receita.

– Como uma bruxa da terra, não faço isso com frequência. Mas esse feitiço vai me transformar fisicamente, não apenas dar a ilusão de que sou um camundongo. Se algo entrar no caldeirão por acidente, posso não ser capaz de quebrar o feitiço, ou acabar transformada pela metade... ou outra coisa.

Ela fez um ruído indistinto, e coloquei o pelo de camundongo numa peneira para despejar o leite. Havia um ramo de bruxaria que usava linhas de ley em vez de poções, e eu tinha passado dois semestres limpando o laboratório de um professor para não ter que fazer mais do que o curso básico. Na época, justifiquei dizendo a todos que não podia fazer o curso porque não tinha um animal que servisse de familiar – uma exigência de segurança –, mas a verdade era que eu simplesmente não gostava de linhas de ley. Tinha perdido um amigo querido quando ele decidira se formar nisso e se misturara com uma turma da pesada. Sem mencionar que elas estavam ligadas à morte do meu pai. E o fato de serem portais para o todo-sempre não ajudava...

Dizem que o todo-sempre costumava ser um paraíso habitado pelos elfos, que visitavam nossa realidade apenas por tempo suficiente para roubar crianças humanas. Todavia, quando os demônios tomaram o controle e destruíram o lugar, os elfos foram forçados a ficar aqui de vez. É claro, isso foi antes de Grimm começar a escrever contos de fada. Está tudo lá nas histórias mais antigas e selvagens. Quase todas terminam com "E eles viveram felizes no todo-sempre". Bem... era assim que devia ser. Grimm mudou "no todo-sempre", que ficou "para sempre". O fato de algumas bruxas usarem linhas de ley provavelmente explica a antiga mas errônea interpretação de que as bruxas são aliadas dos demônios. Eu tremo só de pensar em quantas vidas foram ceifadas por causa desse erro.

Eu era estritamente uma bruxa da terra, que lidava apenas com amuletos, poções e talismãs. Gestos e encantamentos eram do campo da magia de linhas de ley. Bruxas que se especializavam nessa área acessavam as linhas de ley de forma direta para invocar sua força. Era uma magia mais severa, e menos estruturada e bela, já que não dispunha de disciplina como o encantamento da terra. Em minha opinião, o único benefício da magia de linhas de ley era poder invocá-la de forma instantânea com a palavra certa. A desvantagem era que a pessoa tinha de andar por aí carregando uma fatia de todo-sempre em seu chi. Não importava que existissem maneiras de isolá-lo dos chacras. Estava convencida de que a corrupção demoníaca do todo-sempre deixava algum tipo de sujeira acumulada na alma. Eu tinha visto amigos demais perderem a capacidade de enxergar claramente de que lado da cerca estava sua magia.

A magia de linhas de ley era onde residia o maior potencial para magia negra. Se era difícil rastrear o fabricante de um talismã, encontrar o responsável por uma maldição feita com linha de ley era quase impossível. Isso não significa que todos os bruxos que usavam essa magia fossem ruins – suas habilidades tinham alta demanda nas indústrias de entretenimento, de controle do clima e de segurança –, mas com uma associação tão próxima com o todo-sempre e um poder maior à disposição, era mais fácil perder seus valores.

O fato de eu não ter crescido profissionalmente na SI talvez se devesse à minha recusa de usar linhas de ley para apreender os vilões. Mas que diferença fazia se os capturava com um talismã em vez de um encantamento? Tinha me tornado boa em combater magia de linhas de ley com magia da terra, embora ninguém conseguisse perceber isso ao examinar minha proporção de capturas por número de trabalhos.

A memória daquela pirâmide de bolas de quebra com impacto no lado de fora da porta de trás me atormentou e derramei o leite sobre o pelo de camundongo e na panela. A mistura estava fervendo, e levantei a tigela ainda mais alto, mexendo com uma colher de pau. Usar madeira na preparação de feitiços não era uma boa ideia, mas todas as minhas colheres de cerâmica estavam amaldiçoadas, e utilizar outro metal que não o cobre causaria um desastre. Colheres de pau costumavam agir como amuletos, isto é, absorviam o feitiço, levando a erros embaraçosos. No entanto, não haveria problema se eu a deixasse de molho no meu balde de água salgada.

Com as mãos no quadril, reli o feitiço e ajeitei o cronômetro. A mistura fervente começava a exalar um cheiro almiscarado. Eu torcia para estar tudo certo.

– Então... – Ivy disse enquanto digitava ruidosamente no teclado. – ... você vai invadir a câmara de registros transformada em um camundongo? Aí não vai ser capaz de abrir o arquivo.

– Jenks já tem uma cópia de tudo. Só temos que examiná-la.

A cadeira de Ivy rangeu quando ela se recostou e cruzou as pernas. A maneira como inclinou a cabeça deixou óbvia sua dúvida de que um camundongo e um pixie seriam capazes de lidar com um teclado.

– Por que não volta a ser bruxa quando chegar lá?

Balancei a cabeça negativamente enquanto conferia de novo a receita.

– Transformações invocadas por uma poção duram até você tomar um banho completo em água salgada. Se quisesse, podia me transformar usando um amuleto, invadir a câmara, tirá-lo, encontrar o que preciso como bruxa, colocar o amuleto de volta e sair. Mas não vou fazer isso.

– Por que não?

Ivy estava cheia de perguntas, e levantei os olhos depois de acrescentar a penugem de um antenal.

– Você nunca usou um feitiço de transformação? – perguntei. – Achei que vamps os usavam o tempo todo para se transformar em morcegos e coisas do tipo.

Ela abaixou os olhos.

– Alguns usam – respondeu baixinho.

Claramente, Ivy nunca tinha se transformado. Eu me perguntava por quê. Ela com certeza tinha dinheiro para tanto.

– Não é uma boa ideia usar um amuleto para se transformar – disse. – Teria de amarrar o amuleto em alguma parte do corpo ou usá-lo em volta do pescoço, e todos os meus amuletos são maiores que um camundongo. Ficaria bem desajeitada. E se estiver dentro de uma parede e o deixar cair? Bruxos já morreram por voltar ao normal e solidificar com partes extras... como uma parede ou uma gaiola. – Estremeci, mexendo a colher uma vez no sentido horário. – Além disso, vou estar sem roupa quando voltar ao normal – acrescentei baixinho.

– Ah! – Ivy gritou e me sacudi de susto. – Agora, sim, o real motivo. Rachel, você é tímida!

O que eu podia responder? Um pouco envergonhada, fechei o livro de feitiços e o coloquei na pilha com o resto da minha nova biblioteca. O cronômetro tocou a campainha e desliguei o fogo. Não havia muito líquido restante. Levaria pouco tempo para voltar à temperatura ambiente.

Limpando as mãos no jeans, vasculhei a bagunça tentando encontrar uma lanceta. Antes da Virada, muitas bruxas tinham fingido ter diabetes para conseguir uma daquelas pequenas joias. Eu odiava aquele instrumento, mas, para abrir uma veia, era melhor do que usar uma faca, como se fazia em tempos menos evoluídos. Pronta para perfurar minha pele, hesitei de repente. Ivy não podia cruzar o círculo, mas a lembrança da noite anterior ainda estava bem forte em meus pensamentos. Se precisasse, eu dormiria num círculo de sal, mas a ligação contínua com o todo-sempre ia me deixar louca se não tivesse um familiar para absorver as toxinas mentais que as linhas expeliam.

– Eu... hum... preciso derramar três gotas do meu sangue para avivar isso – disse.

– Verdade? – Sua aparência não tinha de forma alguma a expressão decidida que em geral precedia a aura de caçada de um vamp. Mesmo assim, eu não confiava nela.

Concordei com a cabeça.

– Talvez você devesse sair.

Ivy riu.

— Três gotas numa lanceta não vão mexer comigo.

Ainda assim, hesitei. Meu estômago se contraiu. Como eu podia ter certeza de que ela conhecia seus limites? Seus olhos se estreitaram e pontos vermelhos apareceram em suas bochechas pálidas. Dava para sacar que, se eu insistisse em que saísse, ela ia se ofender — e não estava disposta a mostrar que a temia. Eu estava completamente segura dentro do círculo. Ele podia deter um demônio; parar uma vamp não era nada.

Respirei fundo e estendi o dedo. Houve uma cintilação de preto em seus olhos, um frio passou por mim e, depois, nada. Relaxei os ombros. Encorajada, remexi as três gotas no preparado. O líquido leitoso marrom parecia o mesmo, mas meu olfato notava a diferença. Fechei os olhos e respirei, trazendo o cheiro de grama e de grãos para bem fundo nos pulmões. Ia precisar de mais três gotas de sangue para fortalecer cada dose antes do uso.

— Cheira diferente.

— O quê? — Pulei, amaldiçoando minha reação. Eu tinha esquecido da sua presença.

— Seu sangue cheira diferente — Ivy disse. — Um odor amadeirado. Apimentado. Como terra, mas terra que está viva. Sangue humano não cheira assim, nem o de um vampiro.

— Hum — murmurei. Não gostava nem um pouco do fato de ela conseguir sentir o cheiro de três gotas de sangue do outro lado da sala que estavam separadas dela por uma barreira de todo-sempre. Mas era tranquilizador saber que Ivy nunca tinha sangrado uma bruxa.

— O meu sangue funcionaria? — perguntou, séria.

Fiz que não com a cabeça enquanto mexia de maneira nervosa a poção.

— Não. Precisa ser sangue de bruxo ou feiticeiro. Não é o sangue propriamente, mas as enzimas. Elas agem como um catalisador.

Ela concordou com a cabeça, colocando seu computador no modo dormir e sentando-se para me observar.

Esfreguei a ponta do dedo para reduzir a cobertura de sangue a nada. Como a maioria das receitas, aquela rendia sete feitiços. Os que eu não usasse essa noite, ia armazenar como poções. Se me desse ao trabalho de colocá-los em amuletos, eles durariam um ano. Mas não me transformaria usando um amuleto por nada no mundo.

Os olhos de Ivy pesavam sobre mim quando dividi cuidadosamente a mistura em vidros pequeninos e os fechei com firmeza. Pronto. Agora só precisava quebrar o círculo e minha ligação com a linha de ley. O primeiro era fácil; o segundo, um bocado mais difícil.

Lançando um sorriso rápido para Ivy, estendi a mão que segurava meu chinelo cor-de-rosa felpudo e fiz uma lacuna empurrando-o contra o sal. O tamborilar de fundo do poder do todo-sempre se expandiu. Minha respiração sibilou pelo nariz conforme toda força que estava fluindo pelo círculo agora fluía por mim.

– Qual é o problema? – ela perguntou de sua cadeira, com uma expressão alerta e preocupada.

Fiz um esforço consciente para respirar, pensando que poderia hiperventilar. Eu me sentia com uma bexiga inflada demais. Olhos no chão, acenei para que se mantivesse longe.

– O círculo está quebrado. Fique longe. Não terminei ainda. – Eu me sentia ao mesmo tempo tonta e irreal.

Tomando fôlego, comecei a me separar da linha. Era uma batalha entre o desejo mais básico de poder e o conhecimento de que, com o tempo, a linha de ley me enlouqueceria. Eu tinha de forçá-la para longe, empurrando-a para fora da minha cabeça em direção aos dedos dos pés, até que o poder retornasse à terra.

Meus ombros caíram quando a linha me deixou, e cambaleei, estendendo a mão para segurar o balcão.

– Você está bem? – Ivy perguntou, próxima e decidida.

Arfando, olhei para cima. Ela segurava meu cotovelo, me ajudando a permanecer em pé. Não a tinha visto se mover. Senti meu rosto gelar. Seus dedos estavam quentes através da minha camisa.

– Usei sal demais. A conexão foi muito forte. Eu... eu estou bem. Me solte.

A preocupação no rosto dela desapareceu, e, ofendida, me soltou. O som do sal sendo esmagado sob os seus pés soou alto quando voltou para seu canto e sentou na cadeira, parecendo magoada. Eu não ia pedir desculpas. Não tinha feito nada errado.

Pesado e desconfortável, o silêncio pairou sobre o ambiente enquanto eu guardava todos os frascos no armário, exceto um, junto com meus amuletos adicionais. Senti uma pontada de orgulho ao olhar para eles. Eu os tinha feito.

E, embora o seguro que precisaria para poder vendê-los fosse mais do que ganhava em um ano na SI, eu podia usá-los.

– Você quer ajuda hoje à noite? – Ivy perguntou. – Não me importo de cobrir sua retaguarda.

– Não – deixei escapar. Fui rápida demais na resposta, e as suas feições se contorceram numa careta. Meneei a cabeça negativamente, sorrindo para suavizar a recusa e desejando ser capaz de dizer "sim, por favor". Mas ainda não conseguia confiar direito nela. E não gostava de me colocar em situações em que precisava confiar em alguém. Meu pai tinha morrido porque confiara em alguém para cobrir sua retaguarda. "Trabalhe sozinha, Rachel", ele disse. Estava sentada ao lado da cama de hospital, e ele agarrou minha mão trêmula enquanto seu sangue perdia a capacidade de carregar oxigênio. "Sempre trabalhe sozinha."

Senti um aperto na garganta quando olhei nos olhos de Ivy.

– Se não consigo despistar alguns matadores, mereço ser pega – despistei. Coloquei minha tigela dobrável e uma garrafa de água salgada na bolsa, acrescentando um dos novos amuletos de disfarce que ninguém da SI conhecia.

– Você não vai experimentar uma poção primeiro? – ela perguntou quando ficou óbvio que eu estava prestes a sair.

Com uma das mãos, arrumei nervosamente um cacho de cabelo para trás.

– Está ficando tarde. Tenho certeza de que está tudo certo.

Ivy não parecia muito feliz.

– Se não tiver voltado até amanhã de manhã, vou atrás de você.

– Justo. – Se não estivesse de volta pela manhã, estaria morta. Peguei um casaco de inverno comprido que estava pendurado na cadeira e me encolhi para vesti-lo. Dei a Ivy um sorriso rápido e inquieto antes de sair pela porta de trás. Eu ia atravessar o cemitério e pegar o ônibus na próxima rua.

O ar da noite de primavera estava frio, e tiritei enquanto fechava a porta de tela. A pilha de bolas de quebra com impacto aos meus pés era um lembrete que eu não apreciava. Sentindo-me vulnerável, me protegi sob a sombra do carvalho para esperar minha visão se ajustar a uma noite sem lua aparente. A lua nova tinha acabado de passar e a lua não estaria no céu até quase o nascer do sol. "Obrigada, Deus, por pequenos favores."

– Ei, senhorita Rachel! – Ouvi um pequeno zumbido e me virei, achando por um instante que se tratava de Jenks. Mas era Jax, seu filho mais velho. O pixie pré-adolescente tinha me feito companhia a tarde toda, e quase foi cortado mais vezes do que gostaria de admitir. Sua curiosidade e atenção ao "dever" o tinham aproximado perigosamente das minhas tesouras enquanto o pai dormia.

– Oi, Jax. Seu pai está acordado? – perguntei, oferecendo a mão para ele pousar.

– Senhorita Rachel? – disse, a respiração rápida ao pousar. – Eles estão esperando por você.

Meu coração acelerou.

– Quantos? Onde?

– Três. – Ele estava pálido de tanta agitação e começou a falar com um sentido de urgência. – Na frente. Caras altos, do seu tamanho. Fedem como raposas. Eu os vi quando o velho Keasley os enxotou da calçada. Eu teria lhe dito mais cedo, mas eles não atravessaram a rua, e já roubamos o resto das bolas de quebra com impacto deles. Papai disse para só incomodá-la se algo passasse por cima do muro.

– Está tudo certo. Você fez bem – Jax voou quando comecei a me mover. – Eu ia cortar caminho pelo jardim e pegar o ônibus do outro lado do quarteirão de qualquer forma. – Franzi os olhos para a luz tênue, dando um tapinha leve no toco de pixie. – Jenks. – disse baixinho, sorrindo com o rugido quase subliminar de irritação que fluiu do velho toco de freixo. – Vamos trabalhar.

Dez

A mulher sentada no banco à minha frente no ônibus se levantou para descer. Antes de sair, fez uma pausa, ficando parada perto o suficiente para que eu me sentisse desconfortável. Levantei os olhos do livro de Ivy.

– Tabela 6.1 – ela disse quando retornei seu olhar. – É *tudo* que você precisa saber. – Então fechou os olhos e estremeceu como se tomada pelo prazer.

Embaraçada, folheei o livro até encontrar a referência.

– Santa mãe do céu – sussurrei. Era uma tabela de acessórios e usos sugeridos. Corei de vergonha. Eu não era uma puritana, mas algumas daquelas coisas... e com um vampiro? Talvez com um bruxo. Se ele fosse lindo de morrer. E sem o sangue. *Talvez.*

Sacudi de susto quando a mulher se agachou no corredor. Inclinando-se para bem perto, colocou um cartão de visita no livro aberto.

– Caso precise de uma ajudante – sussurrou, sorrindo com uma intimidade que eu não entendia. – Novatos brilham feito estrelas, trazendo à tona o melhor deles. Não me importo de ser secundária na sua primeira noite. E posso ajudá-la... depois. Algumas vezes eles esquecem. – Um lampejo de medo cruzou seu rosto, rápido, mas bem real.

De queixo caído, não consegui dizer nada enquanto ela se levantava e descia as escadas.

Jenks voou para perto, e fechei o livro.

– Rachel – disse ao pousar no meu brinco. – O que está lendo? Você está com o nariz enterrado nesse livro desde que entramos no ônibus.

– Nada – respondi, sentindo a pulsação acelerar. – Aquela mulher era humana, certo?

– A que estava falando com você? Sim. Pelo cheiro, é paga-pau de vamp. Por quê?

– Por nada – disse, enquanto enfiava o livro no fundo da bolsa. Nunca ia ler aquilo em público de novo. Felizmente, minha parada era a próxima. Ignorando a inquisição interminável de Jenks, entrei no shopping. Meu casaco comprido batia contra os tornozelos enquanto eu submergia no burburinho das compras pré-amanhecer de domingo. No banheiro, invoquei o disfarce de velhinha, esperando confundir qualquer um que pudesse me reconhecer. Ainda assim, achei prudente me perder numa multidão antes de ir para a SI: matar tempo, reunir coragem, comprar um boné para substituir o de Ivy que tinha perdido... e comprar sabonete para cobrir qualquer cheiro dela que persistisse em mim.

Passei direto pela loja de amuletos sem minha habitual e melancólica hesitação. Podia fazer qualquer item que desejasse, e se alguém estivesse procurando por mim, ia montar uma tocaia ali. "Mas ninguém espera que eu compre um par de botas", pensei, diminuindo o passo enquanto passava por uma vitrine. As cortinas de couro e as luzes fracas deixavam claro que ela era dirigida a vamps.

"Que diabos?", pensei. "Eu *vivo* com uma." A vendedora não podia ser pior que Ivy, e eu era experiente o bastante para comprar algo sem deixar sangue para trás. Apesar das reclamações de Jenks, entrei. Meus pensamentos passaram da Tabela 6.1 para o atendente bonito e paquerador que avisou os outros vendedores para ficarem longe depois de me espiar com uns óculos de armação de madeira. Seu crachá dizia "Valentine", e adorei a atenção que recebi enquanto me ajudava a escolher um bom par de botas. Ele exclamava de prazer com minhas meias de seda e acariciava meu pé com uma mão forte e gelada. Jenks esperou no corredor num vaso de planta, taciturno e mal-humorado.

Meu Deus, como Valentine era bonito! Devia fazer parte dos requisitos do cargo de vamp, assim como usar preto e flertar sem acionar nenhum dos meus alarmes. Olhar não tirava pedaço, não é? Podia olhar e mesmo assim não me juntar ao clube, certo?

Mas, quando saí da loja com novas e caras botas, me perguntei o motivo da súbita curiosidade por ele. Ivy tinha basicamente admitido ser guiada pelo cheiro. Talvez todos os vamps lançassem feromônios que acalmassem e atraíssem de maneira subliminar suas vítimas, tornando a sedução bem mais fácil. Tinha gostado demais da minha interação com Valentine. Fiquei relaxada como se fosse um velho amigo, deixando-o tomar liberdades provocadoras com as mãos e dizer palavras que normalmente não permitiria. Afastando o pensamento desconfortável, continuei as compras.

Tive de parar na Big Cherry para comprar molho de tomate para pizza. Humanos boicotariam qualquer loja que vendesse tomates – embora a variedade T-4 Anjo há muito esteja extinta –, assim, o único jeito de obtê-los seria numa loja de especialidades que não ligasse se metade da população do mundo se recusasse a cruzar a soleira da sua porta.

O nervosismo me fez parar na loja de doces. Todo mundo sabe que chocolate diminui a ansiedade; acho que fizeram um estudo sobre isso. E, por cinco minutos gloriosos, Jenks parou de falar enquanto comia o caramelo que tinha comprado para ele.

Parar na loja de cosméticos era essencial, pois evitaria que eu usasse o xampu e o sabonete da Ivy. E isso me levou a uma loja de perfumes. Com o auxílio relutante de Jenks, escolhi uma fragrância que escondesse o cheiro que persistia de Ivy. Lavanda era a única coisa que chegava perto da missão. Jenks disse que fedia como uma explosão numa fábrica de flores. Também não gostava muito do cheiro, mas, se me impedisse de ativar os instintos de Ivy, eu era capaz até de tomar banho com o perfume.

Duas horas depois do pôr do sol, estava de volta à rua e seguia em direção à câmara de registros. As botas novas eram deliciosamente silenciosas e faziam eu me sentir como se estivesse flutuando acima do calçamento. Valentine estava certo. Virei na rua deserta sem hesitação. O feitiço de disfarce ainda estava funcionando – o que provavelmente explicava os olhares estranhos que recebi na loja de artigos de couro –, mas, se ninguém percebesse minha presença, melhor ainda.

A SI escolhia seus prédios de forma cuidadosa. Quase todos os escritórios naquela rua obedeciam aos horários humanos e estavam fechados desde sexta-feira à noite. O tráfego zunia a duas ruas de distância, mas aquela quadra estava quieta. Olhei para trás quando entrei na viela entre o prédio de registros e o de seguros adjacente. Meu coração bateu forte ao passar pela porta corta-fogo, na qual quase tinha sido pega. Não ia me dar ao trabalho de tentar entrar por aquele caminho.

– Você está vendo um cano de drenagem, Jenks? – perguntei.

– Vou dar uma olhada – disse, voando à frente para fazer reconhecimento de terreno.

Eu o segui num passo mais lento, me voltando para o barulho sutil de metal que ouvia então. Curtindo o barato da adrenalina, enfiei-me entre duas caçambas de lixo e uma caixa de papelão. Estiquei os lábios num sorriso quando vi Jenks sentado na curva de uma calha, na qual batia com o calcanhar da bota.

– Obrigada, Jenks – agradeci, colocando minha bolsa sobre o cimento.

– Sem problemas. – Voou e sentou na borda de uma lata de lixo. – Pelo amor da Sininho – gemeu, apertando as narinas com os dedos. – Você sabe o que está aqui? – Dei uma olhada para ele, que, encorajado, continuou. – Lasanha de três dias, cinco tipos de copos de iogurte, pipoca queimada... – Hesitou, os olhos se fechando enquanto fungava. – ... estilo sul da fronteira, um milhão de papéis de bala e alguém na empresa tem um desejo quase profano por burritos extra-apimentados.

– Jenks? Cale a boca.

Um suave assobio de pneus sobre o asfalto me avisou para ficar imóvel, mas mesmo a melhor das visões noturnas ia ter dificuldade de me enxergar ali. A viela cheirava tão mal que não tinha de me preocupar com lóbis. Mesmo assim, esperei até a rua ficar quieta antes de enfiar a mão na bolsa para pegar um feitiço de detecção e uma lanceta. A alfinetada afiada me fez pular. Espremi as três gotas necessárias no amuleto, e elas foram absorvidas imediatamente, fazendo um brilho verde aparecer no disco de madeira. Soltei a respiração que estivera segurando sem nem perceber. Nenhuma criatura inteligente além de Jenks se encontrava num raio de trinta metros – e eu tinha minhas dúvidas quanto à inteligência de Jenks. Era seguro usar o feitiço para virar um camundongo.

– Fique de olho nisso e me avise se ficar vermelho – pedi a Jenks enquanto equilibrava o disco ao lado dele na beirada da lixeira.

– Por quê?

– Apenas faça o que eu disse. – sussurrei.

Sentada num fardo de papelão, desamarrei o cadarço das botas, tirei as meias e coloquei um pé descalço no cimento. Estava frio e úmido por causa da chuva na noite anterior, e deixei escapar uma exclamação de nojo. Lancei um olhar rápido para o fim da viela, e então escondi as botas fora atrás de uma lixeira cheia de papel picado, junto com meu casaco de inverno. Sentindo-me uma viciada em Enxofre, agachei-me na sarjeta e puxei o frasco da poção.

– Muito bem, Rachel – sussurrei ao lembrar que ainda não tinha montado a tigela de dissolução.

Ivy ia saber o que fazer se eu aparecesse como um camundongo, mas ia tirar sarro disso para sempre. A água salgada se derramou com um glub-glub barulhento na tigela, e coloquei o jarro vazio de lado. A tampa do frasco saiu quicando na lixeira, e fiz uma careta enquanto massageava outras três gotas de sangue do meu dedo latejante. Mas meu desconforto empalideceu assim que o sangue atingiu o líquido e a fragrância quente de campina se elevou dele.

Senti o estômago se contrair enquanto eu misturava o conteúdo do frasco com uma série de tapinhas gentis. Nervosa, limpei a mão no jeans e olhei para Jenks. Fazer um feitiço era fácil. Confiar que você fez o feitiço direito era a parte difícil. Quando se pensava bem, coragem era a única coisa que separava um bruxo de um feiticeiro. "Eu sou uma bruxa", disse a mim mesma, meus pés ficando frios. "Fiz isso direito. Serei um camundongo, e conseguirei me transformar de volta com um mergulho em água salgada."

– Promete que não vai contar a Ivy se isso não der certo? – pedi a Jenks, que sorriu, puxando o chapéu de um jeito malandro mais baixo sobre seus olhos.

– O que você vai me dar?

– Não vou colocar veneno para formiga no seu toco de árvore.

Ele suspirou.

– Tente logo – disse. – Eu quero chegar em casa antes de o sol virar uma nova. Pixies dormem de noite, sabe?!

Passei a língua pelos lábios, ansiosa demais para pensar numa resposta. Nunca tinha me transformado daquele jeito antes. Tinha comparecido às aulas, mas a mensalidade não pagava o custo de comprar um feitiço de transformação de nível profissional, e o seguro contra danos não permitia que nós, estudantes, provássemos de nossa própria poção. Seguro contra danos. Que maravilha.

Apertei os dedos em torno do frasco e meu pulso disparou. Aquilo ia doer para burro.

Numa pressa súbita, fechei os olhos e o virei goela abaixo. A poção era amarga, e a engoli num gole só, tentando não pensar nos três pelos de camundongo. Eca.

Meu estômago se contraiu de novo e me dobrei sobre ele, perdendo o equilíbrio. O cimento frio se aproximava com rapidez e coloquei uma mão para parar minha queda. Ela era negra e peluda. "Está funcionando!", pensei com níveis iguais de felicidade e de medo. Não era tão ruim como tinha imaginado.

Então, uma dor aguda percorreu minha espinha. Como uma chama azul, foi do crânio à base da espinha dorsal. Gritei, entrando em pânico quando um som ao mesmo tempo agudo e gutural pareceu perfurar meus ouvidos. Quente e gelado percorreram minhas veias.

Entrei em convulsão, a dor intensa respirando em meu lugar. Fui tomada pelo terror quando minha visão se escureceu. Cega, estendi a mão, ouvindo um som assustador de algo arranhando.

– Não! – gritei. A dor cresceu, expulsando tudo de mim, me engolindo por inteiro.

Onze

– Rachel? Rachel, acorde. Você está bem?

A voz reconfortante, grave e desconhecida era um fio preto me puxando de volta para a consciência. Eu me alonguei, sentindo músculos diferentes funcionarem. Meus olhos se abriram num flash e só via tons de cinza. Jenks estava de pé diante de mim com as mãos no quadril e os pés bem separados. Ele parecia ter quase dois metros de altura.

– Caralho! – xinguei, ouvindo o som sair como um guincho áspero. Eu era um camundongo. Caramba, eu era mesmo um camundongo!

O pânico me percorreu enquanto lembrava a dor da transformação. Ia ter que passar por tudo de novo para voltar à minha aparência verdadeira. Não era de espantar que a transformação fosse uma arte em extinção. Doía demais.

Meu medo diminuiu, e escapei de debaixo das minhas roupas. Sentia o coração batendo terrivelmente acelerado. Aquele perfume horrível de lavanda estava em minhas roupas, me sufocando. Torci o nariz e tentei não vomitar quando percebi que podia sentir o odor do álcool usado para transmitir o cheiro de flor. Embaixo, estava o cheiro de cinza semelhante a incenso que eu associava com Ivy. Perguntei a mim mesma se o nariz de uma vamp era tão sensível quanto o de um camundongo.

Balançando em quatro pernas, mirei ao redor através dos meus novos olhos. A viela tinha o tamanho de um depósito, o céu negro estava ameaçador. Tudo era colorido em tons de cinza e branco; eu era daltônica. O som do tráfego distante era alto; e o fedor da viela, uma agressão ao olfato. Jenks estava certo. Alguém realmente gostava de burritos.

Agora que estava com a cabeça para baixo, a noite parecia mais fria. Voltando-me à pilha de roupas, tentei esconder minhas joias. Da próxima vez, vou deixar tudo em casa, com exceção da faca de tornozelo.

Virei-me para Jenks, surpresa. Uau! Jenks era um pedaço alado de mau caminho. Seus ombros eram bem definidos e fortes para ajudar nos voos. Tinha cintura fina e um físico musculoso. O cabelo claro caía de maneira engenhosa sobre sua testa, conferindo uma atitude despreocupada. Uma teia de aranha de glitters recobria suas asas. Vendo-o da perspectiva de seu tamanho, podia entender por que Jenks tinha mais filhos que três casais de coelhos.

E suas roupas... Mesmo em preto e branco elas eram incríveis! A bainha e o colarinho da camisa eram bordados com imagens de dedaleiras e samambaias. A bandana preta, que antes parecia vermelha, era decorada com brilhos minúsculos num molde de prender a atenção.

— Ei, delícia — ele disse animado, a voz surpreendentemente grave e rica para meus ouvidos de roedor. — Funcionou. Onde você encontrou um feitiço para uma marta?

— Marta? — questionei, ouvindo apenas um guincho. Desviando o olhar dele, observei minhas mãos. Meus dedões eram pequenos, mas meus dedos, com unhas selvagens e minúsculas, tinham tanta destreza que isso não parecia importar. Estendi a mão e senti um focinho pequeno e triangular. Virei para ver minha cauda longa, luxuriante e fluida. Todo o meu corpo era uma longa linha lustrosa. Nunca tinha sido tão magra. Levantei um dos pés e então descobri que eles eram brancos, com pequenas solas da mesma cor. Era difícil julgar tamanhos, mas era bem maior que um camundongo; parecia um esquilo comprido.

"Uma marta?", pensei, sentando e passando as patas da frente sobre meu pelo escuro. Aquilo era muito legal! Abri a boca para sentir meus novos dentes, afiados para valer. Eu não ia ter que me preocupar com gatos — era quase tão grande quanto um deles. As corujas de Ivy eram caçadoras melhores do que tinha imaginado. Meus dentes se fecharam com um clique e olhei para cima, para o céu aberto. Corujas. Ainda tinha de me preocupar com corujas. E cachorros. E qualquer coisa maior do que eu. O que uma marta estaria fazendo na cidade?

— Você está bonita, Rachel — elogiou Jenks.

Lancei um olhar a ele. "Você também, homenzinho." Eu me perguntei à toa se havia algum feitiço para deixar pessoas do tamanho de pixies. Tomando Jenks como amostragem, podia ser legal tirar umas férias como uma pixie e dar um giro pelos melhores jardins de Cincinnati. Pode me chamar de Polegarzinha.

– Eu a vejo no teto, tudo bem? – acrescentou, sorrindo como se tivesse percebido que estava sendo encarado. Fiz que sim com a cabeça, observando-o voar para cima. "Talvez eu pudesse encontrar um feitiço para deixar pixies maiores?"

Meu suspiro desejoso saiu como um guincho um tanto estranho, e corri até o cano de drenagem. Havia uma poça da chuva da noite anterior no fundo, e meus bigodes roçaram os lados do cano conforme engatinhava para cima com facilidade. Minhas unhas, fiquei feliz em notar, eram afiadas e podiam encontrar apoio no que parecia um metal liso. Uma arma em potencial, tão boa quanto meus dentes.

Estava arfando quando cheguei ao teto. Praticamente fluí para fora do cano de drenagem, galopando de forma graciosa para a sombra escura do ar-condicionado do prédio e em direção à saudação em voz alta de Jenks. Se minha audição não estivesse melhorada, nunca o teria escutado.

– Aqui, Rachel – chamou. – Alguém entortou a tela de entrada.

Minha cauda sedosa se agitando de animação quando me juntei a ele perto do ar-condicionado. Faltava um parafuso num canto da tela. E, o que era ainda mais útil, ela estava torta. Não era difícil me espremer e entrar com Jenks puxando-a para abri-la para mim. Após atravessá-la, me agachei na mais intensa escuridão e esperei minha visão se adaptar enquanto Jenks voava ao redor. Lentamente, consegui ver outra tela com rede. Minhas sobrancelhas de roedora se levantaram quando Jenks puxou de lado um corte triangular no arame. Estava claro que tínhamos encontrado uma entrada alternativa, da qual ninguém sabia, para a câmara da SI.

Cheios de uma recém-conquistada segurança, Jenks e eu exploramos o caminho para os dutos de ar. Ele não parava de falar, e suas infindáveis observações sobre como seria fácil ficar perdido e morrer de inanição não ajudavam em nada. Tornou-se claro que o labirinto de dutos era usado frequentemente. As descidas e os declives mais íngremes tinham até mesmo cordas de meio centímetro de diâmetro e o cheiro de outros animais era forte. Só havia um caminho para tomar – o caminho para baixo – e, depois de algumas curvas erradas, nos descobrimos examinando o já conhecido ambiente da câmara de registros.

O respiradouro de onde espiávamos estava diretamente acima dos terminais. Nada se movia no brilho suave emitido pelas máquinas de xerox. Mesas retangulares estéreis e cadeiras de plástico estavam espalhadas pelo tapete vermelho feio. Embutidos nas paredes estavam os próprios arquivos – os registros ativos, uma fração ínfima dos podres que a SI sabia sobre a população impercebida e humana, tanto viva quanto morta. A maioria era armazenada eletronicamente, mas, se um arquivo fosse acessado, uma cópia em papel permanecia nos gabinetes por dez anos. Se fosse de um vampiro, permanecia por cinquenta.

– Pronto, Jenks? – perguntei, esquecendo que minha fala soaria como um guincho. Eu podia sentir o cheiro de café e açúcar queimado da mesa próxima à porta, e meu estômago roncou. Deitando, estendi o braço pela palheta do respiradouro, raspando o cotovelo para, de maneira desajeitada, alcançar a alavanca que o abria. Ela cedeu de maneira súbita e inesperada, balançando com um rangido alto enquanto pendia, segurada pelas dobradiças. Agachada nas sombras, esperei meu pulso desacelerar antes de colocar o nariz para fora.

Jenks me parou quando fui empurrar para fora o rolo de corda que se encontrava no duto.

– Espere – sussurrou. – Deixe-me mexer nas câmeras primeiro. – Hesitou e suas asas ficaram escuras. – Você não vai contar a ninguém sobre isso, certo? É meio que um... hum... um lance pixie. Algo que nos ajuda a andar por aí sem sermos notados. – Ele me deu um olhar mortificado, e balancei a cabeça negativamente.

– Obrigado – disse, e se lançou. Minha respiração parou por um momento antes de ele voar de volta, sentar na beirada da abertura e balançar os pés. – Tudo ajeitado – confirmou. – Elas vão gravar um loop de quinze minutos. Vamos descer. Vou mostrar o que Francis estava examinando.

Empurrei a corda para fora da rede de dutos e comecei a descer. As unhas habilidosas facilitaram o processo.

– Ele fez uma cópia extra de tudo que queria – Jenks dizia, esperando próximo à lixeira da máquina de xerox. Sorriu quando virei a lata e comecei a remexer os papéis. – Eu fiquei ativando o xerox por dentro. Ele não conseguia entender por que a máquina cuspia dois exemplares de todos os documentos. O estagiário pensou que ele era um idiota.

Levantei os olhos, prestes a dizer: "Francis *é* um idiota".

— Sabia que você ia ficar bem — ele disse enquanto arrumava os papéis numa longa fileira no chão. — Mas foi muito difícil ficar aqui e não fazer nada quando ouvi você correr. Não me peça para fazer isso de novo, tá legal?

Sua mandíbula estava cerrada. Eu não sabia o que dizer, então concordei. Jenks estava sendo mais prestativo do que eu jamais pensara que pudesse ser. Sentindo-me mal por tê-lo desprezado, puxei as páginas espalhadas para colocá-las em ordem. Não havia muitas informações úteis, e, quanto mais eu lia, mais desencorajada ficava.

— De acordo com isso — Jenks disse, de pé sobre a primeira página com as mãos no quadril —, Trent é o último membro de sua família. Seus pais morreram sob circunstâncias que indicavam fortemente o uso de magia. Quase todos os funcionários da casa estiveram sob suspeita. Levou três anos antes de o FIB e a SI desistirem e decidirem olhar um para o outro oficialmente.

Folheei a declaração do investigador da SI e meus bigodes se agitaram ao reconhecer o nome: Leon Bairn, o mesmo que acabara como uma mancha fina na calçada. Interessante.

— Seus pais se recusaram a reivindicar parentesco com humanos ou impercebidos — Jenks disse. — Assim como Trent. E os restos mortais não foram suficientes para se conduzir uma autópsia. Como os pais, Trent emprega impercebidos e humanos. Todo mundo menos pixies e fadas.

Não era de surpreender. Por que arriscar um processo por discriminação?

— Eu sei o que está pensando — afirmou. — Mas ele não parece favorecer nenhum grupo nem outro. Suas secretárias pessoais são sempre feiticeiras. A babá era uma humana de certa fama, e ele dividiu um quarto com uma matilha de lóbis em Princepton. — Jenks coçou a cabeça, pensando. — No entanto, não se juntou a nenhuma fraternidade. Isso não está nos registros, mas segundo boatos ele não é nem lóbis, nem vamp, nem nada. — Vendo que eu dava de ombros, continuou. — Trent não cheira direito. Conversei com uma pixie que conseguiu dar uma cheirada no cara enquanto dava suporte para um caça-recompensas nos estábulos de Trent. Ela disse que Trent não cheira a humano, mas que algo nele grita "impercebido".

Pensei no feitiço que eu tinha usado para disfarçar a aparência. Comecei a abrir a boca para perguntar a Jenks sobre isso, mas fechei-a com um estalo. Não podia fazer nada além de guinchar. Jenks sorriu, e tirou uma ponta de lápis quebrada do bolso.

– Vai ter que soletrar – disse, escrevendo o alfabeto na parte de baixo de uma das páginas.

Mostrei todos os meus dentes, o que só o fez rir. Mas eu não tinha muita escolha. Correndo pela página como se fosse uma tábua Ouija, escrevi "Talismã?".

Jenks deu de ombros.

– Talvez. Mas um pixie pode farejar até quando se usa um disfarce, da mesma forma que posso sentir seu cheiro de bruxa sob o fedor de marta. Mas, se é um disfarce, isso explica a secretária feiticeira. Quanto mais você usa magia, mais forte você cheira. – Olhei com um ar inquisidor para ele, que acrescentou: – Todas as bruxas cheiram igual, mas as que fazem mais magia cheiram mais forte, de forma mais sobrenatural. Você, por exemplo, está cheirando muito forte por ter criado feitiços. Você invocou o todo-sempre hoje à noite, não é?

Não era exatamente uma pergunta, e sentei-me, surpresa. Ele podia saber disso pelo cheiro?

– É possível que Trent faça outro bruxo invocar feitiços por ele – Jenks disse. – Dessa forma, conseguiria cobrir seu cheiro com um talismã. O mesmo vale para um lóbis ou um vamp.

Tomada por uma ideia súbita, soletrei "Ivy cheira?".

Jenks se pôs a voar antes que eu tivesse terminado.

– S-s-sim – gaguejou. – Ivy fede. Ou ela era uma diletante que parou de bebericar vinho na semana passada ou uma praticante intensa que parou no ano passado. Não sei dizer. Provavelmente está em algum lugar entre as duas opções... provavelmente.

Franzi a testa, se é que uma marta pode franzir a testa. Ela tinha dito que fazia três anos. Ela devia ter sido muito, muito intensa. Que beleza.

Olhei para o relógio da câmara. Nosso tempo estava se esgotando. Impaciente, voltei-me para o registro escasso de Trent. De acordo com a SI, o sujeito vivia e trabalhava numa propriedade gigantesca fora da cidade. Organizava corridas de cavalo lá, mas a maior parte de sua renda vinha da agricultura: pomares de laranjas e nozes-pecã no sul, morangos na costa, trigo no Meio-Oeste. Tinha até uma ilha no litoral leste, onde cultivava chá. Disso eu sabia. Essas informações já tinham aparecido na mídia.

Trent foi criado como filho único. Perdeu a mãe quando tinha dez anos e o pai quando era calouro na faculdade. Seus pais tiveram dois outros filhos que não passaram da infância. O médico se recusou a entregar os registros sem ser intimado, e, pouco depois do pedido, seu consultório queimou até não sobrar pedra sobre pedra. Tragicamente, o médico estava trabalhando até tarde e não conseguiu escapar. "Os Kalamacks não brincavam em serviço", pensei, seca.

Eu me sentei longe dos registros e rangi os dentes. Não havia nada ali que eu pudesse usar. Tinha a sensação de que os registros do FIB seriam ainda mais inúteis – isso se pudesse por algum milagre vê-los. Alguém tinha feito um grande esforço para garantir que se soubesse muito pouco sobre os Kalamacks.

– Lamento – Jenks disse. – Sei que estava contando com os registros.

Dei de ombros, empurrando os papéis de volta para a lata de lixo. Não ia ser capaz de colocar o cesto de pé, mas ao menos ia parecer que ele caíra, e não que alguém ficara remexendo em seu conteúdo.

– Você quer ir com o Francis numa entrevista sobre a morte da secretária de Trent? – o pixie perguntou. – É nessa segunda-feira ao meio-dia.

"Meio-dia, que horário bom", pensei. Não era ridiculamente cedo para a maioria dos impercebidos, e um horário perfeitamente razoável para os humanos. Talvez pudesse acompanhar Francis. Senti meus lábios de roedor se retraírem, exibindo um sorriso. Francis não se importaria. Talvez aquela fosse a minha única chance de conseguir algo sobre Trent. Prendê-lo como um distribuidor de Enxofre ia render o bastante para pagar meu contrato.

Jenks voou para ficar na orla do cesto. Movia as asas de forma intermitente para manter o equilíbrio.

– Se importa se eu a acompanhar para dar uma boa cheirada em Trent? Aposto que posso desvendar o que ele é.

Meus bigodes roçaram o ar enquanto pensava a respeito. Ia ser bom ter um segundo par de olhos. Eu podia pegar uma carona com Francis. Não como uma marta, é claro. Ele provavelmente ia gritar e jogar coisas em mim se me encontrasse no banco de trás. "Conversamos mais tarde", soletrei. "Casa."

– Antes de irmos, quer ver sua ficha? – Jenks abriu um sorriso maroto.

Balancei a cabeça negativamente. Tinha visto minha ficha várias vezes. "Não", escrevi. "Quero picá-la em pedacinhos."

Doze

— Preciso arranjar um carro — sussurrei, enquanto cambaleava pelos degraus do ônibus. Puxei o casaco para não ser preso pelas portas que fechavam e segurei a respiração. O motor a diesel rugia colocando-se em atividade e o ônibus se afastava em sacolejos. — Em breve — acrescentei, puxando a bolsa mais para perto do corpo.

Eu não dormia bem havia dias. O sal tinha secado no meu corpo e eu sentia coceiras em todo lugar. Era como se eu não conseguisse passar cinco minutos sem acertar acidentalmente a bolha no pescoço. Depois de sair do barato induzido pelo açúcar dos doces de caramelo, Jenks estava mal-humorado. Em resumo, éramos ótimas companhias.

Um falso nascer do sol tinha iluminado o céu a leste, dando ao azul fino uma translucidez bela. Os pássaros estavam barulhentos; e as árvores, silenciosas. O frio me deixou feliz por estar agasalhada. Acho que o sol estava a apenas uma hora de nascer. Quatro da manhã em junho era um momento glorioso, quando todos os bons vampiros estavam em suas caminhas e os sábios humanos ainda não tinham saído para pegar a edição matutina do jornal.

— Estou pronta para ir para a cama — sussurrei.

— Boa noite, senhorita Morgan — soou uma voz grave, e girei, pronta para atacar.

Jenks abafou uma risada sarcástica, sentado em meu brinco.

— É o vizinho — disse, seco. — Puxa, Rachel. Me dê um pouco de crédito.

Com o coração disparado, levantei lentamente, sentindo-me tão velha quanto o feitiço me fazia aparentar. Por que Keasley não estava na cama?

— Bom dia — respondi, ficando diante do vizinho no portão. Ele estava imóvel em seu andador, o rosto encoberto pela sombra.

– Fazendo compras? – Ele sacudiu o pé indicando que tinha notado que as botas eram novas.

Cansada, recostei-me na cerca feita de elos de correntes.

– Aceita um chocolate? – perguntei.

Ele acenou para que eu entrasse e Jenks assobiou, preocupado.

– O alcance de uma bola de quebra com impacto é maior que o do meu olfato, Rachel.

– Ele é um idoso solitário – sussurrei enquanto destravava o portão. – Só quer um chocolate. Além disso, pareço uma velha coroca. Qualquer um que esteja observando vai achar que sou namorada dele. – Abaixei a trava sem fazer barulho, e pensei ter visto Keasley esconder um sorriso por trás do bocejo.

Um suspiro minúsculo e dramático escapou de Jenks. Coloquei a bolsa na varanda, me sentei no degrau mais alto, tirei uma sacola de papel do bolso do casaco e a estendi para Keasley.

– Ah... – ele disse, seu olhar fixado no logotipo formado por um cavalo e um cavaleiro. – Por algumas coisas vale a pena arriscar a vida. – Como esperava, ele escolheu um pedaço de chocolate meio-amargo. Um cachorro latiu à distância. Movendo a mandíbula, ele olhou além de mim para a rua. – Você esteve no shopping.

Dei de ombros.

– Entre outros lugares.

As asas de Jenks abanaram meu pescoço.

– Rachel...

– Sossegue, Jenks – irritei-me.

Keasley se pôs de pé com uma lentidão dolorosa.

– Não. Ele tem razão. Está tarde.

Entre os seus comentários obtusos e os instintos de Jenks, fiquei decididamente temerosa. O cachorro latiu de novo, e me coloquei de pé bruscamente. Meus pensamentos retornaram àquela pilha de bolas de quebra com impacto do lado de fora. Talvez devesse ter atravessado pelo cemitério.

Keasley se moveu com uma lentidão dolorosa em direção à porta da sua casa.

– Tome cuidado, senhorita Morgan. Se souberem que você é capaz de despistá-los, vão mudar de tática. – Abriu a porta e entrou. A tela se fechou, silenciosa.

– Obrigado pelo chocolate.

– De nada – sussurrei enquanto me virava, sabendo que ele podia ouvir.

– Velho sinistro – sentenciou Jenks, fazendo o brinco balançar enquanto eu cruzava a rua e me dirigia até a moto estacionada na frente da igreja. O falso nascer do sol reluzia no metal cromado, e me perguntei se Ivy tinha buscado sua moto na oficina.

– Talvez ela me deixe usá-la – pensei em voz alta, dando uma breve examinada. Era toda brilhante e preta, com ornamentos dourados e couro sedoso; uma Nightwing. Linda. Com inveja, acariciei o assento, deixando uma mancha ao limpar o orvalho.

– Rachel! – Jenks gritou estridente. – Abaixe-se!

Abaixei-me. Com o coração pulando dentro do peito, a palma das mãos atingiu a calçada. Houve o silvo de algo acima de mim. A adrenalina disparou em meu corpo, me deixando com dor de cabeça. Enfiei-me num cilindro, colocando a moto entre mim e a rua do outro lado.

Segurei a respiração. Nada se movia entre os arbustos e as moitas carregadas. Coloquei a bolsa na frente do rosto, as mãos tateando à procura de algo dentro dela.

– Fique abaixada – Jenks disse num tom contrariado. O pixie tinha a voz tensa, e um brilho roxo cobria suas asas.

A picada da lanceta me deu um choque até os dedos do pé. Meu talismã de sono era invocado em quatro segundos e meio, meu melhor tempo até então. Nenhuma garantia de que isso me ajudaria muito se o ser que fizera aquilo, fosse lá o que fosse, permanecesse escondido nos arbustos. Talvez eu pudesse jogá-lo nele. Se a SI fizesse daquela caçada um hábito, eu teria de investir numa arma de bolas de quebra com impacto. Eu era uma garota do tipo "confrontá-los diretamente e então deixá-los inconscientes". Esconder-se em arbustos como um francoatirador não tinha graça, mas quando em Roma...

Agarrei o talismã pelo cordão para que não me afetasse e esperei.

– Pode guardar – Jenks disse, relaxando enquanto éramos rodeados de forma abrupta por um bando de crianças pixies zunindo de um lado para o outro. Elas giraram sobre nós, falando tão rápido e num tom tão agudo que não conseguia acompanhar. – Elas se foram – acrescentou. – Desculpe por isso. Sabia que estavam lá, mas...

– Você sabia que estavam lá? – exclamei, dobrando o pescoço dolorido para cima para olhá-lo. Um cachorro latiu, e abaixei a voz. – O que diabos estava fazendo?

Ele sorriu.

— Precisava forçá-las a se expor.

Irritada, coloquei-me de pé.

— Ótimo. Obrigada. Só avise da próxima vez que quiser me fazer de isca. — Balancei meu casaco comprido, fazendo uma careta quando percebi que tinha amassado os chocolates.

— Mas Rachel... — disse num tom conciliador, pairando perto do meu ouvido. — Se eu tivesse dito, suas reações não seriam naturais e as fadas apenas esperariam até que eu não estivesse observando.

A expressão dura em meu rosto se afrouxou.

— Fadas? — repeti, gelada. Denon devia estar louco. Elas eram supercaras. Talvez tivessem lhe dado um desconto por causa do incidente com o sapo.

— Elas se foram — Jenks disse — Mas eu não ficaria aqui por muito tempo. Dizem que os lóbis querem outra chance de pegar você. — Tirou a bandana vermelha e a entregou para o filho. — Jax, você e suas irmãs podem ficar com a catapulta.

— Obrigado, papai! — O pequeno pixie se elevou meio metro de alegria. Enrolou o xale vermelho em torno da cintura e, junto com cerca de outros seis pixies, se separou do grupo e disparou, atravessando a rua.

— Tomem cuidado! — Jenks gritou. — Ela pode ter uma armadilha explosiva!

"Fadas...", pensei enquanto me abraçava com força e olhava para a rua tranquila. Merda.

O resto dos filhos de Jenks se agrupou ao seu redor, todos falando ao mesmo tempo enquanto tentavam arrastá-lo para os fundos.

— Ivy está com alguém — Jenks afirmou enquanto começava a se impulsionar para o alto. — Mas já examinei a situação e ele não apresenta problemas. Você se importa se eu encerrar por hoje?

— Vá em frente — respondi, olhando para a moto. Não pertencia a Ivy no final das contas. — E, bem, obrigada.

Eles se elevaram como libélulas. Logo atrás, bem próximos, estavam Jax e as irmãs carregando uma catapulta, apesar de serem tão pequenos. Com gritos e o bater seco de asas, voaram para cima e para além da igreja, deixando um silêncio pesado na rua.

Virei as costas e me arrastei pelos degraus de pedra. Dando uma olhada para o outro lado da rua, vi uma cortina se fechar na única janela iluminada. "O show acabou. Vá dormir, Keasley", pensei, abrindo a porta pesada, e me esgueirei para dentro. Fechando-a com vagar, deslizei a trava untada com óleo, me sentindo melhor apesar de saber que a maioria dos assassinos da SI não entraria pela porta. "Fadas? Denon devia estar possesso."

Bufando de cansaço, recostei-me contra as madeiras grossas, para bloquear a manhã que chegava. Só queria tomar um banho e ir para a cama. Enquanto cruzava lentamente o santuário vazio, o som de jazz suave e a voz raivosa de Ivy ecoando alta escaparam da sala de estar.

– Droga, Kist – ouvi quando entrei na cozinha escura. – Se você não tirar essa bunda da cadeira agora mesmo, eu vou jogá-lo e colocá-lo em órbita com o Sol.

– Relaxa, Tamwood. Não vou fazer nada – soou uma nova voz. Era masculina, grave, mas com um indício de choramingo, indicando uma pessoa mimada. Parei para jogar meus amuletos usados no pote de água salgada ao lado do refrigerador. Eles ainda serviam, mas sabia que era melhor não deixar amuletos ativos parados por aí.

A música parou de uma maneira tão súbita que me surpreendeu.

– Fora – Ivy disse baixinho. – Agora.

– Ivy? – chamei alto. A curiosidade me venceu. Jenks dissera que aquela pessoa não representava risco. Deixando minha bolsa no balcão da cozinha, me dirigi à sala de estar. Minha exaustão se transformou numa pontada de raiva. Nunca tínhamos discutido isso, mas presumi que até a recompensa pela minha cabeça ser retirada tentaríamos não chamar atenção.

– Ooooh – ouvi Kist zombar, apesar de não conseguir vê-lo. – Ela está de volta.

– Comporte-se – Ivy o ameaçou quando entrei na sala. – Ou vou esfolar seu couro.

– Promete?

Dei três passos para dentro da sala de estar e parei de repente. Minha raiva sumiu, eliminada numa onda de instinto primal. O vamp, com roupa de couro, se esparramava na cadeira de Ivy, como se estivesse na própria casa. Apoiava suas botas imaculadas sobre a mesa do café, e Ivy as empurrou com uma expressão de repulsa. Ela se moveu mais rápido do que eu jamais a tinha visto se mover. Deu dois passos se afastando dele e pareceu colérica, o quadril curvado e os braços cruzados de forma agressiva. O relógio no consolo da lareira tiquetaqueava alto.

Kist não podia ser um vamp morto – ele estava em terreno sagrado e era quase o nascer do sol –, mas, minha nossa senhora, bem que ele parecia ser algo próximo disso. Colocou os pés no chão com uma lentidão exagerada. O olhar indolente que me deu atingiu meu âmago, assentando-se sobre mim como uma manta molhada e fazendo meu estômago se contrair. E, sim, ele era bonito. Perigosamente bonito. Pensei na Tabela 6.1 e engoli em seco.

Seu rosto tinha um restolho de barba, o que lhe dava uma aparência rústica. Ajeitando-se, afastou dos olhos o cabelo loiro com uma graça habilidosa, que devia ter exigido anos para aperfeiçoar. Sua jaqueta de couro estava aberta e mostrava uma camisa de algodão preta, justa sobre o peito musculoso e atraente. Brincos de botão gêmeos brilhavam em uma das orelhas. A outra tinha um único brinco e uma laceração há muito curada. Fora isso, não tinha nenhuma cicatriz visível. Eu me perguntava se poderia senti-las caso passasse o dedo por seu pescoço.

Meu coração acelerou e baixei a vista, prometendo a mim mesma não olhar de novo. Ivy não me assustava tanto quanto ele. O sujeito era impulsionado por um instinto de fera, governado por caprichos.

– Ah – Kist disse, ajeitando-se na cadeira. – Ela é bonita. Você devia ter dito que ela era assim, tão lindinha. – Eu o senti respirar fundo, como se estivesse provando a noite. – Ela cheira forte a você, Ivy querida. – A voz ficou mais grave. – Não é uma graça?

Gelada, segurei o colarinho do meu casaco para fechá-lo e recuei até a soleira da porta.

– Rachel – Ivy disse, com secura. – Esse é Kisten. Ele está de saída. Certo, Kist?

Não era realmente uma pergunta, e perdi o fôlego quando ele se colocou de pé com uma graça fluida e animalesca. Alongou-se, as mãos chegando ao teto. Cada movimento de seu corpo magro mostrava uma curva linda dos seus músculos. Eu não conseguia desviar o olhar. Ele deixou os braços caírem e nossos olhos se encontraram. Os dele eram castanhos. Seus lábios se abriram num sorriso gentil como se soubesse que eu o estivera observando. Seus dentes eram afiados como o de Ivy. Ele não era um carniçal. Era um vamp vivo. Não conseguia parar de olhar, ainda que os vamps vivos não pudessem encantar os cautelosos.

– Você gosta de vamps, bruxinha? – sussurrou.

Sua voz era como o vento sobre a água, mas vinha carregada de coação, deixando meus joelhos bambos.

– Você não pode me tocar – respondi, sem conseguir deixar de olhá-lo enquanto ele tentava me encantar. Parecia que minha voz vinha de dentro da minha cabeça. – Não assinei nenhum documento.

– Não? – sussurrou. Levantou as sobrancelhas com uma confiança ardente e aproximou-se de mansinho, a passos silenciosos. Com o coração batendo forte, olhei para o chão. Apalpei atrás de mim, procurando a ombreira da porta. Ele era mais forte e mais rápido que eu. No entanto, uma joelhada na virilha o derrubaria como faz com qualquer outro homem.

– Os tribunais não vão se importar – sussurrou enquanto parava de andar devagar. – Você já está morta mesmo...

Meus olhos se arregalaram quando ele estendeu a mão para mim. Seu cheiro me recobriu, o cheiro mofado de terra preta. Com os batimentos acelerados, dei um passo à frente. Sua mão quente envolveu meu queixo, me deixando de joelhos bambos. Ele agarrou meu cotovelo, me apoiando contra seu peito. A antecipação de uma promessa desconhecida fez a circulação do meu sangue disparar. Eu me recostei nele, à espera. Seus lábios se abriram e sussurraram palavras que eu não conseguia entender, numa beleza sombria.

– Kist! – Ivy gritou, assustando nós dois. Um flash de ira cobriu seus olhos e então desapareceu.

Recuperei minha vontade própria com uma rapidez dolorosa. Tentei me afastar e percebi que estava sendo segurada. Podia sentir o cheiro de sangue.

– Solte! – exclamei, quase entrando em pânico quando minha ordem foi frustrada. – Solte!

Ele abaixou a mão e se virou para Ivy, me ignorando completamente. Caí para trás na passagem arcada, tremendo, mas incapaz de partir voluntariamente até saber que ele tinha ido embora.

Kist ficou parado diante de Ivy, calmo e controlado, em oposição à agitação da minha colega de moradia.

– Ivy, querida – ele instigou. – Por que atormenta a si mesma? O seu odor recobre a bruxa, mas o cheiro do sangue dela ainda é puro. Como pode resistir? Ela está pedindo por isso. Está gritando por isso. Vai reclamar e lamentar na primeira vez, mas no final vai agradecer.

Com uma expressão tímida, ele mordeu o lábio de maneira suave, deixando que seu sangue rubro escorresse. Então o limpou com uma língua lenta, provocadora e deliberada. Minha respiração parecia dura até para mim e a segurei.

Ivy ficou furiosa e seus olhos se tornaram buracos negros. A tensão não me deixava respirar. Os grilos lá fora cantavam ainda mais rápido. Com demasiada lentidão, Kist se inclinou de forma cautelosa em direção a Ivy.

– Se não quer amaciá-la – ele disse, a voz grave –, pode dá-la para mim. Eu a devolvo para você. – Seus lábios se partiram, revelando os caninos cintilantes. – Palavra de escoteiro.

A respiração de Ivy saiu ofegante e rápida. Seu rosto era uma mistura irreal de luxúria e ódio. Ela estava lutando contra a fome, e a observei com uma fascinação terrível conforme a fome desaparecia até restar apenas ódio.

– Caia fora – ela disse, a voz rouca e vacilante.

Kist inspirou lentamente. Emanou tensão ao exalar. Descobri que podia respirar de novo. Inspirei de forma curta e superficial enquanto olhava de um para outro. Estava acabado. Ivy tinha vencido. Eu estava... segura?

– É estúpido, Tamwood – Kist retrucou enquanto ajustava a jaqueta de couro preta, evidenciando uma tranquilidade cuidadosa. – Um desperdício de uma boa expansão de escuridão por algo que não existe.

Com passos ligeiros e abruptos, Ivy se dirigiu para a porta de trás. Suor escorreu pela parte inferior das minhas costas conforme a brisa da passagem a tocou. O ar frio entrou, desalojando a escuridão que parecia ter enchido a sala.

– Ela é minha – Ivy disse como se eu não estivesse presente. – Está sob minha proteção. O que faço ou não com ela é problema meu. Quanto a você, diga a Piscary que se eu vir algum de seus lacaios na minha igreja de novo, vou presumir que ele está dando início a uma disputa pela minha posse. Pergunte se ele quer uma guerra comigo, Kist. Pergunte isso a ele.

Kist passou entre mim e Ivy, hesitando na soleira.

– Você não pode esconder sua fome dela para sempre – Kist acrescentou, e Ivy contraiu os lábios. – Quando conseguir ver isso, ela vai fugir e ser um alvo desprotegido. – Num tique de relógio, curvou o corpo e fez uma cara de bad boy. – Volte – tentou persuadi-la com uma inocência provocante. – Você pode ter seu velho lugar de volta com apenas uma concessão mínima. Ela é só uma bruxa. Você nem sabe se ela...

– Fora – Ivy disse, apontando para a rua.

Kist atravessou a porta.

– Uma oferta rejeitada gera inimigos terríveis.

– Uma oferta que na verdade não o é envergonha quem a faz.

Dando de ombros, ele puxou um boné de couro do bolso de trás e o colocou. Olhou para mim de um jeito faminto.

– Tchau, querida – sussurrou, e estremeci como se ele tivesse passado a mão lentamente pela minha face. Eu não sabia dizer se era repulsa ou desejo. E então ele partiu.

Ivy bateu a porta atrás dele. Movendo-se com a mesma graça assustadora, cruzou a sala de estar e se jogou numa cadeira. Seu rosto estava sombrio de tanta raiva, e eu a encarei. "Minha nossa! Estava *vivendo* com uma vampira." Praticante ou não, ela era uma vamp. O que Kist tinha dito? Que Ivy estava desperdiçando seu tempo? Que eu ia fugir quando visse sua fome? Que eu era dela? "Droga".

Movendo-me lentamente, me esgueirei para trás, tentando sair da sala. Ivy levantou os olhos. Congelei. A raiva deixou seu rosto, substituída pelo que parecia alarme ao perceber meu medo.

Pisquei lentamente. Minha garganta se fechou e dei as costas para ela, seguindo em direção ao corredor.

– Rachel, espere! – Sua voz era suplicante. – Lamento por Kist. Não o convidei, ele que apareceu.

Andei pelo corredor, tensa e pronta para explodir se ela me tocasse. Era por isso que Ivy largara o emprego junto comigo? Ela não podia me caçar legalmente, mas, como Kist tinha dito, os tribunais não iam se importar.

– Rachel...

Ela estava logo atrás de mim, e eu me virei, sentindo um nó no estômago. Ivy deu três passos para trás, tão rápido que mal pude notar que tinha se movido, e levantou as mãos num gesto de apaziguamento. Sua testa estava franzida de preocupação. Minha pulsação martelava, me dando dor de cabeça.

– O que você quer? – perguntei, esperando que ela fosse mentir e me dizer que tinha sido um engano. Do lado de fora, o barulho da moto de Kist. Eu a encarei enquanto o som de sua partida desaparecia.

– Nada – disse, os olhos castanhos e sérios fixos nos meus. – Não dê ouvidos a Kist. Ele só está manipulando você. O sujeito flerta com o que não pode ter.

– É claro! – gritei, tentando não começar a tremer. – Eu sou sua. Foi isso que você disse, que sou sua! Não sou de ninguém, Ivy! Fique longe de mim!

Seus lábios se abriram com surpresa.

– Você ouviu aquilo?

– Óbvio que ouvi! – gritei. A raiva vencia o medo, e dei um passo à frente. – É assim que você é de verdade? – berrei, apontando a sala de estar, que estava fora da minha vista. – Como aquele... aquele animal? É isso? Você está me caçando, Ivy? Isso tudo se trata de você forrar o estômago com meu sangue? Ele é mais gostoso quando você trai suas vítimas? É isso?

– Não! – exclamou, perturbada. – Rachel, eu...

– Você mentiu para mim! – gritei. – Ele me encantou. Você disse que um vamp vivo não podia fazer isso a não ser que eu quisesse. E tenho certeza absoluta de que eu não queria!

Ela ficou em silêncio, sua sombra alta emoldurada pelo corredor. Eu conseguia ouvir sua respiração e sentir o cheiro agridoce de cinza molhada e sequoia canadense: a mistura perigosa de nossos cheiros. Sua posição era tensa, sua própria imobilidade enviando um choque através de mim. Com a boca seca, recuei até perceber que estava gritando com uma vampira. A adrenalina se extinguiu. Eu me sentia nauseada e gelada.

– Você mentiu para mim – sussurrei, indo para a cozinha. Ela tinha mentido para mim. Meu pai estava certo. Não confie em ninguém. Era melhor pegar minhas coisas e partir.

Os passos de Ivy atrás de mim eram excessivamente altos. Era óbvio que estava fazendo um esforço para bater o pé contra o chão de forma a fazer barulho. Eu estava brava demais para me importar.

– O que está fazendo? – perguntou, enquanto eu abria o armário e tirava um punhado de talismãs de um gancho, para colocá-los na bolsa.

– Indo embora.

– Não pode fazer isso! Você ouviu Kist. Eles estão esperando por você.

– Melhor morrer sabendo quem são meus inimigos do que dormindo inocentemente ao lado deles – retruquei, pensando como era a frase mais estúpida que já tinha dito. Nem fazia sentido.

Parei, dando alguns passos para trás quando ela se colocou na minha frente e fechou o armário.

– Saia do caminho – ameacei, a voz baixa para que ela não pudesse ouvi-la tremer.

O desalento a fez estreitar os olhos e franzir a testa. Ela parecia completamente humana e isso me assustou para valer. Bem quando achava que a compreendia, Ivy fazia algo desse tipo.

Com os talismãs e as lancetas fora de alcance, eu estava indefesa. Ela podia me jogar do outro da sala e abrir minha cabeça contra o forno. Podia quebrar minhas pernas para eu não poder correr. Podia me amarrar a uma cadeira e me sangrar. Mas o que ela fez foi ficar parada diante de mim com uma expressão atormentada e frustrada no rosto oval pálido e perfeito.

– Eu posso explicar – ela disse, a voz baixa.

Lutei para reprimir a tremedeira quando a olhei nos olhos.

– O que você quer comigo? – sussurrei.

– Eu não menti para você – afirmou, sem responder à pergunta. – Kist é o herdeiro escolhido de Piscary. A maior parte do tempo Kist é só Kist, mas Piscary pode... – Hesitou. Eu a encarei, cada músculo do meu corpo gritava para eu correr. Mas se me movesse, ela faria o mesmo. – Piscary é mais velho do que pode imaginar – disse de forma categórica. – E é poderoso o suficiente para fazer Kist ir a lugares aonde ele não pode ir mais.

– Kist é um servo – deixei escapar. – Ele é uma droga de lacaio de um vamp morto. Faz as compras durante o dia para ele e traz humanos para Papai Piscary fazer um lanchinho.

Ivy estremeceu. Sua tensão diminuiu, e ela assumiu uma posição mais relaxada... mas continuava entre mim e os talismãs.

– É uma grande honra ser convidado a ser prole de um vampiro como Piscary. E não é completamente unilateral. Por causa disso, Kist tem mais poder do que um vamp vivo deveria ter. Foi assim que conseguiu encantar você. Mas, Rachel – se apressou quando fiz um ruído de impotência –, eu não o deixaria fazer isso.

"E eu devo ficar feliz com isso? Por você não querer compartilhar?", pensei. Meus batimentos tinham desacelerado, e me afundei numa cadeira. Meus joelhos não eram mais capazes de me sustentar de pé. Eu me perguntei quanto daquela fraqueza resultava da adrenalina gasta e quanto vinha de Ivy bombeando o ar com feromônios para me tranquilizar. "Droga, droga, droga!" A situação em que eu estava era difícil demais para eu conseguir lidar com ela. Especialmente se Piscary estava envolvido.

Diziam que Piscary era um dos vampiros mais velhos de Cincinnati. O sujeito não causava problemas e mantinha na linha as poucas pessoas que o serviam. Explorava o sistema como podia, preenchendo a papelada e se assegurando de que cada ação de seu pessoal estava dentro dos limites da legalidade. Mas ele era bem mais do que o simples dono de restaurante que fingia ser. A SI tinha uma política de discrição sobre o vampiro mestre. Ele era uma das pessoas que comandavam as invisíveis disputas de poder de Cincinnati, mas enquanto pagasse seus impostos e mantivesse sua licença de venda de bebidas em dia, não havia nada que alguém pudesse – ou quisesse – fazer. E, se o vampiro parecia inofensivo, isso só significava que ele era mais inteligente do que a maioria.

Olhei para Ivy, de pé, envolvendo a si mesma com os braços como se estivesse perturbada. "Oh, Deus. O que eu estou fazendo aqui?"

– O que Piscary significa para você? – perguntei, com a voz falhando.

– Nada – respondeu. Fiz um ruído de escárnio. – Verdade – insistiu. – É apenas um amigo da família.

– Tio Piscary, hein? – disse, amarga.

– Na verdade – começou, devagar –, isso é mais preciso do que você imagina. Piscary começou a linhagem de vamps vivos da minha mãe no século dezoito.

– E ele vem sangrando vocês lentamente desde então – concluí, ressentida.

– Não é assim – ela disse, parecendo magoada. – Piscary nunca tocou em mim. Ele é como um segundo pai.

– Talvez esteja deixando o sangue envelhecer na garrafa.

Ivy passou a mão pelo cabelo numa mostra incomum de preocupação.

– Não é desse jeito. Verdade.

– Maravilha. – Coloquei os cotovelos sobre a mesa. Agora eu tinha de me preocupar com a prole escolhida que invadia minha igreja com a força de um mestre? Por que ela não tinha contado tudo aquilo antes? Eu não queria jogar a droga do jogo se as regras continuavam mudando.

– O que você quer comigo? – perguntei de novo, temerosa de que ela acabasse me dizendo e eu tivesse de partir.

– Nada.

– Mentirosa – acusei.

Quando ergui os olhos, ela tinha ido embora. Minha respiração veio num som rápido. Levantei, abraçando a mim mesma enquanto encarava os balcões vazios e as paredes silenciosas. Eu odiava quando ela fazia isso. O Senhor Peixe serpenteou e se contorceu no peitoril, também desgostoso.

Lenta e relutantemente, coloquei meus talismãs de lado. Pensei no ataque das fadas no degrau da frente, nas bolas de quebra com impacto empilhadas na varanda de trás, e em Kist dizendo que os vamps só estavam esperando que eu deixasse a proteção de Ivy. Eu estava presa e Ivy sabia disso.

Treze

Bati no lado de fora da janela do carro de Francis para chamar a atenção de Jenks.

– Que horas são? – perguntei baixinho, já que mesmo sussurros ecoavam pelo estacionamento. Estava sendo gravada pelas câmeras, mas ninguém assistia aos filmes a não ser que se reclamasse de uma invasão.

Jenks desceu do quebra-sol e apertou o botão para abrir a janela.

– Onze e quinze – disse, enquanto o vidro abaixava. – Você acha que eles reagendaram a entrevista com Kalamack?

Balancei a cabeça negativamente e olhei por cima dos carros para o elevador.

– Não. Mas se ele fizer com que eu me atrase, vou ficar irritada. – Puxei a bainha da saia. Para meu grande alívio, o amigo de Jenks tinha cumprido a promessa de trazer minhas roupas e joias. Todas as roupas estavam penduradas em fileiras bem-arrumadas ou dobradas em pilhas no armário. Eu me sentia bem com elas ali. O lóbis tinha feito um bom trabalho em lavar, secar e dobrar tudo, e me perguntei quanto ele cobraria pelo serviço semanalmente.

Encontrar algo para vestir que fosse ao mesmo tempo conservador e provocante revelou-se mais difícil do que eu pensara. Ao final, me decidi por uma saia vermelha curta, meia-calça simples e uma blusa branca cujos botões podiam ser abertos ou fechados conforme a necessidade. Meus brincos de argola eram pequenos demais para acomodar Jenks, algo sobre o qual o pixie passou a primeira meia hora reclamando. Com o cabelo preso e um par de elegantes saltos altos vermelhos, eu parecia uma jovem despreocupada. O feitiço de disfarce ajudava; de novo, eu era uma morena de nariz comprido e cheirava a perfume de lavanda. Francis ia saber quem eu era, mas, por outro lado, queria que soubesse.

Cavouquei nervosamente a sujeira embaixo das unhas, fazendo uma anotação mental para pintá-las de novo. O esmalte vermelho tinha sumido quando eu virara uma marta.

– O meu visual está bom? – perguntei a Jenks, enquanto mexia com o colarinho da blusa.

– Sim, está.

– Você nem olhou – reclamei enquanto as portas do elevador se abriam. – Pode ser ele. Tudo certo com a poção?

– Basta empurrar a tampa e vai cair tudo sobre ele – disse Jenks.

O pixie fechou o vidro da janela e disparou para seu esconderijo. Tinha uma poção de "hora de dormir" equilibrada entre o teto do carro e o quebra-sol. Francis, no entanto, seria convencido de que se tratava de algo mais sinistro. Era uma estratégia para me deixar tomar seu lugar na entrevista com Kalamack. Sequestrar um homem crescido, mesmo que o cara fosse um banana, não era fácil. Não podia simplesmente nocauteá-lo e colocá-lo no porta-malas. E deixá-lo inconsciente num lugar onde qualquer um pudesse encontrá-lo me faria ser pega.

Havia uma hora que Jenks e eu estávamos no estacionamento, fazendo pequenas mas notáveis modificações no carro esportivo de Francis. Tinha levado apenas alguns minutos para Jenks dar um curto no alarme e improvisar um jeito de controlar a trava da porta do motorista e das janelas. E, embora tivesse que esperar por Francis fora do carro, minha bolsa já se encontrava embaixo do banco do passageiro.

Francis tinha ganhado um carro muito bacana: um conversível vermelho com assentos de couro e controles de clima duplos. As janelas podiam ficar opacas – sabia disso porque as experimentara. Havia até um celular embutido cujas baterias agora estavam na minha bolsa. A placa, customizada, dizia "Preso". A coisa tinha tantos aparelhos eletrônicos que o único item que faltava para poder decolar era uma licença de exploração espacial. E, além disso, cheirava a novo. Propina, perguntei-me com uma pontada de inveja, ou suborno?

A luz sinalizadora do elevador se apagou. Fui para trás do poste, torcendo para que fosse Francis. A última coisa que queria era me atrasar. Meus batimentos cardíacos atingiram um ritmo rápido e conhecido e um sorriso se abriu em meu rosto quando reconheci os passos rápidos de Francis. Ele estava sozinho. Ouvi um barulho de chaves sacudindo e uma exclamação de surpresa quando o carro não apitou como esperado tão logo ele desligou o alarme. A ponta dos meus dedos formigavam com a expectativa. Aquilo ia ser divertido.

A porta do carro foi aberta, e corri contornando o poste. Ao mesmo tempo Francis e eu deslizamos para dentro de cada lado do veículo, as portas se fechando simultaneamente.

– Que diabos é isso? – exclamou, só então percebendo que tinha companhia. Estreitou os olhos e tirou o cabelo da frente do rosto. – Rachel! – ele disse quase exalando uma confiança inapropriada para a situação. – Você vai morrer mesmo!

Ele se virou para a porta. Estendi o braço para agarrar seu pulso, apontando para cima, em direção a Jenks. O pixie sorriu. Suas asas eram um borrão indistinto de expectativa quando deu um tapinha no frasco de poção. Francis empalideceu.

– Peguei – sussurrei, soltando-o e trancando as portas pelo meu lado. – É com você.

– O q-q-que você acha que está fazendo? – Francis gaguejou, branco sob seu restolho de barba feio.

– Estou assumindo sua entrevista com Kalamack. Você acabou de se oferecer para dirigir. – disse, com um sorriso no rosto.

Ele enrijeceu, num indício de determinação.

– Você pode ir se Virar – respondeu, os olhos fixos em Jenks e na poção. – Como se você fosse lidar com magia negra e fazer algo mortal. Vou prendê-la agora mesmo.

Jenks fez um som de desgosto e inclinou o frasco.

– Ainda não, Jenks! – gritei, me arremessando no banco. Quase no colo de Francis, contorci meu braço direito em volta da sua traqueia, segurando o descanso de cabeça para prendê-lo ao assento numa gravata. Seus dedos agarraram meu braço com força, mas ele não podia fazer nada no espaço fechado do carro. Seu suor se misturou com o cheiro da jaqueta de poliéster se esfregando contra meu braço, o que resultou num cheiro pior que o do meu perfume.

– Idiota! – exclamei num tom contrariado no ouvido de Francis enquanto olhava para Jenks. – Você sabe o que é isso, balançando acima da sua virilha? Quer arriscar a possibilidade de que seja irreversível?

Com o rosto vermelho, ele fez que não com a cabeça, e me ajeitei mais para perto ainda que o câmbio estivesse cutucando meu quadril.

– Você não faria nada mortal – sentenciou, a voz mais aguda do que de costume. Do quebra-sol, Jenks reclamou.

– Ah, Rachel. Me deixe enfeitiçá-lo. Não precisamos dele, eu posso ensiná-la a dirigir um carro com marchas manuais.

Francis aumentou a força com que apertava meu braço. Fiquei tensa, usando a dor como um impulso para prendê-lo contra o assento com mais firmeza ainda.

– Inseto! – Francis exclamou. – Você é um... – Suas palavras ficaram engasgadas, transformando-se num som estridente quando puxei meu braço para trás.

– Inseto?– Jenks gritou, possesso. – Seu saco de suor fedido. Meus peidos cheiram melhor que você. Você acha que é melhor do que eu? Você caga casquinhas de sorvete, é? Me chamar de *inseto*! Rachel, me deixe dar um jeito nele agora!

– Não – respondi num tom baixo. A antipatia que sentia por Francis começava a virar uma verdadeira aversão. – Tenho certeza de que Francis e eu podemos chegar a um acordo. Tudo que quero é uma carona para a propriedade de Trent e um lugar na entrevista. Francis não precisa ficar em apuros. Ele é uma vítima, certo? – Dei um sorriso sombrio para Jenks, perguntando-me se podia impedi-lo de ministrar a poção para Francis depois de tal insulto. – E você não vai atacá-lo depois. Está me ouvindo, Jenks? Não se mata o jumento depois de arar o terreno. Ele pode ser necessário na próxima primavera. – Recostei-me sobre Francis, sussurrando em seu ouvido. – Não é mesmo, docinho?

Ele concordou com a cabeça tanto quanto podia, e lentamente o soltei. Seus olhos estavam fixos em Jenks.

– Se esmagar meu parceiro, esse frasco vai ser derramado em você – ameacei. – Se dirigir rápido demais, o frasco vai ser derramado. Se atrair atenção...

– Vou jogar tudo em cima de você – Jenks interrompeu, a jovialidade em sua voz substituída por uma raiva intensa. – Me irrite mais uma vez e vou enfeitiçá-lo para valer. – Riu, soando como sinos de vento. – Entendido, *Francine*?

Francis franziu a testa e se ajeitou no assento, tocando o colarinho da camisa branca antes de puxar as mangas da jaqueta até o cotovelo e assumir o volante. Agradeci a Deus por ele ter deixado suas camisas havaianas em casa em respeito à entrevista com Trent Kalamack.

Com o rosto tenso, ele enfiou a chave na ignição e deu partida no carro. A música retumbou e tomei um susto. A maneira rabugenta como Francis virou o volante e colocou o carro em primeira deixou óbvio que ele não tinha desistido;

só estava cooperando até encontrar um jeito de escapar. Eu não me importava com isso. Para mim, bastava que ele fosse afastado da cidade. Uma vez longe, ia ser hora de nanar para Francis.

– Você não vai escapar dessa – o sujeito disse. Mais parecia uma fala de filme ruim. Ele acenou o passe do estacionamento para o portão automatizado, e entrou cautelosamente no tráfego matinal com a música "Boys of Summer" no último volume. Se não estivesse tão tensa, até teria gostado.

– Você pode colocar mais desse perfume, Rachel? – perguntou Francis, com uma expressão de escárnio distorcendo seu rosto estreito. – Ou está usando isso para cobrir o fedor do seu inseto de estimação?

– Cale a boca dele! – Jenks gritou. – Ou eu vou...

Meus ombros se retesaram. Aquilo era muito estúpido.

– Cubra-o com pó de pixie se quiser, Jenks – determinei enquanto abaixava a música. – Só não deixe a poção atingi-lo.

Jenks sorriu, mostrou o dedo do meio para Francis e jogou pó de pixie nele, que nem percebeu. Mas o ato era bastante perceptível do meu ângulo, já que refletia o sol. O cara estendeu a mão para coçar atrás de uma orelha.

– Quanto tempo isso leva? – perguntei.

– Cerca de vinte minutos – respondeu Jenks.

Ele estava certo. Quando saímos da sombra dos prédios, entrando nos subúrbios e rumo aos arredores da cidade, Francis finalmente entendeu. Não conseguia sentar sossegado, fazia comentários cada vez mais ofensivos, e sua coceira se tornava mais intensa, até que tirei a fita de vedação da minha bolsa e ameacei fechar sua boca na marra. Vergões vermelhos apareceram nas áreas em que suas roupas se encontravam com a pele. Um líquido transparente gotejava, dando a impressão de um caso ruim de dermatite de contato. Quando já nos encontrávamos longe da cidade, ele se coçava tanto que parecia uma luta manter o carro na rua. Eu o observava com atenção. Guiar um carro de troca de marcha manual não parecia tão difícil.

– Seu *inseto* – Francis disse com um rosnado. – Você fez isso comigo sábado também, não fez?!

– Vou enfeitiçá-lo! – Jenks desafiou. O tom agudo de sua voz doía nos meus ouvidos.

Cansada daquilo tudo, virei-me para Francis.

– Certo, docinho. Encoste o carro.

Francis piscou.

– O quê?

"Idiota", pensei.

– Por quanto tempo você acha que posso evitar Jenks de pegá-lo se continuar com os insultos? Pare o carro. – Francis olhou nervosamente para a rua e para mim. Não tínhamos visto um carro sequer nos últimos dez quilômetros. – Eu disse "Pare o carro"! – gritei. Ele brecou no acostamento empoeirado da rua no crepitar de pedrinhas. Desliguei o carro, que parou numa sacudidela, fazendo minha cabeça bater contra o vidro do retrovisor, e arranquei as chaves da ignição.

– Fora – disse, destravando as portas.

– O quê? Aqui? – Francis era um cara da cidade. Achou que eu ia fazê-lo andar de volta. A ideia era tentadora, mas não podia arriscar que conseguisse uma carona ou encontrasse um telefone. Ele saiu do carro com um entusiasmo surpreendente, e percebi o motivo quando começou a se coçar.

Abri o porta-malas e o rosto fino de Francis ficou sem expressão.

– De jeito nenhum – rejeitou a ideia, os braços magros levantados. – Não vou entrar aí.

Passei a mão no galo que tinha ganhado, esperando.

– Entre no porta-malas ou vou ensinar você a se transformar em uma marta e fazer um par de protetores de orelha com seu couro. – Observei-o refletir sobre o assunto, perguntando-se se conseguiria fugir. Eu quase desejei que ele fizesse isso. Ia ser bom derrubá-lo de novo. Fazia quase dois dias. Eu ia colocá-lo no porta-malas de alguma forma.

– Fuja – Jenks disse, circulando acima de sua cabeça com o frasco. – Vamos lá. Eu desafio você, seu saco fedido.

Francis pareceu perder o ânimo.

– Ah, você ia gostar disso, não é, inseto? – zombou. Ainda assim, se enfiou no espaço minúsculo e nem me deu trabalho quando prendi seus pulsos com fita vedante à sua frente. Ambos sabíamos que ele conseguiria se livrar da fita se tivesse tempo suficiente. Mas seu jeitão de quem se sente superior fraquejou quando levantei a mão e Jenks pousou nela com o frasco.

– Você disse que não iria... – balbuciou. – Você disse que não me transformaria numa marta!

– Eu menti. Nas duas vezes.

O olhar que Francis me deu era assassino.

– Não vou esquecer isso – ele disse, cerrando a mandíbula, o que o deixava ainda mais ridículo que seus sapatos náuticos e calças de barra larga. – Vou eu mesmo atrás de você.

– Estarei esperando. – Sorri, derramando o frasco sobre sua cabeça. – Boa noite.

Ele abriu a boca para responder, porém, sua expressão se afrouxou quando o líquido o atingiu. Fascinada, observei enquanto ele caía no sono em meio ao cheiro de folha de louro e lilás. Satisfeita, fechei o porta-malas.

Sentei-me inquieta ao volante, ajustei o assento e os espelhos. Nunca tinha dirigido um carro de marcha manual, mas, se Francis conseguia, com certeza eu seria capaz.

– Coloque na primeira – Jenks disse, acomodando-se no retrovisor e mostrando com mímicas o que eu devia fazer. – Depois, aperte o acelerador mais do que acha que vai precisar e, ao mesmo tempo, vá soltando a embreagem.

Cuidadosamente, puxei o câmbio para trás e dei partida no carro.

– Bem? – cobrou Jenks. – Estamos esperando.

Pisei no pedal do acelerador e soltei a embreagem. O carro se sacudiu para trás, batendo numa árvore. Entrando em pânico, tirei os pés dos pedais e o carro morreu. Encarei Jenks com olhos arregalados enquanto ele ria.

– Está na ré, bruxa – avisou, disparando para fora da janela.

Pelo espelho retrovisor, observei-o voar para trás e avaliar os danos.

– Foi muito ruim? – perguntei quando voltou.

– Está tudo bem – respondeu. Senti uma onda de alívio. – Passados alguns meses não vai dar nem para ver que houve uma colisão – acrescentou. – Mas o carro está detonado. Você quebrou uma lanterna traseira.

– Oh – disse, ao perceber que no começo ele estava falando da árvore, não do carro. Estava inquieta quando coloquei o câmbio para a frente, conferi duas vezes e dei partida no carro de novo. Respirei fundo mais uma vez e seguimos em frente, sacolejando.

Catorze

Jenks se mostrou um instrutor tolerável. Gritava conselhos de forma entusiástica pela janela enquanto eu praticava dar a partida começando pelo ponto morto até pegar o jeito. Minha recém-descoberta confiança evaporou quando cheguei à entrada da propriedade de Kalamack. Diminuí a velocidade perto da guarita baixa e de aparência formidável, do tamanho de uma pequena prisão. Plantas de bom gosto e muros baixos escondiam o sistema de segurança que impedia qualquer um de contorná-la.

— E como você planeja superar esse bloqueio? — Jenks disse enquanto voava rapidamente para se esconder em cima do quebra-sol.

— Sem problemas — respondi, minha mente girando.

Fui atacada por visões de Francis no porta-malas e, abrindo meu sorriso mais bonito para o guarda, parei o carro diante da cancela que bloqueava a rua. O amuleto ao lado do relógio do guarda permaneceu com uma linda cor verde. Era um verificador de feitiços, muito mais barato do que óculos com armação de madeira que podiam ver através de talismãs. Eu tinha sido bem cuidadosa e mantido a quantidade de magia usada em meu feitiço de disfarce abaixo do nível da maioria dos talismãs de vaidade. Contanto que o relógio permanecesse verde, ele ia presumir que eu usava um feitiço de maquiagem padrão, não um disfarce.

— Meu nome é Francine — disse sem pensar. Falei com uma voz bem aguda, sorrindo com uma expressão idiota, como se tivesse usado Enxofre a noite toda. — Tenho um encontro marcado com o senhor Kalamack. — Tentando parecer tola, brinquei com uma mecha de cabelo. Eu estava morena, mas provavelmente ainda funcionava. — Estou atrasada? — perguntei, soltando com um puxão meu dedo do nó que acidentalmente tinha feito nos fios. – Não achei que fosse levar tanto tempo. Ele mora tão longe!

O guarda do portão não pareceu afetado. Talvez eu tivesse perdido o jeito. Talvez devesse ter aberto mais um botão da blusa. Talvez ele gostasse de homens. O sujeito olhou para sua prancheta e então para mim.

– Sou da SI – informei, num tom entre a petulância e uma irritação mimada. – Quer ver minha identificação? – remexi na bolsa em busca do crachá inexistente.

– Seu nome não está na lista, madame – o guarda disse com o rosto impávido feito pedra.

Afundei-me no assento, bufando.

– Por acaso o cara da expedição disse que meu nome é Francis de novo? Maldito! – exclamei, batendo no volante com um punho ineficaz. – Ele sempre faz isso, desde que me recusei a sair com o sujeito. Caramba... Ele nem sequer tinha carro! Queria me levar ao cinema de ônibus. Faça o favor – me queixei. – Você consegue me imaginar num *ônibus?*

– Só um momento, madame. – Pegou um telefone e começou a falar. Esperei, tentando manter o sorriso avoado. A cabeça do guarda balançou numa expressão inconsciente de concordância. Ainda assim, seu rosto não tinha expressão nenhuma quando ele se voltou para mim.

– Siga pela entrada – indicou, enquanto eu lutava para manter a respiração normal. – Terceiro prédio à direita. Pode estacionar nas vagas para visitante bem na frente.

– Obrigada – disse num tom cantado, movendo o carro para a frente aos sacolejos quando a cancela foi erguida. Pelo retrovisor, vi o guarda voltar para a guarita. – Foi facinho – murmurei.

– Sair pode ser mais difícil – Jenks disse, seco.

À entrada, seguiram-se cinco quilômetros de mata sombria. Meu humor se aquietou conforme a estrada contornava sentinelas silenciosas e próximas. Devido à impressão dominante de antiguidade, comecei a ter a sensação de que tudo tinha sido planejado, até mesmo as surpresas, como a cascata numa dobra da rua. Um pouco desapontada, continuei enquanto a mata artificial rareava e se dava lugar a um pasto contínuo. Uma segunda estrada, bastante frequentada, se juntou à em que eu estava. Aparentemente, eu tinha entrado pela porta de trás. Segui o tráfego, tomando um desdobramento rotulado como "Estacionamento de visitantes". Virando uma curva na estrada, avistei a propriedade de Kalamack.

O prédio era uma fortaleza gigantesca, uma mistura curiosa de modernidade com elegância tradicional, com portas de vidro e anjos esculpidos nas calhas. As pedras cinzentas eram suavizadas pelas árvores antigas e por iluminados canteiros de flores. A edificação principal contava com três andares, e era ligado a vários edifícios baixos. Parei o carro em uma das vagas do estacionamento. O veículo elegante ao lado fazia o carro de Francis parecer um brinde de aniversário de criança.

Enfiando as chaves de Francis na bolsa, dei uma olhada para o jardineiro que cuidava dos arbustos em torno do estacionamento.

– Ainda quer se separar? – murmurei enquanto ajeitava a aparência olhando no retrovisor, desatando com cuidado o nó que tinha feito no cabelo. – Não gosto do que aconteceu no portão da frente.

Jenks voou até o câmbio de marcha e ficou de pé com as mãos no quadril numa pose de Peter Pan.

– Suas entrevistas costumam durar os quarenta minutos habituais? – disse. – Eu termino em vinte. Se não estiver aqui quando você tiver terminado, espere dois quilômetros depois da guarita. Eu alcanço você.

– Certo – disse enquanto apertava o cordão da bolsa. O jardineiro usava sapatos, não botas, e elas estavam limpas. Que jardineiro usava sapatos limpos? – Só tome cuidado – alertei, acenando com a cabeça para o homem suspeito. – Tem algo de estranho aqui.

Jenks deu uma risadinha.

– O dia em que não puder escapar de um jardineiro será melhor eu virar padeiro.

– Bem, me deseje sorte. – Abri a janela para Jenks e saí. Meus saltos estalaram enquanto andava para dar uma espiada na traseira do carro de Francis. Como Jenks tinha dito, uma das lanternas estava quebrada. Havia um amassado feio também. Eu me afastei com um lampejo de culpa. Respirando para me centrar, subi os degraus baixos até as portas duplas gêmeas.

Ao me aproximar, um homem saiu de um abrigo rebaixado. Parei de repente, assustada. Ele era tão alto que eu precisei dar duas olhadas para vê-lo por inteiro. E magro. Parecia um refugiado faminto da pós-Virada europeia: empertigado, formal e metido. Tinha um nariz como o de um falcão e um franzir de cenho permanentemente cimentado no rosto com poucas rugas. Uma marca grisalha aparecia nas têmporas, manchando o cabelo, cujo resto era preto como carvão. Sua calça cinza e a camisa branca de trabalho discretas lhe caíam perfeitamente. Ajeitei o colarinho.

– Senhorita Francine Percy? – perguntou, o sorriso vazio e a voz um pouco sarcástica.

– Sim. Olá – disse, dando um aperto de mão propositalmente frouxo. Se me esforçasse, aposto que conseguiria vê-lo se enrijecer de versão.

– Tenho uma reunião ao meio-dia com o senhor Kalamack.

– Meu nome é Jonathan, sou o relações-públicas do senhor Kalamack – o homem se apresentou. Além de tomar grande cuidado com a pronúncia, ele não tinha nenhum sotaque. – Poderia me acompanhar? O senhor Kalamack vai se encontrar com você no escritório dos fundos. – Piscou, os olhos irritados. Imaginei que era uma reação ao meu perfume. Talvez tivesse exagerado no cheiro, mas não ia arriscar acionar os instintos de Ivy.

Jonathan abriu a porta, acenando para que eu tomasse a frente. Entrei, surpresa em descobrir o prédio mais iluminado dentro do que fora. Tinha esperado uma residência particular, e aquele não era o caso. A entrada parecia a sede de qualquer negócio da lista "20 Maiores Empresários" da revista *Fortune*, com o já conhecido uso de vidro e mármore. Pilares brancos sustentavam o teto alto. Uma mesa de mogno impressionante se espalhava diante das escadarias gêmeas que subiam para o segundo e o terceiro andar. A luz jorrava pelo ambiente. Ou ela estava sendo canalizada do teto ou Trent estava gastando uma fortuna em lâmpadas de luz natural. Um carpete macio de verde matizado abafava qualquer eco. Havia um burburinho de conversa e um fluxo contínuo mas sereno de pessoas trabalhando.

– Por aqui, senhorita Percy – meu acompanhante disse baixinho.

Parei de fitar os vasos de árvores cítricas com mais de um metro e meio de altura e segui o ritmo calculado de Jonathan para além da recepção e por uma série de corredores. Quanto mais longe íamos, mais baixos ficavam os tetos, mais escura a iluminação e mais confortantes as cores e texturas. Quase sem ser percebido, o som tranquilizador de água corrente começou a ganhar vida. Não tínhamos encontrado ninguém desde que deixáramos o primeiro salão, e me senti um pouco inquieta.

Estava claro que tínhamos deixado a área pública e entrado em ambientes mais privados. Eu me perguntei o que estaria acontecendo. Fui sacudida pela adrenalina quando Jonathan fez uma pausa e colocou a ponta do dedo no ouvido.

– Com licença – murmurou, afastando-se alguns passos. Seu pulso, percebi quando o homem levantou a mão até o ouvido, tinha um microfone na pulseira do relógio. Alarmada, me esforcei para captar as palavras, pois ele tinha se virado para impedir que eu lesse seus lábios.

– Sim, Sa'han – sussurrou, em tom respeitoso. Esperei, segurando a respiração para poder ouvir. – Comigo. Fui informado que você tinha interesse, então tomei a liberdade de escoltá-la para sua varanda dos fundos. – Ele se mexeu de forma inquieta, desconfortável. Deu um olhar de soslaio, cheio de descrença. – Ela?

Não tinha certeza se devia tomar isso como um cumprimento ou um insulto e fingi estar ocupada rearranjando a parte de trás da meia-calça e puxando outro fio do topete para fazê-lo balançar ao lado do meu brinco. Teria alguém investigado o porta-malas? Meu pulso se acelerou quando percebi como tudo aquilo podia desmoronar rapidamente sobre mim.

Jonathan arregalou os olhos.

– Sa'han – chamou num tom urgente – Aceite minhas desculpas. A guarita informou... – Suas palavras foram interrompidas e pude vê-lo se enrijecer sob o que devia ser uma repreenda. – Sim, Sa'han – disse, inclinando a cabeça numa mostra inconsciente de deferência. – Seu escritório da frente.

O homem alto pareceu se recompor enquanto se virava para mim. Dei um sorriso estontenante para ele. Seus olhos azuis estavam inexpressivos enquanto me encaravam como se eu fosse um filhote de cachorro em cima de um tapete novo.

– Você poderia voltar por ali? – perguntou de forma direta, apontando para o caminho.

Sentindo-me mais como uma prisioneira do que como uma convidada, aceitei as orientações sutis de Jonathan e segui suas direções, me mantendo à frente. Não gostei disso nem um pouco de ele ficar atrás de mim. Não ajudava nada o fato de me sentir pequena perto dele ou de meus passos serem os únicos que se podia ouvir. Lentamente, as cores e texturas suaves foram substituídas por paredes corporativas e uma agitada eficiência.

Mantendo os mesmos três passos atrás de mim, meu acompanhante me guiou por um pequeno corredor, cujas laterais exibiam portas de vidro fosco. A maioria encontrava-se aberta e mostrava salas com gente trabalhando, mas Jonathan indicou o escritório final. A porta era de madeira, e ele quase pareceu hesitar antes de estender a mão na minha frente para abri-la.

– Espere aqui – ordenou, um indício de ameaça na voz precisa. – O senhor Kalamack virá vê-la em breve. Estarei na mesa da secretária dele se precisar de algo.

Apontou para uma mesa peculiarmente vazia enfiada num canto. Pensei na senhorita Yolin Bates, morta de pedra na prisão da SI três dias atrás. Meu sorriso ficou forçado.

– Obrigada, Jon – respondi alegremente. – Você foi um doce.

– É Jonathan. – Ele fechou a porta com firmeza atrás de mim. Não houve o clique de uma trava.

Virei-me, lançando um olhar ao escritório de Kalamack. Parecia bem normal – num estilo de executivo ridiculamente rico. Havia uma pilha de equipamentos eletrônicos na parede próxima a sua mesa, com tantos botões e interruptores que deixaria um estúdio de gravação no chinelo. A parede oposta exibia uma janela gigantesca, pela qual o sol se derramava, iluminando o carpete macio. Sabia que estava numa parte muito no interior do prédio para a janela e o raio de sol serem reais, mas era uma imitação boa o suficiente para exigir uma bela de uma inspeção.

Coloquei a bolsa ao lado da cadeira de frente para a mesa e fui até a "janela". Parada com as mãos no quadril, examinei a imagem de filhotes brigando por maçãs caídas no chão. Levantei as sobrancelhas. Os engenheiros estavam errados. Era meio-dia, e o sol não estava baixo o bastante para lançar raios tão compridos.

Satisfação por ter descoberto um erro, voltei a atenção para o aquário autossuficiente colocado contra a parede do fundo atrás da mesa. Estrelas-do-mar, peixes-donzelas azuis, algas marinhas amarelas e até mesmo cavalos-marinhos coexistiam de maneira pacífica, aparentemente alheios ao fato de que o oceano se encontrava a oitocentos quilômetros a leste. Pensei no Senhor Peixe, nadando contente em sua pequena bola de vidro. Franzi a testa, irritada com a inconstância da sorte do mundo.

A mesa de Trent estava cheia dos artigos costumeiros de escritório, sendo completada por uma pequena fonte de pedra preta sobre a qual a água borbulhava. O protetor de tela do computador exibia uma linha com três números: vinte, cinco, um. Uma mensagem um tanto enigmática. Presa no canto onde as paredes se juntavam ao teto estava uma câmera bem visível, cuja luz vermelha piscava para mim. Eu estava sendo vigiada.

Meus pensamentos voltaram à conversa de Jonathan com o misterioso Sa'han. Era óbvio que minha farsa como Francine tinha sido descoberta. Mas, se quisessem me prender, já teriam feito isso. Parecia que o senhor Kalamack queria algo. "Meu silêncio?" Eu precisava descobrir.

Sorrindo, acenei para a câmera e me sentei à mesa de Trent. Imaginei o alvoroço que estava causando quando comecei a mexer nas coisas dele. Primeiro a agenda, convidativamente aberta. O compromisso com Francis tinha uma linha riscando seu nome e um ponto de interrogação ao lado. Estremecendo, folheei até chegar ao dia que a secretária de Trent tinha sido presa com Enxofre. Não havia nada suspeito. A frase "Huntington para Urlich" chamou minha atenção. Ele estava tirando gente do país às escondidas? Que descoberta.

A gaveta de cima não guardava nada de incomum: lápis, canetas, post-its e um peso de papel cinza. Eu me perguntei com o que Trent podia estar preocupado para justificar aquilo. As gavetas laterais continham pastas codificadas por cores com fichas sobre seus interesses fora da propriedade. Enquanto esperava que alguém me detivesse, folheei-as, descobrindo que seus pomares de nozes-pecã tinham sofrido com a geada tardia, mas que os morangos na costa estavam compensando a perda. Fechei a gaveta com uma batida, surpresa de ninguém ter aparecido ainda. Talvez estivessem curiosos em saber o que eu estava procurando? Pelo menos eu estava!

Trent tinha uma queda por doce de bordo e uísque pré-Virada, se é que o estoque que tinha encontrado numa gaveta de baixo queria dizer alguma coisa. Fiquei tentada a romper o lacre da garrafa de quase quarenta anos e experimentar a bebida, mas decidi que isso ia fazer meus observadores aparecerem mais rápido do que qualquer outra coisa.

A próxima gaveta estava cheia de discos arranjados de maneira ordenada. "Bingo!", pensei, abrindo-a mais.

– Alzheimer – sussurrei, passando o dedo pela etiqueta escrita à mão. – Fibrose cística, câncer, câncer... – No total, havia oito rotuladas com a palavra "câncer". Depressão, diabete... continuei até encontrar Huntington. Meu olhar se desviou para a agenda e fechei a gaveta. "Ahhhh..."

Ajeitando-me de novo na cadeira estofada de Trent, coloquei a agenda no colo. Comecei em janeiro, virando as páginas devagar. Todo quinto dia do mês, mais ou menos, mandavam um carregamento. Minha respiração se acelerou ao perceber um padrão. Um envio com a rubrica Huntington era feito no mesmo dia todos os meses. Folheei para trás e para a frente. Todos saíam no mesmo dia do mês, com alguns dias de diferença entre si. Respirando mais devagar, olhei para a gaveta de discos. Certa de que tinha descoberto algo, coloquei um disco no computador e mexi o mouse. Droga. Protegido por senha.

Ouvi o barulho da maçaneta se abrindo. Colocando-me de pé num pulo, apertei o botão de ejetar.

– Boa tarde, senhorita Morgan.

Era Trent Kalamack. Tentei não corar quando guardei o pequeno disco no bolso.

– Perdão? – disse, ligando meu charme de garota avoada no máximo. Eles sabiam quem eu era. Grande surpresa.

Trent ajustou o botão mais baixo de seu paletó de linho cinza, fechando a porta atrás de mim. Um sorriso afável curvou o rosto barbeado, dando a ele o ar de alguém da minha idade.

Seu cabelo exibia a brancura transparente que algumas crianças loiras têm, e sua pele era bronzeada, sugerindo que não era preciso muito para convencê-lo a passar uma tarde na piscina. O sujeito parecia agradável demais para ser tão rico quanto diziam. Não era justo ele ter dinheiro e ainda por cima boa aparência.

– Você prefere ser Francine Percy? – Trent disse, me olhando por sobre os óculos.

Enfiei uma mecha de cabelo atrás da orelha, tentando manter um ar de indiferença.

– Na verdade, não – admiti. Eu provavelmente tinha alguma carta para jogar ou ele não ia perder tempo comigo.

Trent passou para trás da mesa com uma postura preocupada, forçando-me a recuar para o outro lado. Segurou a gravata azul-escura junto a si enquanto sentava. Ao levantar os olhos, pareceu charmosamente surpreso quando viu que eu continuava de pé.

– Por favor, sente-se – ele disse, mostrando os dentes pequenos e uniformes. Apontou um controle remoto para a câmera, a luz vermelha se apagou e ele guardou o controle.

Ainda assim, permaneci de pé. Não confiava naquela aceitação descontraída. Alarmes soavam na minha cabeça, fazendo meu estômago se contrair. No ano passado a revista *Fortune* o colocara na capa como o solteiro mais cobiçado, estampando a edição com uma foto da cabeça do sujeito até o joelho. Nela, Trent se encostava de maneira descontraída numa porta que trazia o nome de sua empresa estampado em letras douradas. Seu sorriso era uma mistura atraente de confiança e sigilo. Algumas mulheres eram atraídas por um sorriso assim. Já eu ficava desconfiada. Ele me deu o mesmo sorriso quando se sentou, a mão segurando o queixo enquanto o cotovelo descansava sobre a mesa.

Observei o seu cabelo curto e cuidadosamente arrumado balançar, e deduzi que ele tinha de ser incrivelmente macio para que apenas a brisa da ventilação o levantasse daquele jeito.

– Deixe-me pedir desculpas pelo engano no portão da frente, e depois com Jon – disse. – Não estava esperando você por pelo menos mais uma semana.

De joelhos bambos, me sentei. "Então, ele estava me esperando?"

– Não tenho certeza se estou entendendo – respondi num tom corajoso, aliviada por minha voz não falhar.

O homem estendeu a mão casualmente para pegar um lápis, mas seus olhos saltaram para os meus quando ajeitei os pés. Se eu o conhecesse melhor, diria que estava mais tenso que eu. Ele apagou de maneira meticulosa a interrogação ao lado do nome de Francis e escreveu o meu. Abaixando o lápis, passou a mão pela cabeça para controlar o cabelo esvoaçante.

– Sou um homem ocupado, senhorita Morgan – anunciou, a voz se elevando e abaixando numa cadência agradável. – Tenho achado mais econômico atrair funcionários de outras empresas do que treiná-los do zero. E, embora detestasse sugerir que estou em concorrência com a SI, descobri que os métodos de treinamento deles e os conjuntos de habilidades que promovem são adequados às minhas necessidades. Para ser honesto, teria preferido ver se você tinha a habilidade necessária para sobreviver a uma ameaça de morte da SI antes de aceitá-la como funcionária. Talvez quase conseguir chegar até a minha varanda de trás seja suficiente.

Cruzei as pernas e arqueei as sobrancelhas.

– Está me oferecendo um emprego, senhor Kalamack? Quer me contratar como sua nova secretária? Atender suas ligações? Buscar seu café?

– Céus, não – respondeu, ignorando meu sarcasmo. – Você cheira forte demais a magia para uma posição de secretária, apesar de tentar cobrir isso com esse... hum... perfume?

Corei, determinada a não desviar de seu olhar inquisidor.

– Não – Trent continuou, sem rodeios. – Você é interessante demais para ser uma secretária, mesmo uma secretária minha. Não só largou a SI, mas também a tem provocado. Você foi às compras. Invadiu a câmara de registros para liquidar seu arquivo. Prender um caça-recompensas inconsciente em seu próprio carro? – disse com uma risada cuidadosamente cultivada. – Gosto disso. Mas ainda mais notável é sua busca para melhorar a si mesma. Aplaudo a vontade de expandir horizontes, aprender novas habilidades. A disposição de explorar opções que a maioria rejeita é uma mentalidade que luto para instilar em meus funcionários. Embora ler aquele livro no ônibus mostre uma falta de... juízo. – Uma pitada de humor negro apareceu por trás de seus olhos. – A não ser que seu interesse em vampiros tenha uma explicação mais carnal, senhorita Morgan?

Senti um nó no estômago e calculei se tinha talismãs suficientes para conseguir escapar dali num confronto. Como Trent tinha descoberto tudo aquilo quando a SI não conseguia nem me seguir direito? Eu me forcei a ficar calma quando percebi quão afundada no pó de pixie eu estava. O que tinha na minha cabeça para entrar lá? A secretária do homem estava morta. Ele era traficante de Enxofre, não importava quão generoso fosse durante os levantamentos de fundos para caridade ou o fato de jogar golfe com o marido da prefeita. O sujeito era inteligente demais para se satisfazer administrando um terço da manufatura de Cincinnati. Seus interesses se entrelaçavam com o submundo, e tinha certeza de que ele queria manter as coisas daquele jeito. Trent se inclinou para a frente com uma expressão atenta, e entendi que ele tinha cansado da conversa fiada.

– Minha pergunta, senhorita Morgan, é: o que você quer comigo? – disse baixinho.

Não falei nada. Minha confiança foi se esvaindo.

Trent gesticulou apontando para a mesa.

– O que estava procurando?

– Chiclete? – tentei. Ele suspirou.

– Pelo bem de eliminar um bom tempo e esforço desperdiçado, sugiro que sejamos honestos um com o outro. – Tirou os óculos e os colocou de lado. – O tanto que precisarmos. Diga-me por que se arriscou a morrer para vir me visitar. Você tem minha palavra de que as gravações de suas ações aqui serão... perdidas? Quero apenas saber em que pé estou. O que fiz para chamar sua atenção?

– Se eu falar, sairei daqui livre? – perguntei. Ele se recostou na cadeira, concordando com a cabeça. Seus olhos eram de um tom de verde que eu nunca tinha visto. Não existia nenhum azul neles. Nem um pouquinho.

– Todo mundo quer algo, senhorita Morgan – respondeu. Cada palavra era precisa e fluía até a próxima como água. – O que você quer?

Meu coração bateu forte com aquela promessa de liberdade. Segui seu olhar até minhas mãos e a sujeira sob minhas unhas.

– Você... – comecei, dobrando a ponta dos dedos sob as palmas para escondê-las. – Quero evidências de que matou sua secretária. E que está traficando Enxofre.

– Oh... – disse com um suspiro pungente. – Você quer sua liberdade. Eu devia ter imaginado. Você, senhorita Morgan, é mais complexa do que imaginei. – Ele concordou com a cabeça, o terno forrado com seda assobiando baixinho ao se mover. – Entregar-me para a SI com certeza ia comprar sua independência. Mas você deve entender que não vou permitir isso. – Ele se alinhou, assumindo uma postura de homem de negócios. – Estou em posição de lhe oferecer algo quase tão bom quanto a liberdade. Talvez ainda melhor. Posso dar um jeito de você pagar o contrato com a SI. Conceder um empréstimo, se quiser. Você pode pagá-lo com o trabalho ao longo de sua carreira comigo. Posso montar um estabelecimento decente para você, talvez proporcionar um pequeno quadro de funcionários.

Senti o rosto gelar e então ficar quente. Trent queria me comprar. Sem notar minha raiva, abriu uma pasta da sua caixa de entrada. Puxou um par de óculos de aro de madeira de um bolso interno e o equilibrou em seu pequeno nariz. Fiz uma careta ao ser examinada por ele, que claramente via além do meu disfarce. Ele fez um pequeno som antes de virar a cabeça para ler o que a pasta continha.

– Você gosta de praia? – perguntou num tom alegre, e fiquei imaginando por que ele fingia precisar dos óculos para ler. – Possuo uma plantação de macadâmia que tenho pensado em expandir. Ela fica nos Mares do Sul. Você pode até escolher as cores da casa principal.

– Você pode ir se Virar, Trent! – exclamei. Ele olhou por sobre os óculos, com uma expressão surpresa. Isso o fazia parecer charmoso, e tentei espantar esses pensamentos da cabeça. – Se quisesse alguém me puxando pela coleira, teria permanecido na SI. Essas ilhas servem para o cultivo de Enxofre. E ficar tão próximo do mar seria quase como ser uma humana. Eu não poderia nem levar um talismã de amor para lá.

– Sol – disse de maneira persuasiva enquanto guardava os óculos. – Areia quente. Fazer seu próprio horário. – Fechou a pasta e colocou uma das mãos sobre ela. – Você pode trazer sua nova amiga. Ivy, não é? Uma vampira Tamwood. Bela conquista. – Um sorriso irônico apareceu por um instante em seu rosto.

Meu mau humor estava explodindo. Ele achava que podia me comprar. O problema era que eu me sentia tentada, e isso me deixava com raiva de mim mesma. Eu o encarei feio, minhas mãos rígidas sobre o colo.

– Seja honesta – Trent acrescentou, os longos dedos girando um lápis com uma destreza hipnotizante. – Você é engenhosa, talvez até habilidosa, mas ninguém escapa da SI por muito tempo sem ajuda.

– Tenho um jeito melhor – disse, enquanto lutava para permanecer sentada. Não podia ir pra nenhum lugar até ele me deixar partir. – Amarrá-lo num poste no centro da cidade. Provar que você trafica Enxofre e que está envolvido na morte da sua secretária. Eu abandonei meu emprego, senhor Kalamack, não meu moral.

A ira faiscou por trás dos seus olhos verdes, mas seu rosto permaneceu calmo quando ele colocou o lápis de volta na xícara com uma batida firme.

– Você pode confiar no que digo. Sempre cumpro minha palavra, minhas promessas ou minhas ameaças. – Sua voz parecia se acumular no chão, e lutei para refrear a vontade idiota de tirar os pés do carpete. – Um homem de negócios precisa ser assim, ou não vai permanecer nos negócios por muito tempo.

Engoli em seco, perguntando-me o que, diabos, Trenton era. Ele tinha a graça, a voz, a rapidez e a autoconfiança de um vampiro. E, por mais que não gostasse dele, a atração estava ali, amplificada por sua força pessoal, e não por um jeito provocante ou por insinuações sexuais. Mas ele não era um vampiro vivo. Embora aparentasse ser afável e de boa índole, não chegava muito perto ao falar, diferentemente da maioria dos vampiros. Ele mantinha as pessoas à distância, longe demais para seduzir com um toque. Não, ele não era um vamp, mas talvez... um herdeiro humano?

Levantei as sobrancelhas. Trent piscou, vendo uma ideia passar por mim, mas sem saber qual era.

– Sim, senhorita Morgan? – murmurou, parecendo desconfortável pela primeira vez.

Meu coração disparou.

— Seu cabelo está flutuando de novo — disse, tentando desconcertá-lo. Ele abriu os lábios e pareceu não saber o que dizer.

Tomei um susto quando a porta se abriu e Jonathan entrou a passos largos. Estava bravo, como se fosse um protetor tolhido pelo próprio protegido. Em suas mãos estava uma bola de vidro do tamanho de uma cabeça. Jenks estava dentro dela. Assustada, me levantei, apertando minha bolsa junto ao corpo.

— Jon — Trent disse, alisando o cabelo enquanto se colocava de pé. — Obrigado. Você poderia escolter a senhorita Morgan e seu sócio para fora?

Jenks estava tão bravo que suas asas eram um borrão negro. Podia ver que balbuciava algo, mas não conseguia ouvi-lo. Seus gestos, no entanto, eram inconfundíveis.

— Meu disco, senhorita Morgan?

Girei e percebi que Trent contornara a mesa e estava bem atrás de mim. Eu não o tinha ouvido se mover.

— Seu o quê? — gaguejei.

Sua mão direita estava estendida. Era lisa e sem calos, mas carregava uma força tensa e tinha uma única aliança de ouro no dedo anular. Não pude deixar de perceber que ele era apenas alguns centímetros mais alto que eu.

— Meu disco — exigiu. Engoli em seco.

Tensa e pronta para reagir, o pesquei do bolso com dois dedos e o entreguei. Um alívio tomou conta dele. Era tão sutil como um tom de azul, tão indistinguível como um floco de neve entre milhares, mas estava lá. Naquele instante, soube que não era de Enxofre que Trent tinha medo. Era de algo naquele disco.

Meus pensamentos dispararam para os discos arrumados de maneira bem organizada, e foi preciso uma força de vontade incrível para manter meus olhos fixos nos dele em vez de seguir minhas suspeitas até a gaveta de sua mesa. Deus do céu! O cara traficava biodrogas junto com o Enxofre. Ele era o diabo de um lorde das biodrogas. Senti o coração disparar e a boca secar. Traficar Enxofre dava cadeia. Mas se você traficasse biodrogas, recebia uma estaca no coração, era queimado na fogueira e tinha suas cinzas espalhadas. E ele queria que eu fosse sua funcionária.

— Você mostrou uma capacidade inesperada de planejamento, senhorita Morgan — Trent disse, interrompendo meus pensamentos descontrolados. — Assassinos vampiros não vão atacá-la sob a proteção de Tamwood. E conseguir que um clã de pixies a proteja contra fadas bem como viver numa igreja para manter os lóbis à distância foi belo em sua simplicidade. Avise-me quando mudar de ideia sobre trabalhar comigo. Aqui vai encontrar satisfação... e reconhecimento. Algo que a SI falhou em proporcionar.

Endureci o rosto, concentrando-me em impedir que minha voz tremesse. Eu não planejara nada. Ivy sim, e eu não tinha certeza de quais eram seus motivos.

– Com todo o respeito, senhor Kalamack, você pode ir se Virar.

Jonathan enrijeceu, mas Trent só concordou com a cabeça e voltou para trás da mesa.

Uma mão pesada atingiu meu ombro. Eu a agarrei de maneira instintiva, me agachando para atirar ao chão quem quer que tivesse me tocado. Jonathan caiu com um grunhido de surpresa. Eu estava ajoelhada sobre seu pescoço antes de perceber que tinha me movido. Assustada pelo que fizera, levantei-me e me afastei. Trent ergueu os olhos da gaveta em que estava colocando o disco com um ar despreocupado.

Três outras pessoas tinham entrado na sala ao ouvir o baque pesado de Jonathan. Duas se centraram em torno de mim e uma ficou de pé diante de Trent.

– Deixem-na ir – o chefão disse. – Foi erro de Jon. – Suspirou com um desapontamento leve. Então acrescentou, cansado: – Jon, ela não é a bobinha que finge ser.

O homem alto tinha se levantado com facilidade do chão. Ajeitou a camisa, alisou o cabelo e me olhou com ódio. Ele não apenas fora derrotado por mim diante de seu patrão, mas também tinha sido repreendido na minha frente. Bravo, o homem agarrou Jenks com má vontade e acenou para a porta.

Eu saí livre, de volta ao sol, mais temerosa por aquilo que tinha recusado do que por ter deixado a SI.

Quinze

Puxei a massa da pizza, descontando na farinha e no fermento indefesos as frustrações da minha tarde fabulosa. Um estalar de papel rígido soou da mesa de Ivy, chamando minha atenção. Com a cabeça arqueada e a testa franzida, ela estava concentrada em seu mapa. Já tinha percebido que suas reações se aceleravam com o pôr do sol. Ela se movia com aquela graça enervante de novo, mas parecia irada, não amorosa. Ainda assim, eu estava ciente de cada movimento dela.

"Ivy tem um trabalho de verdade", pensei, amarga, enquanto fazia a pizza na ilha central da cozinha. Ivy tinha uma vida. Ela não estava tentando provar que o cidadão mais proeminente e amado da cidade era um lorde das biodrogas, nem dando uma de chef de cozinha ao mesmo tempo.

Três dias por conta própria e Ivy já tinha um trabalho: procurar um humano desaparecido. Achei estranho um humano pedir a ajuda de uma vamp, mas ela tinha seu charme, ou melhor, uma competência absurda. Ela passou a noite toda com o nariz enterrado no mapa da cidade, marcando os locais que o homem costumava frequentar, traçando os caminhos que ele poderia ter tomado ao guiar de casa para o trabalho e coisas do tipo.

— Estou longe de ser uma especialista — Ivy disse. — Mas é assim que você devia fazer isso?

— Quer fazer você o jantar? — retruquei, e só então olhei o que estava fazendo.

O círculo da pizza parecia mais uma oval assimétrica, tão fina em alguns lugares que quase se partia. Embaraçada, empurrei a massa até preencher a área fina e a puxei para se encaixar na pedra de assar. Enquanto mexia na borda, observava Ivy discretamente. No primeiro olhar provocante ou movimento rápido demais, ia sair e me esconder atrás do toco de árvore de Jenks. O vidro de molho se abriu com um estalo alto. Meus olhos voaram para Ivy. Sem notar qualquer mudança, joguei quase todo o molho na pizza e fechei o vidro.

"O que mais deveria pôr?", me perguntei. Seria um milagre se Ivy me deixasse colocar tudo que eu normalmente colocava em uma pizza. Decidindo nem tentar as castanhas-de-caju, optei as coberturas mais comuns.

– Pimentões – murmurei. – Cogumelos. – Olhei para Ivy. Ela parecia ser o tipo de pessoa que gostava de carne. – Sobra de bacon do café da manhã.

A caneta rangeu quando ela desenhou uma linha roxa do campus até a faixa mais perigosa de casas noturnas e bares de Hollows próximos da margem do rio.

– Então – ela começou de forma arrastada. – Vai me dizer o que a incomoda ou vou ter que pedir uma pizza depois de você queimar essa?

Coloquei o pimentão na pia e me recostei no balcão.

– Trent trafica biodrogas – disse, ouvindo a sordidez da coisa ao falar em voz alta. – Se soubesse que vou tentar prendê-lo por isso, ia me matar mais rápido que a SI.

– Mas não sabe. – Ivy respondeu, desenhando outra linha. – Tudo que Trent sabe é que você acha que ele trafica Enxofre e que mandou matar a secretária. Se estivesse preocupado, não teria oferecido aquele emprego.

– Emprego? – Virei as costas para ela enquanto lavava o pimentão. – É nos Mares do Sul... para administrar plantações de Enxofre, sem dúvida. Ele me quer fora do caminho, só isso.

– Pense assim... – ela disse enquanto tampava a caneta, batendo-a na mesa. Assustada, me virei, espirrando gotas de água para todo canto. – Ele acha que você é uma ameaça – terminou, fazendo um movimento exagerado para varrer do corpo a água com que eu a tinha acertado.

Dei a ela um sorriso acanhado, torcendo para que não percebesse que estava me deixando nervosa.

– Não tinha pensado dessa forma – avaliei.

Ivy voltou ao mapa, franzindo o cenho enquanto dava batidinhas nas manchas que a água tinha feito em suas linhas nítidas.

– Me dê um tempo para investigar – declarou num tom preocupado. – Se conseguirmos os registros financeiros dele e de alguns dos compradores, poderemos encontrar provas em papel. Mas ainda acho que é só Enxofre.

Abri a geladeira com um puxão para pegar o parmesão e a mozarela. Se Trent não traficava biodrogas, então eu era uma princesa pixie. Ouvi um ruído quando

Ivy jogou uma das canetas na xícara ao lado do monitor. Estava de costas para ela e o barulho me assustou.

— Só porque ele tem uma gaveta cheia de discos com rótulos de doenças que eram tratadas com biodrogas não quer dizer que seja um lorde das drogas — Ivy disse, jogando outra caneta. — Talvez sejam listas de clientes. O homem é importante na filantropia. Mantém meia dúzia de hospitais no país funcionando com suas doações.

— Talvez — respondi, sem ter sido convencida. Eu sabia das contribuições generosas de Trent. No outono passado, ele tinha contribuído no evento de caridade Para as Crianças de Cincinnati com mais dinheiro do que eu ganhava em um ano. Pessoalmente, achava que seus esforços eram fachada. O homem era sujo.

— Além disso — Ivy continuou enquanto se recostava na cadeira e jogava outra das canetas na xícara numa mostra surreal de coordenação. — Por que o sujeito traficava biodrogas? Ele já é rico para valer, não precisa de mais dinheiro. As pessoas são motivadas por três coisas, Rachel. Amor... — Uma caneta vermelha se juntou ao resto com um baque. — Vingança... — Uma preta pousou perto dela. — E poder —terminou, jogando uma verde. — Trent tem dinheiro suficiente para comprar os três.

— Você esqueceu um — argumentei, perguntando se devia manter minha boca calada. — Família.

Ivy tirou as canetas da xícara. Recostando-se na cadeira para se equilibrar em duas pernas, começou a jogá-las de novo.

— Família não faz parte do amor? — perguntou.

Eu a observei pelo canto do olho. "Não se os membros estiverem mortos", pensei, lembrando do meu pai. "Nesse caso, faz parte de vingança."

A cozinha ficou silenciosa enquanto eu salpicava uma fina camada de parmesão sobre o molho. Apenas o ruído das canetas de Ivy se chocando com a xícara interrompia a quietude. Ela acertava o alvo toda vez, e os sons ocasionais de pancadas me deixavam tensa. As canetas pararam, e congelei, alarmada. O rosto dela estava obscurecido. Não conseguia ver se seus olhos estavam ficando negros. Meus batimentos cardíacos se aceleraram e fiquei estática, à espera.

— Por que você não enfia uma estaca no meu coração, Rachel? — ela indagou num tom de exasperação enquanto jogava o cabelo para o lado, revelando ira nos olhos castanhos. — Não vou pular em você. Já disse que sexta foi um acidente.

Relaxando os ombros, remexi uma gaveta fazendo barulho em busca de um abridor de lata para os cogumelos.

— Um acidente assustador para valer — murmurei baixinho, enquanto os drenava.

— Ei, eu ouvi isso. — Hesitou. Uma caneta pousou na xícara trepidando ruidosamente. — Você, hum, leu o livro, certo? — perguntou.

— A maior parte dele — admiti, e então fiquei preocupada. — Por quê? Estou fazendo algo errado?

— Você está me irritando, é isso que está fazendo errado — disse, a voz exaltada. — Pare de me observar. Não sou um animal. Posso ser uma vampira, mas ainda tenho uma alma.

Mordi a língua para não deixar escapar uma resposta. Ela jogou o resto das canetas na xícara, fazendo um estrondo. Então, começou a puxar os mapas para si, e um silêncio pesado recaiu sobre o ambiente. Virei as costas para provar que confiava nela. O problema é que eu não confiava. Colocando o pimentão na tábua de corte, abri uma gaveta e remexi fazendo barulho até encontrar uma faca gigantesca. Era grande demais para cortar pimentões, mas estava me sentindo vulnerável e aquela era a faca que ia usar.

— Hum... — Ivy hesitou. — Você não vai colocar pimentões nisso, vai?

Minha respiração escapou de mim e coloquei a faca de lado. Provavelmente, não íamos ter nada em nossa pizza além de queijo. Silenciosamente, devolvi o pimentão à geladeira.

— O que é uma pizza sem pimentões? — sussurrei baixinho.

— Comível — foi sua resposta imediata, e fiz uma careta. Não era para ela ter escutado isso.

Meus olhos percorreram o balcão e os ingredientes que eu tinha reunido.

— E cogumelos?

— Não dá para ter pizza sem eles.

Coloquei fatias de shiitake sobre o parmesão. Ivy sacudiu seu mapa, e lancei um olhar para ela que não pude evitar.

— Você nunca me falou o que fez com Francis — ela disse.

— Deixei o cara dentro do porta-malas aberto. Alguém vai jogar água salgada nele. Mas acho que quebrei o carro dele. Não acelera mais, não importa em que marcha eu ponha ou o barulho que faça tentando acelerá-lo.

Ivy riu e senti um calafrio pelo corpo. Como se ousasse opor-se a mim, se levantou, vindo se recostar no balcão. Minha tensão fluiu de volta. E dobrou quando ela se ajeitou com uma lentidão controlada para se sentar no balcão ao meu lado.

– Então – começou, abrindo o saco de pepperoni e colocando uma fatia de maneira provocante na boca. – O que você acha que ele é?

Ela estava comendo. Ótimo.

– Francis? – indaguei, surpresa pela pergunta. – Um idiota.

– Não. Trent.

Levantei a mão querendo o pepperoni e ela entregou o saco para mim.

– Não sei, mas não é um vamp. Ele achou que meu perfume era para cobrir o cheiro de bruxa, não... hum... o seu. – Senti-me envergonhada com ela tão perto, e distribuí as fatias de pepperoni como se fossem cartas de baralho sobre a pizza. – E os dentes dele não são afiados o suficiente. – Após terminar, coloquei o saco na geladeira, fora do alcance de Ivy.

– Talvez ele use coroas. – Ivy encarou a geladeira e o pepperoni que não podia ser visto. – Seria mais difícil para um vamp praticante, mas já fizeram isso.

Meus pensamentos voltaram para a Tabela 6.1, com seus diagramas úteis demais, e estremeci, disfarçando enquanto estendia a mão para pegar o tomate. Ivy balançou a cabeça concordando com a escolha, e a mão pairou sobre ele numa pergunta.

– Não – respondi, confiante. – Ele não tem a falta de compreensão do espaço pessoal que todo vamp vivo que conheci além de você parece ter.

Tão logo disse isso, desejei voltar atrás. Ivy se enrijeceu, e me perguntei se a distância não natural que ela colocava entre si e todo mundo tinha mais a ver com o fato de ser uma vamp não praticante. Deve ser frustrante duvidar de cada movimento seu, se perguntar se ele veio da sua cabeça ou da sua fome. Não era de espantar que Ivy tivesse uma tendência a perder a cabeça. Ela estava enfrentando um instinto milenar sem ninguém para ajudá-la a encontrar seu caminho. Hesitei, então perguntei:

– Existe alguma maneira de dizer se Trent é um herdeiro humano?

– Herdeiro humano? – repetiu, parecendo surpresa. – Está aí uma ideia.

Passei a faca pelo tomate, cortando pequenos quadrados vermelhos.

– Meio que se encaixa. Ele tem a força interior, a graça e o poder pessoal de um vampiro, mas não gosta de ficar tocando os outros. E eu juraria pela minha vida que o cara não é um bruxo nem um feiticeiro. E não é só por ele não ter o mínimo cheiro de sequoia. É o jeito como se move, a luz no fundo de seus olhos... – Fiquei parada enquanto lembrava de seus olhos verdes impossíveis de serem interpretados.

Ivy deslizou para fora do balcão, roubando um pepperoni da pizza. Eu me movi casualmente para o outro lado da pia e para longe dela. Ela me seguiu, roubando outra fatia. Um zumbido suave soou quando Jenks voou pela janela, trazendo nas mãos um cogumelo quase tão grande quanto ele mesmo, e deixando o cheiro de terra invadir a cozinha. Olhei para Ivy, que deu de ombros.

– Oi, Jenks – Ivy disse enquanto voltava para a cadeira no canto da cozinha. Aparentemente, nós tínhamos passado no teste de "posso ficar parada do seu lado e não mordê-la". – O que você acha? Trent é um lóbis?

Jenks soltou o cogumelo, o rosto minúsculo se contorcendo de raiva. Suas asas desapareceram numa mancha.

– Como vou saber se Trent é um lóbis? – ralhou. – Não fiquei próximo o suficiente. Fui pego. Certo? Jenks foi pego. Feliz agora? – Ele voou para a janela, parando perto do Senhor Peixe. Com as mãos no quadril, encarou a escuridão.

Ivy balançou a cabeça com um ar de desgosto.

– E daí que você foi pego? Grande coisa. Eles sabiam quem Rachel era, e ela não está se lamuriando por isso.

Na verdade, eu tivera meu ataque no caminho para casa, o que pode ter causado o barulho estranho que o carro de Francis fazia quando o deixei no estacionamento do shopping center à sombra de uma árvore.

Jenks disparou para ficar a um centímetro diante do nariz de Ivy. Tinha as asas vermelhas de raiva.

– Queria ver um *jardineiro* prendê-la numa bola de vidro, se isso não lhe daria uma nova visão de vida, Pequena Miss Sunshine.

Meu mau humor sumiu enquanto observava um pixie de dez centímetros confrontar uma vamp.

– Pare com isso, Jenks – pedi num tom leve. – Acho que ele não era um jardineiro de verdade.

– Mesmo? – disse sarcástico, voando até mim. – Você acha?

Atrás dele, Ivy fingiu esmagar o pixie entre o indicador e o polegar. Girando os olhos, ela voltou aos mapas. Um silêncio se estabeleceu, não confortável, mas também não desagradável. Jenks voou até o cogumelo e o trouxe até mim, com terra e tudo. Ele estava vestido numa roupa solta, bem informal. A seda esvoaçante era da cor de musgo molhado, e o corte o fazia parecer um xeque do deserto. O cabelo loiro estava penteado para trás e achei que ele cheirava a sabão. Nunca tinha visto um pixie relaxando em casa. Era bacana.

– Aqui – ele disse sem jeito, rolando o cogumelo para fazê-lo parar ao meu lado. – Encontrei no jardim. Achei que você poderia querer. Para sua pizza hoje à noite.

– Obrigada, Jenks – agradeci, limpando a terra.

– Olhe – ele disse enquanto dava três passos para trás. Suas asas eram lampejos confusos de movimento e imobilidade. – Desculpe, Rachel. Eu estava lá para dar suporte, não para ser pego.

"Que embaraçoso", pensei. Ter alguém do tamanho de uma libélula pedindo desculpas por não ter me protegido.

– Bem, ambos pisamos na bola – disse, amarga, desejando que Ivy não estivesse assistindo àquilo. Ela bufou, mas, decidindo ignorá-la, lavei e cortei o cogumelo. Jenks pareceu satisfeito e foi fazer círculos irritantes em torno da cabeça de Ivy até ela tentar esmagá-lo.

Abandonando-a, voltou até mim.

– Vou descobrir a que Kalamack cheira nem que isso me mate – Jenks me assegurou enquanto colocava sua contribuição na pizza. – Agora é questão de honra.

"Bem", pensei, "por que não?" Respirei fundo.

– Vou voltar lá amanhã à noite – anunciei, pensando na minha ameaça de morte. Talvez eu cometeria um erro. E, ao contrário de Ivy, não podia voltar dos mortos. – Quer ir comigo, Jenks? Não como suporte, mas como sócio.

Jenks se elevou, as asas assumindo uma coloração roxa.

– Pode apostar as calcinhas da sua mãe que quero.

– Rachel! – Ivy exclamou. – O que você acha que está fazendo?

Abri o saco de mozarela e a joguei pela pizza toda.

– Estou tornando Jenks um sócio. Tem algum problema com isso? Ele está trabalhando horas extras demais para ser menos que isso.

– Não – ela respondeu, me encarando do outro lado da cozinha. – Estou falando de você voltar para a propriedade de Kalamack!

Jenks pairou ao meu lado para formarmos uma frente unida.

– Cale a boca, Tamwood. Ela precisa de um disco para provar que o cara é um traficante de biodrogas.

— Não tenho escolha — arrematei, empurrando o queijo com tanta força que ele caiu pelas beiradas.

Ivy se recostou na cadeira numa lentidão exagerada.

— Sei que você quer pegá-lo, mas pense nisso direito, Rachel. Trent pode acusá-la de qualquer coisa, de invasão de propriedade a fingir ser alguém da SI olhando feio para os cavalos dele. Se você for pega, está ferrada.

— Se eu acusar Trent sem provas sólidas, ele vai escapar nos tribunais com alguma tecnicalidade. — Eu não podia olhar para ela. — Preciso de algo rápido de se conseguir e que qualquer idiota entenda. Algo em que a mídia pode cravar os dentes e mandar bala. — Meus movimentos eram irregulares enquanto pegava o queijo que tinha derramado e o colocava de volta na pizza. — Tenho que conseguir um desses discos e amanhã vou fazer isso.

Um ruído de descrença veio de Ivy.

— Não acredito que você vá correr para lá de novo, sem plano, sem preparação, nada. Você já tentou essa abordagem e foi pega.

Meu rosto ficou vermelho.

— Só porque não planejo minhas idas ao banheiro, não quer dizer que não seja uma boa caça-recompensas — retruquei, com veemência.

Ela apertou a mandíbula.

— Nunca disse que você não é uma boa caça-recompensas. Só quis dizer que um pouco de planejamento pode salvá-la de erros embaraçosos, como os que aconteceram hoje.

— Erros! — exclamei — Olhe aqui, Ivy. Sou uma caça-recompensas muito boa.

Ela arqueou as sobrancelhas finas.

— Você não teve uma captura sem problemas nos últimos seis meses.

— Isso não foi minha culpa, e sim de Denon! Ele admitiu. E se você pensa tão mal das minhas habilidades, por que me implorou para deixá-la formar um escritório comigo?

— Não fiz isso — Ivy declarou. Seus olhos se estreitaram e pontos de raiva apareceram em suas bochechas.

Sem querer discutir, virei-me para colocar a pizza no forno. O sopro seco de ar fez minhas bochechas se retesarem e mandou fios do cabelo flutuando em frente a meus olhos.

— Fez sim — murmurei, sabendo que ela podia me ouvir. Então disse mais alto: — Sei exatamente o que vou fazer.

– Verdade? – ela disse, bem à minha direita. Reprimi um suspiro e me virei. Jenks estava parado no peitoril da janela junto ao Senhor Peixe, com o rosto pálido. – Então me conte – disse, a voz pingando de sarcasmo. – Qual é seu *plano perfeito*?

Não querendo deixá-la saber que me assustava, eu me espremi ao passar por ela, mostrando minhas costas de forma deliberada enquanto raspava a farinha do balcão com a faca grande. O cabelo na minha nuca se eriçou, e me virei para encontrá-la bem onde eu a tinha deixado, embora seus braços estivessem cruzados e uma sombra escura esvoaçasse atrás de seus olhos. Meu pulso se acelerou. Sabia que não devia discutir com ela.

Jenks disparou entre Ivy e eu.

– Como vamos entrar, Rachel? – perguntou, pousando ao meu lado no balcão.

Eu me sentia mais segura com ele a observando, e virei as costas de propósito para Ivy.

– Vou transformada em marta – Ivy fez um barulho de descrença e enrijeci. Varrendo a farinha solta para minha mão, joguei-a no lixo. – Mesmo que sejamos descobertos, eles não vão saber quem sou. Vai ser simplesmente pegar as provas e sair correndo. – As palavras de Trent sobre minhas atividades passaram por minha cabeça e me perguntei.

– Invadir e roubar o escritório de um conselheiro municipal não é simplesmente pegar uma prova e sair correndo – Ivy argumentou, a tensão emanando de si. – É roubo.

– Com Jenks, vou entrar e sair do escritório em dois minutos. Vou estar fora do prédio em dez.

– E enterrada no porão do prédio da SI em uma hora – Ivy disse. – Você é louca. Vocês dois são loucos de pedra. É uma fortaleza no meio da mata! E isso não é um plano, é uma ideia. Planos são no papel.

Sua voz se tornou desdenhosa, o que me fez ajeitar os ombros.

– Se eu usasse planos, estaria morta três vezes – respondi. – Não preciso de um plano. O negócio é aprender tudo que pode, e então fazer o que é preciso. Planos não levam em conta as surpresas que aparecem pelo caminho!

– Se usasse um plano, você não teria nenhuma surpresa.

Ivy me encarou, e engoli em seco. Mais que um indício de preto girava em seus olhos, e meu estômago se contraiu.

— Tenho um jeito mais agradável se você está pensando em se suicidar — ela sussurrou.

Jenks pousou no meu brinco, me fazendo desviar os olhos de Ivy.

— É a primeira coisa esperta que ela fez a semana toda — ele disse. — Então, largue a mão, Tamwood.

Os olhos de Ivy se estreitaram, e dei um rápido passo para trás enquanto ela estava distraída.

— Você é tão ruim quanto ela, pixie! — ela exclamou, mostrando os dentes. Os dentes de um vamp são como armas. Você não os mostra a não ser que vá usá-los.

— Deixe-a fazer seu trabalho! — Jenks gritou em resposta.

Ivy ficou tensa feito um elástico. Uma brisa fria atingiu meu pescoço quando Jenks mexeu as asas como se fosse alçar voo.

— Basta! — gritei, antes que ele fosse embora. Eu queria que ele continuasse exatamente onde estava. — Ivy, se tiver uma ideia melhor, me conte. Se não... cale a boca.

Juntos, Jenks e eu olhamos para Ivy, pensando de maneira estúpida que éramos mais fortes juntos do que sozinhos. Seus olhos exibiram um brilho negro. Minha boca ficou seca. Eles não piscavam, vivos com a promessa do que não tinha sido aludido ainda. Cócegas em meu estômago subiram até fecharem minha garganta. Não sabia se era de medo ou de expectativa. Ela olhou fixo em meus olhos, sem respirar. "Não olhe para meu pescoço", pensei, entrando em pânico. "Oh, Deus. Não olhe para meu pescoço."

— Diabo — Jenks sussurrou.

Mas ela estremeceu, desviando para se inclinar sobre a pia. Eu tremia, e podia jurar que tinha ouvido Jenks suspirar de alívio. Isso, percebi, podia ter sido muito, muito ruim.

A voz de Ivy parecia morta quando falou em seguida.

— Certo — ela disse para a pia. — Vá se matar. Vão os dois. — Ela começou a andar de repente e me assustei. Curvada e com uma expressão dolorosa, se apressou em sair da cozinha. Cedo demais para se acreditar, veio o som da porta da frente batendo, e então mais nada.

"Alguém ia se machucar hoje", pensei.

Jenks deixou meu brinco, pousando no peitoril.

— Qual é a dela? — perguntou de maneira agressiva no silêncio súbito. — Quem olha pensa que ela se importa.

Dezesseis

Despertei de um sono profundo, ao som distante de vidro estilhaçado. Senti o cheiro de incenso de madeira. Abri os olhos.

Ivy estava debruçada sobre mim, o rosto a poucos centímetros do meu.

– Não! – gritei assustada, erguendo o punho e golpeando-a na barriga. Ivy dobrou-se para a frente e caiu no chão, sem fôlego. Arrastei-me pela cama, olhando da janela cinzenta para a porta. Meu coração batia forte e comecei a sentir frio por causa do fluxo violento de adrenalina. Ela estava entre mim e minha única saída.

– Espere – pediu Ivy. A manga do seu roupão deslizou até o cotovelo quando estendeu o braço para me segurar.

– Sua vamp traidora, sugadora de sangue! – rugi.

Quase perdi a respiração por causa da surpresa quando Jenks – não, era Jax – saltou do peitoril da janela e se plantou diante de mim.

– Senhorita Rachel – disse, perturbado e tenso –, estamos sendo atacados. Fadas. – A última palavra saiu em um jato.

"Fadas." Só de pensar nisso, senti o medo me enregelar. Olhei para minha mochila. Não poderia lutar contra elas usando apenas encantamentos. Fadas eram demasiadamente espertas. O máximo que conseguiria fazer seria tentar esmagar uma delas. Meu Deus! Eu nunca matara uma fada em toda a minha vida. Nem mesmo por acidente. Caramba, eu era uma caçadora e a ideia era apanhá-las vivas, não matá-las. Mas fadas...

Olhei para Ivy e enrubesci ao pensar no que estava fazendo em meu quarto. Com o máximo de elegância de que era capaz, levantei-me da cama.

– Sinto muito – murmurei, oferecendo-lhe a mão.

Ela inclinou a cabeça para me ver melhor por trás da cortina de seus cabelos. A dor mal conseguia esconder sua raiva. Uma mão branca se estendeu e me empurrou. Caí no chão com um grito e me apavorei de novo quando sua mão firme tapou minha boca

— Cale-se — ordenou Ivy, seu hálito queimando minha face. — Quer que nos matem? Já estão aqui dentro.

De olhos bem abertos, murmurei por entre seus dedos:

— Não vão entrar. Isto aqui é uma igreja.

— Fadas não dão a mínima para lugares sagrados — respondeu. — A mínima!

"Já estão aqui dentro." Percebendo meu pânico, Ivy tirou a mão da minha boca. Olhei para o orifício do aquecimento e, devagar, fechei-o, estremecendo com o ruído.

Jax bateu de leve em meu joelho coberto pelo pijama.

— Invadiram o jardim — revelou. A expressão assassina em seu rosto juvenil era terrível. — Vão pagar caro. E aqui estou eu, tomando conta dessas duas grandalhonas! — Saltou para a janela, aborrecido.

Ouvi um barulho na cozinha e tentei me levantar, mas Ivy me encostou de novo no chão.

— Fique quieta — disse em voz baixa. — Jenks vai dar um jeito nelas.

— Mas... — Calei meu protesto ao ver Ivy se virar para mim, os olhos negros faiscando na luz mortiça do começo da manhã. Que poderia Jenks fazer contra fadas assassinas? Ele era treinado em segurança, não em guerra de guerrilhas.

— Sinto muito — balbuciei. — Por agredi-la, quero dizer.

Ivy não se moveu. Uma mistura confusa de emoções se avolumara no fundo de seus olhos e comecei a respirar com dificuldade.

— Se eu quisesse, bruxinha — garantiu —, você não conseguiria me deter.

Arrepiada, engoli em seco. Aquilo soava como uma ameaça.

— Alguma coisa mudou — prosseguiu Ivy, concentrando toda a atenção na porta fechada. — Não esperava que isso acontecesse em até três dias.

Uma sensação ruim me dominou. A SI modificara sua tática. E eu mesma tinha provocado aquilo.

— Francis — confessei —, a culpa é minha. A SI sabe que agora posso me esquivar de seus vigias.

Pressionei os dedos nas têmporas. Keasley, o velho do outro lado da rua, me advertira.

Um terceiro barulho, dessa vez mais forte. Ivy e eu olhamos para a porta. Dava para ouvir meu coração batendo. Será que Ivy também conseguia ouvir o dela? Após um longo momento, uma batida leve na porta. Fui invadida pela tensão e Ivy respirou fundo, preparando-se.

— Papai? — perguntou Jax baixinho. Mais ruídos no corredor. Jax correu para a porta. — Papai? — insistiu.

Cambaleando, de ombros caídos, piscando para a luz subitamente ofuscante, consultei o relógio que Ivy me emprestara. Cinco e meia. Eu só dormira uma hora.

Ela levantou-se rapidamente, abriu a porta e saiu, com a barra do roupão agitada. Estremeci ao vê-la desaparecer. Não tinha sido minha intenção machucá-la. Não, isso não era verdade: tinha sido, sim. Mas só porque achei que ela queria me transformar num petisco matinal.

Jenks entrou, quase batendo contra a janela ao pousar.

— Jenks? — perguntei, decidida a adiar minhas desculpas a Ivy. — Você está bem?

— B-e-e-e-em — grunhiu, num tom que parecia de bêbado. — Não precisaremos nos preocupar com fadas por algum tempo.

Olhei espantada para a lâmina comprida que ele trazia. Tinha cabo de madeira e era do tamanho daquelas ferramentas de colher azeitonas. Cambaleante, deixou-se cair no chão, dobrando acidentalmente sob o corpo o par de asas inferiores. Jax levantou o pai do chão.

— Papai! — exclamou, preocupado. Jenks estava um lixo. Uma das asas superiores se encontrava em farrapos. Sangrava por diversas feridas, uma bem debaixo do olho. O outro olho, inchado e fechado. Tombava pesadamente sobre Jax, que com muito esforço tentava mantê-lo de pé.

— Aqui — eu disse. Coloquei a mão por baixo de Jenks, forçando-o a sentar-se na minha palma. — Vamos levá-lo para a cozinha, onde a luz é mais forte. Talvez possamos enfaixar sua asa.

— Não há lâmpadas lá — balbuciou Jenks. — Estão quebradas. — Piscou, tentando focar a vista. — Desculpe.

Irritada, fechei a mão sobre ele, ignorando seus débeis protestos.

— Jax, traga sua mãe — pedi.

O pequeno pixie apanhou a espada do pai e saiu, rente ao teto.

– Ivy? – chamei, disparando para o corredor escuro. – O que sabe sobre pixies?

– Não o bastante, ao que parece – respondeu bem atrás de mim, fazendo-me dar um pulo.

Tentei acender a luz ao entrar na cozinha. Nada. As lâmpadas estavam mesmo quebradas.

– Cuidado – advertiu Ivy. – O chão está cheio de cacos de vidro.

– Como sabe? – perguntei, incrédula. Mesmo assim hesitei, não querendo cortar os pés descalços no escuro. Ivy passou por mim como um sopro, fazendo-me estremecer. Ela estava ficando vampiresca. Ouvi um som de vidro triturado e o bulbo fluorescente sobre a lareira se acendeu, iluminando a cozinha com um brilho incômodo.

Estilhaços de lâmpadas cobriam o piso. Havia no ar uma leve neblina de cheiro acre. Franzi as sobrancelhas. Tratava-se de uma nuvem de pó de fada, que me entrava pela garganta. Encostei Jenks no balcão antes de espirrar e, sem querer, deixei-o cair.

Segurei o fôlego e corri à janela para escancará-la. O Senhor Peixe estava deitado na pia, indefeso, o vaso em pedaços. Cuidadosamente, tirei-o do meio dos cacos e coloquei-o num copo plástico com água. O Senhor Peixe estremeceu, agitou-se e mergulhou até o fundo. Logo, suas guelras começaram a pulsar. Estava bem.

– Jenks? – perguntei, ao vê-lo ainda sentado no lugar onde o deixara. – Que aconteceu?

– Nós as pegamos – murmurou em tom quase inaudível, inclinando-se para um lado.

Ivy trouxe uma vassoura da despensa e começou a juntar os cacos numa pilha.

– As fadas achavam que eu não sabia que estavam aqui – prosseguiu Jenks enquanto eu procurava um pedaço de pano para fazer bandagens. Levei um susto ao encontrar uma asa de fada. Parecia mais uma asa de mariposa que a de uma libélula. Escamas se desprenderam ao contato dos meus dedos, tingindo-os de verde e vermelho. Coloquei-a de novo no chão, com o máximo de cuidado. Dá para fazer vários feitiços com pó de fada.

"Meu Deus!", exclamei mentalmente, virando-me. Eu estava ficando maluca. Uma criatura morrera e eu pensava em usar uma parte dela para fazer feitiços.

– A pequena Jacey foi quem as viu primeiro – contou Jenks, num tom sombrio. – Na extremidade dos túmulos humanos. Asas rosadas contra a lua baixa, enquanto a terra girava em torno de sua luz prateada. Chegaram até nosso muro. Resistimos e conservamos nosso território. Dito e feito.

Confusa, olhei para Ivy, que permanecia em silêncio empunhando sua vassoura. Imóvel e de olhos bem abertos. Isso era estranho. Afinal, Jenks não estava praguejando; estava até sendo poético. E ainda não terminara.

– A primeira caiu sob o carvalho, ferida pelo gosto de aço em seu sangue. A segunda tombou em solo sagrado, acompanhada pelos gritos de sua loucura. A terceira fracassou no pó e no sal, voltando a seu mestre como uma advertência muda. – Jenks ergueu os olhos, mas obviamente não me enxergava. – Este território é nosso. Isso digo com uma asa quebrada, sangue envenenado e nossos mortos insepultos.

Ivy e eu nos entreolhamos na penumbra.

– Mas o que é isso? – sussurrou Ivy. Jenks arregalou os olhos, voltou-se para nós, tocou a fronte num gesto de saudação e foi desmoronando.

– Jenks! – gritamos Ivy e eu, recuperando os movimentos. Ivy chegou primeiro. Recolheu Jenks nas mãos e virou-se para mim, com um olhar assustado. – Que devo fazer? – gritou.

– E eu sei?! – respondi. – Ele está respirando?

Ouvimos um som de sinos de vento e a esposa de Jenks irrompeu no recinto, arrastando consigo pelo menos uma dúzia de pequenos pixies.

– A sala está arrumada – disse ela bruscamente, enquanto o manto de seda escura se imobilizava em torno de seu corpo. – Sem encantamentos. Levem-no para lá. Jhem, vá na frente da senhorita Ivy para acender a luz e depois ajude Jinni a trazer meu estojo. Jax, leve o resto para a igreja. Comece pelo campanário. Não ignore uma fresta sequer. Paredes, canos, fios elétricos e de telefone. Cuidado com as corujas e chequem a sacristia. Se farejarem algum feitiço ou uma daquelas fadas, gritem. Entendido? Agora vão.

As crianças pixies se dispersaram. Sem discutir, Ivy também obedeceu às ordens da pequenina mulher e correu para a sala. A cena seria engraçada se não fosse por Jenks, imóvel na sua palma. Coxeando, fui atrás deles.

– Não, amor – disse a mulherzinha a Ivy, que ia pôr Jenks numa almofada. – Na ponta da mesa, por favor. – Vou precisar de uma superfície dura para cortar.

"Cortar?", estranhei, enquanto tirava as revistas da mesa e as jogava no chão para liberar espaço. Sentei-me na cadeira mais próxima e ajustei a lâmpada. A adrenalina estava sumindo, me deixando de cabeça leve e pele fresca dentro do pijama de flanela. E se Jenks estivesse gravemente ferido? O fato de ele ter matado duas fadas me chocava. "Ele as matara mesmo." Eu já tinha mandado gente para o hospital, mas matar era outra coisa! Assustada em meio à escuridão, perto de uma vampira tensa, perguntei-me se conseguiria fazer isso.

Ivy depositou Jenks como se o pixie fosse feito de papel e voltou para a porta. Muito alta e encurvada, ela parecia nervosa e deslocada naquele lugar.

– Vou checar lá fora – avisou.

A senhorita Jenks sorriu, mostrando nos traços juvenis uma suavidade atemporal.

– Não é preciso, querida – assegurou. – Agora estamos seguros. Temos pelo menos um dia inteiro antes que a SI encontre outro grupo de fadas ansioso por romper nossas linhas. E não há dinheiro suficiente para convencer pixies a invadir jardins de outros pixies. Isso só demonstra que as fadas são bárbaras e grosseiras. Mas vá olhar, se quiser. As crianças mais novas poderiam dançar entre as flores esta manhã.

Ivy abriu a boca para protestar, mas, ao perceber que a pixie falava sério, baixou o olhar e saiu pela porta traseira.

– Jenks disse alguma coisa antes de apagar? – perguntou a senhora Jenks enquanto o deitava na mesa com as asas estranhamente distendidas. Ele mais parecia um besouro pregado com alfinete numa exposição. Eu me senti mal.

– Não – respondi, perplexa com sua calma. Eu estava a ponto de perder a cabeça. – Falou como se estivesse recitando um soneto ou coisa parecida. – Apertei a gola do pijama em torno da garanta e me encolhi. – Ele vai ficar bem?

Ela se ajoelhou ao lado do ferido e exibiu uma expressão de alívio após apalpar cuidadosamente a parte inferior de seu olho inchado.

– Jenks está ótimo. Se proferiu maldições enquanto recitava poesia, então está ótimo. Eu só ficaria preocupada se me dissesse que ele cantou. – Suas mãos deslizavam devagar sobre o corpo do marido e seu olhar se perdeu na distância. – A única vez que chegou em casa cantando, quase o perdemos.

Seus olhos se desanuviaram. Desenhando com os lábios um sorriso triste, abriu o estojo que as crianças tinham trazido. Senti-me culpada.

— Lamento muito pelo ocorrido, senhora Jenks – desculpei-me. – Se não fosse por mim, isso jamais teria acontecido. E se ele quiser rescindir o contrato, vou compreender.

— Rescindir o contrato! – Ela me olhou com uma intensidade de assustar. – Céus, menina! Nem pense nisso!

— Mas Jenks não precisaria ter lutado com as fadas – protestei. – Elas poderiam tê-lo matado.

— Eram apenas três – disse a mulherzinha, estendendo um pano branco ao lado de Jenks e colocando sobre ele um verdadeiro arsenal cirúrgico, com bandagens, pomadas e até o que parecia uma membrana artificial de asa. – E sabiam o que estavam fazendo. Viram o aviso. Suas mortes são plenamente justificáveis. – Sorriu, e então compreendi por que Jenks insistia em ficar com ela. Parecia um anjo, mesmo com aquela lâmina nas mãos.

— Mas não estavam atrás de vocês – ponderei. – Estavam atrás de mim!

A senhora Jenks balançou a cabeça, agitando as pontas do cabelo muito finos.

— Não importa – retrucou com voz lírica. – Elas tomariam o jardim de qualquer maneira. Mas acho que fizeram isso por *dinheiro*. – Quase cuspiu a palavra. – O pessoal da SI precisou gastar bastante para convencê-las a enfrentar meu Jenks. – Suspirou e pôs-se a cortar pedaços da fina membrana para cobrir os buracos na asa de Jenks, com a frieza de quem remenda uma meia.

— Não se aflija – prosseguiu. – Pensaram que, como acabamos de nos firmar, poderiam nos desequilibrar. – Lançou-me um olhar maroto. – Quebraram a cara, não?

Não sabia o que dizer. A animosidade entre pixies e fadas era maior do que imaginara. Reconhecendo que ninguém poderia ser dono da Terra, pixies e fadas apegaram-se a títulos de propriedade, achando que um simples dito substituía um direito. E, como não competiam com ninguém, só entre si, os tribunais fechavam os olhos para seus negócios, deixando que resolvessem seus próprios desentendimentos – o que, aparentemente, incluía matarem-se uns aos outros. Perguntei-me o que teria acontecido ao dono do jardim antes de Ivy alugar a igreja.

— Jenks gosta de você – disse a mulherzinha, enrolando o resto da membrana e guardando-a. – Chama-a de amiga. Por respeito a ele, é assim que vou chamá-la também.

— Obrigada – murmurei.

– Mas não confio em você – prosseguiu, para minha surpresa. Era tão direta e quase tão pouco diplomática quanto o marido. – É verdade que fez dele um sócio? De verdade e não apenas como parte de uma brincadeira cruel?

Concordei, mais séria do que vinha sendo na última semana.

– Sim, senhora. Ele merece isso.

A senhora Jenks apanhou uma tesoura pequena, que parecia mais um enfeite que uma peça funcional. O cabo de madeira tinha sido esculpido em forma de ave, enquanto a ponta era de metal. Arregalei os olhos quando, manuseando-a, a mulherzinha se ajoelhou diante de Jenks.

– Por favor, continue dormindo, querido – ouvi-a sussurrar. E, espantada, vi-a aparar delicadamente a parte esgarçada da asa de Jenks. O cheiro de sangue cauterizado encheu o recinto quase sem ar.

Ivy apareceu na soleira, como se tivesse sido chamada.

– Você está sangrando – avisou.

Sacudi a cabeça.

– É a asa de Jenks.

– Não. É você. Seu pé.

Endireitei-me, afastando um lampejo de angústia. Levantei o pé para olhar a sola. Havia uma mancha vermelha no calcanhar. Na confusão, eu nem reparara naquilo.

– Vou limpar – disse Ivy. Recuando depressa, abaixei o pé. – O *chão* – resmungou, apontando para baixo. – Você deixou pegadas de sangue por todo o *chão*. – Olhei para o corredor, e vi claramente minhas pegadas na luz cada vez mais intensa do dia que começava. – Eu ia limpar o chão, não mexer em seu pé – continuou Ivy, saindo a passos duros.

Enrubesci... Bem, eu acordara com o hálito dela em meu pescoço.

Ouvi um barulho de portas de armário e de água corrente na cozinha. Ivy estava furiosa comigo. Talvez fosse melhor pedir desculpas. Mas desculpas pelo quê? Pelo soco, eu já pedira.

– Tem certeza de que Jenks vai ficar bem? – perguntei, evitando o problema.

– Sim, se eu conseguir manter os emplastros no lugar antes que ele acorde.

Agachou-se, fechou os olhos e murmurou uma prece curta. Enxugando as mãos na saia, pegou uma lâmina cega com cabo de madeira. Aplicou um emplastro e passou o dorso da lâmina nas bordas, ajustando-o à asa de Jenks. Ele estremeceu, mas não acordou. Quando ela terminou, suas mãos tremiam e um pó emanava de seu corpo, fazendo-a brilhar. Um anjo, de fato.

– Crianças! – chamou. Elas apareceram de todos os lados. – Levem seu pai. Josie, vá ver se a porta está aberta.

As crianças se aproximaram do pai, ergueram-no e carregaram-no para o cano da chaminé. Cansada, a senhora Jenks levantou-se enquanto a filha mais velha guardava os utensílios no estojo.

– Meu Jenks – disse então – às vezes vai mais longe do que um pixie pode sonhar. Não deixe que meu marido seja morto por uma insensatez, senhorita Morgan.

– Tentarei – respondi em voz baixa, vendo-a desaparecer com a filha pela chaminé. Senti-me culpada, como se estivesse manipulando intencionalmente Jenks para me proteger. Um barulho de vidro quebrado na lata de lixo me fez levantar e correr até a janela. O sol estava alto, faiscando nas plantas do jardim. Eu já devia ter ido para a cama, mas provavelmente não conseguiria voltar a dormir.

Esgotada e fora de controle, entrei na cozinha. Em seu roupão preto, Ivy estava ajoelhada, limpando minhas pegadas.

– Sinto muito – murmurei, parando no meio da cozinha e cruzando os braços. Ivy ergueu os olhos semicerrados, fazendo perfeitamente o papel de mártir.

– Pelo quê? – perguntou, querendo ouvir um pedido de desculpas completo.

– Bem... por machucá-la. Eu ainda não estava completamente acordada – menti. – E não sabia que era você.

– Já se desculpou por isso – disse, voltando ao trabalho.

– Então, por você estar limpando minhas pegadas – tentei de novo.

– Eu mesma me ofereci para isso.

Balancei a cabeça. Era verdade. Não ia sondar os motivos de sua atitude, apenas aceitar a oferta como uma gentileza. Mas alguma coisa a irritava. Eu não conseguia adivinhar o quê.

– Hum, venha me ajudar aqui, Ivy – pedi, finalmente.

Ela se levantou e foi até a pia, onde estavam os panos sujos. Lavou cuidadosamente a toalha amarela e pendurou-a na torneira para secar. Depois se virou, encostando-se à pia.

– Que tal um pouco de confiança? Eu disse que não a morderia e não vou.

Fiquei boquiaberta. Confiança? Então o que incomodava Ivy era a confiança?

– Quer que eu confie em você? – exclamei, percebendo que precisava falar com Ivy sobre esse assunto em tom colérico. – Então, por que você não se controla? Não posso sequer contradizê-la e já vem para cima de mim, toda vamp!

– Não é verdade – contestou, abrindo bem os olhos.

– É, sim – insisti, gesticulando. – Lembra-se da primeira semana em que trabalhamos juntas e discutimos sobre a melhor maneira de apanhar um gatuno de supermercado? Só por não concordar com você não quer dizer que eu esteja errada. Pelo menos me escute antes de decidir que estou.

Ela inspirou profundamente e foi soltando o ar aos poucos.

– Sim, tem razão.

Dei um pulo ao ouvir essas palavras. Ivy achava que eu tinha razão?

– E outra coisa – continuei, um pouco sensibilizada. – Pare com essa mania de fugir durante uma discussão. Esta noite, você saiu correndo daqui como se fosse degolar alguém e depois acordei vendo-a debruçada sobre mim. Lamento tê-la agredido, mas admita: você merecia.

Um leve sorriso brotou em seus lábios, mas logo desapareceu.

– Sim, acho que sim. – Ajeitou melhor o pano na torneira, virou-se e cruzou os braços, segurando os cotovelos. – Está bem, não vou mais sair no meio de uma discussão, mas você não precisa ficar tão alvoroçada nessas horas. Você fala tanto que me deixa sem chão.

Hesitei. O que ela queria dizer com "alvoroçada"? Assustada, furiosa ou as duas coisas?

– Como assim?

– E talvez possa usar um perfume mais forte... – acrescentou, em tom de desculpa.

– Eu... eu comprei um há pouco – repliquei, surpresa. – Jenks disse que o cheiro toma conta do ambiente.

Uma súbita tristeza cobriu o rosto de Ivy quando seu olhar se cruzou com o meu.

– Rachel... ainda consigo sentir meu cheiro em você. Você é como um grande cookie de chocolate sobre uma mesa vazia. E quando fica toda agitada, parece ter acabado de sair do forno, quentinha e macia. Não como um cookie há três anos. Pode, por favor, se acalmar para não cheirar tão bem?

– Oh! – Sentindo um frio repentino, sentei-me junto à mesa. Não gostava de ser comparada a comida. E nunca mais conseguiria comer um cookie de chocolate.

– Lavei de novo minhas roupas – disse em voz baixa. – Não vou usar mais seus lençóis e seu sabão.

Ivy estava de cabeça baixa quando me virei.

– Eu sei – murmurou. – Agradeço por isso. Ajuda muito. Não é culpa sua. O cheiro de um vampiro sempre fica no corpo das pessoas com quem convive. É um recurso de sobrevivência para poupar a vida do companheiro, avisando os outros vampiros para se afastarem. Não achei que eu fosse notar, pois partilhamos um espaço, não sangue.

Estremeci ao me lembrar das minhas lições de latim básico, nas quais aprendi que a palavra "companheiro" tem a mesma raiz de "alimento".

– Não pertenço a você.

– Claro que não. – Inspirou devagar, sem olhar para mim. – Lavanda é bom. Alguns sachês pendurados no banheiro devem ser suficientes. E procure não ser tão emotiva, sobretudo quando estivermos... discutindo ações alternativas.

– Está bem – concordei em tom suave, pressentindo como esse arranjo seria complicado.

– Vai mesmo a Kalamack amanhã? – perguntou.

Respondi que sim, aliviada com a mudança de rumo da conversa.

– Não quero ir sem Jenks, mas não poderei esperar até que ele consiga voar de novo.

Um longo momento de silêncio.

– Vou acompanhá-la. Tão de perto quanto você achar seguro – disse Ivy.

Fiquei boquiaberta outra vez.

– Por quê? Quero dizer... vai mesmo? – emendei logo. Ela deu de ombros.

– Você está certa. Se não fizer isso o mais rápido possível, não durará mais uma semana.

Dezessete

– Você não vai, *querido* – disse a senhora Jenks em tom firme.

Despejei o resto do café na pia e olhei desgostosa para o jardim, brilhante ao sol do começo da tarde. Gostaria de estar em qualquer lugar, menos naquele.

– Pode apostar que vou – rosnou o marido.

Virei-me. Estava cansada demais por causa de uma manhã sem dormir e não iria tolerar ver Jenks ser dominado pela mulher. De pé na ilha de aço inoxidável, ele mantinha as mãos desafiadoramente pousadas no quadril. Mais adiante, inclinada sobre a mesa de madeira, Ivy planejava três roteiros para Kalamack. A senhora Jenks estava ao seu lado, com uma expressão que deixava clara sua desaprovação. Não queria que o marido fosse. E, do jeito que ela parecia brava, eu não estava disposta a contradizê-la.

– Já disse que você não vai – insistiu ela, com voz cortante.

– Cuide da sua vida, mulher – replicou Jenks. Mas um leve ar de insegurança estragava sua postura de durão.

– Estou cuidando. – Seu tom era severo. – Você ainda não se recuperou. Tem de me ouvir. É a nossa regra.

Jenks fez um gesto suplicante.

– Estou me sentindo bem. Posso voar. Posso lutar. Eu vou.

– Não vai. Não pode. Ainda não está curado. E, até que eu diga o contrário, você é um jardineiro, não um caça-recompensas.

– Mas posso voar! – gemeu, agitando as asas. Ergueu-se só um pouquinho do balcão e pousou de novo. – Você é que não quer que eu vá!

Ela se empertigou.

– Ninguém vai dizer que o deixei morrer por negligência. Mantê-lo vivo é minha responsabilidade. Repito: *você ainda não se recuperou*!

Dei algumas migalhas de biscoito ao Senhor Peixe. Aquilo era embaraçoso. Por mim, deixaria Jenks ir, voando ou não. Ele estava se recuperando mais depressa do que eu teria julgado possível. No entanto, fazia menos de dez horas que andara declamando poemas. Interroguei a senhora Jenks com um arquear de sobrancelhas. A bela pixie sacudiu a cabeça. Assunto encerrado.

– Jenks – comecei –, lamento muito, mas, até receber o sinal verde, ficará preso ao jardim.

Ele deu três passos, parou à beira do balcão e cerrou os punhos.

Constrangida, fui juntar-me a Ivy na mesa.

– E então? – perguntei, embaraçada. – Você disse que conhecia um meio de chegar lá.

Ivy tirou a ponta da caneta dos dentes.

– Fiz umas pesquisas esta manhã na internet...

– Depois que voltei para a cama? – interrompi-a.

Ela me olhou com aqueles olhos castanhos e indecifráveis.

– Sim. – Virou-se e, após remexer nos mapas, pegou um folheto colorido. – Aqui está. Achei melhor imprimir.

Apanhei o folheto e sentei-me. Ivy não apenas o imprimira como também o dobrara do jeito que se dobram usualmente os folhetos. Era uma peça publicitária para passeios turísticos guiados nos jardins botânicos de Kalamack.

– "Venha conhecer os espetaculares jardins particulares do conselheiro municipal Trenton Kalamack" – li em voz alta. – "Ligue para saber preços e disponibilidade. Fechados durante a lua cheia para manutenção." O texto continuava, mas eu já sabia o bastante.

– Encontrei outro para os estábulos – disse Ivy. – Eles promovem passeios o ano todo, exceto na primavera, quando nascem os potros.

– Quanta gentileza! – Corri o dedo pelo traçado preto brilhante que delineava a planta das dependências. Não imaginara que Trent se interessava por jardinagem. Talvez *fosse* um feiticeiro. Ouvi nitidamente um gemido quando Jenks percorreu a curta distância até a mesa. Conseguia voar, mas muito mal.

– Fantástico! – comemorei, ignorando o belicoso pixie que caminhava por cima do papel, se colocando na minha linha de visão. – Achei que você me deixaria em algum lugar no bosque para eu poder entrar, mas isso é realmente fantástico. Obrigada!

Ivy dirigiu-me um sorriso honesto, de lábios fechados.

– Um pouco de pesquisa pode economizar muito tempo.

Reprimi um suspiro. Se fosse depender de Ivy, teríamos um plano minucioso exposto no banheiro, explicando o que fazer caso tudo desse errado.

– Posso caber numa bolsa grande – propus, encantada com a ideia.

– Uma bolsa bem grande, caramba. – Jenks cutucou após fungar.

– Conheço alguém que me deve um favor – disse Ivy. – Se ela comprar a entrada, meu nome não constará na lista. E poderei usar um disfarce. – Sorriu, mostrando a ponta dos dentes. Sorri também, um sorriso amarelo. Ela parecia inteiramente humana à luz forte da tarde.

– Veja – disse Jenks, olhando para a mulher. – Também posso ir numa bolsa.

Ivy bateu de leve a ponta da caneta nos dentes.

– Durante a excursão, deixarei minha bolsa em algum lugar.

Jenks, de pé sobre o folheto, moveu subitamente as asas.

– Eu vou!

Puxei o folheto e ele caiu de costas.

– Encontro você amanhã junto ao portão de entrada do bosque. Assim, pode me pegar sem que ninguém veja.

– Eu vou! – insistiu Jenks. Ninguém lhe deu atenção.

Encostando-se no espaldar da cadeira, Ivy tinha um ar satisfeito.

– Agora, *isso* sim é um plano.

Que coisa estranha. Na noite anterior, Ivy quase me estrangulara quando sugeri praticamente a mesma coisa. Ela precisava de informações. Satisfeita por ter entendido essa sua faceta, levantei-me e fui abrir o armário de encantamentos.

– Trent a conhece – eu disse, enquanto examinava os feitiços. – Só Deus sabe como. Você, sem dúvida, precisa de um disfarce. Vejamos... posso fazê-la parecer uma velha.

– Será que ninguém me ouve? – esbravejou Jenks, com as asas vermelhas de raiva. – Eu vou! Rachel, diga à minha mulher que já estou em condições de ir.

– Pare com isso! – resmungou Ivy. – Não quero ser enfeitiçada. Tenho meu próprio disfarce.

– Não quer um dos meus? – Virei-me, surpresa. – Não dói, é apenas uma ilusão. Bem diferente de um encantamento de metamorfose.

– Já tenho alguma coisa em mente – respondeu, evitando meu olhar.

– Eu disse que vou! – gritou Jenks.

Ivy passou a mão pelos olhos.

– Jenks... – comecei.

– Diga a ela – prosseguiu o pixie, olhando para a mulher. – Se disser, tudo ficará bem e ela me deixará ir. Poderei voar quanto quiser.

– Olhe – contemporizei –, não faltarão oportunidades...

– Para ir a Kalamack? – ironizou ele. – Nem pensar. É agora ou nunca. Essa é minha única chance de conhecer o lugar. Nenhum pixie ou fada sabe o que Trent é. Nem você nem ninguém vai me roubar essa oportunidade. – Um toque de desespero vibrava em sua voz. – Ninguém aqui é grande o bastante para isso.

Cheio de súplica, meu olhar se deslocou de Jenks para sua mulher. Ele tinha razão. Não haveria outra chance. Seria insensato demais arriscar minha própria vida caso esta já não estivesse no liquidificador esperando que alguém apertasse o botão. Os olhos da linda pixie se cerraram; ela cruzou os braços e, com ar aflito, concordou com a cabeça.

– Ótimo – disse eu, voltando-me para Jenks. – Pode vir.

– O quê?! – Ivy explodiu, enquanto eu dava de ombros, impotente.

– Ela disse que tudo bem – ponderei, apontando a senhora Jenks com um gesto de cabeça. – Mas só se ele prometer cair fora quando eu disser. Não vou deixá-lo arriscar a vida gastando mais energia do que pode.

As asas de Jenks assumiram uma tonalidade vermelho-animada.

– Vou cair fora quando quiser.

– Não e não. – Estendi os braços sobre a mesa, com os punhos dos dois lados de Jenks e olhando-o fixamente. – Eu vou decidir quando ir e quando voltar. Isto aqui é uma bruxocracia, não uma democracia. Entendido?

Jenks se empertigou e abriu a boca para protestar, mas então seu olhar se desviou de mim para sua esposa, que batia os pezinhos, impaciente.

– Certo – concordou, submisso. – Mas só dessa vez.

Satisfeita, recolhi os braços.

– Isto se encaixa em seu *plano*, Ivy?

– Sim. – Empurrou a cadeira e se levantou. – Vou providenciar o bilhete de entrada. Temos de sair a tempo de chegar à casa da minha amiga e depois à rodoviária às quatro. As excursões partem dali. – Deixou a cozinha com um andar que já lembrava o estilo vamp.

– Jenks, querido – disse afetuosamente a pequena pixie –, estarei no jardim caso você... – As últimas palavras foram quase inaudíveis e ela saiu voando pela janela.

Jenks não teve tempo de detê-la.

– Matalina, espere! – pediu, agitando inutilmente as asas, pois estava preso à mesa e incapaz de segui-la. – Que a Virada a leve! É minha única chance! – gritou.

Ouvi Ivy, na sala, discutindo em voz baixa com alguém no telefone.

– Não interessa se são duas da tarde. Você tem uma dívida comigo. – Um curto silêncio. – Posso pegar aí no seu esconderijo, Carmen. Não vou fazer nada essa noite. – Jenks e eu estremecemos ao ouvir o barulho de algo se chocando contra a parede. Pensei que fosse o telefone. Alguém devia estar tendo uma tarde fabulosa.

– Tudo em ordem – gritou Ivy, num tom de alegria obviamente forçada. – Podemos pegar o bilhete em meia hora. Isso nos dá tempo apenas para trocar de roupa.

– Ótimo – respondi, suspirando e levantando-me para apanhar uma poção de marta no armário. A meu ver, somente roupas diferentes não dariam um disfarce bom o bastante para uma vamp. – Ei, Jenks! – chamei em voz baixa, enquanto vasculhava a gaveta de talheres com o risco de cortar o dedo. – Como Ivy estava cheirando?

– Quem?! – exclamou, ainda abalado por causa da esposa.

Olhei para o corredor vazio.

– Ivy – repeti em voz mais baixa ainda, para que ela não ouvisse. – Antes do ataque das fadas, saiu daqui furiosa, como se fosse arrancar o coração de alguém. Não vou me enfiar na bolsa dela até saber se... – Hesitei por um momento e sussurrei: – Ela começou a praticar de novo?

Muito sério, Jenks respondeu:

– Não. – Endireitou-se e, voando, cobriu o curto espaço que o separava de mim. – Mandei Jax vigiá-la. Só para ter certeza de que ninguém lhe passaria um feitiço destinado a você. – Encheu o peito, exibindo todo o seu orgulho paterno. – Ele se saiu muito bem em sua primeira missão. Ninguém o notou. Puxou ao pai.

– E aonde ela foi? – perguntei, me inclinando na direção de Jenks.

– A um bar de vampiros perto do rio. Sentou-se num canto, rosnando para quem chegasse perto, e bebeu suco de laranja a noite inteira. – Balançou a cabeça. – Muito estranho, não?

Ao ouvir um ruído na soleira, Jenks e eu retomamos a compostura, com a rapidez que só a culpa possibilita. Arregalei os olhos, surpreendida com o que via.

– Ivy? – gaguejei.
– Que acham? – Ela deu um sorrisinho, com um ar de embaraço satisfeito.
– Oh, está ótima! – elogiei. – Realmente ótima. Eu jamais a teria reconhecido.
– Talvez não mesmo.

Ivy trajava um vestido amarelo de verão, colado ao corpo. As finas alças que o sustinham contrastavam vivamente com sua pele muito clara. Os cabelos negros pareciam uma cascata de ébano. O batom vermelho brilhante era a única cor que se destacava no rosto, tornando-a ainda mais exótica que de costume. Usava óculos de sol e o chapéu amarelo de abas largas fazia contraponto ao salto alto. Suspensa do ombro, uma bolsa grande o suficiente para carregar um potro.

Fez uma volta lenta, parecendo uma modelo desfilando impassível pela passarela. Seus saltos emitiam um estalido agudo, e eu não conseguia desviar os olhos daquela figura. Jurei mentalmente: chocolate para mim, nunca mais. Ivy estacou e tirou os óculos.

– Acham que vai funcionar?

Sacudi a cabeça, mal podendo acreditar no que via.

– Se vai! Você já tinha usado essas roupas?

– Costumava me vestir assim. É também uma maneira de esconder os amuletos detectores de feitiços.

Jenks fez uma careta ao levantar voo na direção da janela.

– Por mais que eu aprecie essa tremenda emissão de estrogênio, tenho de me despedir de minha esposa. Avisem-me quando ficarem prontas. Estarei no jardim, provavelmente perto da figueira-brava. – E saiu voando pela janela.

Ainda impressionada, voltei-me para Ivy.

– Fiquei surpresa ao descobrir que ainda me serve – disse a vamp, enquanto se examinava. – Era da minha mãe. Herdei depois da sua morte. – Fitou-me de cenho franzido. – E se ela alguma vez aparecer à porta, não diga que estou com o vestido.

– Certo – murmurei.

Ivy jogou a bolsa sobre a mesa e sentou-se de pernas cruzadas.

– Ela pensa que minha tia-avó o roubou. Se descobrir que estou com ele, vai me obrigar a devolvê-lo. Como se ainda pudesse usá-lo! Um vestido de verão à noite é tão cafona! – ironizou.

Virou-se, com um sorriso luminoso nos lábios. Reprimi um calafrio. Ela parecia humana. Uma humana rica, desejável. Aquela era uma roupa de caça.

Ivy permaneceu imóvel diante do meu olhar quase aterrorizado. Suas pupilas se dilataram, fazendo com que meus batimentos se acelerassem. Um véu negro desceu sobre ela, enquanto seus instintos se aguçavam. Eu nem lembrava mais que estávamos na cozinha. Embora estivesse distante, ela parecia estar a poucos centímetros de mim. Senti calor, depois frio. Ivy irradiava uma aura em plena tarde luminosa.

– Rachel... – começou com a voz velada, que me fez estremecer. – Esqueça esse medo.

Minha respiração era curta e rápida. Assustada, virei-me com esforço, ficando quase de costas para ela. "Droga, droga, droga!" Não era culpa minha. Eu não tinha feito nada! Ivy parecia tão normal... e depois, aquilo! Pelo canto do olho, a observei: parada, procurando se controlar. Se ela fizesse um movimento, eu pularia pela janela.

Mas Ivy não se moveu. Recuperei o fôlego aos poucos. Meus batimentos se acalmaram e ela se descontraiu. Respirei fundo e o negro de seus olhos se diluiu. Afastei o cabelo do rosto e fingi que ia lavar as mãos, enquanto ela se sentava à mesa. O medo era um afrodisíaco para sua fome e eu, sem querer, o oferecera a ela.

– Acho que não deveria ter posto de novo este vestido – lamentou, num tom grave e aborrecido. – Vou esperar no jardim até que você complete o feitiço. – Concordei com um gesto de cabeça e ela se encaminhou para a porta, fazendo um grande esforço para andar em ritmo normal. Não a vi levantar-se, mas lá estava ela, dirigindo-se para o corredor. – Mais uma coisa, Rachel – disse com suavidade, parando na soleira. – Se eu voltar a praticar, você será a primeira a saber.

Dezoito

– Acho que o fedor daquele saco nunca mais vai sair do meu nariz. – Jenks respirou fundo, espalhafatosamente, o ar da noite.

– Bolsa – corrigi. A palavra saiu como um leve grunhido. Era só o que eu podia fazer. Reconhecera logo o cheiro da bolsa de Ivy e só de pensar que eu passara boa parte do dia ali dentro quase me deu um chilique.

– Já sentiu um cheiro parecido? – continuou, jovialmente.

– Cale a boca, Jenks. – Grunhido; grunhido e resmungo. Adivinhar o que uma vamp carregava durante suas caçadas não era minha prioridade. Tentei de todas as maneiras não pensar na Tabela 6.1.

– Nã-ã-ã-o! – replicou. – Era um cheiro almiscarado, metálico...

O ar da noite, contudo, pareceu-me muitíssimo agradável. Eram quase dez horas e o jardim público de Trent recendia deliciosamente a umidade. A lua se reduzira a um esguio fragmento de prata perdido atrás das árvores. Jenks e eu estávamos escondidos entre os arbustos, atrás de um banco de pedra. Ivy se fora havia muito tempo.

Ela tinha deixado a bolsa sob o banco à tarde, fingindo estar prestes a desmaiar. Depois de culpar a baixa taxa de glicose no sangue por sua fraqueza, metade dos homens do grupo de excursionistas se prontificara a correr ao pavilhão e trazer-lhe algo para comer. Eu quase denunciara nosso esconderijo rindo de Jenks, que não parava de imitar com a maior vivacidade o que estava acontecendo do lado de fora. Ivy partira em meio a uma onda de protestos dos marmanjos. Não sabia se ficava chateada ou achava divertido o modo como minha amiga se desembaraçara deles.

– Isto parece tão deslocado quanto Tio Vamp numa festa de adolescentes – disse Jenks, saindo das sombras. – Não ouvi pássaros a tarde inteira. Nem fadas ou pixies. – Observou o céu negro, erguendo a aba do chapéu.

– Vamos – determinei, enquanto olhava para o caminho abandonado. Tudo estava imerso em trevas, às quais ainda não me acostumara.

– Não creio que, por aqui, *haja* pixies ou fadas – comentou. – Um jardim deste tamanho pode acolher facilmente uns quatro clãs. Quem cuida das plantas?

– Talvez devêssemos ir por ali – murmurei, precisando falar, embora ele não estivesse me ouvindo.

– Tem razão – concordou, retomando sua conversa unilateral. – Grandalhões. Patetas de dedos rudes que preferem arrancar as plantas fracas a lhes dar um pouco de potássio. Ao contrário da atual companhia, é claro – completou.

– Jenks – murmurei –, você é uma figura.

– Obrigado.

Não acreditei muito naquela história de que não havia fadas nem pixies por ali e esperava ver essas criaturas caindo sobre nós a qualquer momento. Conhecedora dos resultados de uma briga de pixies e fadas, não tinha pressa alguma em passar por essa experiência. Sobretudo estando do tamanho de um esquilo.

Jenks esticou o pescoço e examinou os galhos superiores enquanto segurava o chapéu. Ele tinha dito que o vermelho berrante era a única defesa de um pixie ao penetrar no jardim de outro clã. Avisava que o intruso vinha com boas intenções e partiria logo. O rebuliço de Jenks desde que saíra da bolsa de Ivy quase me deixara louca. Ficar a tarde inteira atrás de um banco também não ajudou meus nervos. Ele passara quase toda a tarde dormindo e só despertou quando o sol se aproximava do horizonte invisível.

Um alvoroço percorreu meu corpo, mas logo me recompus e, chamando a atenção de Jenks, comecei a seguir o cheiro de tapete. O tempo passado na bolsa de Ivy e sob o banco fizera muito bem a ele. Ainda assim, estava ficando para trás. Temendo que o mínimo ruído de seu laborioso voo alertasse alguém, o mandei subir nas minhas costas.

– Que houve, Rachel? – perguntou, levantando o chapéu. – Alguma coceira?

Rangi os dentes e, agachando-me, apontei para ele e depois para meus ombros.

– De jeito nenhum. – Olhou para as árvores. – Não vou ser carregado como um bebê.

"Não vou perder meu tempo com isso", pensei. Apontei de novo, dessa vez para cima. Era o sinal para ele ir embora. Jenks cerrou os olhos e eu arreganhei os dentes. Surpreso, deu um passo para trás.

– Está bem, está bem – concordou apressadamente. – Mas se contar a Ivy, vou infernizá-la todas as noites durante uma semana. Entendido? – Senti seu leve peso no ombro, enquanto ele agarrava meu pelo. Uma sensação esquisita, desagradável. – Não muito depressa – pediu Jenks, que também se sentia desconfortável.

Exceto pelos puxões em meu pelo, nem o percebia. Corri o mais depressa que pude. Não queria que olhos pouco amistosos nos observassem e saí imediatamente do caminho. Quanto mais rápido estivéssemos dentro, melhor. Meus ouvidos e nariz trabalhavam sem parar. Sentia o cheiro de tudo, o que não é tão divertido como se imagina.

As folhas farfalhavam ao mínimo sopro de vento, fazendo-me estremecer e mergulhar cada vez mais fundo na mata. Jenks entoava baixinho uma canção chatíssima, que falava, creio eu, de sangue e margaridas.

Hesitando, abri caminho por entre uma barreira de pedras soltas e espinheiros. Parei. Algo tinha mudado.

– As plantas não são as mesmas – observou Jenks. Concordei com um gesto de cabeça.

As árvores por entre as quais eu passara descendo a colina eram visivelmente mais velhas, com cheiro de visco. Terra antiga e compacta mantinha firmemente as plantas. O aroma, não a beleza visual, parecia mais importante. A senda estreita que encontrei era de terra dura, não pavimentada de tijolos. Por causa do espaço ocupado pelas samambaias, só dava para uma pessoa passar. Em algum lugar, corria água. Com mais cautela, prosseguimos até que um cheiro conhecido me fez parar, alarmada. Chá Earl Grey.

À sombra de um lírio, fiquei imóvel, tentando farejar pessoas. O silêncio só era quebrado pelo zumbido de insetos noturnos.

– Lá – disse Jenks, em voz baixa. – Uma xícara no banco. – Afastou-se de mim e mergulhou na escuridão.

Avancei, com os pelos do nariz eriçados e os ouvidos atentos. O bosque estava vazio. Com um movimento ligeiro, saltei para o banco. Havia um resto de chá na xícara, cujas bordas estavam umedecidas pelo orvalho. Sua presença silenciosa dizia tanto quanto a mudança na vida vegetal. De algum modo, tínhamos deixado o jardim público e penetrado no quintal de Trent.

Jenks se empoleirou na asa, com as mãos no quadril, irritado.

– Nada – queixou-se. – Não posso sentir o cheiro daqui de fora. Tenho que entrar.

Saltei do banco, pousando suavemente. O odor de habitação estava mais forte à esquerda e seguimos o caminho atravancado de samambaias. Logo o cheiro de móveis, tapetes e aparelhos eletrônicos se tornou mais nítido; e foi sem qualquer surpresa que avistei o alpendre aberto. Olhei para cima, para a cobertura de treliça. Uma trepadeira noturna se arrastava sobre ela e seu aroma disputava a primazia com o mau cheiro de pessoas.

– Rachel, espere! – gritou Jenks, puxando minha orelha quando fiz menção de pisar nas pranchas cobertas de musgo. Algo roçou em meu pelo e recuei, esfregando-o com as patas. Estava grudento e, acidentalmente, colei minhas orelhas aos olhos. Em pânico, acocorei-me. Não conseguia me mexer!

– Não esfregue, Rachel – recomendou, em tom de urgência. – Fique quieta.

Mas eu não conseguia enxergar. Meu coração disparou. Tentei gritar, mas minha boca estava colada. Um cheiro de éter me entrava pela garganta. Assustada, agitei-me toda, ouvindo um zumbido feroz. Mal podia respirar! Que diabo seria aquilo?

– Sossegue, Morgan – repreendeu Jenks. – Pare de me agredir. Vou tirar isso de você.

Controlei os instintos e agachei-me, respirando com dificuldade. Uma das minhas patas estava grudada no pelo, o que doía. Era só o que eu podia fazer para não acabar rolando na terra.

– Ótimo. – As asas de Jenks provocavam uma leve brisa. – Agora vou cuidar dos olhos.

Contraí as patas quando ele arrancou a gosma de uma pálpebra. Seus dedos trabalhavam com delicadeza e habilidade, mas, a julgar pela dor que provocaram, estavam arrancando metade da pálpebra. Felizmente, a coisa grudenta saiu e voltei a enxergar. Com um olho só, vi Jenks esfregar as mãos, formando uma bolinha entre elas. Pó de pixie o fazia brilhar.

– Melhor assim? – perguntou, observando-me.

– Sim – guinchei. A palavra saiu mais estropiada que o usual, pois minha boca continuava colada.

Jenks jogou longe a bolinha, feita daquela gosma misturada com o pó.

– Continue quietinha e tirarei o resto mais depressa do que Ivy pode usar uma aura. – Puxou meu pelo e foi transformando a gosma em bolinhas. – Desculpe-me – disse, quando gritei no momento em que puxava minha orelha. – Eu avisei.

– Sobre o quê? – perguntei; e, pelo menos dessa vez, ele pareceu entender.

– Sobre a seda pegajosa. – Com uma careta, deu um forte puxão e arrancou um tufo dos meus pelos. – Foi assim que fiquei preso ontem – contou, irritado. – Trent estende essa teia no teto do seu vestíbulo, acima da altura de uma pessoa. Isso é caro; ficaria surpreso se a usar em outros lugares. – Jenks passou para o meu outro lado. – Trata-se de uma armadilha para pixies e fadas. É possível sair dela, mas leva tempo. Acho que o teto todo está protegido. Por isso, nada consegue voar aqui.

Agitei a cauda para mostrar que entendia. Já ouvira falar de seda pegajosa, mas nunca pensei que fosse ser apanhada por uma. Para alguém maior que um bebê, parecia teia de aranha.

Terminado o trabalho, pude sentir de novo meu nariz, embora não soubesse se seu formato continuava o mesmo. Jenks tirou o chapéu e colocou-o sob uma pedra.

– Gostaria de ter trazido minha espada – declarou. Tal era o instinto territorial de pixies e fadas que, se Jenks tinha tirado o espalhafatoso chapéu, eu podia apostar minha vida que o jardim estava livre de fadas e outros pixies.

O ar ligeiramente submisso que ele emanara a tarde toda desapareceu. Do seu ponto de vista, o jardim inteiro provavelmente lhe pertencia, já que não havia ninguém ali para contestá-lo. Permaneceu ao meu lado com as mãos no quadril, olhando atentamente para o alpendre.

– Veja isso – disse, emitindo uma nuvem de pó de pixie. Suas asas vibraram tão rapidamente a ponto de se tornar um borrão indistinto, lançando o pó brilhante em direção ao alpendre. Uma névoa se espalhou pelo ar. Como por mágica, o pó de pixie se fixou na teia, delineando seu traçado. Jenks deu um risinho satisfeito. – Ainda bem que trouxe a tesoura da Matalina – exultou, tirando do bolso a lâmina com cabo de madeira. Confiantemente, aproximou-se da teia e abriu nela um buraco do tamanho de um esquilo. – Depois de você – convidou elegantemente.

Entrei no alpendre. Meu coração começou a bater forte, até se acomodar num ritmo lento, controlado. Aquilo seria apenas mais uma caçada, disse a mim mesma. Emoção era um luxo ao qual não poderia me permitir. Minha vida estava em perigo, mas e daí? Minhas narinas vibraram, farejando humanos ou impercebidos. Nada.

– É um escritório – aventou Jenks. – Olhe, há uma escrivaninha.

"Escritório?" Minhas sobrancelhas grossas se eriçaram. Uma escrivaninha. Ou não? Jenks revoava agitado, como se fosse um morcego hidrófobo. Segui-o a passos mais lentos. Após uns cinco metros, o piso coberto de musgo se transformou num carpete colorido, cercado por três paredes. Nos cantos, plantas bem cuidadas. Não parecia que se trabalhasse muito na escrivaninha encostada à parede dos fundos. Havia um sofá comprido e cadeiras dispostas ao lado de um barzinho, tornando a sala um lugar muito bom para relaxar ou fazer algum trabalho leve. Era uma espécie de recinto ao ar livre, impressão reforçada pela abertura para o alpendre e, portanto, para o jardim.

– Ei! – gritou Jenks, animado. – Veja o que encontrei.

Voltei-me das orquídeas que estivera admirando com inveja e vi Jenks sobrevoando uma bancada de aparelhos eletrônicos.

– Fica escondido na parede – explicou. – Veja isso. – Apertou um botão. O aparelho de som e os discos que o acompanhavam desapareceram. Encantado, apertou o botão de novo e o equipamento reapareceu. – O que este botão pode fazer! – exclamou ele e, distraído pela promessa de novos brinquedos, pôs-se a percorrer a sala.

Trent, concluí, tinha mais discos que uma loja especializada: pop, clássico, jazz, new age e até um pouco de heavy metal. Nada de tecno, o que fez meu respeito por ele aumentar.

Passei saudosamente a pata sobre um exemplar de *Takata's Sea*. O disco sumiu de vista dentro do aparelho e eu dei um pulo para trás. Alarmada, apressei-me a apertar o botão com a ponta das garras, a fim de mandar tudo de volta para a parede.

– Não há nada aqui, Rachel. Vamos embora. – Jenks voou para a porta e pousou no trinco. Mas só quando eu o ajudei com meu peso é que o trinco cedeu. Caí ao chão com um baque surdo. O barulho nos fez conter o fôlego por um instante.

Com o coração acelerado, farejei a porta aberta antes que Jenks saísse. Ele voltou num piscar de olhos.

– É um corredor – informou. – Venha. Já dei um jeito nas câmeras.

Desapareceu de novo e eu o segui, após usar todo o meu peso para fechar a porta. Encolhi-me e rezei para que o ruído do trinco, muito alto, não tivesse sido ouvido. Lá fora, som de água corrente e do sussurro de criaturas noturnas respondendo a interlocutores ocultos. De imediato, reconheci o corredor como aquele onde estivera no dia anterior. Os sons já deviam estar ali ontem, mas tão sutis que só a audição de um roedor poderia captá-los. Sacudi a cabeça, finalmente entendendo. Jenks e eu tínhamos encontrado o escritório em que Trent recebia convidados "especiais".

— Para onde? – perguntou Jenks baixinho, revoando ao meu lado. Ou sua asa estava em perfeitas condições ou ele não queria se arriscar a ser visto cavalgando uma marta. Entrei confiantemente pelo corredor, que, a cada passo, ficava menos atraente e mais vazio. Jenks ia adiante, preparando cada câmera para funcionar a cada quinze minutos, de modo que não fôssemos vistos. Por sorte, Trent seguia um horário humano – ao menos publicamente – e o prédio estava deserto. Ou assim eu pensava.

— Droga! – praguejou Jenks, fazendo-me gelar. Vinham vozes do fundo do corredor. Meu coração começou a bater forte. – Vá! Não, não, para a direita! Para a cadeira e o vaso de planta.

Corri. Um cheiro cítrico e de terracota enchia o ar. Escondi-me atrás do vaso, ouvindo o som de passos leves que se aproximavam pelo corredor. Jenks se empoleirou nos ramos da planta.

— Tanto assim? – A voz de Trent chegou muito clara aos meus ouvidos sensíveis, quando ele e outra pessoa dobraram o corredor. – Descubra o que Hodgkin está fazendo para conseguir tamanho aumento de produtividade. Se, em sua opinião, for algo aplicável a outros setores, me envie um relatório.

Contive o fôlego enquanto Trent e Jonathan passavam à minha frente.

— Sim, Sa'han – respondeu Jonathan, digitando num tablet. – Acabei de examinar os candidatos ao cargo de secretário. Será relativamente simples encontrar espaço em sua agenda amanhã de manhã. Quantos gostaria de entrevistar?

— Apenas os três que você achou mais qualificados e um que não. Algum conhecido?

— Não. Achei melhor variar desta vez.

— Hoje não é o seu dia de folga, Jon?

— Preferi trabalhar; você está sem secretário – respondeu, depois de fazer uma pausa.

— Ah! – exclamou Trent com um risinho satisfeito, enquanto dobravam outra curva do corredor. – Então é por isso que se apressou a concluir as entrevistas.

Jonathan negou debilmente e ambos desapareceram de vista.

— Jenks – sussurrei. Não houve resposta. – Jenks! – insisti, temendo que ele tivesse feito alguma bobagem, como segui-los.

— Ainda estou aqui – resmungou, para meu grande alívio. A planta se agitou quando ele desceu pelo caule. Sentou-se à beira do vaso e ficou balançando as pernas. – Consegui cheirá-los bem – disse. Acocorei-me, na expectativa. – Não sei o que ele é. – Suas asas assumiram um tom desmaiado de azul, acompanhando o ritmo mais lento da circulação de sangue e uma seriedade maior. – Cheira a mato, mas não como uma bruxa. Não há sinal de ferro, portanto, não é um vampiro. – Apertou os olhos, confuso. – Pude perceber o ritmo de seu corpo diminuindo, o que significa que dorme à noite. Isso exclui lóbis ou qualquer outro impercebido noturno. Descanse, Rachel. Ele não cheira a nada que eu reconheça. E sabe o que é mais estranho? O outro cara cheira exatamente como Trent. Algum feitiço, sem dúvida.

Os pelos de meu focinho se eriçaram. "Estranho" era a palavra.

– Shhh – guinchei, querendo dizer "Sinto muito".

– Sim, está certa. – Ergueu-se com asas lentas de libélula e postou-se no meio do corredor. – Melhor concluir a caçada e dar o fora daqui.

Estremeci. "Cair fora", pensei, deixando a segurança da planta. Apostava que não conseguiríamos sair tão facilmente quanto entráramos. Mas não me preocupava com isso depois de ter visto o escritório de Trent. Já fizéramos o impossível. Dar o fora seria fichinha.

– Por aqui – orientei, seguindo pelo já conhecido corredor que levava ao saguão. Conseguia sentir o cheiro de sal que vinha do aquário de Trent no escritório. Cruzamos portas de vidro embaçadas. Nos recintos às escuras, ninguém continuava trabalhando. A porta de madeira de Trent estava, é claro, fechada.

Devagar e em silêncio, Jenks pôs-se a trabalhar. A fechadura era eletrônica e, após alguns momentos mexendo no painel fixado ao portal, ouviu-se um estalido e a porta se abriu.

– Sem segredos – disse Jenks. – Até uma criança como Jax poderia ter feito isto.

O suave gorgolejar da fonte na escrivaninha chegava até o corredor. Jenks entrou primeiro e deu um jeito na câmera antes que eu o seguisse.

– Não, espere – murmurei ao vê-lo acionar o interruptor. O recinto foi inundado por uma luz ofuscante, irritante. Tapei os olhos com as patas.

– Desculpe. – A luz se apagou imediatamente.

– Acenda a luz do aquário – pedi, tentando enxergar com meus olhos ofuscados. – Do aquário – repeti, sem necessidade, acocorando-me e apontando.

– Rachel, não seja boba. Não temos tempo para comer – zombou Jenks. Em seguida hesitou, compreendendo. – Ah, a luz! Hehe! Boa ideia.

A luz voltou, iluminando o escritório de Trent com um brilho esverdeado. Saltei para a cadeira giratória e depois para a escrivaninha. Nervosamente, folheei sua agenda, procurando os compromissos de meses atrás. Rasguei uma folha, joguei-a ao chão e, com o coração acelerado, acompanhei seu trajeto com o olhar.

Com os bigodes do focinho vibrando, abri a gaveta da escrivaninha e encontrei os discos. Não achava que Trent fosse reparar em nada. "Talvez", pensei, com uma pontinha de orgulho, "ele não me considere uma grande ameaça." Pegando o disco com a etiqueta "Alzheimer", saltei para o carpete e empurrei a gaveta com o corpo para fechá-la. A escrivaninha era de cerejeira autêntica e pensei, desanimada, na triste figura que meus móveis de compensado faziam entre os de Ivy.

Agachada, gesticulei para Jenks e pedi o barbante. Ele já dobrara o papel num volume fácil de carregar e, logo que eu amarrasse o disco ao meu corpo, iríamos embora.

— Barbante? Certo — disse ele, remexendo nos bolsos.

A lâmpada do teto ganhou vida e eu gelei, recuando. Sem respirar, encolhida debaixo da escrivaninha, olhei para a porta. Dois pares de calçados — um slipper macio e um sapato de couro desconfortável — se desenharam à luz que inundava o corredor.

— Trent — murmurou Jenks. Pousou ao meu lado, segurando o maço de papel.

Jonathan dizia, enfurecido:

— Eles se foram, Sa'han. Vou dar o alerta.

Ouvimos um suspiro contido.

— Vá. Descobrirei o que levaram.

Meu coração disparou e me encolhi ainda mais sob a escrivaninha. Os sapatos de couro deram meia-volta na direção do corredor. Senti a adrenalina ferver em meu corpo quando considerei a possibilidade de fugir, o que, no entanto, não podia fazer por causa do disco em minhas patas dianteiras. E deixá-lo para trás, nem pensar.

A porta do escritório de Trent se fechou e amaldiçoei minha hesitação. Recuei para trás da escrivaninha. Jenks e eu trocamos um olhar. Dei-lhe o sinal para ir embora, mas o pixie respondeu com um gesto teimoso de cabeça. Estiramo-nos ao máximo contra o chão quando Trent se aproximou e parou diante do aquário.

– Olá, Sófocles – saudou. – Quem eram? Ah, se você pudesse me dizer...

Tirara o paletó e agora parecia mais informal. Não me surpreendeu o contorno firme de seus ombros, que ao menor movimento se avultavam sob a camisa fina. Suspirando, sentou-se na cadeira. A mão avançou para a gaveta dos discos e me senti desfalecer. Engoli em seco ao ouvi-lo cantarolar a primeira faixa de *Takata's Sea*. "Maldição! Eu traíra minha presença."

– "Não é maravilhoso o recém-nascido chorar?" – entoava Trent. – "A escolha foi real. A oportunidade é uma mentira."

Calou-se, os dedos pousados nos discos. Em seguida, fechou devagar a gaveta com o pé. O leve estalido me fez dar um pulo. Inclinou-se quase até o chão e ouvi o som da agenda raspando contra o topo da escrivaninha. Estava tão perto que eu podia sentir o cheiro de sua pele.

– Oh! – exclamou, um tanto surpreso. – Vejam só... Quen! – gritou então.

Confusa, olhei para Jenks até que uma voz masculina, de um falante invisível, ecoou no recinto.

– Sa'han?

– Solte os cães – ordenou Trent. Sua voz reverberou tão forte que estremeci.

– Mas ainda não é...

– Solte os cães, Quen – repetiu Trent no mesmo tom, que, agora, refletia uma profunda irritação. Sob a escrivaninha, seu pé começou a balançar ritmicamente.

– Sim, Sa'han.

O pé de Trent se imobilizou.

– Espere. – Respirou fundo, como se degustasse o ar.

– Senhor? – perguntou a voz do desconhecido.

Trent fungou e, lentamente, afastou a cadeira da escrivaninha. Meu coração dava saltos e contive o fôlego. Jenks se esgueirou para trás de uma gaveta. Assustada, ouvi Trent se levantar, tomar distância e agachar-se. Eu não tinha para onde ir. O olhar de Trent se cruzou com o meu e ele sorriu. Fiquei paralisada pelo medo.

– Não é mais preciso – anunciou mansamente.

– Sim, Sa'han. – Com um leve ruído o interlocutor saiu.

Eu fitava Trent, sentindo como se fosse estourar.

– Senhorita Morgan? – começou, inclinando cordialmente a cabeça. Estremeci. – Gostaria de poder dizer que é um prazer. – Continuava sorrindo, in-

clinado para a frente. Rangi os dentes. Ele recolheu a mão, de cenho franzido.
– Saia daí. Está com uma coisa que me pertence.

Eu sentia o disco junto ao corpo. Fora apanhada; passara de ladra esperta a bobalhona numa fração de segundo. Como pudera pensar que me sairia bem? Ivy estava certa.

– Venha, senhorita Morgan – me chamou, enfiando a mão por baixo da escrivaninha.

Pulei para o espaço vazio atrás das gavetas, na tentativa de escapar. Trent esticou o braço e gritei quando dedos agarraram firme minha cauda. Minhas garras se cravaram no chão enquanto ele me puxava. Aterrada, virei-me e cravei os dentes na parte carnuda da sua mão.

– Desgraçada! – rugiu, tirando-me debaixo da escrivaninha, sem que pudesse resistir. O mundo começou a girar loucamente quando ele se levantou. Sacudindo a mão, atirou-me com violência contra a escrivaninha. Vi estrelas, que combinavam com o gosto forte de canela de seu sangue. A dor na cabeça afrouxou minhas mandíbulas e comecei a balançar, presa pela cauda.

– Solte-a! – gritou Jenks.

O mundo continuava girando velozmente.

– Você trouxe seu amiguinho – disse Trent com voz calma, espalmando a mão contra um painel sobre a mesa. Um leve cheiro de éter alcançou meu nariz.

– Fuja, Jenks! – gritei, reconhecendo o cheiro da teia pegajosa.

Jonathan escancarou a porta e ficou parado na soleira, de olhos arregalados.

– Sa'han!

– Feche a porta! – ordenou Trent.

Retorci-me toda para escapar. Jenks escapuliu exatamente no instante em que meus dentes se cravavam no polegar de Trent.

– Maldita bruxa! – explodiu, atirando-me contra a parede. Estrelas se acenderam outra vez, para logo se transformar em carvões. Estes foram aumentando de tamanho até que, entorpecida, os vi tomar conta da minha visão e não haver mais nada. Já não podia me mover.

Estava morrendo.

Só podia estar.

Dezenove

– Então, senhorita Sara Jane, o horário de trabalho dividido não é problema para você?

– Não, senhor. Não me importo de trabalhar até as sete se tiver a tarde livre.

– Aprecio sua flexibilidade. Tardes são para contemplação. Eu trabalho melhor de manhã e à noite. Mantenho apenas um pequeno quadro de funcionários depois das cinco, e acredito que a falta de distrações permite que me concentre melhor.

O som da polida imagem pública de Trent se infiltrou em minha consciência, e acordei com um susto. Abri os olhos, sem entender por que tudo estava tão excessivamente branco e cinza. E então lembrei: eu era uma marta. Mas estava viva. Por pouco.

As vozes respectivamente grave e aguda de Trent e de Sara Jane, alternando-se enquanto ele a entrevistava, continuaram enquanto, cambaleante, me coloquei de pé e descobri que estava numa jaula. Meu estômago se contraiu com uma onda de náusea. Eu me abaixei, lutando para não vomitar.

– Estou muito acabada – sussurrei, enquanto Trent lançava olhares para mim ao mesmo tempo em que falava com a jovem magra vestida num terno sóbrio.

Minha cabeça doía. Se eu não sofrera uma concussão, tinha chegado perto. Meu ombro direito, com o qual tinha atingido a mesa, estava dolorido, e era penoso respirar. Puxei minha pata da frente para perto e procurei não me mover. Encarando Trent, tentei entender as coisas. Jenks não estava em lugar nenhum. "É mesmo", lembrei com alívio. Ele tinha conseguido escapar. Teria ido para casa, para Ivy. Não que eles pudessem fazer algo por mim.

Minha jaula tinha uma garrafa d'água, uma tigela de ração, uma toca para furão grande o suficiente para eu me enrolar dentro dela e uma roda de exercício. "Como se eu fosse usá-la algum dia", pensei, amarga.

Eu estava em cima de uma mesa nos fundos do escritório de Trent. A julgar pela falsa luz da janela, tinham passado apenas algumas horas após o nascer do sol. Cedo demais para mim. E, embora isso me irritasse para valer, ia me enfiar naquela toca e dormir. Eu não me importava com o que Trent pensava.

Respirando fundo, me levantei.

– Ai! Ai! – guinchei, estremecendo.

– Ah, você tem um furão de estimação – Sara Jane exclamou baixinho.

Fechei os olhos, angustiada. Eu não era um furão de estimação; era uma marta de estimação. "Veja se olha direito, moça." Ouvi Trent se levantar da mesa e senti, apesar de não ter visto direito, os dois se aproximarem. Aparentemente, a entrevista estava encerrada. Hora de ir ver a marta de estimação. A luz foi eclipsada, e abri os olhos. Eles estavam acima de mim, encarando.

Sara Jane parecia profissional em sua roupa clássica de entrevista. Comprido e claro, seu cabelo caía sobre os braços num corte simples. A pequena mulher era bem bonitinha e imagino que muitas pessoas não a levavam a sério com aquele nariz arrebitado, aquela voz aguda de mulherzinha e a baixa estatura. Mas pelo olhar inteligente em seus olhos observadores dava para ver que ela estava acostumada a trabalhar no mundo corporativo e sabia como as coisas eram feitas. Imagino que, se alguém a julgasse erroneamente, ela não se oporia a usar isso em seu proveito.

O perfume da mulher era forte, e espirrei, me contraindo de dor.

– Essa é... Anjo – Trent disse. – Ela é uma marta. – Seu sarcasmo era sutil, mas soava alto nos meus ouvidos. Sua mão esquerda massageava a direita, com bandagens. "Três vivas para a marta", pensei.

– Ela parece doente. – As unhas cuidadosamente pintadas da mulher estavam gastas quase até a carne, e suas mãos pareciam inusitadamente fortes, como as de uma trabalhadora braçal.

– Você se incomoda com roedores, Sara Jane?

Ela se aprumou e fechei os olhos por causa da luz forte que batia neles.

– Eu os desprezo, senhor Kalamack. Fui criada em uma fazenda. Pragas como roedores são mortas assim que avistadas. Mas não vou perder um emprego em potencial por causa de um animal. – Ela respirou devagar. – Preciso desse emprego. Minha família toda economizou para eu poder ir para a escola, para sair da roça. Preciso recompensá-los. Tenho uma irmã mais nova, e ela é inteligente demais para passar a vida plantando beterrabas. Ela quer ser uma bruxa, se formar. Não posso ajudá-la, a não ser que consiga um bom emprego. *Preciso* desse emprego. Por favor, senhor Kalamack. Sei que não tenho a experiência requerida, mas sou esperta e sei trabalhar duro.

Abri um pouco uma das pálpebras. Trent estava pensativo. Seu cabelo e sua compleição clara se destacavam de maneira distinta em contraste com o terno escuro. Ele e Sara Jane formavam um casal bonito, embora ela fosse um tanto baixa perto dele.

– Muito bem dito, Sara Jane – ele declarou, dando um sorriso afetuoso. – Acima de tudo, aprecio a honestidade em meus funcionários. Quando você pode começar?

– Imediatamente – respondeu, a voz trêmula. Eu me senti enjoada. Pobre mulher.

– Maravilhoso. – Sua voz sombria parecia realmente feliz. – Jon tem alguns papéis para você assinar. Ele vai repassar suas responsabilidades, acompanhá-la durante a primeira semana. Procure-o sobre qualquer dúvida que tiver. Ele está comigo há anos e me conhece melhor que eu mesmo.

– Obrigada, senhor Kalamack – agradeceu, os ombros estreitos levantados, animada.

– O prazer é meu – Trent enlaçou o cotovelo dela e a acompanhou até a porta. "Ele a tocou", pensei. "Por que ele não me tocou?" Com medo de que eu descobrisse o que ele é, talvez?

– Você já tem um lugar para ficar? – ele indagou. – Não deixe de perguntar a Jon sobre o alojamento que temos disponível para os funcionários. É fora da propriedade.

– Obrigada, senhor Kalamack. Não, eu não tenho um apartamento ainda.

– Certo. Leve o tempo que precisar para se ajeitar. Se quiser, podemos arranjar para que uma parte de sua remuneração seja colocada num fundo fiduciário para sua irmã, antes de calcular os impostos.

– Sim, por favor. – O alívio na voz de Sara Jane era óbvio, mesmo do salão. A mulher tinha sido capturada. Trent era um deus para ela, um príncipe que a resgatava e fazia o mesmo com sua família. Ele era incapaz de fazer algo errado.

Meu estômago se agitou. A sala estava vazia, e me arrastei de volta para a toca. Fiz um círculo para acomodar meu rabo, e então me afundei com o nariz para fora da toca. A porta do escritório de Trent se fechou com um clique, e pulei de susto. Todas as minhas dores voltaram.

– Bom dia, senhorita Morgan – Trent disse enquanto passava por minha jaula. Sentou-se e começou a arrumar papéis esparramados sobre a mesa. – Só ia mantê-la aqui até conseguir uma segunda opinião sobre você. Mas não sei. Você é um tópico *muito bom* para quebrar o gelo durante uma conversa.

– Vá se Virar – disse, arreganhando os dentes. De novo, o que soava eram apenas chilrear e trinos.

– Sério? – ele se recostou e girou o lápis. – Isso não deve ter sido lisonjeiro.

Uma batida na porta fez com que eu me contraísse para sair de vista. Era Jonathan, e Trent voltou a se ocupar com os papéis quando ele entrou.

– Sa'han. – O homem extremamente alto ficou de pé a uma distância respeitosa. – Sobre a senhorita Sara Jane?

– Ela tem as qualificações de que preciso – Trent abaixou o lápis. Recostando-se na cadeira, tirou os óculos e mastigou sem pensar a ponta da armação até perceber que Jonathan o observava com uma desaprovação séria e silenciosa. Trent lançou os óculos sobre a mesa com uma cara de desagrado. – A irmã mais nova dela quer sair da fazenda para se tornar uma bruxa – disse. – Devemos ajudar a excelência a se manifestar da forma que pudermos.

– Ah – Os ombros estreitos de Jonathan se relaxaram. – Entendo.

– Se puder, descubra o preço para a compra da fazenda que é o lar de Sara Jane. E gostaria de experimentar a indústria de açúcar. Sentir o gosto da coisa, por assim dizer? Mantenha a força de trabalho. Transfira Hodgkin para treinar o capataz atual em seus métodos. Instrua-o a observar a irmã de Sara Jane. Se ela tiver um cérebro, faça com que seja transferida para uma posição em que tenha algumas responsabilidades.

Enfiei a cabeça para fora da porta, preocupada. Jonathan olhou do alto de seu nariz fino para mim com repulsa.

– De volta conosco, Morgan? – zombou. – Se fosse por mim, eu teria lhe enfiado no triturador de lixo e acionado o interruptor.

– Maldito – guinchei, e então mostrei meu dedo do meio para garantir que ele ia entender.

As poucas rugas de Jonathan se aprofundaram quando ele franziu o cenho. Então bateu na jaula com a pasta que tinha na mão.

Ignorando minha dor, arremessei-me contra ele, me segurando nas barras com os dentes à mostra.

Ele caiu para trás num espanto óbvio. Corando, o homem esquelético puxou o braço para trás.

– Jon – Trent chamou baixinho. Embora sua voz fosse quase um sussurro, Jonathan congelou. Eu me agarrei às barras, o coração acelerado. – Você esquece seu papel. Deixe a senhorita Morgan quieta. Se você a julga erroneamente e ela revida, a culpa é sua, não dela. Você já cometeu esse erro antes. Repetidas vezes.

Fervendo de raiva, deixei as patas caírem no chão da jaula e rosnei. Não achei que pudesse rosnar, mas ali estava. Lentamente, a mão cerrada de Jonathan se soltou.

– É meu papel protegê-lo.

As sobrancelhas de Trent se levantaram.

– A senhorita Morgan não está em posição de machucar ninguém. Pare com isso.

Olhando de um para o outro, observei o homem mais velho acatar a reprimenda de Trent com uma aceitação que não teria esperado. Os dois tinham uma relação bem estranha. Trent claramente estava no comando, mas, considerando o desagrado em seu rosto quando Jonathan expressou desaprovação por ele mastigar a armação dos óculos, parecia que nem sempre fora assim. Eu me perguntei se Jonathan tinha cuidado de Trent, não importava quão brevemente, quando a mãe e depois o pai dele morreram.

– Aceite minhas desculpas, Sa'han – Jonathan disse, chegando mesmo a inclinar a cabeça.

Trent não falou nada, voltando a seus papéis. Embora claramente dispensado, Jonathan esperou até Trent levantar os olhos.

– Algo mais? – Trent perguntou.

– Seu compromisso das oito e meia chegou mais cedo – disse. – Devo acompanhar o senhor Percy?

– Percy! – guinchei, e Trent olhou para mim. "Francis Percy não!"

– Sim – Trent respondeu lentamente. – Por favor, faça isso.

"Que beleza!", pensei enquanto Jonathan abaixava a cabeça para sair da sala e fechava a porta atrás de si com cuidado. A entrevista interrompida de Francis. Andei de um lado para o outro da jaula, nervosa. Meus músculos estavam relaxando e o movimento era dolorosamente gostoso. Parei ao perceber que Trent não tinha tirado os olhos de mim. Sob seu olhar questionador, fugi para a toca, envergonhada de alguma forma.

Descobri que Trent ainda me observava quando enrolei a cauda em torno de mim mesma, colocando-a sobre o nariz para mantê-lo quente.

– Não fique brava com Jon – começou, baixinho. – Ele leva o trabalho a sério... como deveria. Se pressioná-lo demais, ele vai matá-la. Vamos torcer para que você não precise aprender a mesma lição que ele precisa.

Levantei o lábio para mostrar os dentes, irritada com aquela bobagem de "conselhos de velho sábio".

Uma voz queixosa chamou a atenção de nós dois para o corredor. Francis. Eu tinha dito a ele que iria transformá-lo numa marta. Se ele ligasse as duas coisas, estava basicamente morta. Bem, mais morta do que já estava. Não queria que ele me visse. E, pelo jeito, nem Trent queria.

– Hummm, sim – ele disse, levantando-se apressadamente e movendo escondendo minha jaula com uma das plantas do chão. Era um lírio da paz, de forma que pude ver além das folhas largas e ainda permanecer escondida. Uma batida na porta e Trent disse:

– Entre.

– Não, verdade – Francis estava dizendo enquanto Jonathan praticamente o empurrava para a sala.

De trás da planta, observei Francis fazer contato visual direto com Trent e engolir em seco forçosamente.

– Há, olá, senhor Kalamack – gaguejou, parando de maneira desajeitada.

O homem estava ainda mais descuidado que de costume. Com um cordão das calças quase soltas aparente e o restolho de barba que tinha finalmente crescido, tinha ido de potencialmente atraente para feio. Seu cabelo preto estava liso e os olhos vesgos apresentavam linhas tênues de cansaço nos cantos. Era como se Francis não tivesse ido dormir ainda, como se tivesse vindo para a entrevista seguindo a conveniência de Trent e não a da si. Trent não falou nada. Sentou-se atrás da mesa com a tensão relaxada de um predador que se instala ao lado de um bebedouro de animais.

Com os ombros curvados, Francis olhou para Jonathan. Ouvi o som de poliéster deslizando quando ele puxou as mangas da jaqueta para cima e então as puxou para baixo de novo. Afastando o cabelo dos olhos, Francis se aproximou da cadeira e sentou-se bem na beirada. O estresse acentuava as feições de seu rosto triangular, especialmente quando Jonathan fechou a porta e ficou de pé atrás dele com os braços cruzados e os pés bem separados. Minha atenção se alternou entre os homens. O que estava acontecendo?

– Você pode explicar o que aconteceu ontem? – Trent disse com uma informalidade tranquila.

Pisquei, confusa, e então fiquei boquiaberta quando entendi. Francis trabalhava para Trent? Aquilo explicaria seu avanço rápido, sem mencionar como um cozinheiro simples como ele se formara bruxo. Um calafrio passou por mim. A SI não tinha concordado com aquele arranjo. Na verdade, ela não fazia ideia. Francis era um infiltrado. O docinho era uma droga de espião!

Olhei para Trent através das folhas largas. Seus ombros se moveram ligeiramente, como se concordando com meus pensamentos. A náusea voltou com tudo. Francis não era bom o suficiente para algo tão nojento. Ele ia acabar se matando.

– Hum... eu... – Francis gaguejou.

– Meu chefe de segurança o encontrou enfeitiçado em seu próprio porta-malas – Trent disse calmamente, o indício mais tênue possível de ameaça em sua voz. – A senhorita Morgan e eu tivemos uma conversa interessante.

– Ela... ela disse que ia me transformar num animal – Francis interrompeu.

Trent respirou fundo.

– Por que ela faria isso? – perguntou com uma paciência cansada.

– Ela não gosta de mim.

Trent não disse nada. Francis estremeceu, provavelmente ao perceber como soava infantil.

– Conte-me sobre Rachel Morgan – Trent exigiu.

– Ela é um pé no... hum... saco – disse lançando um olhar nervoso para Jonathan.

Trent pegou uma caneta e a girou.

– Sei disso. Conte-me outra coisa.

– Que você já não saiba? – Francis emendou sem pensar. Seus olhos franzidos estavam grudados na caneta que girava. – Você provavelmente está envolvido nas coisas dela há mais tempo do que nas minhas. Você emprestou dinheiro para ela fazer a faculdade? – disse, parecendo quase enciumado. – Sussurrou no ouvido da pessoa que a entrevistou para a SI?

Eu me enrijeci. Como ele ousava sugerir aquilo? Eu tinha *trabalhado* para pagar meus estudos. Tinha conseguido o emprego por *minha conta*. Olhei para Trent, odiando todos eles. Eu não devia nada a ninguém.

– Não, não emprestei. – Trent abaixou a caneta. – A senhorita Morgan foi uma surpresa. Mas eu ofereci a ela um emprego – contou. Francis pareceu afundar em si mesmo. Sua boca trabalhava, mas nada saía dela. Eu conseguia sentir o cheiro de medo nele, azedo e intenso.

– Não o seu emprego – Trent esclareceu, seu nojo se tornando óbvio. – Diga-me do que ela tem medo. O que a deixa com raiva? O que mais preza nesse mundo?

A respiração de Francis saiu aliviada. Ele se ajeitou, fazendo o movimento para cruzar as pernas e então hesitando num último momento desajeitado.

– Não sei... o shopping? Eu tento ficar longe dela.

– Sim – Trent disse em sua voz fluida. – Vamos falar disso por um momento. Depois de verificar suas atividades nos últimos dias, seria possível questionar sua lealdade... senhor Percy.

Francis cruzou os braços. Sua respiração acelerou e ele começou a se mexer inquieto. Jonathan deu um passo ameaçador mais para perto, e Francis jogou o cabelo para longe dos olhos de novo.

Trent se tornou assustadoramente intenso.

– Você sabe quanto custou para abafar os rumores de que você fugiu da câmara de registros da SI?

Ele lambeu os lábios.

– Rachel disse que eles iam achar que eu estava a ajudando. Que eu deveria correr.

– E então você correu.

– Ela disse...

– E ontem? – Trent interrompeu. – Você a guiou até mim.

A raiva reprimida em sua voz me fez sair da toca. Trent se inclinou para a frente, e juro que ouvi o sangue de Francis congelar. A aura de homem de negócios de Trent caiu. O que restava era dominação. Dominação natural e inequívoca.

Fiquei encarando, interessada na mudança. O aspecto de Trent não parecia nada com a aura de poder de um vamp. Era como um chocolate sem açúcar:

forte, amargo e oleoso, deixando um gosto residual desconfortável. Vamps costumavam usar medo para obter respeito. Trent o exigia. E, pelo que podia ver, ele nunca sequer pensara na possibilidade de ser contrariado.

– Rachel o usou para chegar até mim – sussurrou, os olhos fixos sem piscar. – Isso é indesculpável.

Francis se encolheu de medo na cadeira, o rosto tenso e os olhos arregalados.

– De... desculpe – gaguejou. – Não vai acontecer de novo.

A respiração de Trent entrou nele numa lenta reunião de vontade, e observei com uma fascinação horrorizada. O peixe amarelo no tanque respingou água na superfície. O pelo nas minhas costas pinicou. Meu coração disparou. Algo se levantou, tão nebuloso quanto um sopro de ozônio. O rosto de Trent parecia vazio e eterno. Era como se uma névoa o rodeasse, e me perguntei num choque súbito se ele estava invocando o todo-sempre. Era preciso ser um bruxo ou humano para fazer aquilo. E eu teria jurado que ele não era nenhum dos dois.

Desviei os olhos de Trent. Jonathan tinha os lábios finos entreabertos e encontrava-se de pé atrás de Francis, observando Trent com uma mistura fraca de surpresa e preocupação. Aquela mostra nua de raiva não era esperada, mesmo por ele. Sua mão se levantou em protesto, hesitante e temerosa.

Como se em resposta, o olhar de Trent se agitou e sua respiração ficou mais tranquila. O peixe se escondeu atrás do coral. Minha pele ondulou de maneira assustadora, deixando meu pelo chato. Os dedos de Jonathan tremeram e ele fez punhos com eles. Ainda sem olhar para Francis, Trent enfatizou:

– Sei que não.

Sua voz era poeira sobre ferro frio, os sons deslizando de um significado para o próximo com uma graça líquida hipnotizante. Fiquei sem fôlego e me agachei, tremendo. Que, diabos, tinha acontecido? O que tinha quase acontecido?

– O que você planeja fazer agora? – Trent perguntou.

– Senhor? – Francis disse, a voz falhando ao mesmo tempo em que ele piscava repetidamente.

– Foi o que pensei. – A ponta dos dedos de Trent se agitavam com a raiva reprimida. – Nada. A SI está o observando de perto demais. Você está começando a tornar-se inútil.

A boca de Francis se abriu.

– Senhor Kalamack! Espere! Como disse, a SI está me observando. Posso atrair a atenção deles. Levá-los para longe das docas da alfândega. Outra apreensão de Enxofre vai, ao mesmo tempo, limpar minha barra e distraí-los. – Francis se ajeitou na beirada do assento. – O senhor pode movimentar suas... coisas? – terminou, sem convicção.

"Coisas", pensei. Por que não diz simplesmente biodrogas? Meus bigodes se agitaram. Francis distraía a SI com uma quantidade simbólica de Enxofre enquanto Trent movia o que realmente dava grana. Há quanto tempo isso acontecia? Há quanto tempo Francis trabalhava para ele? Anos?

– Senhor Kalamack? – Francis sussurrou.

Trent juntou a ponta dos dedos como se estivesse pensando de maneira cuidadosa. Atrás dele, Jonathan franziu as sobrancelhas finas; a preocupação que o preenchia tinha quase desaparecido.

– Diga-me quando? – Francis implorou, chegando mais para perto em sua cadeira. Trent empurrou Francis para as costas da cadeira com um olhar fixo de três segundos.

– Eu não dou chances, Percy. Eu aproveito oportunidades. – Ele puxou sua agenda mais para perto, folheando-a e indo alguns dias à frente. – Gostaria de agendar uma remessa para sexta-feira. Sudoeste. Último voo antes da meia-noite para Los Angeles. Você pode encontrar sua presa de costume num armário da estação principal de ônibus num armário. Mantenha isso anônimo. Ultimamente, meu nome tem estado nos jornais com frequência demasiada.

Francis se colocou de pé num pulo de alívio. Deu um passo à frente como se fosse apertar a mão de Trent e então olhou para Jonathan e se afastou.

– Obrigado, senhor Kalamack – disse, animado. – Não vai se arrepender.

– Não posso imaginar que fosse – Trent olhou para Jonathan e então para a porta. – Aproveite sua tarde – disse, dispensando-o.

– Sim, o senhor também.

Eu senti como se fosse passar mal quando Francis saiu saltitando da sala. Jonathan hesitou na soleira, observando-o fazer barulhos irritantes para as mulheres pelas quais passava no corredor.

– O senhor Percy se tornou mais um problema do que uma vantagem – Trent suspirou, cansado.

— Sim, Sa'han — Jonathan concordou. — Recomendo fortemente que o remova da folha de pagamento.

Meu estômago se contraiu. Francis não merecia morrer só porque era estúpido. Trent esfregou a ponta dos dedos na testa.

— Não — concluiu. — Prefiro mantê-lo até conseguir um substituto. E pode ser que eu tenha outros planos para o senhor Percy.

— Como quiser, Sa'han — Jonathan disse e fechou a porta de mansinho.

Vinte

– Aqui, Anjo – Sara Jane me chamou. Uma cenoura balançava das barras da jaula. Eu me estiquei para pegá-la antes que ela a deixasse cair. As lascas de faia preta no chão da jaula eram um péssimo tempero.

– Obrigada – chiei. Sabia que a mulher não podia me entender, mas ainda assim precisava dizer algo. Ela sorriu e estendeu os dedos de maneira cautelosa por entre as grades da jaula. Rocei os bigodes neles porque sabia que ela ia gostar.

– Sara Jane? – Trent perguntou de sua mesa e a pequena mulher se virou com uma rapidez cheia de culpa. – Eu a emprego para gerenciar questões de escritório, não para trabalhar no zoológico.

– Desculpe senhor. Estava aproveitando a oportunidade para tentar me livrar do meu medo irracional de pestes. – Ela passou a mão na saia de algodão na altura do joelho para limpá-la. Não era tão elegante nem tão profissional como o terno da entrevista, mas ainda era nova. Exatamente o que eu esperava que uma garota de fazenda usasse em seu primeiro dia no emprego.

Mastiguei com entusiasmo a cenoura que sobrara do almoço de Sara Jane. Estava morrendo de fome, já que me recusava a comer aquela ração seca. "Qual é o problema, Trent?", pensei entre uma mastigada e outra. "Com ciúme?"

Trent ajustou os óculos e voltou a atenção para seus papéis.

– Quando tiver terminado de se livrar de seus medos irracionais, quero que vá até a biblioteca.

– Sim, senhor.

– O bibliotecário reuniu algumas informações para mim. Mas quero que você faça uma triagem delas. Traga-me apenas o que achar mais pertinente.

– Senhor?

Trent abaixou a caneta.

– Informações sobre a indústria de açúcar de beterraba. – Ele sorriu com uma ternura genuína. Eu me perguntei se o sujeito tinha a patente daquele sorriso. – Posso expandir meus negócios nessa direção, e preciso aprender o suficiente para tomar uma decisão bem embasada.

Sara Jane abriu um enorme sorriso, enfiando o cabelo claro atrás da orelha com uma satisfação envergonhada. Obviamente, adivinhou que Trent poderia comprar a fazenda em que sua família trabalhava. "Você é uma mulher esperta", pensei de forma sombria. "Siga a pista. Trent vai ser dono de sua família. Você vai ser dele de corpo e alma."

Ela voltou para a jaula e jogou o último talo de aipo. Seu sorriso tinha sumido, e estava com a testa franzida de preocupação. Teria parecido meigo em seu rosto infantil, exceto pelo fato de que a sua família estava diante de um perigo real. Ela respirou para dizer algo, então fechou a boca.

– Sim, senhor – completou, os olhos distantes. – Vou trazer a informação agora mesmo.

Trent lançou um olhar de suspeita para a porta quando estendeu a mão para pegar a xícara de chá: Earl Grey, sem açúcar nem leite. Se ele seguisse o padrão do dia anterior, seriam conversas telefônicas e papelada das três às sete, horário em que as poucas pessoas que ficavam até tarde iam para casa. Imaginei que era mais fácil conduzir o tráfico de drogas em seu escritório quando ninguém estava por ali para espioná-lo.

Naquela tarde, Trent voltou de sua parada de três horas para almoço com o cabelo recém-penteado e cheirando a ar livre. Parecia renovado. Podia jurar que ele passara o intervalo do meio-dia cochilando no escritório dos fundos.

"Por que não?", pensei enquanto me esticava na rede que tinha na minha cela. Ele era rico o suficiente para fazer seu próprio horário.

Bocejei, os olhos se fechando. Era o segundo dia de meu cativeiro e tinha certeza de que não ia ser meu último. Tinha passado a noite anterior investigando completamente minha jaula, só para descobrir que era à prova de Rachel. Era uma jaula de metal de dois andares projetada para furões e surpreendentemente segura. As horas gastas sondando as junções tinham me deixado cansada até os ossos. Era agradável não fazer nada. Minha esperança de que Jenks ou Ivy conseguissem me resgatar era pequena. Eu estava por minha conta. E podia levar bastante tempo para conseguir comunicar à Sara Jane que eu era uma pessoa e conseguir sair dali.

Abri uma pálpebra quando Trent se levantou da mesa e andou inquieto para seus discos de música, que ele tinha arrumado numa prateleira rebaixada ao lado do som. Ele parecia bonito quando se postava diante deles, tão concentrado em sua escolha que não percebeu que eu estava avaliando suas costas. Nota 9,5 de 10. Descontei 0,5 ponto pela maior parte do seu físico estar escondida num terno que custava mais do que alguns carros.

Eu tinha conseguido dar outra olhada deliciosa na noite anterior, quando ele tirou a jaqueta depois de mandar todos para casa. O homem tinha as costas muito fortes. Por que as mantinha escondidas atrás daquela jaqueta era tanto um mistério quanto um crime. Sua barriga sarada era ainda melhor. Era certo que ele malhava, embora eu não soubesse onde encontrava o tempo. Daria tudo para vê-lo só de cueca – ou menos. Suas pernas tinham de ser tão musculosas quanto os braços, considerando que diziam que ele era um especialista em andar a cavalo. E se estava soando como uma ninfomaníaca sedenta por sexo... Bem, eu não tinha nada para fazer além de observá-lo.

Trent tinha trabalhado até bem depois do pôr do sol no dia anterior, e parecia estar sozinho no prédio silencioso. A única luz tinha sido a daquela janela falsa. Ela empalideceu lentamente enquanto o sol se punha, espelhando a luz natural de fora até que ele acendeu a luminária da mesa. Eu cochilei várias vezes, e acordava quando Trent virava uma página ou quando a impressora fazia algum barulho. Ele não parou até Jonathan aparecer para lembrá-lo de comer. Imagino que trabalhava de verdade por seu dinheiro, como eu. É claro, tinha dois empregos – era, ao mesmo tempo, um homem de negócios respeitado e um chefão das drogas. Provavelmente, isso ocupava bem o dia.

Minha rede balançava enquanto observava Trent escolher um disco. Ele girou, e a cadência macia de tambores ganhou vida. Observando-me, Trent ajustou seu terno de linho cinza e alisou o cabelo fino como se me desafiando a falar algo. Dei a ele um sinal sonolento de positivo e ele franziu a testa. Não era o tipo de música que eu costumava ouvir, mas tudo bem. Era mais antigo, carregando um som esquecido de intensidade presa, de tristeza perdida acorrentada para remexer a alma. Não era ruim não.

"Eu poderia me acostumar a isso", pensei, enquanto alongava cuidadosamente meu corpo em processo de recuperação. Não tinha dormido tão bem desde que largara a SI. Era irônico que ali, numa jaula no escritório de um chefão do tráfico, estivesse em segurança quanto à ameaça de morte da SI.

Trent se ajeitou de novo para trabalhar, a caneta acompanhando os tambores quando parava para pensar. Obviamente, aquele disco era um de seus favoritos. Eu entrava e saía do sono conforme a tarde passava, embalada pelo retumbar dos tambores e pelo sussurro da música. Uma ligação telefônica ocasional fazia com que a voz melodiosa de Trent se elevasse e se abaixasse num som embalador, e me descobri esperando ansiosamente pela próxima interrupção só para poder ouvi-la.

Foi uma comoção no corredor que me fez acordar de supetão.

– Sei onde é o escritório dele – ribombou uma voz excessivamente confiante, me lembrando de um dos meus professores mais arrogantes.

Houve uma repreensão que mal se ouvia de Sara Jane, e Trent olhou nos meus olhos inquisidores.

– Vá Virar tudo para o inferno – ele murmurou, os cantos dos olhos expressivos se enrugando. – Falei para ele mandar um de seus assistentes. – Revirou uma gaveta com uma pressa incomum, e o barulho me acordou de vez. Pisquei para expulsar o sono enquanto Trent apontava um controle remoto para o aparelho de som. As gaitas e os tambores cessaram. Jogou o controle de volta na gaveta com um ar resignado. Dava até para achar que Trent gostava de ter alguém com quem pudesse compartilhar seu dia, alguém com quem não tivesse de fingir ser nada além do que era... *o que quer* que ele fosse. Sua raiva de Francis tinha feito meu medidor de apreensão disparar para além do máximo.

Sara Jane bateu à porta e entrou.

– O senhor Faris está aqui para vê-lo, senhor Kalamack.

– Mande-o entrar. – Trent disse após respirar lentamente. Ele não parecia nada feliz.

– Sim, senhor. – Ela deixou a porta aberta e se afastou; seus saltos faziam barulho enquanto caminhava. Logo voltou acompanhando um homem corpulento vestido com um casaco de laboratório cinza-escuro. O homem parecia gigante ao lado da pequena mulher. Sara Jane saiu, os olhos comprimidos numa preocupação persistente.

– Não posso dizer que gosto de sua nova secretária – Faris resmungou quando a porta se fechou. – Sara, não?

Trent se colocou de pé e ofereceu a mão, o desgosto escondido por trás do sorriso de aparência sincera.

– Faris. Obrigado por vir tão rápido. É só uma pequena questão. Um de seus assistentes já teria bastado. Espero não ter interrompido muito sua pesquisa.

– Não, nem um pouco. Estou sempre feliz em sair ao ar livre – bufou como se estivesse cansado.

Faris apertou as marcas da mordida que eu tinha dado em Trent no dia anterior, e o sorriso de Trent congelou. O homem pesado se enfiou numa cadeira na frente da mesa de Trent como se fosse seu dono. Apoiou um dos tornozelos no joelho, fazendo o jaleco de laboratório se abrir e mostrar as calças largas e os sapatos lustrosos. Uma mancha escura sujava sua lapela, e o homem cheirava a desinfetante, quase escondendo o odor de sequoia. Cicatrizes velhas de catapora se espalhavam por suas bochechas e suas mãos carnudas.

Trent voltou para trás da mesa e se recostou, escondendo a mão coberta com bandagens sob a outra. Houve um momento de silêncio.

– Então, o que você quer? – Faris exigiu saber, a voz retumbante.

Pensei ter visto um lampejo de irritação cruzar o rosto de Trent.

– Direto como de costume – respondeu. – Diga-me o que puder sobre isso.

Ele apontou para mim e prendi a respiração. Ignorando a rigidez que tomava conta do meu corpo, me arrastei para a toca. Faris se levantou com um grunhido e o cheiro forte de sequoia me recobriu quando se aproximou.

– Ora, ora – disse. – Mas se não é uma pessoa estúpida.

Irritada, levantei os olhos para encarar seus olhos escuros, que quase se perdiam entre dobras de pele. Trent tinha contornado a frente da mesa e sentado em cima dela.

– Você a reconhece? – perguntou.

– Pessoalmente? Não. – Deu uma pancada leve nas barras da jaula com seu dedo grosso.

– Ei! – gritei. – Estou ficando realmente cansada disso.

– Cale a boca – Faris disse com desdém. – Ela é uma bruxa. – Prosseguiu, me ignorando. – Mantenha-a longe do aquário dos peixes e ela não vai poder se transformar de volta. É um feitiço poderoso. Essa bruxinha deve ter o apoio de uma grande organização, pois só eles poderiam pagar isso. E ela é estúpida.

A última frase tinha a intenção de me atingir, e lutei contra a vontade de jogar ração nele.

– Como assim? – Trent foi remexer em sua gaveta de baixo, o barulho de cristal tilintando antes de servir dois copos daquele uísque de quarenta anos.

– A transformação é uma arte difícil. É preciso usar poções em vez de amuletos, o que significa que se faz um caldeirão inteiro para uma ocasião só. O resto é jogado fora. Muito caro. Dá para pagar o salário do seu assistente de bibliotecário com o que se gasta para fazer essa poção, e pagar todos os salários de um pequeno escritório com o seguro de responsabilidade para vendê-la.

– Difícil, você diz? – Trent entregou um copo ao seu convidado. – Você poderia fazer tal feitiço?

– Se tivesse a receita – respondeu, enchendo o peito substancial, o orgulho claramente afrontado. – É velho. Pré-industrial, talvez? Não reconheço quem mexeu o feitiço. – Faris se inclinou para perto, respirando fundo. – Sorte para ele, ou eu teria que tomar a biblioteca desse bruxo.

"Aquilo", pensei, "estava se tornando uma conversa bem interessante."

– Então, você não acha que ela mesma o tenha feito? – Trent perguntou. Ele estava de novo sentado contra a mesa, parecendo incrivelmente em forma perto de Faris.

O homem corpulento balançou a cabeça negativamente e se sentou. O copo de uísque estava completamente invisível, envolvido por suas mãos grossas.

– Apostaria minha vida nisso. Não dá para ser inteligente o suficiente para preparar um feitiço desses e idiota o suficiente para ser pego. Não faz sentido.

– Talvez ela tenha sido impaciente – Trent disse, e Faris explodiu num riso. Pulei, cobrindo os ouvidos com as patas.

– Ah, sim – Faris disse entre gargalhadas. – Sim. Ela foi impaciente. Gostei dessa.

A polidez costumeira de Trent estava começando a ser colocada à prova enquanto ele voltava para trás da mesa e deixava de lado sua bebida intocada.

– Então, quem é ela? – Faris perguntou, inclinando-se para a frente como um conspirador de mentira. – Uma repórter ansiosa tentando conseguir um furo?

– Há um feitiço que me permita entendê-la? – Trent perguntou, ignorando a pergunta de Faris. – Tudo que ela faz é guinchar.

O convidado grunhiu enquanto se inclinava para colocar o copo vazio na mesa num pedido silencioso por mais bebida.

– Não. Roedores não têm cordas vocais. Você planeja mantê-la por muito tempo?

Trent girou o copo com os dedos. Ele estava assustadoramente silencioso.

Faris deu um sorriso malvado.

– O que está passando por essa sua cabecinha cruel, Trent?

O ranger da cadeira de Trent quando ele se inclinou para a frente pareceu bem alto.

– Faris, se eu não precisasse tanto de seus talentos, mandaria chicoteá-lo em seu próprio laboratório.

O homem grande sorriu, fazendo as dobras do rosto caírem uma sobre a outra.

– Sei disso.

– Posso colocá-la no torneio de sexta-feira. – Trent disse, colocando a garrafa de lado.

– Os torneios da cidade? – Faris piscou e disse baixinho. – Eu vi um desses. As lutas não acabam até que um dos participantes caia morto.

– Foi o que ouvi dizer.

O medo me atraiu até as barras de metal.

– Epa, espere um momento – chiei. – O que você quer dizer com morto? Ei! Alguém fale com a marta aqui!

Joguei uma bolota de ração para Trent. Ela percorreu meio metro antes de fazer um arco para baixo e cair no carpete. Tentei de novo, dessa vez chutando-a em vez de arremessá-la. Acertou a mesa com um baque.

– Que a Virada o leve, Trent! – gritei. – Fale comigo.

Trent devolveu meu olhar, as sobrancelhas levantadas.

– As lutas de ratos, é claro.

Meu coração bateu forte. Gelada, me afundei até as coxas. As lutas de ratos. Ilegais. Em salas nos fundos. Rumores. Até a morte. Eu ia estar no ringue, lutando com um rato até a morte.

Eu me levantei confusa, os longos pés cobertos de pelo branco sobre a tela metálica da jaula. Eu me sentia traída, por incrível que pareça. Faris estava passando mal.

– Você não está falando sério – sussurrou. Suas bochechas gordas empalideciam. – Vai realmente colocá-la nos jogos? Não pode fazer isso!

– Por que não?

A papada de Faris caiu enquanto ele lutava para encontrar palavras.

– Ela é uma pessoa! – exclamou. – Não vai durar nem três minutos. Os ratos vão fazê-la em pedaços.

Trent deu de ombros com uma indiferença que eu sabia ser verdadeira.

– Sobreviver é problema dela, não meu. – Colocou os óculos de armação metálica e inclinou a cabeça sobre os papéis. – Boa tarde, Faris.

– Kalamack, está indo longe demais. Até você precisa obedecer às leis de vez em quando.

Tão logo disse isso, tanto Faris quanto eu percebemos que tinha sido um erro. Trent levantou o olhar. Silencioso, encarou Faris por sobre as lentes. Inclinou-se para a frente, um dos cotovelos sobre o trabalho acumulado. Esperei prendendo a respiração, a tensão fazendo meu pelo se eriçar.

– Como está sua filha mais nova, Faris? – Trent perguntou, a bela voz incapaz de esconder a feiura da pergunta.

O homem grande ficou pálido.

– Está bem – sussurrou. Sua segurança grosseira tinha sumido, deixando no lugar um homem gordo assustado.

– Com quantos anos ela está? Quinze? – Trent relaxou na cadeira, colocou os óculos ao lado da caixa de entrada e saída de documentos, e apertou os dedos no meio deles – Idade maravilhosa. Ela quer ser uma oceanógrafa, não é? Conversar com golfinhos.

– Sim. – Quase não dava para ouvir sua resposta.

– Quase não posso expressar como estou feliz de que o tratamento para câncer nos ossos pelo qual ela passou tenha funcionado.

Olhei para a gaveta de Trent onde estavam os discos incriminadores e depois para Faris, examinando seu jaleco de laboratório sob um novo ponto de pista. Fiquei gelada e encarei Trent. Ele não apenas traficava biodrogas, como também as fabricava. Não sabia se ficava mais horrorizada com o fato de Trent estar flertando de maneira ativa com a mesma tecnologia que eliminara metade da população mundial, ou se com o fato de estar chantageando gente com isso, ameaçando entes queridos. Ele era tão aprazível, tão charmoso, tão terrivelmente agradável com sua personalidade confiante. Como podia uma pessoa ser tão terrível e tão atraente ao mesmo tempo?

– Ela está em remissão há cinco anos. Bons médicos dispostos a explorar técnicas ilegais são difíceis de encontrar. E caros. – Trent disse e sorriu.

– Sim... senhor. – Faris engoliu em seco.

– Boa tarde... Faris. – Trent concluiu, arqueando de maneira questionadora as sobrancelhas.

– Verme! – vaiei, ignorada. – Você é um verme, Trent! Igual à sujeira do solado da minha bota.

Trêmulo, Faris se moveu para a porta. Fiquei tensa quando senti o cheiro de um desafio súbito. Trent tinha o colocado contra a parede. O cientista não tinha nada a perder.

Trent deve ter sentido isso também.

– Vai fugir agora, não vai? – perguntou quando Faris abriu a porta. O som do barulho de escritório entrou na sala. – Você sabe que não posso deixá-lo fazer isso.

Faris se virou com uma expressão desesperançada. Atônita, observei Trent desenroscar sua caneta e enfiar um pequeno tufo no tambor vazio, que, com um sopro de ar, disparou em direção a Faris.

Os olhos do cientista se arregalaram. Ele deu um passo em direção a Trent, e então colocou a mão na garganta, emitindo um ruído baixinho de algo raspando. Seu rosto começou a inchar. Observei, chocada demais para ficar com medo conforme Faris caía de joelhos. O homem pesado tentou alcançar o bolso da camiseta. Seus dedos o apalparam, fazendo uma seringa cair. Faris tentou pegá-la e foi ao chão, estendendo a mão para a seringa.

Trent se levantou. Com o rosto sem expressão, afastou a seringa do alcance de Faris com o pé.

– O que você fez com ele? – guinchei, observando enquanto Trent montava sua caneta de novo. Faris estava ficando roxo. Deu um arfar irregular e então mais nada.

Trent enfiou a caneta no bolso e passou por cima de Faris em direção à porta aberta.

– Sara Jane! – gritou. – Chame os paramédicos. Algo está errado com o senhor Faris.

– Ele está morrendo! – grunhi. – É isso que está errado com ele! Você o matou, caramba!

O som de vozes preocupadas aumentou conforme todos saíram de seus escritórios. Reconheci as passadas rápidas de Jonathan, que recuou, parando na soleira. Fez uma careta para o corpo de Faris e franziu o cenho para Trent em desaprovação.

Trent estava agachado ao lado de Faris, sentindo a pulsação. Ele não se importou com Jonathan e injetou o conteúdo da seringa na coxa do homem, através da calça. Dava para ver que era tarde demais. Faris não estava fazendo mais ruídos. Ele estava morto. Trent sabia disso.

– Os paramédicos estão chegando – Sara Jane disse do corredor, se aproximando. – Posso... – Ela parou atrás de Jonathan e colocou a mão na boca, encarando Faris.

Trent se levantou, deixando escapar a seringa, que caiu de maneira dramática no chão.

– Oh, Sara Jane – ele disse baixinho enquanto a puxava de volta para o corredor. – Lamento muito. Não olhe. É tarde demais. Acho que deve ter sido uma picada de abelha. Faris é alérgico a abelhas. Tentei dar sua antitoxina, mas não agi rápido o suficiente. Ele deve ter trazido a abelha consigo sem perceber. Bateu na perna logo antes de desmaiar.

– Mas ele... – Sara gaguejou, olhando de novo conforme Trent a afastava.

Jonathan se agachou para tirar um tufo de penugem da perna direita de Faris, e a colocou no bolso. O homem alto me olhou nos olhos, um sorriso irônico e sarcástico no rosto.

– Lamento muito – Trent disse do corredor. – Jon? – Jonathan se levantou. – Por favor, faça com que todos saiam mais cedo. Esvazie o prédio.

– Sim, senhor.

– Isso é terrível, simplesmente horrível – Trent disse, parecendo falar sério. – Vá para casa, Sara Jane. Tente não pensar a respeito.

Ouvi-a engolir um soluço de choro enquanto seus passos hesitantes se afastavam.

Fazia apenas alguns momentos desde que Faris estava de pé. Chocada, observei Trent pisar no braço dele. Frio feito gelo, foi até sua mesa e apertou o interfone.

– Quen? Desculpe incomodá-lo, mas, por favor, pode vir até meu escritório da frente? Há uma equipe de paramédicos a caminho da propriedade e depois provavelmente alguém da SI.

Houve uma pequena hesitação e a voz de Quen soou rachada pelo alto-falante.

– Senhor Kalamack? Sim. Estarei aí.

Encarei Faris, inchado e prostrado no chão.

— Você o matou — acusei. — Deus do céu. Você o matou, bem aqui no escritório. Na frente de todo mundo!

— Jon — Trent disse baixinho, remexendo com despreocupação numa gaveta. — Cuide para que a família receba o pacote de benefícios aprimorado. Quero que a filha mais nova dele seja capaz de ir para a escola que quiser. Mantenha em anonimato. Faça a doação por meio de uma bolsa de estudos.

— Sim, Sa'han. — A voz era casual, como se corpos mortos fossem uma ocorrência cotidiana.

— Isso é bem generoso da sua parte, Trent — guinchei. — Ela ia preferir ter o pai vivo, no entanto.

Trent olhou para mim. Havia uma gota de suor na linha do cabelo.

— Quero me encontrar com o assistente de Faris até o fim do dia— ele disse num tom quieto. — Qual era o seu nome... Darby?

— Darby Donnelley, Sa'han.

Trent concordou com a cabeça, esfregando a testa como se incomodado. Ao abaixar da sua mão, o suor tinha sumido.

— Sim. É isso. Donnelley. Não quero que isso atrase minha agenda.

— O que quer que eu diga a ele?

— A verdade. Faris é alérgico a picada de abelha. Todos os seus funcionários sabem disso.

Jonathan cutucou Faris com a ponta do pé e partiu. Seus passos eram barulhentos agora que não havia outros ruídos de fundo. O andar tinha se esvaziado numa velocidade espantosa — eu me perguntava com que frequência aquilo acontecia.

— Gostaria de reconsiderar minha oferta anterior? — Trent disse, falando comigo. Tinha o copo de uísque intacto entre os dedos, que, não podia dizer ao certo, mas pareciam estar tremendo. Ele considerou a bebida por um momento e então a recolocou na mesa com um movimento fluido, sem fazer barulho. — A ilha já era — declarou. — Ter você por perto seria mais prudente. A maneira como invadiu meu território foi impressionante. Acho que podia persuadir Quen a colocá-la sob sua asa. Ele riu até ficar sem ar observando você prender o senhor Percy com fita vedante e depois quase a matou quando contei que tinha invadido meu escritório da frente.

O choque esvaziou minha mente. Não podia dizer nada. Faris estava *morto no chão* e Trent estava me oferecendo um emprego?

– Mas Faris ficou bastante impressionado com sua poção – continuou. – Decifrar técnicas de engenharia genética pré-Virada não deve ser muito mais difícil que preparar um feitiço complexo. Se não quiser explorar a arena física, pode ir para a arena mental. Que mistura de habilidades a sua, senhorita Morgan. Isso a torna curiosamente valiosa.

Eu me afundei nas minhas coxas, pasma.

– Sabe, senhorita Morgan – dizia. – Não sou um homem ruim. Ofereço a todos os meus funcionários uma situação justa, chance de promoção, a oportunidade de alcançarem seu potencial completo.

– Oportunidade? Chance de promoção? – esbravejei, sem me importar que ele não pudesse me entender. – Quem você acha que é, Kalamack? Deus? Vá se Virar.

– Acho que entendi a essência disso. – Deu um sorriso rápido. – Pelo menos lhe ensinei a ser honesta. – Puxou a cadeira para mais perto da mesa. – Vou quebrar você, Morgan, até que esteja disposta a fazer qualquer coisa para sair dessa jaula. Espero que leve um tempo. Jon levou quase quinze anos. Não como um rato, mas um escravo do mesmo jeito. Imagino que você vai quebrar bem mais rápido.

– Vá se danar, Trent – respondi, fervilhando de raiva.

– Não seja vulgar – Trent pegou a caneta. – Tenho certeza de que sua fibra moral é tão forte quanto a de Jon, senão mais. Ele não teve, contudo, ratos tentando fazê-lo em pedaços. Tive o luxo de ter tempo com Jon. Fui devagar, e não era tão bom na época. – Seus olhos ficaram distantes e pensativos. – Mesmo assim, ele nunca soube que o estava quebrando. Ainda não sabe. A maioria não percebe mesmo. E se você sugerisse isso, ele a mataria.

O olhar distante de Trent clareou.

– Gosto de ter todas as cartas abertas na mesa. Aumenta a satisfação, não acha? Não ter que dar voltas. Ambos sabemos o que está acontecendo. E, se você não sobreviver, não é nenhuma grande perda. Não investi muito. Uma jaula de metal? Ração? Serragem de madeira?

A sensação de estar numa jaula caiu sobre mim. Presa.

– Deixe-me sair! – gritei, puxando a teia metálica da cela. – Deixe-me sair, Trent!

Houve uma batida na verga da porta e girei em direção a ela. Jonathan entrou, contornando Faris.

– A equipe médica está estacionando a van. Eles podem se livrar de Faris. A SI quer uma declaração, nada mais. – Seus olhos se desviaram para mim por um instante com desprezo. – O que há de errado com a bruxa?

– Deixe-me sair, Trent – chiei, desesperada. – Deixe-me sair! – corri até o fundo da jaula. Com o coração batendo forte, corri de volta para o segundo andar. Joguei-me contra as barras, tentando derrubar a jaula. Precisava sair.

Trent sorriu, a expressão calma e controlada.

– A senhorita Morgan acabou de perceber quão persuasivo posso ser. Bata na jaula.

Jonathan hesitou, confuso.

– Achei que você não quisesse que eu a atormentasse.

– Na verdade, disse para não reagir com raiva quando julga de maneira errada como a pessoa vai responder. Não estou agindo por raiva. Estou ensinando à senhorita Morgan seu novo lugar na vida. Ela está numa jaula; posso fazer o que quiser com ela. – Seus olhos frios estavam fixos nos meus. – Bata.. na... jaula.

Jonathan sorriu e usou a pasta que carregava para golpear a teia metálica. Eu me encolhi com o barulho alto mesmo o esperando. A jaula balançou e me agarrei ao chão de tela metálica com todas as minhas quatro patas.

– Cale a boca, bruxa – Jonathan acrescentou, com uma satisfação maligna no olhar. Fugi para me esconder na toca. Trent tinha lhe dado permissão para me atormentar o quanto quisesse. Se os ratos não me matassem, Jonathan o faria.

Vinte e um

— Vamos, Morgan, faça alguma coisa — desafiou Jonathan.

O lápis quase me jogou para cima, da maneira que me cutucava. Tremi, procurando não reagir.

— Sei que está com raiva — continuou, mudando de posição para enfiar o lápis em meu flanco.

O chão da gaiola estava coalhado de lápis — todos mastigados pela metade. Jonathan me atormentara, intermitentemente, a manhã inteira. Após horas arreganhando os dentes e revidando, concluí que minha atitude não só era extenuante como deixava o monstro sádico ainda mais entusiasmado. Ignorá-lo pareceu bem mais satisfatório do que arrancar os lápis da sua mão e mastigá-los até o meio, pois assim ele talvez se cansasse e fosse embora.

Trent saíra para o almoço, e a consequente sesta, cerca de trinta minutos antes. O edifício estava em silêncio; todos faziam corpo mole quando Trent deixava o andar. Só Jonathan insistia em ficar. Parecia encantado em me torturar entre uma garfada e outra de macarrão. Ir para o meio da gaiola não tinha ajudado muito — só fez com que arranjasse um lápis mais comprido. Eu não podia mais me proteger.

— Maldita bruxa, faça alguma coisa! — rugiu Jonathan, batendo com o lápis na minha cabeça. Uma, duas, três vezes, entre as orelhas. Meus pelos se eriçaram. Podia sentir o coração batendo forte e a cabeça doendo, tamanho o esforço que fazia para não reagir. Ao quinto golpe, recuei e parti o lápis em dois com uma mordida frustrada.

— Você está morto! — rugi, encostando-me à grade de arame. — Ouviu? Quando eu sair daqui, você está morto!

Ele se endireitou, passando os dedos pelo cabelo.

– Sabia que conseguiria tirá-la do sério.

– Tente isso quando eu estiver fora daqui – desafiei, estremecendo de raiva.

Um som de salto alto no corredor foi se tornando cada vez mais nítido. Agachei-me, aliviada. Reconhecera a cadência. E Jonathan também, aparentemente, pois se levantou e deu um passo para trás. Sara Jane irrompeu no recinto sem a usual batida na porta.

– Ah! – balbuciou, erguendo a mão para o colarinho do novo vestido executivo que tinha comprado na véspera, com o adiantamento que Trent dava aos funcionários. – Desculpe, Jon. Pensei que não houvesse mais ninguém aqui. – Seguiu-se um silêncio constrangedor. – Ia dar a Anjo o resto do meu almoço antes de retomar minhas tarefas do dia.

– Deixe comigo – disse Jonathan, virando-se para ela.

"Oh, por favor, não!", pensei. O sujeito provavelmente mergulharia a comida em tinta antes, isso se fosse dá-la para mim. Os restos dos almoços de Sara Jane eram a única coisa que eu comia e já estava quase morrendo de fome.

– Obrigada, mas não é preciso – respondeu ela. Que alívio! – Fecharei o escritório do senhor Kalamack, caso você queira ir.

"Sim, vá", pensei, com o coração aos pulos. "Vá e tentarei explicar a Sara Jane que sou uma pessoa." Tinha tentado fazer isso o dia inteiro, mas da única vez que fui fazê-lo na presença de Trent, Jonathan bateu "acidentalmente" na gaiola com tanta força que ela caiu.

– Estou esperando o senhor Kalamack – disse Jonathan. – Não quer mesmo que eu dê a comida? – Um olhar presunçoso cruzou seu rosto, em geral impassível, ao se postar atrás da escrivaninha de Trent e fingir arrumar os papéis. Minha esperança de que fosse embora se evaporou. Jonathan não era nada bobo.

Sara Jane agachou-se para ficar com os olhos no nível dos meus. Parecia que eram azuis, mas não tinha muita certeza.

– Não. Não vai demorar nada. O senhor Kalamack está trabalhando na hora do almoço? – perguntou.

– Não. Só me pediu para esperá-lo.

Adiantei-me ao sentir o cheiro de cenoura.

– Tome, Anjo – disse a baixinha em voz suave, enquanto abria um guardanapo. – Hoje são só cenouras. O aipo estava em falta.

Olhei com desconfiança para Jonathan. Ele estava testando a ponta dos lápis de Trent, de modo que achei melhor agarrar uma cenoura. De repente, ouvi um barulho alto, que me fez pular.

Um sorrisinho encurvou os cantos da boca fina de Jonathan, que tinha atirado uma pasta sobre a mesa. O olhar de Sara Jane, de tão furioso, poderia talhar leite.

– Pare com isso! – gritou, indignada. – Andou incomodando a pobrezinha o dia inteiro. – De boca franzida, empurrou as cenouras pela tela de arame. – Aí está, querida – ofereceu, suavizando a voz. – Pegue as cenouras. Você não gosta da ração? – Deixou cair as cenouras, com os dedos enfiados na tela.

Farejei-os, deixando que as unhas rachadas e gastas pelo trabalho acariciassem o alto da minha cabeça. Eu confiava em Sara Jane, e minha confiança não era algo fácil de conquistar. Acho que porque nós duas estávamos presas e tínhamos plena consciência disso. Talvez ela não soubesse sobre o negócio de biodrogas de Trent, mas era esperta demais para não estranhar o modo como sua antecessora morrera. Trent iria usá-la como usara Yolin Bates e largá-la morta em algum beco escuro.

Senti uma pressão no peito, como se fosse gritar. Ela emanava um leve cheiro de sequoia, quase totalmente disfarçado por seu perfume. Ansiosa, puxei as cenouras mais para dentro da gaiola e devorei-as o mais depressa que pude. Cheiravam fortemente a vinagre e admirei-me do gosto de Sara Jane por molhos de saladas. Ela me trouxera apenas três; eu poderia comer pelo menos o dobro.

– Pensei que pessoas da fazenda odiassem predadores de galinhas – disse Jonathan com fingida indiferença, enquanto vigiava atentamente para que eu não fizesse nada que uma marta faria.

O rosto de Sara Jane ficou vermelho e ela se levantou rapidamente. Mas, antes de dizer alguma coisa, estendeu um braço trêmulo e segurou-se à minha gaiola.

– Ohhh! – exclamou com um olhar vago. – Levantei-me depressa demais.

– Você está bem? – perguntou ele, num tom de quem estava pouco se lixando.

– Sim, sim. Estou bem. – Jane disse, após passar a mão pelos olhos.

Parei de mastigar por um instante ao ouvir passos leves no corredor. Trent entrou. Tirara o paletó; eram apenas suas roupas que o faziam parecer um executivo bem-sucedido da revista *Fortune* e não um chefe de segurança.

– Sara Jane, você não está em sua hora de almoço? – perguntou amavelmente.

– Já estou indo, senhor Kalamack – respondeu, e olhou preocupada para Jonathan e para mim antes de sair. O som de seu salto logo se perdeu no corredor. Senti uma onda de alívio. Com Trent ali, Jonathan provavelmente me deixaria em paz e eu poderia comer.

O presunçoso sujeito se acomodou numa cadeira diante da escrivaninha de Trent.

– Quanto tempo? – perguntou, cruzando as pernas e olhando de lado para mim.

– Depende. – Trent deu a seu peixe alguma coisa que tinha tirado de uma bolsa térmica. O cirurgião-amarelo saltou para a superfície, emitindo ruídos leves.

– Deve ser forte – observou Jonathan. – Não achei que isso fosse afetá-la.

Parei de mastigar. "Ela? Sara Jane?"

– Eu achei que poderia – disse Trent. – Ela ficará bem. – Virou-se com um ar de preocupação no rosto. – No futuro, terei de ser mais direto em meus contatos com essa senhorita. Toda a informação que ela trouxe sobre a indústria de açúcar de beterraba nos direcionaria para um mau negócio.

Jonathan pigarreou em tom condescendente. Trent fechou a bolsa e colocou-a numa gaveta sob o aquário. Aproximou-se da escrivaninha e, com a bela cabeça abaixada, arranjou seus papéis.

– Por que não um feitiço, Sa'han? – Jonathan esticou as pernas compridas e se levantou, passando as mãos na calça para desamarrotá-la. – Creio que seria mais eficaz.

– É contra as normas enfeitiçar animais numa competição – explicou Trent, anotando alguma coisa na agenda.

Um sorriso frio contraiu o rosto de Jonathan.

– Mas drogas tudo bem? Não faz sentido.

Comecei a mastigar mais lentamente. Eles estavam falando de mim. O sabor ácido do vinagre pareceu mais forte na última cenoura e minha língua começou a formigar. Larguei a cenoura e esfreguei minhas gengivas: estavam adormecidas. "Diabos. É sexta-feira."

– Seu bastardo! – gritei, atirando a cenoura em Trent, mas só o que consegui foi vê-la bater de volta na tela. – Você me drogou. Drogou Sara Jane para me pegar. – Furiosa, corri para a porta e pus o braço para fora, tentando alcançar o trinco. Senti a náusea e a vertigem me invadirem.

Os dois homens se aproximaram e puseram-se a me examinar. A expressão dominadora de Trent me fez estremecer. Aterrada, subi a rampa para o segundo nível e depois desci. A luz feria meus olhos. Já nem sentia a boca. Cambaleei, perdendo o equilíbrio. "Ele me drogou!"

Em pleno pânico, algo me ocorreu. A porta iria se abrir e aquela poderia ser minha única chance. Arquejante, fiquei parada no centro da gaiola e me virei bem devagar. "Por favor", pensei desesperadamente, "abram a porta antes que eu desmaie." Meus pulmões quase estouravam e meu coração batia em ritmo acelerado – não sabia se por causa dos meus esforços ou das drogas.

Os dois homens continuavam em silêncio. Jonathan me cutucou com um lápis, e balancei de leve uma perna, como se não conseguisse mexê-la completamente.

– Acho que ela apagou – afirmou, num tom animado.

– Espere mais um pouco. – A luz atingiu meus olhos, fazendo-me piscar.

– Vou pegar a caixa para levá-la. – disse Jonathan, impaciente.

A gaiola tremeu quando ele abriu a porta. Meu coração foi às nuvens no momento em que senti seus dedos compridos se fechando em meu corpo. Contorci-me toda e o mordi.

– Sua canicula! – praguejou Jonathan, tirando a mão da gaiola e levando-me dependurada. Afrouxei a mordida e caí no chão com um baque surdo. Nenhuma contusão. Meu corpo todo estava adormecido. Tive de me arrastar para a porta, pois minhas pernas não me obedeciam.

– Jon! – bradou Trent. – Feche a porta!

Jon o obedeceu, e o chão estremeceu com a batida. Hesitei, incapaz de pensar. Precisava correr. Mas onde, diabos, estava a porta?

A sombra de Jonathan se aproximou. Mostrei os dentes e ele se deteve, com receio das minhas presas afiadas. O cheiro forte do medo emanava de seu corpo. Estava assustado, o valentão! Num gesto rápido, agarrou minha nuca. Virei-me e cravei os dentes na polpa de seu polegar.

Jonathan gritou e me soltou. Caí no chão.

– Maldita bruxa! – rosnou. Fiquei parada, sem poder correr. Sentia na língua o sangue espesso de Jonathan, com gosto de canela e vinho.

– Me toque mais uma vez – rugi – e arrancarei seu dedo inteiro.

Jonathan recuou, atemorizado. Foi Trent quem me pegou do chão. Drogada, não conseguia fazer muita coisa. Seus dedos eram agradavelmente frios quando me segurou nas mãos. Com delicadeza, me colocou na caixa e fechou a porta. A batida do fecho sacudiu a gaiola toda.

Eu tinha perdido a sensibilidade na boca e meu estômago se revolvia. A caixa foi levantada e, descrevendo um arco suave, pousou na escrivaninha.

– Ainda nos restam alguns minutos. Vamos ver se Sara Jane tem alguma pomada antibiótica para essas mordidas em sua mão.

A voz quase indistinta de Trent foi se tornando tão confusa quanto meus pensamentos. Tudo ficou escuro e perdi a consciência, amaldiçoando a mim mesma por ter sido tão estúpida.

Vinte e dois

Alguém falava. Quanto a isso, não havia dúvida. Na verdade, eram duas vozes e, agora que eu recuperara a capacidade de pensar, percebi que vinham se alternando havia algum tempo. Uma das vozes, a de Trent – encantadoramente melíflua –, me trouxe de volta à consciência. A outra era a mistura barulhenta de guinchos estridentes de ratos.

– Que inferno! – sussurrei. As palavras saíram como um gemido indistinto. Meus olhos estavam abertos e me apressei a fechá-los: pareciam uma lixa de tão secos. Algumas piscadelas depois e voltaram a lacrimejar. Lentamente, a parede cinzenta da minha caixa entrou em foco.

– Senhor Kalamack! – exclamou uma voz acolhedora, e o mundo girou junto com a caixa. – Me disseram lá em cima que você estava aqui. Que satisfação! – A voz se aproximou mais. – E com um competidor! É esperar para ver! – O homem exultava, sacudindo a mão de Trent. – Ter um competidor torna os jogos bem mais interessantes.

– Boa noite, Jim – cumprimentou Trent em tom cordial. – Desculpe não ter avisado que vinha.

A cadência suave da voz de Trent era um bálsamo para minha dor de cabeça. Eu a amava e a odiava. Como uma coisa tão bonita podia pertencer a um sujeito tão sórdido?

– Você é sempre bem-vindo aqui, senhor Kalamack. – O homem cheirava a lascas de madeira e eu recuei para um canto. – Já se registrou? Tem lugar para a primeira luta?

– Vai haver mais de uma? – interrompeu Jonathan.

– Sim, senhor – respondeu Jim com entusiasmo, espiando pela grade da caixa. – O rato luta até morrer ou ser retirado. Oh! – exclamou ao avistar-me. – Uma marta! Muito... original de sua parte. Isso diminuirá suas chances. Mas não se preocupem. Já tivemos lutas de texugos e cobras antes. Enfatizamos a individualidade e todos gostam de ver um concorrente ser devorado.

Meus batimentos se aceleraram. Eu precisava dar o fora dali.

— Estão certos de que seu animal lutará? — perguntou Jim. — Os ratos daqui foram criados para agredir, mas temos um rato de rua que vem fazendo uma exibição surpreendente há três meses.

— Tive de sedá-la para colocá-la na caixa — explicou Trent com voz firme.

— Ah, uma esquentada! Aqui — disse Jim, tomando uma agenda das mãos de um funcionário que passava. — Vou passá-la da primeira para a última luta, embora ninguém goste dessas mudanças. Isso dará tempo para ela se livrar completamente da sedação. Seu animal não conseguiria se recuperar antes da próxima rodada.

Indefesa, me aproximei da parte dianteira da caixa. Jim tinha uma boa aparência com suas bochechas gordas e sua barriga proeminente. Um pequeno feitiço poderia transformá-lo num Papai Noel de loja. Que estaria fazendo no submundo de Cincinnati?

O homem olhou por cima do ombro de Trent e acenou jovialmente para alguém fora do meu campo de visão.

— Por favor, mantenham seu animal perto de vocês o tempo todo — recomendou, continuando a olhar para o recém-chegado. — Têm cinco minutos para colocá-lo na rinha antes de serem chamados ou desistirem.

"Rinha. Que maravilha", pensei.

— Só preciso saber agora como se chama seu animal — prosseguiu Jim.

— Anjo — respondeu Trent com uma sinceridade zombeteira. Jim, porém, anotou o nome sem hesitar.

— Anjo — repetiu. — Treinado pelo dono, Trent Kalamack.

— Você não é meu dono! — guinchei. Jonathan deu um safanão na caixa.

— Vamos voltar lá para cima, Jon — determinou Trent depois que Jim apertou sua mão e saiu. — O barulho desses ratos está me infernizando.

Firmei-me nas quatro patas para não cair com o balanço da caixa.

— Não vou lutar, Trent! — gritei em voz alta. — Pode esquecer.

— Oh, fique quietinha, senhorita Morgan — disse Trent baixinho, pegando a caixa. — Você foi treinada para isso. Todo caçador sabe matar. Trabalhar para mim ou para eles dá na mesma. Trata-se apenas de um rato.

– Nunca matei ninguém na vida! – protestei, sacudindo a caixa. – E não vou começar a matar por você. – Não achava, porém, que tivesse escolha. Não poderia argumentar com um rato, dizer-lhe que tudo era um grande equívoco e que devíamos ser amigos.

O barulho dos ratos era eclipsado por um vozerio ruidoso quando chegamos ao topo da escada. Trent parou, observando.

– Olhe ali – cochichou. – É Randolph.

– Randolph Mirick? – perguntou Jonathan. – Você não queria encontrá-lo para tratar do aumento de seus direitos sobre a água?

– Sim. – A palavra saiu quase como um suspiro. – Venho tentando fazer contato com ele há sete semanas. Aparentemente, é um homem muito ocupado. Está vendo aquela mulher com o abominável cãozinho? É a diretora da fábrica de vidro com que temos contrato. Gostaria muito de conversar com ela sobre a possibilidade de obter um bom desconto. Não fazia ideia de que essa seria uma oportunidade para tratar do assunto.

Avançamos pelo meio da multidão. Trent falava em tom leve e amistoso, exibindo-me como se fosse um prêmio. Encolhi-me no fundo da gaiola, tentando ignorar o que as mulheres me diziam. Minha boca parecia o interior de um secador de cabelos e conseguia sentir o cheiro de sangue velho e urina. E de ratos.

Conseguia ouvi-los também, guinchando num tom acima da capacidade de audição da maior parte das pessoas. As lutas já haviam começado, embora ninguém com duas pernas o percebesse. Barras e plástico separavam os lutadores, mas não faltavam ameaças de violência.

Trent encontrou um lugar ao lado da esquisita prefeita da cidade e, depois de me colocar entre os pés, voltou-se para ela e começou a falar sobre os grandes benefícios que auferiria caso transformasse sua propriedade comercial em industrial, pois boa parte dela já era, de um modo ou de outro, usada para fins industriais. Ela não ouviu nada até Trent comentar que poderia transferir seus negócios mais vulneráveis para áreas mais acolhedoras.

Era uma hora de pesadelo. Os guinchos agudos, ultrassônicos, abafavam os ruídos mais graves, mas não eram ouvidos pela multidão. Jonathan teceu um comentário entusiástico em meu benefício, gabando as monstruosidades que aconteciam na rinha. Nenhuma das lutas durou muito – dez minutos, no máximo. O silêncio seguido pelas explosões selvagens dos espectadores era verdadeiramente bárbaro. Logo pude sentir o cheiro do sangue que Jonathan tanto gostava de ver jorrar. Eu pulava toda vez que Trent movia os pés.

O público aplaudiu educadamente o resultado oficial da última competição. O desfecho era esperado. Graças a Jonathan, soube que o rato vitorioso rasgara a barriga do adversário antes que este pudesse desistir; o derrotado morrera ainda com os dentes cravados na perna do vencedor.

– Anjo! – chamou Jim pelo alto-falante, com sua voz profunda de apresentador. – Treinada pelo dono, Kalamack.

Minhas pernas tremeram ao influxo da adrenalina. "Posso vencer um rato", pensei, enquanto a multidão aplaudia meu adversário, o Barão Sangrento. Eu não seria morta por um rato.

Senti o estômago se revirar quando Trent se sentou no banco vazio ao lado da rinha: o cheiro, ali, era cem vezes pior. O próprio Trent o sentiu, pois seu rosto se contorceu numa careta. Atrás dele, Jonathan se balançava sobre os pés, animado. Aquele esnobe empertigado, que passava a ferro seus colarinhos e engomava suas meias, apreciava esportes sangrentos. Quase não se ouviam os guinchos dos ratos, agora que metade deles tinha morrido e a outra metade lambia as feridas.

Os donos trocaram gracejos por alguns instantes, seguidos de uma intensa onda de alvoroço orquestrada por Jim. Não escutava aquela tagarelice de animador de espetáculos, mais preocupada com minhas observações da rinha.

O círculo era mais ou menos do tamanho de uma piscina de criança, rodeado por paredes de um metro de altura. O chão era coberto por serragem e decorado com manchas escuras, cujo padrão aleatório me dizia que se tratava provavelmente de sangue. O cheiro de urina e de medo era tão denso que me admirei por não poder ser visto sob a forma de névoa no ar. Alguém com um senso de humor duvidoso tinha espalhado animais de pelúcia pela arena.

– Cavalheiros – convidou Jim dramaticamente, chamando de novo minha atenção –, posicionem seus lutadores.

Trent aproximou o rosto da tela da gaiola.

– Mudei de ideia, Morgan – sussurrou. – Não a quero como caçadora de recompensas. Você é mais valiosa matando ratos do que jamais seria destruindo a concorrência. O número de contatos que posso fazer aqui é impressionante.

– Vá se Virar! – rosnei.

Ao ouvir meu praguejar, abriu a caixa e me jogou no chão.

Pousei mansamente na serragem. O leve movimento de uma sombra na outra extremidade da rinha anunciou a chegada do Barão Sangrento. A multidão me vaiava, e dei um pulo para me esconder atrás de uma bola. Eu devia ser uma visão mais atraente que um rato.

A arena era assustadora: sangue, urina, morte. Só queria escapar dali. Meu olhar encontrou Trent, que respondeu com um sorriso satisfeito. Ele achava que podia me controlar; eu o odiava.

O público mal se continha. Ao virar, avistei o Barão Sangrento disparando em minha direção. Não tão grande quanto, o rato era, porém, mais corpulento. Calculei que tivéssemos o mesmo peso. Guinchava sem parar enquanto corria. Fiquei paralisada, sem saber o que fazer. No último instante, esquivei-me do ataque, golpeando-o de passagem com um pontapé. Era um golpe que, como caçadora, já tinha usado centenas de vezes – instintivo, mas que, desferido por uma marta, não tinha lá grande eficiência ou graça. Após o giro do corpo, acocorei-me, observando o rato, que parara hesitante, esfregando o local onde o atingira. Agora não guinchava mais.

Estimulado pela turba, atacou de novo. Dessa vez, mirei com mais precisão, atingindo sua cara comprida ao saltar de lado. Caí de quatro, movendo automaticamente as patas dianteiras como se lutasse contra uma pessoa. O Barão estacou de repente, guinchando e sacudindo a cabeça na tentativa de desanuviar a vista. A visão de um rato é curta; eu poderia me aproveitar disso.

Sacudindo-se como um louco, o Barão fez sua investida pela terceira vez. Contraí os músculos, pensando em saltar sobre ele, cair nas suas costas e nocauteá-lo. Sentia náusea e um peso no coração. Não mataria ninguém por Trent. Nem mesmo um rato. Se eu sacrificasse um princípio, uma ética, ele se apossaria de mim de corpo e alma. Se hoje matasse ratos, amanhã mataria homens.

O estardalhaço da turba aumentou quando o Barão arremeteu. Saltei. "Droga!", rugi quando ele parou bem embaixo de mim e, girando, ficou de costas no chão: eu iria cair bem em cima dele!

Caí com um baque surdo, gritando ao sentir seus dentes em meu focinho. Em pânico, tentei me livrar, mas Barão segurou firme, exercendo pressão suficiente para eu não conseguir me soltar. Erguendo-me, bati nele com as patas, pisoteando sua barriga. Guinchando ao compasso dos golpes, o rato sentiu a pressão e afrouxou a pegada aos poucos, até que consegui me safar.

Recuei, esfregando o focinho e surpresa por não ter sido arrancado.

O Barão se ergueu. Como se catalogasse as contusões recebidas, friccionou de novo o lugar onde o atingira primeiro, depois a cara e por fim a barriga, que meus pés tinham chutado. Uma pata se levantou para esfregar o nariz e então percebi que estava me imitando. O Barão era gente!

"Mas que droga!", guinchei. O Barão sacudiu a cabeça uma vez. Minha respiração se acelerou e percorri com o olhar as paredes em volta, contra as quais a multidão se comprimia. Juntos, poderíamos escapar, o que seria impossível se estivéssemos sozinhos. O Barão emitiu alguns sons em minha direção e a turba ficou em silêncio.

De maneira alguma eu perderia aquela chance. O Barão repuxou os pelos do focinho e corri em sua direção. Rolamos no chão numa luta de mentirinha. Só precisava descobrir um meio de sair dali e comunicá-lo ao Barão sem que Trent percebesse.

Após rolar um pouco no chão, nos separamos. Fiquei de pé e me virei, procurando-o. Ninguém.

– Barão! – gritei. Mas ele não estava mais lá! Será que uma mão, descendo, o tirara da arena? Um arranhar rítmico vinha de uma pilha de tijolos próxima. Virei-me, aliviada. Ele continuava no local. E agora uma ideia me ocorria.

Mãos só interfeririam quando a luta acabava. Um de nós tinha de se fingir de morto.

Gritei quando o Barão saltou sobre mim, dilacerando a minha orelha com os dentes afiados. O sangue escorreu para os meus olhos, quase me cegando. Furiosa, sacudi-o sobre o ombro.

– Que há com você? – esbravejei, enquanto ele se imobilizava. A multidão aplaudia freneticamente, depois de nossa pouco convincente exibição anterior.

Barão emitia uma série de guinchos, sem dúvida tentando exprimir seus pensamentos. Mordi a traqueia dele, calando-o. Suas patas traseiras me golpeavam enquanto eu o sufocava e, contorcendo-se todo, cravou as unhas em meu focinho. Afrouxei o aperto ao sentir suas garras, dando-lhe um pouco de ar.

Ele demorou a entender.

– Não se finja de morto ainda. – As palavras saíram sem muita nitidez por causa dos seus pelos em minha boca. Continuei apertando até ele gemer e diminuir a resistência. A multidão exultou, talvez achando que Anjo alcançaria sua primeira vitória. Olhei para Trent e meu coração deu um salto ao perceber seu olhar de suspeita. Aquilo não funcionaria. O Barão podia escapar, mas eu não; eu é que devia morrer, não o Barão.

– Lute – instiguei, embora sabendo que meu adversário não entenderia. Afrouxei o aperto até ele ficar com as mandíbulas livres. Sem compreender, Barão hesitou e eu o atingi com um pontapé da pata traseira na virilha.

Já livre do aperto, ele gritou de dor. Afastei-me.

– Vamos, lute! Me mate! – desafiei. O rato sacudia a cabeça, tentando se recuperar. Fiz um gesto na direção da turba. Ele piscou, parecendo ter entendido, e eu ataquei. Suas mandíbulas cingiram meu pescoço, sufocando-me. Sacudi-me e ambos fomos de encontro à parede. Os gritos das pessoas abafavam o som do sangue pulsando em minha cabeça.

Barão apertava com força demais para que eu conseguisse respirar. "Daqui a pouco", pensei em desespero, "deixe-me tomar fôlego." Arremessei a ambos contra uma bola, mas ele não desistia. Meu medo aumentou. O Barão era uma pessoa, certo? Eu não me deixara apanhar num aperto mortal por um rato, certo?

Comecei a resistir de verdade. O rato apertou ainda mais. Sentia como se minha cabeça fosse explodir. Minhas veias latejavam. Contorci-me, dando um arranhão em seu olho que arrancou lágrimas, mas nem assim meu adversário me largou. De novo, arremessei-me com o Barão, violentamente, contra a parede. Segurei-o pelo pescoço e, de imediato, senti que me soltava. Inspirei uma generosa golfada de ar.

Furiosa, mordi com força, sentindo gosto de sangue. Ele devolveu a gentileza, fazendo-me gritar de dor. Afrouxei o aperto. Ele imitou. Os gritos da assistência eram quase tão fortes quanto o calor das luzes. Rolamos na serragem, tentando ofegar para parecer que estávamos esganando um ao outro. Por fim, entendi. O dono do Barão também sabia que ele era uma pessoa. Ambos tínhamos de morrer.

A multidão continuava gritando, ansiosa por saber quem vencera ou se morrêramos os dois. Por entre as pálpebras dilaceradas, tentei avistar Trent. Parecia decepcionado e achei que nossa artimanha ia dar certo. O Barão permanecia imóvel. Emitiu um leve grunhido, ao qual respondi. Uma onda de excitação percorreu meu corpo e logo se desvaneceu.

– Senhoras e senhores! – A voz profissional de Jim cobriu o barulho da multidão. – Parece que temos um empate. Os donos, por favor, queiram retirar seus animais. – A turba silenciou. – Faremos uma curta pausa para descobrir se um dos concorrentes ainda está vivo.

Meu coração bateu forte quando sombras de mãos se aproximaram. Barão emitiu três guinchos e começou a correr. Fiz o mesmo segundos depois, agarrando a primeira mão que vi pela frente.

– Cuidado! – gritou alguém. A mão recuou, me largando no ar. Descrevi uma curva, enquanto minha cauda se agitava em círculos frenéticos; percebi um rosto surpreso e caí sobre o peito de um homem, que gritou como uma garotinha e jogou-me longe. Bati com força no chão, atordoada. Respirei fundo três vezes e corri para baixo de sua cadeira.

O barulho era ensurdecedor. Parecia que um leão estava à solta, não dois roedores. A multidão se dispersou. O desfile de pés diante da cadeira era irreal. Um sujeito com cheiro de lascas de madeira se abaixou. Mostrei os dentes e ele recuou.

– Achei a marta – gritou um funcionário, em meio à balbúrdia. – Arranjem uma rede. – Assim que desviou o olhar, saí correndo, meus batimentos tão altos que mais pareciam um zumbido, e, por entre pés e cadeiras, quase me choquei de cabeça contra a parede. O sangue do ferimento que tinha na orelha escorria para os olhos, confundindo minha visão. Como conseguiria dar o fora dali?

– Fiquem calmos! – conclamou Jim no alto-falante. – Por favor, voltem ao saguão e esperem enquanto procedemos à busca. Mantenham as portas externas fechadas até que apanhemos os concorrentes. – Fez uma pausa. – E alguém tire esse cachorro daqui – concluiu em tom irritado.

"Portas?", pensei, observando a confusão. Não precisava de portas; precisava de Jenks.

– Rachel! – alguém chamou acima de mim. Dei um grito quando Jenks pousou em meu ombro com um leve ruído. – Você parece péssima – sussurrou ao meu ouvido. – Pensei que aquele rato a tivesse deixado doidinha. Quando segurou a mão de Jonathan, quase mijei nas calças!

– Onde é a porta? – tentei perguntar. Descobrir como ele me encontrara ficaria para depois.

– Não dê chilique – defendeu-se. – Fui embora como você mandou, mas voltei. Quando Trent saiu com aquela caixa de gatos, sabia que você estava dentro. Peguei uma carona dependurado na parte de baixo. Aposto que não sabia que é assim que os pixies viajam pela cidade! E agora é melhor mover essa bunda peluda antes que alguém a veja.

— Mas para onde devo ir? — gemi.

— Há uma saída nos fundos. Fiz uma vistoria durante a primeira luta. Meu Deus, esses ratos são perversos! Viu aquele que mordeu a perna do outro? Se você seguir esta parede por uns seis metros e depois descer três lances de escada, chegará a um corredor.

Comecei a andar, com Jenks firmemente agarrado ao meu pelo.

— Credo, sua orelha está em petição de miséria — comentou, enquanto eu descia as escadas. — Muito bem. Agora vire à direita no corredor e vai encontrar uma saída. Não, por aí não! — gritou, embora eu seguisse ao pé da letra suas instruções. — Aí é a cozinha.

Virei-me, espavorida pelo som de passos que vinha das escadas. Meu batimentos se aceleraram. Não seria pega. Isso não.

— A pia — sussurrou Jenks. — A porta do gabinete está aberta. Depressa!

Ao vê-lo, corri pelo piso de ladrilhos, arranhando-o de leve com as garras. Entrei. Jenks ficou esvoaçando perto da porta, para vigiar. Pus-me a ouvir, escondida atrás de um balde.

— Eles não estão na cozinha — disse uma voz em tom grave. Senti-me aliviada. O homem dissera "eles", portanto, o Barão ainda estava livre.

Jenks voltou. Suas asas ligeiras pareciam um borrão quando pousou no gabinete.

— Diabos, é bom ver você. Ivy não fez nada a não ser ficar olhando um mapa das instalações de Trent, que conseguiu não sei onde — cochichou. — A noite inteira resmungando e rabiscando papéis. Ia amassando folha atrás de folha e jogando tudo em um canto. Meus filhos se divertiram brincando de esconde-esconde na pilha que amontoou. Acho que ela nem sabe que saí. Continua sentada examinando o mapa e bebendo suco de laranja.

Senti cheiro de sujeira. Enquanto Jenks balbuciava como um viciado ansioso por por sua próxima dose, explorei o gabinete fedorento e descobri que o cano da pia atravessava o piso de madeira até embaixo da casa. A fenda entre o cano e o chão era larga o suficiente para deixar passar meus ombros. Pus-me a alargá-la com os dentes.

— Disse para tirarem esse cachorro daqui — resmungou uma voz. — Não, espere. Temos uma guia para colocar nele? O cachorro pode encontrá-los.

Jenks se aproximou.

– Ah, o chão. É uma boa ideia. Deixe que eu ajudo. – Pousou ao meu lado, entrando no meu caminho.

– Encontre o Barão – tentei sussurrar.

– Posso ajudar muito. – Jenks tirou uma haste de madeira do tamanho de um palito da fresta.

– O rato – insisti. – Ele não consegue enxergar. – Frustrada, derrubei uma embalagem de detergente em pó. O conteúdo se espalhou e o cheiro de pinho inundou tudo. Pegando o palito de Jenks, escrevi: "Encontre o rato".

Jenks alçou-se no ar, com a mão no nariz.

– Para quê?

"Ele não consegue enxergar", rabisquei.

O pixie sorriu.

– Ah, você arranjou um amiguinho! Espere até Ivy saber disso.

Arreganhei os dentes, apontando a porta com o palito. Jenks continuava hesitante.

– Você ficará aqui? Alargando esse buraco?

Irritada, atirei o palito. Ele voou para trás.

– Está bem, está bem! Não vá perder as calças. Mas espere. Você não tem calças, tem?

Seu riso alto lembrava a liberdade quando ele passou pela fresta da porta. Voltei a roer o chão. O gosto era péssimo, uma mistura podre de sabão, gordura e mofo. Sabia que ia ficar enjoada. A tensão crescia dentro de mim. Um barulho de golpes e pancadas vinha lá da frente. Esperava ouvir o grito triunfante de captura a qualquer momento. Mas, por sorte, o cachorro não estava correspondendo às expectativas e o pessoal começou a ficar impaciente.

Minhas mandíbulas doíam e sufoquei um grito de frustração. Um pouco de sabão entrara no corte em minha orelha, que ardia como o diabo. Tentei enfiar a cabeça no buraco: se minha cabeça passasse, o resto provavelmente passaria também. Mas ainda não estava largo o bastante.

– Vejam! – gritou alguém. – Agora ele está trabalhando. Sentiu o cheiro deles.

Apavorada, tirei a cabeça do buraco. Minha orelha raspou na borda e o sangramento recomeçou. Ouvi um som de patas no corredor e redobrei o esforço. A voz de Jenks mal abafava o ruído que eu fazia roendo.

– Na cozinha. Rachel está sob a pia. Não. No outro gabinete. Depressa! Acho que viram você.

Uma súbita golfada de ar e luz. Sentei-me, cuspindo pedaços de madeira.

– Olá! Estamos de volta. Achei o rato, Rachel.

O Barão me fitou com olhos brilhantes. Em seguida, com um salto, enfiou a cabeça no buraco e começou a roer. Não havia muito espaço para seus ombros largos, de modo que continuei alargando o buraco na parte de cima. O cão latiu no corredor. Paramos por um instante e recomeçamos. Meu estômago se revirava.

– Já está largo o suficiente? – perguntou Jenks. – Vão! Rápido!

Metendo a cabeça no buraco, lado a lado com Barão, pus-me a roer furiosamente. Patas golpeavam a porta do gabinete. Raios de luz se infiltravam quando ela batia contra o caixilho.

– Aqui – exultou uma voz. – Tem um aqui.

Sentindo-me desfalecer, levantei a cabeça. Minhas mandíbulas doíam. O sabão em pó se emaranhara em meu pelo e meus olhos ardiam. As patas continuavam batendo contra a porta. A abertura não parecia suficientemente grande. Um guincho agudo chamou minha atenção. Era Barão, acocorado ao lado do buraco, apontando para baixo.

– Não é grande o bastante para você – disse eu.

Ele saltou sobre mim, me agarrou e me enfiou no buraco. De repente, o barulho do cachorro se tornou mais alto e despenquei no espaço.

Com as patas estendidas, tentei me segurar ao cano. Encontrei uma solda saliente, interrompendo a minha queda. Acima de mim, o cão uivava selvagemente; ouvi um arranhar de patas no chão de madeira e, depois, um guincho lancinante. Não conseguia mais me segurar. Soltei a protuberância, caí no chão duro e ali fiquei, ouvindo os últimos estertores do Barão.

"Devia ter ficado", pensei em desespero. "Não devia ter deixado Barão me empurrar pelo buraco." Sabia que a passagem não era suficientemente grande para ele.

Então, ouvi um estalido rápido e um baque no chão ao meu lado.

– Você conseguiu! – exclamei, ao ver o Barão estatelado na poeira.

Jenks apareceu revoando, brilhante na luz opaca. Trazia pelos de cachorro na mão.

– Você precisava vê-lo, Rachel – disse, agitado. – Mordeu o cachorro bem no focinho. E zás, pá, bum!

O pixie continuou descrevendo círculos em volta de nós, assanhado demais para sossegar. Barão, porém, estava inquieto. Curvado como uma bola de pelos, parecia a ponto de vomitar. Aproximei-me para agradecer e toquei-o no ombro. Ele deu um pulo, olhando-me com seus olhos negros arregalados.

– Tirem esse cachorro daqui! – Uma voz furiosa chegava a nós através do piso; levantamos a cabeça e vimos, lá em cima, uma mancha de luz difusa. Os latidos foram se afastando e meus batimentos se normalizaram.

– Hum – disse Jim. – São mordidas recentes. Alguém saiu por aqui.

– Como podemos descer até lá? – Era a voz de Trent. Encolhi-me contra o chão.

– Há um alçapão no corredor, mas lá de baixo se pode alcançar a rua por todos os respiradouros. – As vozes foram ficando cada vez mais distantes. – Sinto muito, senhor Kalamack. Nunca tivemos uma fuga antes. Vou mandar alguém descer lá imediatamente.

– Não é preciso. Ela se foi. – Havia na voz de Trent uma nota sutil de frustração controlada. Senti um gostinho de vitória. A volta de Jonathan não seria nada agradável. Estirei o corpo e gemi. Minha orelha e meus olhos ardiam. Queria ir para casa.

Barão guinchou para chamar minha atenção, apontando para o solo coberto de poeira. Olhei para baixo e li as palavras "Muito obrigado", escritas numa bonita letra.

Não pude conter um sorriso. Agachei-me ao seu lado e rabisquei: "De nada". Minhas letras pareciam garranchos perto das dele.

– Vocês são tão *fofos*! – zombou Jenks. – Agora podemos sair daqui?

Barão se atirou contra a tela do respiradouro, na qual se agarrou com as quatro patas. E, metodicamente, começou a romper a malha com as presas.

Vinte e três

Raspei com a colher o fundo do pote de requeijão e, inclinando-me sobre ele, juntei o que restava. Meus joelhos estavam frios e os cobri com a barra do roupão azul-escuro, de tecido macio. Enquanto eu enchia a barriga, o Barão voltava a ser gente e se lavava no segundo banheiro, que, por consenso tácito entre Ivy e eu, pertenceria a mim. Mal podia esperar para descobrir como o Barão era realmente. Em minha opinião e na de Ivy, se ele sobrevivera sei lá por quanto tempo às lutas de ratos, devia ser um grandalhão. Não se podia negar que era corajoso e cavalheiresco, e que não tinha medo de vampiros – esta última circunstância nos parecia a mais intrigante, pois, segundo Jenks, ele era humano.

Jenks ligara a cobrar para Ivy do primeiro telefone que encontráramos. O barulho de sua moto – recém-saída da oficina, depois que ela a enfiara debaixo de um caminhão – foi como um cântico de coral. Quase chorei, agradecida, ao vê-la saltar do assento, trajada de couro da cabeça aos pés. Pelo menos uma pessoa valorizava a minha vida. Pouco importava que se tratasse de uma vampira cujos motivos eu ainda não entendia.

Nem o Barão nem eu entráramos na caixa que ela tinha trazido, e, após uma discussão de cinco minutos entremeada por protestos e guinchos, Ivy finalmente jogou a caixa no fundo do beco com um resmungo de frustração e nos deixara subir na moto. Ela não estava com o melhor dos humores quando deu a partida, exibindo um rato e uma marta sobre o tanque de gasolina com as patas dianteiras agarradas ao painel. Quando deixamos para trás o congestionamento de sexta-feira e pudemos correr um pouco mais, percebi por que os cachorros punham a cabeça para fora das janelas.

Andar de moto é sempre emocionante, mas para um roedor chegava a ser sensual. Com as pupilas semicerradas e os pelos arrepiados pelo vento, fui para casa em grande estilo. Pouco me importavam os olhares rancorosos de Ivy e as buzinadas dos motoristas. Estava certa de que teria um orgasmo cerebral depois de tanta emoção. Quase chorei quando Ivy entrou em nossa rua.

Agora, com um dedo, empurrei o último bocado de queijo para a colher, ignorando a imitação de um porco que Jenks fez encarapitado numa concha suspensa do console. Não tinha parado de mastigar desde que perdera o pelo; depois de sobreviver os últimos três dias e meio apenas comendo cenouras, eu certamente merecia uma boa comilança.

Colocando o pote vazio sobre o prato sujo diante de mim, perguntei-me se a transformação doía mais quando se era humano. A julgar pelos gemidos abafados de dor que vieram do banheiro antes que o chuveiro fosse ligado, concluí que era tudo a mesma coisa.

Embora houvesse esfregado o corpo duas vezes, eu achava que ainda era possível sentir o cheiro de marta sob o perfume que tinha colocado. Minha orelha dilacerada ardia, meu pescoço tinha uma fileira de pontinhos vermelhos no lugar onde o Barão me mordera e minha perna esquerda estava machucada em consequência da queda na roda de exercício. Mas era bom ser gente de novo. Olhei para Ivy, que lavava a louça, pensando se deveria ter feito um curativo na orelha.

Ainda não contara a Ivy e Jenks muito do que se passara nos últimos dias; tinha falado apenas do meu cativeiro, não do que aprendera durante esse tempo. Ivy tinha ficado em silêncio, mas sabia que ela estava doidinha para me dizer que eu fora uma idiota por não ter preparado um plano de fuga.

Após lavar o último copo ela fechou a torneira e, deixando-o secar, virou-se e enxugou as mãos no pano de prato. Ver uma vamp alta, magra e vestida de couro lavar louça quase valia o preço de levar a vida louca que eu tinha escolhido.

— Está bem, deixa eu entender direito — disse ela, debruçando-se sobre o balcão. — Trent apanhou-a de surpresa e resolveu colocá-la nas lutas de ratos da cidade para dobrá-la e convencê-la a trabalhar para ele. Certo?

— Certo. — Estendi a mão para o pacote de biscoitos ao lado do computador de Ivy.

— É o que eu pensava. — Recolheu meu prato vazio, lavou-o e colocou-o junto aos copos para escorrer. Além de meus pratos, não sobrara mais nenhum; nem talheres, nem tigelas. Apenas uns vinte copos, todos sujos de suco de laranja.

– Da próxima vez que você for enfrentar alguém como Trent, será que poderemos ao menos esboçar um plano para o caso de ser apanhada? – perguntou, de costas para mim e com os ombros tensos.

Ofendida, levantei a cabeça do saquinho de biscoitos. Respirei fundo e ia dizer para usar seus planos como papel higiênico, mas me contive a tempo. Seus ombros estavam tão rígidos quanto sua postura. Lembrei-me de quanto, segundo Jenks, ela ficara preocupada e de como meu descontrole pusera seus instintos em ação. Expirei devagar.

– Sem dúvida – respondi, hesitante. – Podemos ter um plano infalível para mim, quando eu me ferrar, mas outro para você também.

Jenks deu uma risadinha e Ivy olhou-o de lado.

– Não preciso de plano nenhum.

– Anote isso e coloque junto ao telefone – repliquei, em tom de indiferença. – Farei o mesmo. – Disse isso meio por brincadeira, mas não me espantaria nada se ela, com sua fanfarronice mal reprimida, fizesse justamente aquilo.

Sem proferir uma palavra, Ivy, não contente em deixar os copos e pratos secando sozinhos, começou a enxugá-los. Continuei mastigando biscoitos de gengibre e observando-a: seus ombros estavam mais descontraídos e seus movimentos já não eram tão frenéticos.

– Você tinha razão – confessei, calculando que pelo menos isso eu devia. – Nunca pude contar com ninguém antes... – Hesitei. – Nunca tive alguém com quem pudesse contar.

Ivy se voltou, surpreendendo-me com a sua expressão aliviada.

– Ah, deixa pra lá.

– Oh, salve-me! – macaqueou Jenks no meio dos utensílios de cozinha. – Acho que vou vomitar.

Ivy espaventou-o com a toalha, os lábios contraídos num sorriso oblíquo, e recomeçou a enxugar a louça. Manter a calma e transigir fazia toda a diferença. Pensando bem, a transigência marcara o ano em que tínhamos trabalhado juntas. Mais difícil, porém, era ficar calma ao estar rodeada por todas as coisas dela, sendo que eu não tinha nada. Isso fazia com que me sentisse vulnerável e a ponto de perder as estribeiras.

– Valia a pena vê-la, Rachel – disse Jenks, sussurrando como um conspirador. – Sentada dia e noite sobre os mapas para encontrar um meio de livrá-la de Trent. Eu garanti que tudo o que poderíamos fazer era continuar observando para ajudar, se possível.

– Cale a boca, Jenks – explodiu Ivy. Sua voz, de repente, assumira um tom pesado de advertência. Engoli o último biscoito e levantei-me, empurrando a mochila.

– Ela tinha um plano grandioso – prosseguiu Jenks. – Escondeu-o enquanto você estava no banho. Ia pedir ajuda a todos os conhecidos. Chegou a falar com a mãe.

– Vou arranjar um gato – rugiu Ivy. – Um gato grande e preto.

Peguei a mochila do balcão e fui buscar o mel que escondera de Jenks na copa. Colocando-os na mesa, sentei-me para pôr tudo em ordem.

– Você escapou em boa hora – disse Jenks, balançando a concha e lançando reflexos de luz pela cozinha. – Ivy estava prestes a usar tudo o que tinha para salvá-la... de novo.

– Vou chamar meu gato de Poeira de Pixie – ameaçou Ivy. – Ficará no jardim, sem comida.

Meu olhar se desviou da boca subitamente fechada de Jenks para Ivy. Nós duas tínhamos acabado de ter uma discussão, mas sem sustos nem mordidas – por que Jenks tinha de estragar tudo?

– Jenks – suspirei. – Você não tem nada para fazer?

– Não. – Aproximou-se e meteu a mão no jorro de mel que eu derramava numa fatia de pão. – Lambuzou-se um pouco e revoou novamente. – E então, vai ficar com ele?

Olhei confusa para Jenks, que respondeu rindo.

– Seu novo namo-o-o-rado – explicou.

Apertei os lábios ao perceber o olhar divertido de Ivy.

– Ele não é meu namorado.

Jenks flutuou sobre o vidro aberto de mel, tirando filamentos brilhantes e metendo-os na boca.

– Vi os dois na moto – recomeçou. – Hum, como isto é bom! – Pegou outro punhado. As asas começavam a zumbir tão alto que dava para ouvir o barulho. – Suas caudas estavam se tocando – gracejou.

Furiosa, estendi a mão para ele; Jenks se esquivou, mas voltou.

– Você tinha de vê-los, Ivy. Rolando pelo chão e mordendo-se. – Riu alto. Inclinei a cabeça vagarosamente e ele se esgueirou para a esquerda. – Foi amor à primeira mordida.

Ivy se virou.

– Ele a mordeu no pescoço? – perguntou com ar impassível, mas sem tirar a expressão zombeteira dos olhos. – Ah, então pode ser amor. Ela não deixaria que *eu* a mordesse nesse lugar.

O que, diabos, era aquilo? Tinham me escolhido para vítima? Meio constrangida, peguei outra fatia de pão para completar o sanduíche e espaventei Jenks do vidro de mel. Ele revoou a esmo, tentando manter o rumo enquanto o açúcar o deixava embriagado.

– Ivy! – exclamou, inclinando-se para lamber os dedos. – Sabe o que dizem sobre o tamanho do rabo dos ratos? Quanto mais longo o rabo, maior o...

– Cale a boca! – gritei. O chuveiro foi desligado e retive o fôlego. Uma súbita intuição me fez ficar empertigada na cadeira. Lancei um olhar a Jenks, que ria intoxicado de mel. – Jenks, vá embora – pedi, sem querer que o Barão visse um pixie bêbado.

– Nã-ã-ão – balbuciou, surrupiando outro punhado. Impaciente, fechei o vidro. Jenks resmungou, pesaroso, e eu apontei para os utensílios dependurados. Com sorte, ele ficaria ali até se curar do porre. Dentro de quatro minutos, no máximo.

Ivy saiu, murmurando alguma coisa sobre copos na sala. Ajeitei a gola do roupão, que absorvera a umidade dos meus cabelos, e limpei os dedos melados, com a ansiedade de quem é apresentada a um desconhecido. Besteira. Eu já o conhecia. Tivéramos até uma versão roedora de um primeiro encontro: uma briga pra valer na arena, uma fuga de pessoas e cães, até uma corrida de moto pelo parque. Mas o que se pode dizer ao sujeito que salvou sua vida?

Ouvi a porta do banheiro se abrir. Ivy parou no corredor, pasmada, com duas canecas nas mãos. Cobri as pernas com o roupão, perguntando-me se deveria me levantar. A voz do Barão ressoou na cozinha.

– Você é Ivy, certo?

– Hum... – Ivy hesitou. – Você está com... hum... o meu roupão – concluiu. Estremeci. Ótimo: agora o corpo inteiro do Barão cheirava a uma vamp. Excelente começo.

– Oh, me desculpe. – Sua voz era bonita, sonora e grave. Mal podia esperar para vê-lo. Ivy definitivamente não sabia o que dizer. O Barão respirou ruidosamente. – Peguei na secadora. Não tinha mais nada para vestir. Talvez devesse ter enrolado uma toalha...

– Ah, não – respondeu Ivy, com um tom inusitadamente jovial. – Está tudo bem. Você ajudou Rachel a escapar?

– Sim. Ela está na cozinha? – perguntou o Barão.

– Venha. – Os olhos de Ivy reviravam ao entrar na cozinha, precedendo-o. – Ele é um nerd – avisou. Meu rosto se contraiu. "Um nerd tinha salvado minha vida?"

– Olá – cumprimentou ele, parando hesitante na soleira.

– Olá – respondi, desconcertada demais para dizer outra coisa enquanto o observava da cabeça aos pés. Chamá-lo de nerd não era justo; mas, se comparado aos caras com quem Ivy saía, poderia ser.

O Barão era do tamanho de Ivy, mas, por ser muito magro, parecia mais alto. Os braços brancos, contrastando com o roupão preto, mostravam cicatrizes pálidas, presumivelmente de outras lutas de ratos. Estava bem barbeado – eu precisaria comprar um novo aparelho, pois o que Ivy tinha me emprestado já não devia servir para mais nada. Havia ferimentos nas bordas de suas orelhas. Duas marcas vermelhas, uma de cada lado do pescoço, pareciam inflamadas. Combinavam com as minhas e senti-me subitamente embaraçada.

A despeito de sua magreza (ou por causa dela), o Barão era bonito, talvez um tanto excêntrico. Tinha cabelos longos e o modo como os afastava a todo instante dos olhos me fez pensar pensar que normalmente os usava curtos. Parecia muito confortável naquele roupão, e a seda preta se esticando sobre seus músculos pouco volumosos mantinha meus olhos vagueando. Ivy exagerara. O Barão tinha músculos suficientes para não ser um nerd.

– Seus cabelos são ruivos – observou ele, adiantando-se. – Pensei que fossem castanhos.

– E eu pensei que você fosse... ahn... menor. – Levantei-me. Ele se aproximou e, após um momento sem saber o que fazer, estendeu a mão sobre a mesa. Está bem, o sujeito não era um Arnold Schwarzenegger, mas tinha salvado a minha vida. Talvez fosse algo entre um Jeff Goldblum pequeno e jovem e um despojado Buckaroo Banzai.

– Meu nome é Nick – apresentou-se, apertando minha mão. – Na verdade, Nicholas. Obrigado por me ajudar a sair daquela rinha de ratos.

– E o meu nome é Rachel. – Seu aperto de mão era firme, imprimindo a quantidade de força suficiente, sem tentar provar que era muito forte. Indiquei uma cadeira da cozinha e ambos nos sentamos. – Não diga isso. Nós dois nos ajudamos. Talvez você ache que não é da minha conta, mas como diabos foi parar numa arena de ratos?

Com a mão fina, Nick esfregou atrás da orelha e olhou para o teto.

– Eu... estava catalogando uma coleção particular de livros de vampiros. Encontrei algo interessante e fiz a besteira de levá-lo para casa. – Olhou-me com uma expressão encabulada. – Não ia ficar com ele.

Ivy e eu trocamos um olhar. "Apenas um empréstimo. Ceeerto." Entretanto, se ele já trabalhara com vampiros, isso explicava sua desenvoltura perto de Ivy.

– Ele me transformou em um rato quando descobriu tudo – prosseguiu Nick – e me deu de presente a um de seus sócios. Esse sócio que me colocou nas lutas, sabendo que, como humano, eu teria a vantagem da espertеza. Ganhou muito dinheiro comigo, para dizer o mínimo. E quanto a você? Como foi parar lá?

– Hum – comecei –, fiz um feitiço para me transformar em marta e acabei nas lutas por engano. – Não era bem uma mentira. Eu não tinha planejado nada, portanto se tratava de um acidente. Nada mais.

– Você é uma bruxa? – perguntou com um sorriso que tomava conta de todo o seu rosto. – Beleza. Não estava muito certo disso.

Sorri também. Conhecera poucos humanos que, como ele, consideravam os impercebidos apenas o outro lado da moeda da humanidade. Sempre que isso acontecia era uma surpresa e um deleite.

– Que são essas lutas? – perguntou Ivy. – Algum tipo de câmara de compensação em que se dá um fim a pessoas sem manchar as mãos de sangue?

Nick sacudiu a cabeça.

– Acho que não. Rachel foi a primeira pessoa que encontrei por lá em três meses.

– Três meses! – exclamei. – Você foi rato por três meses?

Ele se agitou na cadeira e ajustou o cinto do roupão.

– Sim. Creio que a essa altura todos os meus pertences foram vendidos para pagar o aluguel atrasado. Mas pelo menos tenho mãos de novo. – Sacudiu-as no ar e notei que, embora esguias, estavam cheias de calos.

Fui invadida por um arroubo de simpatia. Em Hollows, era prática corrente vender os pertences dos locatários quando estes desapareciam. As pessoas perdiam tudo com frequência. O Barão também já não tinha emprego, pois fora "despedido" do último.

— Você mora mesmo numa igreja? — perguntou ele.

Meu olhar acompanhou o seu, que passeava por aquela cozinha obviamente "institucional".

— Sim. Ivy e eu nos mudamos há poucos dias. Apesar dos corpos enterrados no quintal.

O Barão esboçou um sorriso leve, cheio de charme. Deus do céu, aquele sorriso o fazia parecer um menininho perdido. Ivy, de novo às voltas com a pia, riu baixinho.

— Mel. — A voz de Jenks vinha do teto, para onde minha atenção se desviou. Abandonou sua concha e desceu, as asas se tornando indistintas quando notou a presença de Nick. Voando aos trancos e barrancos, quase caiu sobre a mesa. Tomei um susto, mas Nick se limitou a sorrir.

— Jenks, não? — perguntou.

— Barão — disse Jenks, tropeçando ao tentar assumir sua melhor pose de Peter Pan. — Felizmente, consegue fazer algo mais que guinchar. Guinchos, guinchos, guinchos: eles me dão dor de cabeça. Essa droga ultrassônica penetra diretamente no meu cérebro.

— Meu nome é Nick. Nick Sparagmos.

— Então, Nick — continuou Jenks —, Rachel quer saber como é ter bolas tão grandes quanto o crânio, que se arrastam pelo chão.

— Jenks! — gritei. "Céus!" Negando veementemente com um gesto de cabeça, olhei para Nick, mas ele parecia ter levado a brincadeira numa boa. Seus olhos cintilavam no rosto comprido e sorridente.

Tomando fôlego, Jenks esquivou-se da minha mão. Estava recuperando rapidamente o equilíbrio.

— Ei, você tem uma cicatriz feia no pulso — disparou. — Minha esposa, que é uma boa garota, costuma me remendar. É uma ótima costureira.

— Quer alguma coisa para pôr no pescoço? — perguntei, tentando mudar o rumo da conversa.

— Não, está tudo bem — respondeu Nick. Espreguiçou-se, como se tivesse o corpo entorpecido, e senti um leve toque em meu pé. Tentei não ser óbvia demais quando o olhei de esguelha. Jenks não percebeu nada.

– Nick – disse ele, pousando a seu lado na mesa. – Já viu uma cicatriz destas? – Arregaçou a manga e mostrou um risco em ziguezague que ia do pulso ao cotovelo. Jenks sempre usava camisa de seda de mangas compridas, com calças combinando. Não sabia que tinha cicatrizes.

Nick deu um curto assobio de aprovação e Jenks exultou.

– Devo isso a uma fada – explicou. – Ela estava na cola da mesma presa que o caçador ao qual eu dava suporte. Alguns segundos no teto e a desgraçada de asas de borboleta levou seu caçador para outro lugar.

– Não brinque. – Nick parecia impressionado quando se inclinou para a frente. Cheirava bem: cheiro de homem, sem tender para lóbis e sem nenhum traço de sangue. Olhos castanhos. Ótimo. Gosto de olhos humanos. Pode-se olhar para eles e ver apenas o que se espera. – E esta? – Nick apontou para uma cicatriz redonda na clavícula de Jenks.

– Picada de abelha – respondeu Jenks. – Me deixou de cama por três dias, com calafrios e espasmos, mas mantivemos nossos direitos sobre as flores da parte sul. Como conseguiu esta aí? – perguntou, erguendo-se no ar e apontando para o vergão em torno do pulso de Nick.

Nick me fitou e desviou o olhar.

– Um ratão chamado Hugo.

– Parece que ele quase arrancou sua mão.

– Tentou.

– Veja isto. – Jenks tirou a bota e a meia quase transparente, deixando à mostra um pé disforme. – Uma vamp mastigou meu pé sem que eu pudesse me soltar com a rapidez necessária.

Nick estremeceu e eu me senti mal. Deve ser difícil ter quinze centímetros num mundo de um metro e oitenta. Abrindo a parte de cima do roupão, Nick exibiu o ombro e um pedaço da curva de um músculo. Inclinei-me para ver melhor. Vários riscos na pele pareciam feitos por garras e tentei avaliar sua profundidade. Concluí que Ivy estava errada. Ele não era um nerd. Nerds não têm barriga tanquinho.

– Lembrança de um rato chamado Pan Peril – contou.

– E que tal isto? – Jenks abriu a camisa e mostrou o peito. Deixei de rir ao ver seu corpo marcado e contundido. – Está vendo aqui? – perguntou, apontando para uma cicatriz redonda e côncava. – Vai até o outro lado. – Virou-se para que víssemos uma cicatriz menor na parte inferior das costas. – Espada de fada. Teria me matado, sem dúvida, mas eu tinha acabado de me casar com Matalina, e ela me manteve vivo até que as toxinas fossem expelidas.

Nick sacudiu lentamente a cabeça.

– Você venceu. Não tenho nada que se compare a isso.

Jenks parecia ter crescido vários centímetros, tamanho era seu orgulho. Nem sabia o que dizer. Meu estômago roncava e, no silêncio que logo se fez, murmurei:

– Nick, quer que eu prepare um sanduíche ou outra coisa qualquer?

Seus olhos castanhos, fitando os meus, estavam cheios de doçura.

– Se não for muito incômodo.

Levantei e, arrastando os chinelos cor-de-rosa, abri a geladeira.

– Incômodo nenhum. Eu ia preparar algo para mim mesmo.

Ivy acabara de lavar o último copo e começara a limpar a pia com sapólio. Lancei um olhar de reprovação. A pia não precisava de limpeza. Ivy só queria bisbilhotar. Na geladeira, descobri embalagens de comida de quatro restaurantes diferentes. Ao que parecia, minha amiga vamp andara fazendo compras no mercado. Vasculhando, descobri um pouco de salsichão e alface. Meus olhos pousaram no tomate em cima do parapeito da janela e mordi o lábio, esperando que Nick não o tivesse visto. Não queria ofendê-lo. Muitos humanos não pegavam um tomate nem com a mão enluvada. Deslocando-me de modo a bloquear sua visão, escondi o fruto atrás da torradeira.

– Comendo de novo? – murmurou Ivy. – Ainda há pouco...

– Estou faminta – retruquei. – E vou precisar de todas as minhas forças hoje à noite. – Enfiei de novo a cabeça dentro da geladeira atrás da maionese. – Pode me ajudar, se tiver tempo.

– Ajudar com o quê? – perguntou Jenks. – A ficar descansando na cama?

Virei-me com as mãos cheias de sanduíches e fechei a geladeira com o cotovelo.

– Preciso que me ajudem a trazer Trent. E só temos até a meia-noite para fazer isso.

Jenks se agitou no ar.

– O quê? – gaguejou. Seu bom humor se fora inteiramente.

Ergui meus olhos cansados para Ivy. Sabia que ela não iria gostar nada daquilo. Para dizer a verdade, eu aguardara a chegada de Nick esperando que, na presença de uma testemunha, ela não fizesse uma cena.

– Esta noite? – Ivy pousou as mãos nos quadris e fitou-me, intrigada. – Quer sair atrás dele esta noite? – Olhou para Nick e depois para mim novamente. Jogando a bucha na pia, enxugou as mãos num pano de prato. – Rachel, posso falar com você no corredor?

Franzi o cenho diante desse insulto, que implicava desconfiança em relação a Nick. Mas, embora exasperada, despejei sobre o balcão tudo o que tinha nas mãos e fiz a Nick uma careta de desculpas.

Segui-a para fora da cozinha. Mas logo diminuí o passo ao vê-la no corredor a meio caminho de nossos quartos, com sua silhueta irascível parecendo ameaçadora na penumbra. O cheiro forte de incenso em lugares fechados sempre me incomodava.

– Que é? – perguntei.

– Falar a Nick sobre seu probleminha não é uma boa ideia – respondeu.

– Ele foi rato por três meses – objetei. – Por que diabos seria um assassino da SI? O coitado não tem nem roupas e você acha que poderia me matar?

– Não – protestou Ivy, aproximando-se de mim até me encostar na parede. – Mas, quanto menos ele souber a seu respeito, mais seguro será para vocês *dois*.

– Oh! – Meu rosto ficou gelado. Ivy estava perto demais. Não era nada bom ela ter perdido seu senso de espaço pessoal.

– E de que vai acusar Trent? De mantê-la como marta? De colocá-la nas lutas? Se for se queixar à SI por isso, estará perdida.

A voz de Ivy se tornara um murmúrio abafado. Eu tinha de dar o fora daquele corredor.

– Depois de três dias com ele, isso não é nada. – eu disse.

Nick gritou da cozinha:

– A SI? Foram eles que a puseram nas lutas de ratos, Rachel? Então, você é uma bruxa negra?

Ivy estremeceu. Seus olhos assumiram uma tonalidade castanha. Parecendo desconcertada, recuou um passo.

– Desculpe – lamentou em tom baixo. E, constrangida, voltou para a cozinha. Aliviada, a segui e encontrei Jenks empoleirado no ombro de Nick. Teria Nick uma audição apurada ou Jenks tinha contado tudo a ele? Eu apostava na última alternativa. E a pergunta de Nick sobre bruxaria negra fora inquietante em sua aparente indiferença.

– Não – interveio Jenks, complacente. – A bruxaria de Rachel é mais branca que a própria bunda. Ela deixou a SI e arrastou consigo Ivy, que era a melhor funcionária de lá. Denon, o ex-chefão das duas, pôs a cabeça de Rachel a prêmio, por despeito.

– Você *era* uma caçadora de recompensas da SI – disse Nick. – Entendo. Mas como foi parar nas lutas de ratos?

Sentindo-me pressionada, olhei para Ivy, que voltara a esfregar diligentemente a pia. Ela deu de ombros. Já era tempo de esclarecer tudo para o garoto-rato. Estendendo a mão para o balcão, peguei seis fatias de pão.

– O senhor Kalamack me surpreendeu em seu escritório procurando descobrir o que realmente faz no ramo de biodrogas. Ele achou mais divertido me pôr na arena do que me entregar.

– Kalamack? – repetiu Nick, arregalando os olhos já grandes. – Está falando de Trent Kalamack? O conselheiro municipal? Ele trabalha com biodrogas? – Seu roupão se abrira à altura dos joelhos e desejei que se abrisse ainda mais, nem que fosse só um pouquinho.

Satisfeita, estendi duas fatias de salsichão sobre cada uma das três de pão.

– Sim, mas depois de apanhada descobri que Trent não se limita a vender biodrogas. – Fiz uma pausa, para dramatizar a revelação. – Ele também as *fabrica* – concluí.

Ivy se virou. Com o pano de prato pendendo da mão, olhou-me do outro lado da cozinha. Tamanho era o silêncio que eu conseguia ouvir garotos brincando de pega-pega nas imediações. Gozando sua reação, fui arrancando as folhas da alface até chegar às mais tenras.

Nick estava pálido. Não o censurei. Humanos ficam assustados quando ouvem falar de manipulação genética, por motivos óbvios. E o fato de Trent estar metido naquele negócio era muito preocupante, sobretudo não sendo claro de que lado da cerca estava: o lado dos humanos ou o dos imperceb idos.

– Não pode ser – objetou o inquieto Nick. – Votei no senhor Kalamack. Ambas as vezes. Tem certeza disso?

Ivy também parecia inquieta.

– Ele é bioengenheiro?

– Bem, ele os financia – disse eu. "E os mata, deixando-os apodrecer no chão do escritório." – Hoje a noite haverá um carregamento para o sudoeste. Se o interceptarmos e o ligarmos a ele, poderei usar isso para liquidar meu contrato. Jenks, ainda tem aquela folha tirada da agenda de Trent?

– Está escondida em meu toco – disse o pixie.

Abri a boca para protestar, mas logo concluí que era um bom esconderijo. A faca com que eu passava maionese no pão fazia um som alto. Terminei os sanduíches.

Nick tirou as mãos do rosto, que parecia abatido e pálido.

– Engenharia genética? Trent Kalamack possui um biolaboratório? O conselheiro municipal?

– Você vai adorar a próxima parte – continuei. – Francis é seu contato na SI.

Com um grito, Jenks subiu ao teto e desceu.

– Francis? Tem certeza de que não levou uma pancada na cabeça, Rachel?

– Que ele trabalha para Trent é tão certo quanto eu ter passado os últimos quatro dias comendo cenouras. Eu o vi. Que me diz das apreensões de Enxofre que Francis andou fazendo? Da promoção? *Daquele carro*? – Não concluí meu raciocínio, deixando que Jenks e Ivy tirassem suas próprias conclusões.

– Diabos! – exclamou Jenks. – As buscas por Enxofre são para despistar!

– Sim. – Cortei os sanduíches em dois. Satisfeita comigo mesma, coloquei um em meu prato e dois no de Nick; ele era magro. – Trent mantém a SI e o FIB ocupados com Enxofre enquanto a verdadeira mina de dinheiro está do outro lado da cidade.

Os movimentos de Ivy eram lentos ao lavar de novo a mão suja de sapólio.

– Francis não é tão esperto assim – disse, enxugando os dedos e pondo outra vez de lado o pano de prato.

– Não, não é – concordei após um curto silêncio. – Vai se ferrar logo.

Jenks pousou ao meu lado.

– Denon mijará nas calças quando ouvir isso – disse.

– Esperem. – Ivy parecia ainda mais atenta. A orla castanha em seus olhos encolhia, mas de alvoroço, não de fome. – E se Denon também estiver na folha de pagamentos de Trent? Você precisará de provas para apresentar à SI. Do contrário, preferirão matá-la à ajudá-la a pegá-lo. E pegá-lo vai exigir mais do que nós duas e uma tarde de planejamento.

Ergui as sobrancelhas, preocupada.

– Só tenho uma bala na agulha, Ivy – suspirei. – É arriscar ou desistir.

– Hum! – A mão de Nick tremia ao segurar o sanduíche. – Por que não procura o FIB?

Ivy e eu mergulhamos num silêncio profundo. Nick deu uma mordida e engoliu.

– O FIB entrará em qualquer favela de Hollows à meia-noite atrás de biodrogas. Sobretudo se o senhor Kalamack estiver implicado. Se vocês apresentarem provas, eles darão uma olhada.

Virei-me para Ivy, incrédula. Seu rosto parecia tão inexpressivo quanto o meu. "O FIB?"

Descontraí o cenho e senti um sorriso se desenhando em minha face. Nick estava certo. A rivalidade entre o FIB e a SI bastaria para motivá-los.

– Trent entrará pelo cano, terei o contrato liquidado e a SI parecerá um bando de idiotas. Gosto disso. – Mordi meu sanduíche, limpando a maionese do canto da boca, quando meu olhar cruzou com o de Nick.

– Rachel – disse Ivy em tom cauteloso –, posso falar com você um instante?

Olhei para Nick, sentindo minha raiva aumentar de novo. O que seria dessa vez? Mas Ivy já saíra.

– Com licença – pedi, levantando e apertando nervosamente o cinto do meu roupão. – A princesa da paranoia quer conversar comigo a sós. – Ivy parecia tranquila. Eu ficaria bem.

Nick tirou uma migalha da testa, imperturbável.

– Posso fazer café? Estou louco por uma xícara há três meses.

– Claro, o que quiser – concordei, feliz por ele não se sentir ofendido com a desconfiança de Ivy. Ofendida me sentia eu. Nick tinha apresentado um plano excelente e ela o desaprovava por não ter pensado nisso antes. – O café está na geladeira – acrescentei, seguindo para o corredor.

– Que há com você? – perguntei antes mesmo de me aproximar. – Nick é apenas um cara legal. E está certo. Convencer o FIB a procurar Trent é bem mais seguro do que tentar induzir a SI a me ajudar.

Eu não conseguia ver a cor dos olhos de Ivy na penumbra. Estava escurecendo lá fora e o corredor parecia desagradavelmente sombrio com ela por perto.

– Rachel, isto não é uma incursão contra o lugar de encontro dos vamps locais – advertiu. – É uma tentativa de acabar com um dos cidadãos mais poderosos da cidade. Uma palavra errada dita por Nick e você estará morta.

Meu estômago se revirou diante dessas palavras. Respirei fundo e expirei lentamente.

– Prossiga – pedi.

– Sei que Nick quer ajudar – explicou. – Não seria humano se não tentasse, de algum modo, recompensá-la por ajudá-lo a fugir. Mas ele vai acabar se machucando.

Calei-me, sabendo que Ivy estava certa. Nós éramos profissionais; Nick, não. Eu precisava, de qualquer maneira, tirá-lo do caminho.

– O que sugere? – perguntei e logo me senti menos tensa.

– Por que não o leva lá para cima e vê se na torre há uma roupa que sirva nele? Enquanto isso, marco uma passagem naquele avião – sugeriu. – Qual é mesmo o voo?

– Para que isso tudo? – perguntei, ajeitando uma madeixa atrás da orelha. – Só precisamos saber quando Nick vai embora.

– Precisamos é de mais tempo. O que nos resta é muito pouco. Algumas empresas seguram o avião quando são comunicadas sobre restrições a voos diurnos. Põem a culpa nas condições atmosféricas ou na necessidade de fazer pequenos ajustes mecânicos. Só decolam quando o sol está brilhando a 38.000 pés.

"Restrições a voos diurnos? Isso explicava muita coisa."

– O último voo para Los Angeles sai antes da meia-noite – informei.

O rosto de Ivy se contraiu na expressão que eu chamava de "atitude de planejamento".

– Jenks e eu vamos ao FIB para explicar tudo – disse ela, com um tom de preocupação na voz. – Encontre-nos lá para darmos início à aventura real.

– Ei, espere um minuto. Eu é que vou ao FIB. A caçada é minha.

Seu cenho franzido era visível na penumbra do corredor e eu dei um passo atrás, inquieta.

– O FIB é o FIB – disse ela, secamente. – Mais seguro, sem dúvida. Mas podem pegá-la em troca do prestígio de deter uma caçadora que a SI deixou escapar. Alguns daqueles caras adorariam matar uma bruxa e você sabe disso.

Senti-me mal.

– Está bem – concordei pacientemente. Minha boca começava a ficar úmida com o som da água borbulhando para fazer café. – Tem razão. Ficarei de fora até vocês contarem ao FIB o que estamos fazendo.

A expressão de Ivy passou de resoluta para perplexa.

– Acha que tenho razão?

O cheiro do café me puxou para a cozinha. Ivy veio atrás, em passos silenciosos. Cruzei os braços ao entrar no recinto iluminado. A lembrança de permanecer no escuro, escondida de fadas assassinas, anulava qualquer alvoroço que a perspectiva de pegar Trent pudesse ter despertado em mim. Precisava fazer mais alguns feitiços. Fortes. Diferentes. Realmente diferentes. Talvez... talvez negros. Não me senti nada bem.

Nick e Jenks cochichavam, este tentando convencer aquele a abrir o vidro de mel. Pelo sorriso de Nick e suas constantes recusas, concluí que sabia algo sobre pixies, tanto quanto sobre vamps. Postei-me ao lado da cafeteira, esperando que o café ficasse pronto. Ivy abriu o gabinete da cozinha e me entregou três xícaras. A pergunta em seus olhos era: por que eu estava tão nervosa? Como vamp, Ivy fazia leitura corporal melhor que um especialista.

– A SI continua atrás de mim – expliquei em voz baixa. – Sempre que o FIB planeja uma grande tacada, ela tenta se meter. Se devo fazer uma aparição pública, preciso de algo que me proteja deles. Algo bem forte. Posso fazer isso enquanto estiverem no FIB. Depois, encontro com vocês no aeroporto.

Ivy permaneceu junto à pia, de braços cruzados e ar desconfiado.

– Talvez seja uma boa ideia – admitiu. – Uma medida preventiva. Ótimo.

A tensão me dominava. Uma magia negra completa sempre envolve matar alguém. Especialmente quando se trata de feitiços fortes. Ainda não sabia se conseguiria ir até o fim. De olhos baixos, dispus as xícaras em linha reta.

– Jenks – perguntei –, qual é a formação dos assassinos lá fora?

O sopro de suas asas agitou meus cabelos quando pousou junto à minha mão.

– Faz três dias que você foi vista. Só há fadas agora. Me dê uns cinco minutos e conseguirei distraí-las o suficiente para você sair, se precisar.

– Muito bom. Vou atrás de alguns feitiços novos depois de me vestir.

– Para quê? – perguntou Ivy em tom cauteloso. – Você tem um monte de livros de magia.

Senti um suor frio no pescoço. Não queria que Ivy o percebesse.

– Preciso de uma coisa bem mais forte. – Virei-me. O rosto de Ivy estava surpreendentemente sereno. Enrijecida pelo medo, respirei fundo e baixei a cabeça. – Quero algo que possa usar numa ofensiva – murmurei. E, envolvendo um cotovelo com a mão, pousei a outra na clavícula.

– Oh, Rachel – exclamou Jenks, vibrando as asas para se colocar em minha linha de visão. Seus traços finos revelavam ansiedade, o que não ajudava em nada o meu bem-estar. – Você se refere a algo muito próximo da magia negra, não?

Meu coração batia forte sem que eu sequer tivesse feito alguma coisa.

– Magia negra? Com os diabos, sim – respondi. Relanceei um olhar para Ivy, que assumira uma postura cuidadosamente neutra. Nick também não parecia inquieto quando se levantou, atraído pela promessa de um bom café. De novo, a ideia de vê-lo praticando magia negra me agitou. Os humanos podiam praticá-la, embora, para muitos círculos de impercebidos, bruxos e bruxas fossem pouco mais que uma piada. – A lua está ficando cheia e vou me aproveitar disso, mas não farei feitiços para machucar ninguém em especial... – Minha voz morreu. O silêncio era constrangedor.

A resposta relativamente doce de Ivy foi enervante.

– Tem certeza, Rachel? – Havia apenas um leve tom de advertência em sua voz.

– Ficarei bem – garanti, desviando os olhos. – Não vou fazer isso com más intenções e sim para proteger minha vida. Há uma diferença. – "Espero. Deus tenha piedade de mim se eu estiver errada."

As asas de Jenks batiam espasmodicamente quando pousou na concha.

– Não importa – disse, muito agitado. – Queimaram todos os livros de magia negra.

Nick desviou a garrafa de café do jorro e colocou em seu lugar uma xícara.

– A biblioteca da universidade ainda tem alguns – informou, enquanto a chapa quente chiava ao contato das gotas caídas na fração de segundo que levou para executar o movimento.

Todos nos voltamos para Nick, que deu de ombros.

– Ficam guardados no velho armário.

Um arrepio de medo percorreu meu corpo. "Não deveria fazer isto", pensei.

– E você tem a chave, certo? – perguntei sarcasticamente, mas fiquei surpresa quando respondeu que sim.

Ivy expirou ruidosamente, incrédula.

– Você tem a chave – zombou. – Uma hora atrás era um rato e agora tem a chave da biblioteca da universidade.

De repente, Nick pareceu bem mais perigoso ali em minha cozinha, com o roupão preto de Ivy muito folgado em seu corpo alto e magro.

– Estudei lá – explicou.

– Estudou na universidade? – perguntei, enchendo também minha xícara de café.

Nick bebericou da sua, fechando os olhos beatificamente.

– Bolsa de estudos. Formei-me em coleta, organização e distribuição de dados.

– Então você é um bibliotecário! – exclamei, aliviada. Por isso ele conhecia livros de magia negra.

– Era. Posso entrar e sair de lá sem problemas. A mulher que supervisionava o trabalho dos alunos escondia as chaves das salas perto das portas, para que não a aborrecêssemos. – Bebericou de novo e seus olhos começaram a brilhar pela ação da cafeína.

Só então Ivy pareceu preocupada, apertando os olhos.

– Rachel, posso falar com você?

– Não – respondi prontamente. Não queria voltar àquele corredor escuro. Estava inquieta. Não significava nada para seus instintos o fato de meu coração dar pulos com medo de magia negra, não dela. E ir à biblioteca com Nick era menos perigoso que fazer um feitiço negro, coisa que não parecia preocupá-la em nada. – O que quer?

Ivy olhou para Nick e depois para mim.

– Só queria sugerir que você levasse Nick à torre. Temos lá algumas roupas que talvez sirvam nele.

Afastei-me do balcão, segurando a xícara ainda intacta. "Mentirosa", pensei.

– Deixe só eu me vestir, que o levarei lá, Nick. Não se importa de sair por aí com uma roupa velha de padre, importa-se?

Ele pareceu espantado a princípio, mas logo se recompôs.

– Não. Será ótimo.

– Então está bem – concluí. Minha cabeça latejava. – Depois de se vestir, nós dois vamos até a biblioteca e você me mostrará todos os livros de magia negra.

Ao sair, olhei de esguelha para Ivy e Jenks. Ele, muito pálido, obviamente não gostou do que eu estava fazendo. Ivy parecia preocupada; quanto a mim, ficava incomodada com a indiferença de Nick para com tudo o que dizia respeito aos impercebidos e agora à magia negra. Não era um profissional, era?

Vinte e quatro

Fiquei parada na calçada esperando Nick sair do táxi, contando quanto dinheiro restava na minha carteira antes de guardá-la. Meu último pagamento estava acabando. Se não tomasse cuidado, ia ter que mandar Ivy ir ao banco por mim. Eu estava torrando a grana mais rápido do que de costume e não entendia o motivo. Todas as minhas despesas eram menores. "Devem ser os táxis", pensei, jurando usar mais o ônibus.

Nick tinha encontrado um jeans desbotado no campanário. Ficava folgado, por isso tinha emprestado um dos meus cintos mais conservadores; o pastor, que partira havia muito tempo, tinha sido um homem grande. O moletom cinza com o logo da Universidade de Cincinnati era igualmente enorme; e as botas de jardim que usava, irremediavelmente grandes. Mas Nick tinha as calçado e, agora, pisava pesado como se estivesse num filme ruim de Frankenstein. De alguma forma, com sua grande altura e aparência boa e descontraída, ele fazia o desmazelo parecer atraente. Isso nunca acontecia comigo, eu parecia mesmo uma relaxada nesses casos.

O sol ainda não tinha se posto, mas as luzes da rua já se encontravam acesas, pois o céu estava coberto de nuvens. Tinha levado mais tempo lavar as roupas do pastor do que chegar ali. Mantive o colarinho do casaco de inverno fechado contra o ar frio e examinei a rua iluminada pelos faróis de carros enquanto Nick dizia algumas últimas palavras ao taxista. Noites podiam ser frias no final da primavera, mas eu teria usado o casaco comprido de qualquer forma para cobrir o vestido de guingão marrom, que deveria combinar com meu disfarce de senhora idosa. Eu só o usara uma vez antes, num banquete de mães e filhas ao qual eu de alguma forma tinha sido convencida a comparecer.

Nick se desdobrou para sair do táxi. Bateu a porta e deu um tapinha na parte de cima do carro. O motorista fez um aceno de mão casual e foi embora. Carros passavam ao nosso redor. A rua ficava cheia no crepúsculo, quando tanto a humanidade quanto os impercebidos a usavam bastante.

– Ei – Nick disse, me espiando na luz incerta. – O que aconteceu com suas sardas?

– Hum... – hesitei, passando o dedo no anel do mindinho. – Não tenho sardas.

Nick tomou o ar para dizer algo e então hesitou.

– Onde está Jenks? – perguntou por fim.

Desconcertada, apontei com o queixo para os degraus da biblioteca do outro lado da rua.

– Foi em frente para conferir as coisas. – Olhei as poucas pessoas que entravam e saíam da biblioteca. Estudar numa sexta-feira à noite. Algumas pessoas tinham um desejo insaciável de estragar a média da nota para o resto de nós. Nick pegou meu cotovelo, mas me afastei com um puxão. – Consigo atravessar a rua sozinha, obrigada.

– É para você parecer uma velha senhora – murmurou. – Pare de balançar os braços e ande mais devagar.

Suspirei, tentando me mover tão lentamente quanto Nick enquanto atravessávamos no meio da rua. Buzinas soaram e Nick as ignorou. Estávamos em uma área de estudantes. Se tivéssemos cruzado a interseção, teríamos atraído atenção. Mesmo assim, fiquei tentada a mostrar meu dedo do meio várias vezes, porém, decidi que isso ia destruir minha imagem de velhinha. Mas talvez não.

– Tem certeza que ninguém vai reconhecê-lo? – perguntei enquanto subíamos os degraus de mármore e chegávamos às portas de vidro. Caramba, não era de espantar que as pessoas velhas morressem. Levava o dobro do tempo para fazerem qualquer coisa.

– Sim. – Puxou a porta, abrindo-a para mim e eu me arrastei para dentro. – Não trabalho aqui há cinco anos, e as únicas pessoas que vêm aqui numa sexta são calouros. Agora, arqueie as costas e tente não atacar ninguém. – Dei um sorriso desagradável a ele, que acrescentou, animado: – Bem melhor.

Cinco anos significava que Nick não era muito mais velho que eu. Era o que eu teria imaginado, mas ficava difícil dizer diante do desgaste causado pela vida como rato.

Fiquei de pé na entrada para olhar ao redor. Gostava de bibliotecas. Elas cheiravam bem e eram calmas. A luz fluorescente na entrada parecia fraca demais; normalmente era complementada pela luz natural que vinha das grandes janelas que cobriam os dois andares inteiros. A penumbra do pôr do sol amortecia toda a luz.

Meu olhar se desviou de maneira abrupta para algo indistinto que caía do teto, vindo diretamente em minha direção. Arfando, desviei. Nick agarrou meu braço, mas perdi o equilíbrio e meus saltos deslizaram no chão de mármore, o que me fez cair, gritando. Estatelada com as pernas abertas, corei quando Jenks pairou sobre mim, rindo.

– Que vá tudo para o inferno! – gritei. – Olhe o que está fazendo!

Houve um suspiro de surpresa coletivo. Todo mundo estava olhando. Jenks se escondeu em meu cabelo; sua risada me irritava. Nick se dobrou e segurou meu cotovelo.

– Desculpe, vovó – ele disse alto e depois deu a todos um olhar embaraçado. – Vovó não ouve bem, essa velha coroca. – Então se virou para mim, o rosto sério, mas os olhos castanhos reluzindo. – Estamos numa biblioteca agora! – gritou. – Você tem que fazer silêncio!

Com o rosto quente o suficiente para fazer uma torrada, murmurei algo e o deixei me ajudar. Houve uma tagarelice nervosa de gente achando graça, e todos voltaram para o que estavam fazendo.

Um adolescente tenso e com a cara cheia de espinhas correu até nós, sem dúvida preocupado com um processo por conta da queda. Em meio a mais estardalhaço que a situação merecia, nos guiou para os escritórios do fundo, balbuciando algo sobre chãos escorregadios, que tinham acabado de ser encerados, e dizendo que ia falar com o faxineiro imediatamente.

Eu me segurei no braço de Nick, reclamando do quadril e interpretando o papel de idosa até não poder mais. O garoto aturdido apertou uma campainha que dava acesso a uma área semissegura, na qual nos fez entrar. Com o rosto vermelho, me mimou enquanto eu sentava e apoiava o pé numa cadeira giratória. A faca de prata presa no meu tornozelo o fez parar por um instante. Sussurrei algo sobre água, e ele correu para me trazer um pouco. Levou três tentativas para conseguir abrir a porta com a campainha. O silêncio desceu sobre nós quando a porta se fechou atrás dele com um clique. Sorrindo, olhei nos olhos de Nick. Não era exatamente como tínhamos planejado, mas ali estávamos.

Jenks saiu de seu esconderijo.

– Essa solução de vocês foi mais escorregadia do que meleca de nariz na maçaneta – disse, disparando para inspecionar as câmeras. – Ah! – exclamou. – São falsas.

Nick segurou na minha mão e me puxou para ficar de pé.

– Eu ia levá-los pelo acesso na sala de descanso dos funcionários, mas isso vai funcionar. – Olhei sem expressão para ele, que desviou os olhos por um instante para uma porta corta-fogo cinza. – O porão é por aqui.

Um sorriso se desenhou no meu rosto quando vi a trava.

– Jenks?

– Agora mesmo – respondeu, e começou a mexer nela. Em três segundos, estava destravada.

– Aqui, vamos... – Nick murmurou ao girar a maçaneta. A porta se abriu para uma escadaria escura. Ele apertou o interruptor para acender as luzes e pôs os ouvidos em alerta. – Nenhum alarme – disse.

Peguei um amuleto de detecção e o invoquei rapidamente. O objeto permaneceu quente e verde em minha mão.

– Nenhum alarme silencioso também – murmurei, pendurando-o no pescoço.

– Ei – Jenks reclamou. – Isso é fácil, coisa para alunos de primeiro ano.

Começamos a descer. O ar estava frio na escadaria estreita, sem qualquer indício do reconfortante cheiro de livros. A cada seis metros, uma única lâmpada estava acesa, mandando débeis raios de luz amarela para mostrar a sujeira no sota-vento dos degraus. Uma faixa de trinta centímetros de sujeira criava uma listra em ambas as paredes, na altura da mão, e curvei o lábio. Havia um corrimão, mas preferia não usá-lo.

A escada terminou num salão escuro que formava eco. Nick olhou para mim e dei uma conferida no amuleto.

– Estamos limpos – sussurrei, e ele acendeu as luzes, iluminando o salão com teto baixo e paredes de blocos de cimento sem acabamento. Do chão ao teto, portas de telas de arame passavam pelo comprimento do salão, deixando as estantes de livros atrás deles completamente à mostra.

Jenks foi zunindo de maneira confiante à nossa frente. Com os saltos barulhentos, segui Nick rumo a uma porta de telas. A seção de livros antigos. Enquanto Jenks entrava pelos buracos em forma de losangos, entrelacei os dedos na tela e fiquei na ponta dos pés, usando todos os sentidos para absorver o local. Franzi a testa. Era minha imaginação, é claro, mas podia sentir o cheiro da magia fluindo daquelas estantes, praticamente visível conforme fazia redemoinhos em volta dos meus tornozelos. A sensação de poder antigo que emanava da sala trancada era tão diferente do cheiro do andar de cima quanto um luxuoso chocolate belga é diferente de um bombom comum. É intoxicante, rico e nos faz mal de um jeito tão bom...

– Então, onde está a chave? – perguntei, sabendo que Jenks não ia ser capaz de mover as tranquetas da fechadura velha e mecânica. Algumas vezes, eram as proteções mais antigas que funcionavam melhor.

Nick passou os dedos sob uma prateleira próxima. Seus olhos reluziam com uma frustração passada quando sua mão parou.

– Não tenho senioridade para entrar na câmara dos livros, não é? – murmurou baixinho enquanto tirava uma chave com um pedaço de massinha preso. Os olhos franzidos, olhou para a pesada chave-mestra que descansava em sua mão, antes de abrir a porta coberta por uma tela de arame.

Meu coração bateu forte e depois voltou ao normal enquanto a porta guinchava. Nick colocou a chave no bolso com um movimento abrupto e determinado.

– Você primeiro – ele disse enquanto ligava as luzes fluorescentes.

Hesitei.

– Há algum outro caminho para fora daqui? – perguntei, e, após receber uma resposta negativa, virei-me para Jenks. – Fique aqui – ordenei. – Tome conta para que nada aconteça... comigo – Mordi o lábio. – Você vai tomar conta para que nada aconteça comigo, Jenks? – perguntei, com um nó no estômago.

O pixie deve ter captado o pequeno tremular da minha voz, pois perdeu a empolgação, e pousou na mão que eu tinha estendido e fez que sim com a cabeça. Os lampejos em sua camisa de seda preta captavam a luz, aumentando o brilho que as suas asas, que formavam um borrão de tão rápidas, emitiam.

– Entendido, Rachel – respondeu solenemente. – Nada vai passar por aqui a não ser que eu saiba. Prometo.

Inspirei, nervosa. Os olhos de Nick estavam confusos. Todo mundo na SI sabia como meu pai havia morrido. Gostei de Jenks não ter dito nada, apenas que estaria ali por mim.

– Certo – concluí, tirando meu amuleto detector e pendurando-o num lugar em que Jenks pudesse ver. Entrei depois de Nick, ignorando a sensação sinistra da minha pele formigando. Quer guardassem magia negra ou branca, eram apenas livros. O poder vinha de usá-los.

A porta se fechou com um rangido, e Nick passou roçando por mim, gesticulando para que o seguisse. Tirei o amuleto de disfarce, o coloquei na bolsa e então desfiz o coque do cabelo e o balancei todo. Afofando-o, me senti meio século mais nova.

Olhei para os títulos dos livros pelos quais passávamos, diminuindo o ritmo quando o corredor desembocou numa sala de tamanho razoável escondida do salão por mais estantes de livros. Havia uma mesa com uma aparência barata e três cadeiras giratórias aleatórias e que não eram boas o suficiente nem para um estagiário.

Sem hesitar, Nick andou até um armário de porta de vidro do outro lado da sala.

– Aqui, Rachel – disse enquanto o abria. – Veja se o que deseja está aqui. – Ele se virou, jogando a massa de cabelo preto para longe dos olhos. Pisquei surpresa com a aparência decidida e marota que marcava seu rosto comprido.

– Obrigada. Isso é ótimo. Realmente agradeço – enfatizei enquanto deixava minha bolsa cair sobre a mesa e me juntava a ele. Senti um aperto de preocupação, mas o afastei. Se o feitiço fosse muito terrível, não o faria.

Com cuidado, tirei o livro com a aparência mais antiga. A costura tinha se separado da lombada e precisei usar as duas mãos para conseguir carregar o tomo pesado. Coloquei-o no canto da mesa e puxei uma cadeira até ele. Fazia frio como numa caverna, e me sentia feliz por estar de casaco. O ar seco cheirava ligeiramente a batatas chips. Reprimindo o nervosismo, abri o livro. O frontispício tinha sido arrancado. Usar um feitiço de um livro sem nome era perturbador. No entanto, o índice estava intacto, e levantei as sobrancelhas. "Um feitiço para falar com fantasmas? Legal..."

– Você não é como a maioria dos humanos com quem passei algum tempo – afirmei enquanto examinava o índice.

– Minha mãe era solteira – contou. – Não podia pagar os preços do aluguel na cidade e estava mais inclinada a me deixar brincar com bruxos e vampiros do que com os filhos de viciados em heroína. Hollows eram o menor dos males. – Nick estava com a mão no bolso de trás e balançava os pés enquanto lia os títulos de uma fileira de livros. – Cresci ali. Estudei na Emerson.

Olhei para ele, intrigada. Crescer em Hollows explicava como sabia tanto sobre impercebidos. Para sobreviver, era preciso saber.

– Você frequentou o colegial de Hollows com impercebidos? – perguntei.

Ele sacudiu a porta trancada de um armário alto e solto da parede. A madeira parecia vermelha no brilho das luzes fluorescentes. Eu me perguntei o que era tão perigoso que precisava ficar num armário trancado, numa câmara trancada, atrás de uma porta fechada, no porão de um prédio do governo.

Mexendo na fechadura retorcida pelo calor, Nick deu de ombros.

– Não foi ruim. O diretor criou uma exceção às regras para mim depois que sofri uma concussão. Me deixaram carregar uma adaga de prata para fazer os lóbis saírem de cima, e lavar meu cabelo com água benta impediu que os vamps vivos ficassem muito irritados. Ela não os detinha, mas o mau cheiro que deixava em mim funcionava quase tão bem como se detivesse.

– Água benta, hein? – repeti, decidindo manter meu perfume de lilases em vez de um odor corporal que apenas vamps podiam sentir.

– Eram sempre os feiticeiros e bruxos que me causavam problemas – acrescentou enquanto desistia da fechadura e sentava-se numa das cadeiras, as pernas compridas retas diante de si. Sorri de soslaio. Podia muito bem imaginar que os bruxos causavam problemas a ele. – Mas os trotes pararam depois que me tornei amigo do maior, mais durão e mais feio feiticeiro da escola. – Ele deu um sorriso tênue com os olhos, e pareceu cansado. – Turk. Fiz sua lição de casa por quatro anos. Ele devia ter se formado muito tempo antes, e os professores estavam felizes em fingir que não viam se isso o tirasse do sistema. Já que eu não reclamava para o diretor toda vez que algo ruim acontecia, como fazia o punhado de outros humanos que estudavam lá, eu era considerado legal o bastante para andar com os imperceb1dos. Meus amigos tomavam conta de mim, e aprendi várias coisas que de outra forma não teria aprendido.

– Como o fato de que não precisa ter medo de um vamp – acrescentei, pensando como era estranho que um humano soubesse mais sobre vamps do que eu.

– Pelo menos não ao meio-dia. Mas vou me sentir melhor depois de ter tomado um banho e tirado o cheiro de Ivy de mim. Não sabia que o roupão era dela. – Ele chegou mais perto. – O que está procurando?

– Não tenho certeza – respondi, nervosa, enquanto ele espiava sobre meu ombro. Tinha de haver algo que pudesse usar que não fosse me mandar longe demais em direção ao lado negro da "Força". Uma piada nervosa me ocorreu: "Você não é meu pai, Darth, e eu nunca vou me juntar a você!"

Os olhos de Nick começaram a lacrimejar por causa do cheiro do meu perfume e ele se afastou. Tínhamos vindo no táxi com as janelas abertas. Agora entendia por que ele não tinha falado nada a respeito.

– Você não está morando com Ivy há muito tempo, não é? – perguntou. Surpresa, levantei os olhos do índice, e seu rosto comprido ficou sem expressão. – Eu, hum, meio que entendi que você e ela não...

Corei, abaixando os olhos.

– Não, não estamos – esclareci. – Não se eu puder evitar. Apenas moramos juntas. Eu fico do lado direito do corredor, ela fica no esquerdo.

Nick hesitou.

– Posso fazer uma sugestão?

Perplexa, o encarei, e ele foi sentar no canto da mesa.

– Você poderia experimentar um perfume com uma base cítrica em vez de floral.

Fiquei de olhos arregalados. Aquilo não era o que eu estava esperando, e minha mão rastejou até cobrir a área do pescoço em que eu tinha esguichado o perfume horrível.

– Jenks me ajudou a escolher – justifiquei. – Disse que cobria bem o cheiro de Ivy.

– Tenho certeza que cobre. – Nick recuou como a se desculpar. – Mas tem de ser forte para funcionar. Os de base cítrica neutralizam o odor do vamp, não apenas o cobrem.

– Ah... – suspirei, lembrando do gosto de Ivy por suco de laranja.

– O nariz de um pixie é bom, mas o de um vamp é especializado. Da próxima vez, vá às compras com Ivy. Ela vai ajudá-la a escolher algo que funcione.

– Vou fazer isso – disse, pensando como podia ter evitado desagradar a todos se tivesse pedido a ajuda dela. Sentindo-me estúpida, fechei o livro sem nome e me levantei para pegar outro.

Puxei o próximo livro da estante e enrijeci os músculos ao perceber que era mais pesado do que parecia. Ele atingiu a mesa com uma pancada e Nick estremeceu.

– Desculpe – eu disse, ajeitando a capa para esconder que tinha rasgado a costura que estava apodrecendo. Sentando-me, abri o livro.

Meus batimentos se aceleraram e eu congelei, sentindo os pelos da nuca se eriçarem. Não era apenas imaginação. Preocupada, levantei os olhos para ver se Nick também tinha notado. Ele olhava fixamente sobre meu ombro para um dos corredores que as estantes formavam. A sensação misteriosa não vinha do livro, e sim de trás de mim. "Droga."

– Rachel! – veio um chamado muito baixo do corredor. – O amuleto ficou vermelho, mas não tem ninguém aqui!

Fechei o livro e me coloquei de pé. Algo tremeluziu no ar. Meu coração bateu forte quando meia dúzia de livros no corredor voaram para o fundo das prateleiras.

– Hum, Nick? – perguntei. – Existe alguma história sobre fantasmas na biblioteca?

– Não que eu saiba.

"Droga mesmo." Eu me desloquei, indo me juntar a ele.

– Então, que, diabos, é aquilo?

Nick me deu um olhar desconfiado.

– Não sei.

Jenks veio voando.

– Não há nada no corredor, Rachel. Tem certeza de que esse amuleto funciona? – perguntou, e então apontei para a perturbação entre as estantes.

– Minha nossa! – exclamou, pairando entre Nick e eu enquanto o ar começava a tomar uma forma mais sólida. Como se fossem um só, os livros deslizaram de volta para a frente das prateleiras. Aquilo foi ainda mais sinistro.

A névoa se tornou amarela, e depois ficou firme. Minha respiração silvou entre os dentes. Era um cão. Isto é, se cães pudessem ser tão grandes quanto pôneis, tivessem caninos maiores do que minha mão e pequenos chifres saindo da cabeça, então aquilo seria um cão. Dei um passo para trás com Nick e ele nos seguiu.

– Diga-me que se trata do sistema de segurança da biblioteca – sussurrei.

– Não sei o que é isso. O rosto de Nick empalideceu, seu jeito confiante e tranquilo ficou em frangalhos. O cão estava entre nós e a porta. Saliva pingava de sua mandíbula, e juro que fez um chiado quando atingiu o chão, formando uma poça da qual se elevou uma fumaça amarela. Eu sentia o cheiro de enxofre. O que, diabos, era aquilo?

– Você tem alguma coisa em sua bolsa para isso? – Nick sussurrou, se enrijecendo quando as orelhas do cão se levantaram.

– Alguma coisa para deter um cão amarelo do inferno? – perguntei. – Não.

– Se não mostrarmos medo, talvez ele não ataque.

Então o cão abriu a mandíbula e disse:

– Qual de vocês é Rachel Mariana Morgan?

Vinte e cinco

Arfei, sentindo o coração bater.

O cão deu um bocejo, com um ligeiro choramingo no final.

– Deve ser você – ele disse. Sua pele ondulava como uma chama âmbar. Em seguida, saltou para cima de nós.

– Cuidado! – Nick gritou, empurrando-me para fora do alcance enquanto o cão salivante aterrissava sobre a mesa.

Caí no chão, agachando-me. Nick berrou de dor. Houve um estrondo quando a mesa escorregou para dentro das estantes, recuperando a forma logo que o animal pulou fora. O plástico duro se partira.

– Nick! – gritei, vendo-o caído. O monstro permanecia sobre ele, farejando-o. O sangue manchava o chão. – Saia de cima dele! – gritei. Jenks estava no teto, impotente.

O cão virou-se para mim. Prendi a respiração. Um tom doentio de laranja contornava a íris vermelha de seus olhos e as pupilas eram achatadas como as de uma cabra. Sem desviar o olhar dele, recuei e saquei a adaga de prata do tornozelo. Juro que vi uma espécie de sorriso se formar em torno de seus caninos selvagens quando me livrei do casaco e chutei para longe os velhos sapatos de salto.

Nick se mexeu, gemendo. Estava vivo! Fui tomada por uma onda de alívio. Jenks estava no seu ombro, berrando ao ouvido para que se levantasse.

– Rachel Mariana Morgan – disse o cão, com voz agridoce. Estremeci na atmosfera fria do porão, à espera. – Um de vocês tem medo de cães – continuou, parecendo divertir-se. – Não creio que seja você.

– Venha cá descobrir – desafiei. Meu coração batia acelerado e, tremendo, ajustei a posição da adaga. Cães não deveriam falar. Não deveriam.

Ele deu um passo à frente. Encarei-o, boquiaberta, enquanto ele se aprumava para ficar de pé, numa posição em que conseguia andar com as duas patas. O cão se afinou, assumindo a aparência humana. Surgiram roupas: jeans propositalmente rasgados, uma jaqueta de couro preto e uma corrente prendendo a argola do cinto à carteira. O cabelo era espetado e tingido, combinando com a sua feição corada. Os olhos se escondiam por trás dos óculos escuros de armação preta. Não pude evitar o choque ante a pose de bad boy que ele assumiu.

– Fui enviado para matá-la – disse ele, com um sotaque londrino malandro, ainda se aproximando e finalmente assumindo a aparência completa de um membro de gangue de rua. – Me pediram para garantir que morreria com medo, docinho. Não me deram mais detalhes, então isso pode levar um tempo.

Dei uma guinada para trás, só então me dando conta de que o sujeito estava quase em cima de mim.

Numa velocidade rápida demais para ser vista, a sua mão se projetou como um pistão, atingindo-me antes que eu percebesse que tinha se movido. Uma agonia ardente explodiu no meu rosto, que em seguida ficou dormente. Um segundo golpe no ombro me levantou. Meu estômago se contraiu e eu caí de costas sobre uma estante de livros.

Bati no chão com os livros me golpeando, ao despencarem. Levantei-me, sacudindo as estrelinhas da vista. Nick tinha se arrastado e agora se encontrava entre duas estantes de livros. O sangue escorria sob o cabelo, descendo pelo pescoço. No rosto, um ar de pavor e medo. Ele tocou a própria cabeça, olhando o sangue como se significasse algo. Meu olhar cruzou com o dele do outro lado da sala. A coisa estava entre nós.

Ofeguei quando ele investiu, com mãos ávidas. Apoiei-me sobre um joelho e brandi a faca, soltando-a à medida que o trespassava. Horrorizada, escapei rapidamente do seu alcance. Mas ele continuava vindo. Todo o seu rosto tinha se enevoado, recuperando a forma à medida que minha faca passava através dele. "O que, diabos, era aquilo?"

– Rachel Mariana Morgan – debochou –, vim para buscar você.

O homem avançou e me virei para correr, mas fui agarrada por sua mão pesada, que me golpeou, virando-me pelas costas. A coisa me segurou, e gelei quando a outra mão de pele avermelhada se fechou num punho de aparência assassina. Numa risada que exibia os dentes brancos assustadores, ele puxou o braço para trás. Mirou minha cintura.

Mal consegui baixar o braço para bloqueá-lo. A mão fechada atingiu meu braço e perdi o fôlego pelo choque repentino da dor. Caí de joelhos, deixando um grito escapar enquanto segurava o braço. Ele foi comigo até para o chão. Mantendo o braço bem preso, rolei para escapar.

A coisa caiu pesada e quente sobre mim para me esmagar. Sua respiração era como vapor no meu rosto. Os longos dedos apertaram meu ombro até eu gritar enquanto a mão livre se insinuava sob meu vestido e pela parte interna da coxa, buscando de maneira rude. Arregalei os olhos, estupefata. "Que diabos?"

A cara dele estava a centímetros da minha. Conseguia ver meu próprio choque espelhado em seus óculos escuros. A língua deslizou pelos dentes e ele a passou, morna e nojenta, do meu queixo até a orelha. As unhas se enfiaram pela calcinha. De modo selvagem, ele as puxou, fazendo com que me cortassem.

Obrigando-me a reagir, atirei longe os óculos escuros. Cravei minhas unhas em sua íris cor de laranja.

O urro de surpresa me trouxe um breve alento. No momento da confusão, empurrei-o para longe de mim e rolei fora. Uma bota pesada cheirando a cinzas atingiu meu rim. Gemendo, me encolhi em posição fetal, em torno da faca. Dessa vez, eu o atingira. Estava distraído e se esquecera de assumir a forma enevoada. Se podia sentir dor, então ele também podia morrer.

– Não tem medo de ser estuprada, docinho? – disse, parecendo satisfeito. – Você é uma vadia durona.

Ele me agarrou pelo ombro e eu reagi, indefesa ante os longos dedos vermelhos que me puxavam, cambaleante, para cima. Meus olhos se desviaram para Nick e para o som de pancadas pesadas. Com a perna da mesa, Nick martelava o armário trancado. O seu sangue estava por toda a parte. Pousado em seu ombro, Jenks tinha as asas vermelhas de medo.

O ar ficou enevoado e me ergui com dificuldade ao perceber que a coisa tinha se modificado de novo. A mão que segurava meu ombro ficou mais suave. Resfolegante, olhei para cima e constatei que ele se tornara um jovem alto e sofisticado, envergando um traje formal, com um fraque. Sobre o nariz afilado, um par de óculos fumê. Eu tinha certeza de que o havia golpeado, mas, pelo que podia ver, os seus olhos pareciam intactos. Era um vamp? Um vampiro dos bem velhos?

– Talvez tenha medo da dor? – disse a silhueta de um homem elegante, agora com sotaque suficientemente refinado até mesmo para o mais sofisticado lorde inglês.

Eu me retirei num arranco, tropeçando numa prateleira de livros. Dando risada, ele veio no meu encalço, ergueu-me e me atirou do outro lado da sala contra Nick, que continuava martelando o armário.

Bati com as costas forte o suficiente para perder o fôlego. O tinido da faca no chão soou alto quando a soltei. Lutando para respirar, escorreguei pelo armário quebrado, até ficar meio sentada sobre as prateleiras por trás das portas despedaçadas. Senti-me sem ação quando a coisa me ergueu pela frente do vestido.

– O que você é? – perguntei asperamente.

– Qualquer coisa que a amedronte. – Ele abriu um sorriso para exibir os dentes sem pontas. – O que a amedronta, Rachel Mariana Morgan? – indagou. – Não é a dor. Não é o estupro. Não parecem ser os monstros.

– Nada – respondi ofegante, cuspindo nele.

A saliva chiou ao atingir-lhe o rosto. Estremeci ao me lembrar da saliva de Ivy no meu pescoço.

Os olhos dele se arregalaram de prazer.

– Você teme as sombras sem alma – sussurrou, deleitando-se. – Tem medo de morrer no abraço apaixonado de uma sombra sem alma. Sua morte há de ser um prazer para nós dois, Rachel Mariana Morgan. Uma forma perversa de morrer... com prazer. Teria sido melhor para sua alma se tivesse medo de cães.

Deferi vários golpes e consegui atingi-lo no rosto, fazendo quatro arranhões, mas ele não recuou. O sangue respingou, bem vermelho e espesso. O homem torceu meus braços levando-os às costas e agarrando os dois pulsos com uma só mão. Minha náusea redobrou quando me puxou pelo braço e pelo ombro. Empurrou-me contra a parede, me esmagando. Consegui desprender a mão que não estava machucada e a balancei.

Ele pegou meu pulso antes que conseguisse atingi-lo. Meu olhar cruzou o dele e senti os joelhos enfraquecerem. O fraque tinha se transformado numa jaqueta de couro e calça preta. Cabelos loiros e barba rala substituíam a tez avermelhada. Um par de brincos chamava a atenção. Kisten sorriu para mim, com a língua vermelha me chamando.

– Você tem uma preferência por vamps, bruxinha? – sussurrou.

Eu me contorci, tentando escapar.

– Resposta errada – murmurou, e eu lutei enquanto sua aparência se modificava mais uma vez. Ficou menor, e só um pouco mais alto do que eu. O cabelo cresceu, liso e preto. A barba rala loira desapareceu e a tez empalideceu tanto que quase parecia um fantasma. O maxilar quadrado de Kisten se afinou e assumiu um formato oval.

– Ivy – sussurrei, ficando bamba de pavor.

– Você está me atribuindo um nome – ele disse, com uma voz progressivamente lenta e feminina. – Quer isso?

Tentei engolir em seco. Não conseguia me mexer.

– Você não me mete medo – sussurrei.

Seus olhos negros brilharam.

– Mas Ivy, sim.

Eu me retesei e tentei me livrar, mas ele trazia meu pulso mais para perto.

– Não! – gritei, quando ele abriu a boca para exibir as presas. Kisten deu uma mordida profunda e eu berrei. O fogo subiu pelo meu braço e para dentro do corpo. Ele mastigou meu pulso como um cão enquanto eu me debatia, tentando escapar.

Senti a pele rasgar ao me contorcer. Levantei o joelho, empurrei-o para longe e ele me soltou. Caí para trás, ofegante, paralisada. Era como se Ivy estivesse na minha frente, meu sangue escorrendo do seu sorriso. A mão se ergueu para afastar o cabelos da vista, deixando uma mancha vermelha na testa.

Eu não conseguia... não podia lidar com aquilo. Tomando fôlego, corri em direção à porta.

A coisa insinuou um braço e arrancou-me de volta com a rapidez de um vampiro. A dor foi profunda quando me bateu contra a parede de cimento. A mão pálida de Ivy me suspendeu.

– Vou mostrar o que os vamps fazem por trás das portas fechadas, Rachel Mariana Morgan. – Suspirou.

Compreendi que eu ia morrer no porão da biblioteca da universidade.

A coisa que se fazia de Ivy inclinou-se, chegando mais perto. Eu sentia minha pulsação batendo contra a pele. Meu pulso fremia acaloradamente. O rosto de Ivy estava a centímetros do meu. Kisten estava ficando melhor em extrair imagens da minha cabeça. Tinha um crucifixo em volta do pescoço e cheirava a suco de laranja. Seus olhos estavam esfumados e tinha uma aparência de desejo sufocante saída das minhas lembranças.

– Não – sussurrei. – Por favor, não.

– Posso ter você na hora que eu quiser, bruxinha – disse baixinho com a mesma voz de seda cinzenta de Ivy. Entrei em pânico e comecei a me debater, sem êxito. A criatura que parecia Ivy sorriu, mostrando os dentes. – Você está com muito medo – sussurrou docemente, balançando a cabeça e deixando os cabelos negros roçarem meu ombro. – Não tenha tanto medo. Você vai gostar disso. Não disse que ia gostar? – Estremeci ao sentir um toque no pescoço. Balbuciei algo ao perceber que era uma língua rápida. – Você vai adorar isso. Palavra de honra – disse ele com o sussurro rouco de Ivy.

Imagens minhas de ser imobilizada contra a cadeira de Ivy afluíram. Prendendo-me contra a parede, a coisa gemeu de prazer e esfregou o nariz no meu rosto. Aterrorizada, gritei.

– Ah, por favor. – A coisa gemeu enquanto eu sentia os dentes afiados e gélidos roçando meu pescoço. – Ah, por favor. Agora...

– Não! – berrei e ele cravou os dentes em mim. Por três vezes, avançou com movimentos rápidos e famintos. Eu me contorci em suas mãos e caímos juntos no chão. Ele me esmagava sob seu peso contra o cimento frio. Senti o pescoço queimar. Uma sensação idêntica subiu a partir do pulso até a cabeça, juntando-se à primeira. Eu estava sendo sacudida por tremores. Podia escutá-lo me sugando, sentir a sucção rítmica, ao tentar tirar mais do que meu corpo podia dar.

Arfei ao perceber uma sensação picante me invadindo. Era... era...

– Deixe-a! – gritou Nick.

Ouvi uma pancada e senti uma trepidação. A coisa saiu de cima de mim.

Não conseguia me mexer, não queria. Fiquei estirada no chão, pasma e confusa sob o torpor induzido pelo vampiro. Jenks pairava sobre mim e a brisa provocada por suas asas no meu pescoço enviava pequenos estímulos de ânimo pelo meu corpo.

Nick estava de pé com gotas de sangue pingando sobre os olhos. Tinha um livro nas mãos, tão grande que era difícil segurá-lo. Ele murmurava sob a respiração, parecendo pálido e amedrontado. Seus olhos se desviaram rapidamente do livro para a coisa ao meu lado.

Então, a coisa se derreteu de volta à forma de cão e, rosnando, pulou na direção de Nick.

– Nick – sussurrei enquanto Jenks jogava pó de pixie no meu pescoço. – Cuidado...

– Laqueus! – Nick gritou, equilibrando o livro no joelho enquanto brandia a mão.

O cão estatelou-se contra alguma coisa e caiu no chão. Vi ele se colocar de pé e balançar a cabeça como se estivesse tonto. Rosnando, saltou novamente para pegar Nick, mas caiu para trás mais uma vez.

– Você me prendeu! – grunhiu, passando de uma forma para outra como um caleidoscópio grotesco de tipos. Olhou para o chão, vendo o círculo que Nick fizera com o próprio sangue. – Você não detém o conhecimento para me invocar do todo-sempre! – gritou.

Encolhido sobre o livro, Nick passou a língua nos lábios.

– Não. Mas posso prendê-lo num círculo quando está aqui. – Ele soava hesitante, inseguro.

Enquanto de pé na palma da minha mão Jenks aplicava o pó de pixie sobre o pulso destruído, a coisa martelava contra a barreira invisível. A fumaça subiu em círculos do chão nos pontos em que seus pés tocavam o cimento.

– De novo, não! – grunhiu. – Me solte!

Nick engoliu firme e, passando pelo sangue e pelos livros caídos, chegou até mim.

– Meu Deus, Rachel – disse ele, o livro despencando ao chão, com o som de páginas rasgadas. Jenks alisava meu rosto ensanguentado enquanto cantava uma cantiga de ninar sobre o orvalho e a lua, em ritmo acelerado.

Do livro destruído no chão, desviei meu olhar para Nick.

– Nick? – gaguejei, fascinada pela sua silhueta contra as horríveis luzes fluorescentes. – Não consigo me mexer. – O pânico tomou conta de mim. – Não posso me mexer, Nick! Acho que ele me paralisou!

– Não. Não – respondeu, observando o cão. Colocando-se por trás de mim, Nick me puxou para sentar-me apoiada contra ele.

– É saliva de vampiro. O efeito vai passar.

Envolta nos braços dele e sobre seu colo, senti que começava a esfriar. Entorpecida, ergui o olhar para ele. Seus olhos castanhos estavam apertados; e o maxilar, contraído de preocupação. Havia sangue escorrendo do seu couro cabeludo, formando um filete que descia rosto abaixo, até ensopar a camisa. As mãos dele estavam vermelhas e pegajosas, mas os braços à minha volta eram calorosos. Comecei a tremer.

– Nick? – disse em voz trêmula. Minha atenção seguiu a dele até a coisa. Era um cão novamente. E estava ali, nos encarando. Saliva escorria da sua mandíbula e seus músculos estremeceram. – É um vampiro?

– Não – respondeu sem hesitar. – É um demônio, mas, se for forte o suficiente, tem as habilidades da forma que assumir, seja ela qual for. Você vai conseguir se mexer em um minuto.

A feição alongada de Nick se contraiu de desgosto ao olhar o sangue espalhado por toda a sala.

– Você vai ficar bem. – Mantendo-me ainda alojada no seu colo, usou minha faca de prata para rasgar a barra da camisa. – Você vai ficar bem – sussurrou, amarrando o retalho em volta do meu pulso e pousando-o delicadamente no meu colo. Gemi, sentindo a fisgada inesperada no pulso, com o movimento brusco.

– Nick? – Havia faíscas negras entre mim e as luzes. Era fascinante. – Não há mais demônios. Não houve sequer um ataque de demônios desde a Virada.

– Fiz três anos de Demonologia como Segundo Idioma para me ajudar com o Latim – replicou, esticando-se para alcançar minha bolsa, que Jenks retirava dos destroços da mesa. – Essa criatura é um demônio. – Enquanto ainda estava apoiada em seu colo, ele vasculhou minhas coisas. – Tem algo para dor aqui dentro?

– Não – disse sem força. – Gosto de dor.

Relaxando o rosto, o olhar fixo de Nick atingiu o meu e depois o de Jenks.

– Ninguém faz Demonologia – protestei sem firmeza, querendo rir. – É, tipo, a coisa mais inútil do mundo.

Meu olhar vagueou até o armário. As portas ainda estavam fechadas, mas as divisórias tinham sido quebradas pelas batidas de Nick e pelo meu impacto ao ser jogada contra ele. Por trás da madeira despedaçada, havia um espaço vazio do tamanho do livro que jazia no chão ao meu lado. "Então, é isso que eles escondem num armário trancado, numa sala trancada, por trás de uma porta trancada, no porão de um prédio do governo."

Olhei para Nick, apertando os olhos.

– Você sabe como invocar demônios? – questionei. Caramba, estava me sentindo bem. Leve e solta. – Você é um praticante de magia negra. Eu prendo gente como você – continuei, tentando deslizar um dedo até a linha do seu maxilar.

– Não exatamente. – Nick pegou minha mão e a abaixou. Puxando o punho da camiseta por sobre a mão, usou-o para limpar o sangue do meu rosto. – Não tente falar, Rachel. Você perdeu muito sangue. – Então se virou para Jenks, com o olhar assustado. – Não posso levá-la no ônibus assim!

O rosto de Jenks pareceu angustiado.

– Vou chamar Ivy. – Pousou sobre meu ombro e sussurrou: – Espere aí, Rachel. Já volto. – Voou até Nick, e a brisa produzida pelas asas mandava mais ondas de euforia para mim. Fechei os olhos e embarquei nelas, esperando que jamais terminassem.

– Se deixá-la morrer aqui, eu mesmo o matarei – Jenks ameaçou e Nick concordou com a cabeça. Jenks foi embora fazendo o som de uma centena de abelhas. O som ecoava na minha cabeça até mesmo depois de o pixie ter saído.

– O demônio não consegue sair? – perguntei, abrindo os olhos enquanto minhas emoções iam de um extremo a outro e as lágrimas rolavam.

Nick enfiou o grande livro de feitiços demoníacos na minha bolsa. As marcas das suas mãos ensanguentadas se espalhavam pelos dois.

– Não. E quando o sol se levantar, puf, terá ido embora. Você está salva. Apresse-se. – Enfiou a faca dentro da bolsa e esticou-se para pegar meu casaco.

– Estamos num porão – protestei. – Não há sol aqui.

Nick rasgou o forro do casaco e pressionou-o contra meu pescoço. Gritei como se sentisse um pulso de êxtase disparar por mim, por causa dos efeitos da saliva de vampiro. O sangue tinha diminuído e fiquei imaginando se teria sido obra do pó de pixie de Jenks.

– Não é a luz do sol que manda um demônio para o todo-sempre – disse Nick, claramente pensando que tinha me atingido. – Tem algo a ver com raios gama ou prótons... Dane-se, Rachel. Pare de fazer tantas perguntas. Aprendi isso como um auxílio para se entender o desenvolvimento da linguagem, não para controlar demônios.

O demônio tornara-se Ivy novamente e estremeci quando ele lambeu os lábios vermelhos com a língua manchada de sangue, me provocando.

– Que nota você tirou, Nick? – perguntei. – Por favor, diga que foi dez.

– É... – gaguejou, cobrindo-me com o casaco. Parecendo nervoso, pegou-me em seus braços, quase me embalando. Minha respiração sibilou no momento em que senti o pulso e o pescoço palpitarem. – Calma, você vai ficar bem – silenciou.

– Tem certeza? – disse uma voz educada, vindo do canto.

Nick ergueu a cabeça. Aconchegada nos braços dele, observei o demônio, que tinha voltado a usar o fraque elegante.

– Deixe-me sair. Posso ajudá-lo – disse o demônio, esbanjando gentileza.

Nick hesitou.

– Nick? – chamei, repentinamente amedrontada. – Não lhe dê ouvidos. Não faça isso!

O demônio sorriu por trás dos óculos fumê, exibindo dentes lisos e uniformes.

– Quebre o círculo e o levarei até Ivy. Do contrário... – O demônio franziu o cenho como se estivesse preocupado. – Parece até que tem mais sangue fora do que dentro dela.

Nick mirou o sangue espalhado pelas paredes e pelos livros e me agarrou com mais força.

– Você estava tentando matá-la – respondeu com voz entrecortada.

O demônio deu de ombros.

– Fui obrigado a isso. Ao me aprisionar no seu círculo, você desfez a influência de quem me invocou e, por consequência, qualquer compulsão de obedecer a ele. Sou todo seu, pequeno mago. – Sorriu e minha respiração tornou-se ofegante, cheia de medo.

– Nicky... – sussurrei enquanto o torpor induzido pela perda de sangue ia desaparecendo. Aquilo era ruim. Sabia que aquilo era ruim. O pavor ao lembrar do seu ataque se elevou. Minha pulsação falhou quando o coração tentou bater mais depressa.

– Você pode nos levar de volta até a igreja? – Nick perguntou.

– Aquela perto da pequena linha de ley? – Espantando-se, a silhueta do demônio estremeceu. – Alguém fechou um círculo com ela seis noites atrás. A onda enviada para o todo-sempre fez minhas xícaras tremerem no pires, por assim dizer. – Balançou a cabeça, especulando. – Foi você?

– Não – disse Nick, com voz fraca.

Estava me sentindo mal. Tinha usado sal demais. Deus do céu. Não sabia que os demônios conseguiam sentir quando traçava uma linha de ley. Se eu sobreviver a isso, jamais as usarei de novo.

O demônio me olhou fixamente.

– Posso levá-la até lá – respondeu. – Mas, em troca, não quero ser coagido a voltar para o todo-sempre.

Nick segurou mais firme.

– Quer que eu o deixe solto em Cincinnati a noite inteira?

O demônio esboçou um sorriso, cheio de poder. Expirou vagarosamente e ouvi quando suas articulações do ombro estalaram.

– Quero mesmo é matar aquele que me invocou. Depois, vou embora. Está fedendo por aqui. – Olhou por cima dos óculos fumê, chocando-me com olhos de alienígena. – Você nunca vai me chamar... vai, pequeno mago? Poderia ensinar tanta coisa que você quer saber.

O medo lutava com a dor no meu ombro quando Nick hesitou antes de balançar a cabeça.

– Você não vai nos machucar – disse Nick. – Seja mental, física ou emocionalmente. Vai pegar o caminho mais curto e não fará nada que nos coloque em perigo depois.

– Nick Nicky. – O demônio fez uma careta. – Falando assim até parece que não confia em mim. Podemos chegar lá antes da Ivy ter saído da igreja se eu os conduzir por uma linha de ley. Mas é melhor se apressarem. Rachel Mariana Morgan parece estar sucumbindo muito rápido.

"Pelo todo-sempre?", pensei, em pânico. "Não!" Aquilo era o que tinha matado meu pai.

Nick engoliu em seco, o pomo de adão indo para cima e para baixo.

– Não! – tentei gritar, me debatendo para me livrar de suas mãos. O torpor causado pela saliva já estava quase acabando e, com a volta dos movimentos, veio a dor. Dei boas-vindas a ela, sabendo que o prazer tinha sido uma mentira. Nick estava pálido e tentava me manter imobilizada e sustentar o forro do casaco contra o meu pescoço.

– Rachel – sussurrou. – Você perdeu muito sangue. Não sei o que fazer!

Minha garganta estava ressecada demais para engolir.

– Não... não deixe que ele saia – insisti. – Por favor – implorei, empurrando as mãos dele. – Estou bem. O sangramento parou. Vou ficar bem. Me deixe aqui. Vá chamar a Ivy. Ela virá nos tirar daqui. Não quero passar pelo todo-sempre.

O demônio franziu a testa como se estivesse preocupado.

– Hummm... – murmurou suavemente, tocando a fita no pescoço. – Parece que ela está ficando incoerente. Isso não é bom. Tique-taque, Nick Nicky. O tempo está correndo. Melhor decidir rápido.

Nick respirou ruidosamente e ficou tenso. Seu olhar fixo vagueou para a poça de sangue no chão e em seguida para mim.

– Tenho de fazer alguma coisa – sussurrou. – Você está muito fria, Rachel.

– Nick, não! – gritei quando me colocou no chão e cambaleou para se levantar. Depois, esticou o pé e lambuzou a linha de sangue.

Ouvi um gemido amedrontado. Tapei a boca ao perceber que vinha de mim. Senti o terror pulsar nas entranhas quando o demônio estremeceu e, vagarosamente, pisou fora da linha. Passou a mão pela parede manchada de sangue e lambeu o dedo, sem tirar os olhos de mim.

– Não deixe que ele me toque! – Minha voz estava aguda, cheia de histeria.

– Rachel – Nick me confortou, ajoelhando-se ao meu lado. – Ele disse que não machucaria você. Demônios não mentem. Isso estava em todos os textos que copiei.

– Tampouco falam a verdade! – exclamei.

Havia ira por trás dos olhos do demônio, sufocada por uma onda de falsa preocupação, antes que Nick pudesse perceber. A coisa se adiantou e lutei para me afastar.

– Não deixe que ele me toque! – gritei. – Não me obrigue a fazer isso!

Nick estava com medo pela minha forma de agir, não pelo demônio. Ele não entendia. Pensava que sabia o que estava fazendo. Pensava que os livros continham todas as respostas. Não sabia o que estava fazendo. Eu, sim.

Nick agarrou meu ombro e virou-se para o demônio.

– Você pode ajudá-la? – perguntou. – Ela vai se matar.

– Nick, não! – berrei quando o demônio se ajoelhou e aproximou a face sorridente da minha.

– Durma, Rachel Mariana Morgan – ele suspirou e eu não me lembrei de mais nada.

Vinte e seis

– O que aconteceu? Onde está Jenks? – a voz de Ivy penetrou no meu estado de confusão, próxima e aborrecida. Podia sentir-me indo em frente, num embalo. Tinha estado aquecida e agora sentia frio novamente. O cheiro de sangue era denso. A lembrança de algo mais fétido pairava sobre mim: carniça, âmbar queimado e sal. Não conseguia abrir os olhos.

– Ela foi atacada por um demônio. – Soou direto e suave. Nick.

"É isso mesmo", pensei, começando a juntar as peças. Eu estava em seus braços. Era dele que vinha o único cheiro bom, todo suado e masculino. E aquela era a sua camisa ensanguentada, roçando contra meu olho ferido, esfregando-o e fazendo doer ainda mais. Por que eu estava com frio?

– Podemos sair da rua? – Nick perguntou. – Ela perdeu muito sangue.

Senti um toque morno na testa.

– Foi um demônio que fez isso? – Ivy disse. – Não houve um ataque de demônios desde a Virada. Droga, sabia que não deveria tê-la deixado sair daqui.

Os braços à minha volta se retesaram. Meu peso oscilou para a frente e para trás quando ele parou.

– Rachel sabe o que está fazendo – disse Nick duramente. – Ela não é sua criança... seja qual for o sentido da palavra.

– Não? – disse Ivy. – Mas se comporta como tal. Como você permitiu que ela fosse judiada desse jeito?

– Eu? Sua vamp sangue-frio! – gritou Nick. – Acha que apenas deixei isso acontecer?

Meu estômago se contraiu numa onda de náusea e tentei me cobrir com o casaco. Apertei os olhos, incomodada com a iluminação da rua. Será que não podiam terminar de discutir depois que me pusessem na cama?

– Ivy – disse ele lentamente. – Não tenho medo de você, portanto pare de tentar usar esse lance de aura e saia de cima. Sei do que é capaz e não deixarei que o faça.

– Do que está falando? – Ivy gaguejou.

Nick inclinou-se na direção dela e eu fiquei ali, imobilizada, entre os dois.

– Rachel acha que vocês se mudaram no mesmo dia – respondeu. – Ela ia gostar de saber que todas as revistas que você recebe tem o endereço da igreja. – Ouvi uma rápida inspiração de Ivy, e ele acrescentou com voz enfática: – Por quanto tempo você tem morado aqui, esperando que Rachel saísse do emprego? Um mês? Um ano? Está caçando-a devagar, Tamwood? Esperando fazer dela sua herdeira quando morrer? Traçando um pequeno planejamento de longo prazo? É isso?

Lutei para virar a cabeça, que estava encostada no peito de Nick, de modo a escutar melhor. Tentei pensar, mas estava muito confusa. Ivy tinha se mudado no mesmo dia que eu, não tinha? O computador dela ainda não fora conectado com a internet e havia todas aquelas caixas em seu quarto. Como é que as revistas estavam com o endereço da igreja? Pensei no jardim perfeito para uma bruxa e nos livros de feitiço no sótão, completando o álibi. Meu Deus, eu tinha sido uma idiota.

– Não – Ivy respondeu baixinho. – Não é o que parece. Por favor, não conte a ela. Posso explicar.

Nick oscilou, colocando-se em movimento e me aconchegando mais ao subir os degraus de pedra. Eu recobrava a memória. Nick fizera um pacto com o demônio. Deixara-o sair e, em troca, o demônio tinha me feito dormir e me levado pela linha de ley. Droga. A batida da porta do santuário me sobressaltou e gemi com o pulsar da dor.

– Ela está voltando a si – disse Ivy com voz firme, fazendo eco. – Coloque-a na sala de estar.

"Não no sofá", pensei, à medida que a sensação de paz do santuário me invadia. Não queria que meu sangue se espalhasse todo pelo sofá da Ivy, mas julguei que provavelmente ele já tinha visto sangue antes.

Meu estômago revirou quando Nick se agachou. Senti o apoio suave das almofadas sob a cabeça. Minha respiração sibilou no momento em que senti Nick afastar seus braços de mim. Ouvi o clique de um abajur e franzi o rosto ante o calor e o brilho repentinos a entrar pelas minhas pálpebras cerradas.

– Rachel?

O som era próximo e alguém tocou meu rosto com suavidade.

– Rachel.

A sala ficou silenciosa. Foi a quietude que realmente me despertou. Abri os olhos e, apertando-os, vi Nick se ajoelhar ao meu lado. O sangue ainda escorria por debaixo da linha do seu cabelo e um filete ressecado descascava na linha do maxilar e do pescoço. O seu cabelo estava revolto e desgrenhado; os olhos castanhos, apertados. Nick estava em frangalhos. Ivy encontrava-se atrás dele, cheia de preocupação.

– É você – sussurrei, sentindo-me leve e irreal. Nick recostou-se com um suspiro de alívio. – Pode me arranjar um pouco de água? – disse, rouca. – Não me sinto bem.

Ivy inclinou-se para a frente de modo a encobrir a luz e me olhou de cima a baixo com um distanciamento profissional que só foi quebrado quando ergueu a borda da bandagem feita por Nick no meu pescoço. Assumiu um ar confuso.

– O sangramento praticamente parou.

– Amor, confiança e pó de pixie – respondi com a voz enrolada e Ivy concordou com a cabeça. Nick ficou de pé.

– Vou chamar uma ambulância – ele disse.

– Não! – exclamei. Tentei sentar aprumada, retida pelo cansaço e pelas mãos de Nick. – Vou ser atacada lá. A SI sabe que estou viva.

Caí para trás, ofegante. O ferimento no rosto onde o demônio tinha me atingido palpitava no mesmo ritmo do coração. Senti no braço uma sensação idêntica. Estava tonta. Meu ombro doeu quando inspirei e a sala escureceu quando exalei.

– Jenks a cobriu de pó – disse Ivy, como se aquilo explicasse tudo. – Contanto que o sangramento não recomece, ela provavelmente não vai piorar. Vou buscar um cobertor.

Ela se levantou com aquele seu ar misterioso, leve e gracioso. Estava ficando vampiresca e eu não conseguia fazer nada a respeito.

Olhei para Nick quando Ivy saiu. Ele parecia mal. O demônio pregara-lhe uma peça. Estávamos de volta em casa, mas agora havia um demônio à solta em Cincinnati quando tudo o que Nick tinha precisado fazer era esperar por Jenks e Ivy.

– Nick? – chamei.

– O quê? O que posso fazer? – A voz era suave e mostrava preocupação, recoberta de culpa.

– Você é um idiota. Me ajude a sentar.

Ele franziu a testa. Com mãos cautelosas e hesitantes, me ajudou, içando-me lentamente até que me recostei no braço do sofá. Sentei, olhando para o teto enquanto as manchas negras dançavam e tremulavam até desaparecerem. Respirando lentamente, olhei para mim mesma.

Com exceção da parte que estava protegida pelo meu casaco, que fazia as vezes de cobertor, havia sangue espalhado por todo o meu vestido. Talvez agora eu pudesse jogá-lo fora. Uma película marrom de sangue tinha grudado minhas meias aos meus pés. O braço mordido parecia acinzentado na área que não estava riscada com sangue pegajoso. A barra da camisa de Nick ainda estava amarrada a meu pulso e o sangue pingava como uma torneira gotejando: ping, ping, ping. Talvez o pó de Jenks tivesse acabado antes que conseguisse estancar o sangue? Meu outro braço estava inchado e o ombro parecia estar quebrado. A sala ficou muito fria e em seguida quente. Olhei fixamente para Nick, sentindo me tornar distante, irreal.

– Ah, droga – murmurou, olhando de relance para o corredor. – Você vai desmaiar de novo. – Agarrou meus tornozelos e lentamente puxou-me para baixo até que minha cabeça se apoiou no braço do sofá. – Ivy! – gritou. – Já buscou o cobertor?

Fiquei olhando para o teto até que parou de girar. Nick manteve-se encolhido num canto de costas para mim, uma das mãos na cintura, a outra segurando a cabeça.

– Obrigada – sussurrei, e Nick se virou.

– Por quê? – Ele tinha a voz amarga agora e parecia um maltrapilho com aquele sangue ressecado no rosto. As mãos estavam negras de sangue, com as linhas das palmas bem brancas.

– Por fazer o que achou que era o melhor. – Tremi sob o casaco.

Ele sorriu, muito fraco, o rosto pálido se alongando.

– Era muito sangue. Acho que entrei em pânico. Me perdoe. – Dirigiu o olhar para o corredor e não me surpreendi quando Ivy pisou firme com um cobertor num braço, uma pilha de toalhas no outro e uma panela com água nas mãos.

Um desconforto tomou conta da minha dor. Eu ainda estava sangrando.

– Ivy – chamei com voz trêmula.

– O quê? – perguntou bruscamente ao colocar as toalhas e a água sobre a mesa e me embrulhar no cobertor como se eu fosse uma criança.

Engoli com dificuldade, tentando ver bem seus olhos.

– Nada – respondi docilmente, quando ela se aprumou e se afastou. Fora estar mais pálida do que o normal, Ivy parecia bem. Não seria capaz de lidar com ela se agisse toda vamp para cima de mim. Eu estava indefesa.

O cobertor estava quente e a luz da lâmpada era perfurante. Estremeci quando ela sentou sobre a mesa e puxou a água para mais perto. Fiquei pensando sobre a cor das toalhas até me dar conta de que a cor-de-rosa não mostrava antigas manchas de sangue.

– Ivy? – Beirei o pânico quando ela tocou o pano pressionado contra meu pescoço.

Sua mão caiu; o rosto perfeito se enfurecia, inconformado.

– Não seja idiota, Rachel. Me deixe ver seu pescoço. – Tentou alcançá-lo novamente e me esquivei.

– Não! – gritei, me contorcendo. A cara do demônio surgiu na minha frente, espelhando a dela. Não tinha conseguido combatê-lo e ele quase me matara. O terror relembrado foi às alturas e encontrei forças para me sentar. A dor no pescoço parecia clamar por libertação, para um retorno àquela mistura estranha de dor e desejo que a saliva do vampiro proporcionara. Fiquei chocada e amedrontada. As pupilas de Ivy se expandiram até ficarem negras.

Nick colocou-se entre nós, coberto de sangue ressequido e parecendo superar o medo.

– Afaste-se, Tamwood – ameaçou. – Não vai tocar nela se estiver jogando uma aura.

– Relaxe, garoto-rato! – Ivy exclamou. – Não estou jogando uma aura. Estou fula da vida, mas não morderia Rachel agora nem que me implorasse. Ela fede a infecção.

Aquilo era mais do que eu queria saber. Entretanto, os seus olhos tinham voltado ao tom castanho enquanto ela oscilava entre a raiva e a necessidade de ser compreendida. Senti uma onda de culpa. Ivy não tinha me fixado na parede e me mordido. Ivy não tinha sugado meu pescoço, gemendo de prazer, mantendo-me dominada enquanto eu me debatia. Caramba! Não. Tinha. Sido. Ela.

Nick ainda estava entre nós.

– Está tudo bem, Nick – tranquilizei-o com voz trêmula. Ele sabia por que eu estava com medo. – Está tudo bem. – Olhei para Ivy.

– Me desculpe. Por favor... pode dar uma olhada?

De imediato, Ivy pareceu relaxar. Apressou-se, aproximando-se com um movimento rápido e vindicado quando Nick se afastou, liberando o caminho. Soltei a respiração presa enquanto ela cuidava suavemente do tecido encharcado.

– Tudo bem – Ivy avisou. – Isso pode repuxar um pouco.

– Ai! – gritei quando retirou o pano e mordi o lábio para evitar outro berro.

Ivy colocou o horrível trapo sobre a mesa ao lado. Meu estômago revirou. O trapo estava negro com sangue úmido, e juro que havia pedacinhos de carne na parte interna. Tremi ao sentir o ar fresco batendo no pescoço. Tive a impressão hesitante de um fluxo lento de sangue. Ivy viu a expressão em meu rosto.

– Tire isso daqui, por favor? – murmurou, e Nick saiu levando o trapo encharcado.

Encarando-me com tranquilidade, Ivy colocou uma toalha de mão no meu ombro para estancar um novo sangramento. Olhei fixamente para a tela da TV desligada vendo-a ensopar o pano e torcê-lo sobre a panela. Sua mão era suave ao tocar de leve o entorno do ferimento primeiro e tratar dele depois. Mesmo assim, eu não conseguia conter uma sacudidela ou outra. O contorno negro e ameaçador em torno do meu campo visual começou a crescer.

– Rachel? – Sua voz era suave e fixei a atenção nela, preocupada com o que eu encontraria. No entanto, seu rosto estava cuidadosamente neutro enquanto olhos e mãos cuidavam das marcas de mordida no meu pescoço. – O que aconteceu? – perguntou. – Nick falou alguma coisa sobre um demônio, mas isso parece...

– Parece uma mordida de vampiro – concluí de forma branda. – Ele se passou por um vampiro e fez isso em mim. – Inspirei, um pouco trêmula. – Ele se fez passar por você, Ivy. Me perdoe se pareci desconfiada. Sei que não era você. Apenas me dê um tempo até eu convencer meu inconsciente de que você não tentou me matar, tudo bem?

Nossos olhares se cruzaram, e tive a impressão de um medo compartilhado quando ela conseguiu compreender. Afinal, eu tinha sido atacada por um vampiro. Tinha sido admitida para um clube do qual Ivy tentava sair. Agora, nós duas estávamos tentando. Pensei sobre o que Nick tinha dito em relação a ela querer fazer de mim sua herdeira. Não sabia no que acreditar.

– Rachel, eu...

– Mais tarde – cortei, vendo Nick voltar. Eu me sentia mal e a sala começava a ficar cinza novamente. Junto, vinham Matalina e dois de seus filhos, que puxavam uma bolsa do tamanho proporcional a um pixie.

Nick ajoelhou-se à minha cabeceira. Pairando no centro da sala, Matalina, silenciosamente, se inteirou da situação, tirou a bolsa dos filhos e tangeu-os para a janela.

– Andem, andem – ouvi-a sussurrando. – Voltem para casa. Sei o que disse antes, mas mudei de ideia. – Os protestos deles foram cheios de um fascínio aterrorizado e fiquei imaginando quão horrível era a minha aparência.

– Rachel? – Matalina pairou bem diante de mim, indo para a frente e para trás até descobrir onde meus olhos estavam se concentrando. A sala tinha ficado surpreendentemente silenciosa. Tremi. Matalina era uma coisinha muito fofa. Não era de se espantar que Jenks fizesse qualquer coisa por ela.

– Tente não se mexer, querida – aconselhou.

Um zumbido suave vindo da janela arrancou-a da minha vista.

– Jenks – a mulherzinha pixie disse aliviada. – Por onde andou?

– Eu? – Postou-se ao alcance dos meus olhos. – Como eles chegaram aqui antes de mim?

– Pegamos um ônibus direto – respondeu Nick, sarcasticamente.

O rosto de Jenks estava abatido e os ombros, caídos. Senti um sorriso sobre mim.

– Será que o lindo homem pixie está muito caído para a festa?

Respirei e ele chegou tão perto que fiquei vesga.

– Ivy, você tem de fazer algo – disse ele, preocupado, com olhos arregalados. – Apliquei o pó nas mordidas para diminuir o sangramento, mas nunca vi alguém tão branco desse jeito ainda estar vivo.

– *Estou* fazendo algo – ela grunhiu. – Saia do meu caminho.

Senti o ar mudar quando Matalina e Ivy inclinaram-se, próximas a mim. Achei reconfortante a ideia de uma pixie e um vampiro inspecionando o estrago ensanguentado no meu pescoço. Uma vez que a infecção era brochante, eu devia estar a salvo. Ivy ia saber se era algo que colocava minha vida em risco ou não. "E Nick", pensei, sentindo uma ligeira vontade de dar uma risadinha, "Nick me resgataria se ela perdesse o controle."

Os dedos de Ivy tocaram meu pescoço e gani de dor. Ela deu um solavanco para trás e Matalina alçou voo.

— Rachel — Ivy disse, preocupada. — Não tenho como curar isso. O pó de pixie só vai segurar por um tempo. Você precisa levar pontos. Temos de levá-la ao pronto-socorro.

— Nada de hospital — respondi com um suspiro. Tinha parado de tremer e meu estômago estava bem esquisito. — Caçadores de recompensa entram, mas não saem. — A vontade de rir tinha passado.

— Você prefere morrer no meu sofá? — disse Ivy, e Nick começou a andar a passos largos.

— O que há de errado com ela? — Jenks sussurrou ruidosamente. — Ivy levantou-se e cruzou os braços de modo a parecer severa e irritadiça. Uma vampira irritadiça. Sim, isso era engraçado demais e eu ri novamente.

— É a perda de sangue — ela respondeu, impaciente. — Rachel vai oscilar entre lucidez e irracionalidade até que se estabilize ou desmaie. Odeio essa parte.

Arrastei a mão sadia até o pescoço e Nick a forçou de volta para baixo do cobertor.

— Não tenho como curar isso, Rachel! — Ivy reclamou, frustrada. — É um estrago grande demais.

— Vou fazer alguma coisa — resolvi, resoluta. — Sou uma bruxa. Inclinei-me para rolar para fora do sofá e ficar de pé. Tinha de ir até a cozinha. Tinha de preparar o jantar. Tinha de preparar o jantar de Ivy.

— Rachel! — Nick gritou, tentando me segurar. Ivy saltou e me acomodou de volta nas almofadas. Senti que empalidecia. A sala começou a girar. De olhos arregalados, olhei fixamente para o teto, fazendo esforço para não desmaiar. Se isso acontecesse, Ivy me levaria para o pronto-socorro.

Matalina flutuou diante dos meus olhos.

— Anjo — sussurrei. — Lindo anjo.

— Ivy! — Jenks gritou, com medo na voz. — Ela está começando a delirar.

O anjo pixie sorriu, enviando uma bênção para mim.

— Alguém tem de chamar Keasley — disse ela.

— O velho grandalhã... hum, bruxo do outro lado da rua? — perguntou Jenks.

— Diga a ele que Rachel precisa de ajuda médica — Matalina respondeu, após concordar com a cabeça.

Ivy também parecia confusa.

– Acha que o sujeito pode fazer alguma coisa? – perguntou, com uma ponta de medo na voz. Ivy temia por mim. Talvez eu devesse temer por mim também.

Matalina enrubesceu.

– Outro dia... Keasley perguntou se podia pegar algumas plantas do jardim. Não há mal nenhum nisso. – A bela pixie ocupou-se com o vestido, os olhos voltados para baixo. – Eram todas plantas com propriedades importantes. Erva-dos-carpinteiros, verbena, esse tipo. Pensei que se as desejava era porque deveria saber o que fazer com elas.

– Mulher... – disse Jenks, alertando-a.

– Fiquei com ele o tempo todo – continuou, com olhar insolente. – Só tocou naquilo que permiti. Foi muito educado. Perguntou pela saúde de todos.

– Matalina, o jardim não é nosso – Jenks disse, e a esposa ficou zangada.

– Se não for buscá-lo, eu vou – disse ela abruptamente e saiu em disparada pela janela. Pisquei, olhando fixamente para o ponto onde a pixie tinha estado.

– Matalina! – Jenks gritou. – Não voe para longe de mim. O jardim não é nosso. Não pode tratá-lo como se fosse. – Ele apareceu no meu campo de visão.

– Desculpe-me – Ele estava visivelmente embaraçado e zangado. – Matalina não vai fazer isso de novo. – Sua fisionomia se agravou e ele voou em disparada atrás da esposa. – Matalina!

– Está tudo bem – sussurrei, embora nenhum deles estivesse mais ali. – Estou dizendo que está bem. O anjinho pode chamar quem ela quiser para ir ao jardim. – Fechei os olhos. Nick colocou a mão na minha cabeça e sorriu.

– Oi, Nick – disse suavemente, abrindo os olhos. – Ainda está aqui?

– Sim, ainda estou aqui.

– Que bom – comentei –, porque quando me levantar vou dar um grande beijo em você.

Nick tirou a mão de cima de mim e deu um passo para trás. Ivy fez uma careta.

– Odeio essa parte – murmurou. – Odeio. Odeio.

Levei a mão vagarosamente até o pescoço e Nick forçou-a para baixo. Pude ouvir de novo o pingar ritmado no tapete: ping, ping, ping. A sala começou a girar mais e fiquei observando, fascinada. Era engraçado e tentei rir.

Ivy fez um som que demonstrava sua frustração.

— Se está dando risada, é porque vai ficar bem — disse ela. — Por que não toma um banho?

— Estou bem — respondeu. — Vou esperar até estar seguro disso.

Ivy ficou em silêncio por três batimentos do coração.

— Nick, Rachel fede a infecção. Você fede a sangue e medo — sentenciou, com voz grave de alerta.

— Ah. — Houve uma longa hesitação. — Desculpe.

Sorri para Nick quando ele se aproximou da porta.

— Vá se lavar, Nick Nicky — eu disse. — Não faça com que Ivy se torne sombria... e assustadora. Demore o tempo que quiser. Tem sabonete no suporte e... — hesitei, tentando lembrar o que estava dizendo — ... toalhas na secadora — concluí, orgulhosa de mim mesma.

Ele tocou no meu ombro, os olhos movendo-se rapidamente de mim para Ivy.

— Você vai ficar bem.

Ivy cruzou os braços, esperando impacientemente que ele saísse. Ouvi o chuveiro ligado. Aquilo me deixou cem vezes mais sedenta. Em algum lugar eu podia sentir o braço pulsando e as costelas latejarem. O pescoço e o ombro eram uma dor só. Virei e, fascinada, vi a cortina se movimentar com a brisa.

Um estrondo vindo da frente da igreja chamou minha atenção para o corredor escuro.

— Olá? — era a voz distante de Keasley. — Senhorita Morgan? Matalina disse que eu podia entrar. — Ivy crispou os lábios.

— Fique aqui — alertou-me Ivy, dobrando-se sobre mim até que não tive escolha a não ser olhar para ela. — Não se levante até eu voltar, combinado? Rachel? Está me ouvindo? *Não se levante.*

— Claro. — Meu olhar passou dela para a cortina. Se eu apertasse beeeem os olhos, o cinza virava preto. — Fico aqui.

Dando uma última olhada em mim, ela juntou todas as revistas e saiu. O som do chuveiro me despertou. Molhei os lábios. Fiquei me perguntando se, caso eu tentasse mesmo, para valer, não chegaria até a pia da cozinha.

Vinte e sete

Um ruído de sacola no corredor me fez levantar a cabeça do sofá. Dessa vez, a sala se manteve estável e uma névoa pareceu sair do meu corpo. A silhueta curvada de Keasley entrou, com Ivy logo atrás.

– Ah, que bom – sussurrei, sem fôlego. – Tenho companhia.

Ivy passou à frente de Keasley e sentou-se na beirada da cadeira mais próxima a mim.

– Você parece melhor – disse ela. – Já está de volta ou ainda viajando na maionese?

– O quê?

Ela balançou a cabeça, e dei um sorriso amarelo para Keasley.

– Desculpe não poder oferecer um chocolate.

– Senhorita Morgan. – O olhar dele demorou-se no meu pescoço exposto. – Brigou com a colega de quarto? – disse secamente, passando a mão pelos cabelos muito encaracolados.

– Não – me apressei em responder, vendo Ivy se aprumar.

Cético, Keasley arqueou as sobrancelhas e colocou a sacola sobre a mesa.

– Matalina não falou o que eu ia precisar, então acabei trazendo um pouco de tudo. – Estreitou os olhos olhando para o abajur. – Tem alguma coisa que ilumine melhor que isto?

– Tenho um abajur de lâmpada fluorescente que pode ser preso. – Ivy dirigiu-se agilmente para o salão, mas hesitou. – Não a deixe sair daí ou ela vai ficar zonza de novo.

Abri a boca para dizer alguma coisa, mas ela desapareceu, sendo substituída por Matalina e Jenks. O pixie estava visivelmente irritado, sua esposa, no entanto, não parecia nada arrependida. Eles pairavam voando num canto, e conversavam tão rápido e num tom tão agudo que não conseguia acompanhar. Finalmente, Jenks foi embora com cara de que ia matar um pé de ervilha. Matalina endireitou o vestido branco esvoaçante e borboleteou até o braço do sofá, pousando ao lado da minha cabeça.

Keasley sentou-se sobre a mesa, soltando um suspiro cansado. Sua barba de três dias estava ficando grisalha, o que o fazia parecer um maltrapilho. Os joelhos do macacão estavam manchados de terra úmida e eu conseguia sentir o cheiro lá de fora nele. As mãos de pele escura, porém, pareciam em carne viva, resultado visível de ele ter as esfregado e lavado bem. Keasley retirou um jornal de dentro da sacola e estendeu-o sobre a mesa como se fosse uma toalha.

– Então, quem está no chuveiro? Sua mãe?

Bufei, sentindo o aperto do meu olho inchado.

– O nome dele é Nick – respondi, quando Ivy apareceu. – É um amigo.

Ela fez um barulho brusco ao fixar a pequena luz na beira do abajur e a acendeu. Eu me encolhi, apertando os olhos ante o calor e a luz.

– Nick, hein? – disse Keasley, remexendo na sacola e dispondo sobre o jornal amuletos, pacotes envoltos em papel laminado e garrafas. – Um vamp, é?

– Não, ele é humano – respondi, e Keasley deu uma olhada desconfiada para Ivy.

Sem perceber o olhar que recebera, Ivy chegou bem perto.

– O pescoço dela é o pior. Ela perdeu uma quantidade perigosa de sangue...

– Estou vendo. – O velho fitou Ivy hostilmente até que ela se afastou. – Preciso de mais toalhas. E pegue algo para Rachel beber. Ela precisa repor fluidos.

– Sei disso – Ivy disse, dando um passo hesitante para trás, antes de virar em direção à cozinha. Ouviu-se o tilintar de copos e o som bem-vindo de líquido. Matalina abriu seu kit de consertos e silenciosamente comparou suas agulhas com as de Keasley.

– Algo quente? – ele acrescentou em voz alta e Ivy bateu a porta do freezer. – Vamos dar uma olhada. – Concentrava a luz sobre mim e, com Matalina, ficou em silêncio por um longo tempo. Voltando a relaxar, deixou escapar uma expiração. – Talvez algo para neutralizar a dor, primeiro – disse mansamente, procurando por um amuleto.

Ivy apareceu sob a passagem.

– Onde conseguiu esses feitiços? – indagou, desconfiada.

– Relaxe – respondeu ele com voz distante, enquanto inspecionava cada disco com atenção. – Comprei-os meses atrás. Seja útil e ferva uma panela de água.

Ela fungou e deu meia-volta, disparando para a cozinha. Ouvi uma série de cliques, seguidos do ruído de gás sendo ligado. As torneiras abertas ao máximo encheram a panela e um ganido suave de surpresa veio do banheiro.

Keasley tinha ensanguentado o dedo e invocou o feitiço antes que me desse conta. Depois de olhar bem dentro dos meus olhos para avaliar sua eficácia, ele voltou a atenção para meu pescoço, onde estava pendurado o amuleto.

– Realmente agradeço por isso – exclamei tão logo me tocou. Senti-me aliviada e meus ombros relaxaram. Salvação.

– Se fosse você, pouparia os agradecimentos até eu apresentar a conta – Keasley murmurou. Franzi a testa com a gracejo e ele sorriu, marcando bem as rugas em volta dos olhos. Aprumando-se, picou minha pele. A dor atravessou o feitiço e inspirei de forma abrupta. – Ainda dói? – perguntou desnecessariamente.

– Por que não simplesmente sedá-la? – Ivy sugeriu.

Eu me abalei. Droga, eu nem tinha escutado ela entrar.

– Não – eu disse rispidamente, sem querer que Ivy o convencesse a me levar para o pronto-socorro.

– Se estivesse sedada, isso não doeria – argumentou Ivy. Ela vestia um traje de couro e seda e posicionava-se de modo hostil. – Por que tem que escolher o jeito mais difícil?

– Não estou escolhendo o jeito mais difícil, só não quero ser sedada – retruquei. Minha visão se obscureceu e concentrei-me na respiração antes que apagasse.

– Senhoras – Keasley murmurou, em meio à tensão –, concordo que seria mais fácil sedar Rachel, especialmente para ela, mas não vou forçá-la.

– Obrigada – respondi, apática.

– Algumas panelas de água mais, Ivy? – Keasley pediu. – E aquelas toalhas?

O micro-ondas apitou e Ivy girou nos calcanhares e saiu. "Que bicho a teria mordido?", me perguntei.

Keasley invocou um segundo amuleto e colocou-o perto do primeiro. Era outro talismã para dor e fechei os olhos, relaxando com o duplo alívio. De repente, os abri, quando Ivy colocou uma caneca de chocolate quente sobre a mesa e, em seguida, a pilha de toalhas cor-de-rosa. Com uma frustração inapropriada, voltou para a cozinha e ficou praguejando perto do balcão.

Lentamente, tirei do cobertor o braço que o demônio ferira. O inchaço tinha cedido; e um pequeno nódulo dolorido, se desfeito. Não estava quebrado. Sinalizei com os dedos e Keasley colocou o chocolate quente ao meu alcance. O calor da caneca era reconfortante e a bebida deslizou pela minha garganta, criando uma sensação de proteção.

Enquanto eu sorvia o líquido, Keasley arrumou as toalhas em torno do meu ombro direito. Pegou uma garrafa plástica que trazia na sacola e lavou o resto de sangue do meu pescoço, ensopando as toalhas. Depois começou a investigar o tecido com seus olhos castanhos atentos.

– Ai! – urrei, quase derramando a bebida ao me sacudir. – Precisa mesmo fazer isso?

Keasley grunhiu e colocou um terceiro amuleto em torno do meu pescoço.

– Melhor? – perguntou.

Minha vista se turvou com a força do feitiço. Fiquei imaginando onde teria arranjado um talismã tão poderoso, e aí lembrei que ele tinha artrite. Era preciso um feitiço forte como aquele para aplacar uma dor tão intensa, e me senti culpada por estar aproveitando seu talismã medicinal. Dessa vez, senti apenas uma leve pressão com as cutucadas e picadas e assenti.

– Há quanto tempo foi mordida?

– Hum – murmurei, lutando para afastar o estado de sonolência que o amuleto causava. – No pôr do sol?

– E agora já passa das nove? – perguntou a si mesmo, olhando para o relógio do aparelho de som. – Bom. Podemos fazer todas as suturas. – Aprontando-se, assumiu ares de instrutor e chamou Matalina para perto.

– Olhe aqui – disse para a mulher pixie. – Está vendo como o tecido foi cortado e não rasgado? Prefiro suturar uma mordida de vamp a uma de lóbis. Além de ser mais limpa, não é preciso eliminar a enzima.

Matalina aproximou-se mais.

– Lanças com espinhos fazem cortes como este, mas nunca consegui encontrar nada que mantivesse o músculo no lugar enquanto as extremidades se refazem.

Escaldando, engoli o chocolate quente, desejando que eles parassem de falar como se eu fosse um experimento científico ou um pedaço de carne à venda.

– Eu aplico suturas absorvíveis de uso veterinário.

– Uso veterinário? – perguntei, surpresa.

– Ninguém fica de olho nas clínicas veterinárias – respondeu, distraidamente. – Ouvi dizer que as nervuras contidas nas hastes da folha de louro são suficientemente fortes para fadas e pixies. Entretanto, não usaria nada além de tripa de gato para os músculos das asas. – Quer um pouco? – Vasculhou na sacola e colocou vários envelopinhos de papel sobre a mesa. – Considere como pagamento por aquelas amostras de plantas.

As asas de Matalina adquiriram um delicado tom cor-de-rosa.

– As plantas não eram minhas, para que eu as desse.

– Eram, sim – interrompi. – Recebo um desconto do aluguel para fazer a manutenção do jardim. Acho que isso o torna meu. Mas são vocês que cuidam dele. Então, isso o torna de vocês.

Keasley levantou os olhos do meu pescoço. Um olhar chocado tomou conta de Matalina.

– Considere isso uma renda para Jenks – acrescentei. – Isto é, se você acha que ele pode querer sublocar o jardim como pagamento.

Por um momento, fez-se silêncio.

– Acho que ele gostaria disso – a pixie sussurrou, e depois colocou os pequenos envelopes dentro da bolsa. Deixando-os, voou a toda velocidade até a janela e voltou, visivelmente sensibilizada. Era óbvia a perturbação dela ante a minha oferta.

Pensando se eu teria feito algo de errado, observei a parafernália de Keasley espalhada sobre o jornal.

– Você é médico? – perguntei, pousando a caneca vazia com um barulho. Precisava me lembrar de conseguir a receita daquele feitiço. Não sentia nada, em parte alguma.

– Não. – Juntou as toalhas encharcadas de água e sangue, jogando-as no chão.

– Então, onde conseguiu todas essas coisas? – alfinetei.

– Não gosto de hospitais – disse de forma direta. – Matalina? Por que não fico com a costura interna e você faz o fechamento da pele? Tenho certeza de que o seu trabalho é ainda mais uniforme que o meu. – Ele sorriu pesarosamente. – Aposto que Rachel prefere uma cicatriz pequena.

– Ajuda estar a uns poucos centímetros do ferimento – Matalina respondeu, visivelmente satisfeita por ter sido solicitada.

Keasley esfregou um gel frio no meu pescoço. Fiquei observando o teto enquanto pegou uma tesoura e aparou o que supus serem bordas esfiapadas.

Fazendo um ruído de satisfação, escolheu uma agulha e um fio. Senti uma pressão no pescoço, seguida de um puxão, e respirei fundo. Meus olhos tremularam na direção de Ivy quando ela entrou e se inclinou tão próximo a mim que quase bloqueou a luz de Keasley.

– Que tal esse aqui? – disse ela, apontando. – Não deveria costurá-lo primeiro? É o que está sangrando mais.

– Não – ele respondeu, dando outro ponto. – Arranje mais uma panela de água fervendo, pode ser?

– Quatro panelas de água? – indagou.

– Por gentileza – ele disse, com a voz arrastada.

Keasley continuou suturando e eu contei os puxões, de olho no relógio. O chocolate não tinha caído tão bem como gostaria. Da última vez em que eu tinha levado pontos, meu ex-melhor amigo se escondera no armário do colégio, tentando se passar por um raposomem. O dia acabou com uma expulsão dupla.

Ivy hesitou, apanhou as toalhas molhadas e as levou para a cozinha. A água corria e outro grito, seguido de uma pancada abafada, veio do chuveiro.

– Dá pra parar de fazer isso?! – Ouviu-se um grito aborrecido e não consegui conter um sorriso meio debochado. Logo, logo Ivy voltou e ficou espiando por cima do ombro de Keasley.

– Esse ponto não parece bem apertado – ela comentou.

Eu me remexi, sentindo desconforto, e Keasley franziu a testa, contraindo as sobrancelhas. Eu gostava do nosso vizinho e Ivy estava sendo extremamente chata.

– Ivy, por que não vai fazer uma checagem do perímetro da igreja? – ele sugeriu.

– Jenks está lá fora. Está tudo bem.

Keasley crispou o maxilar e as dobras da pele se vincaram. Lentamente, puxou o fio verde, apertando-o, com os olhos fixos no trabalho.

– Ele pode precisar de ajuda – insistiu.

Ivy se aprumou com os braços cruzados e, com um tom de preto esfumaçando os olhos, exclamou:

– Duvido.

As asas de Matalina se aceleraram, formando um borrão até quase desaparecerem, quando Ivy se aproximou, inclinando-se e bloqueando a luz de Keasley.

– Vá embora – disse ele calmamente, sem se mexer. – Você está atrapalhando.

Ivy afastou-se, boquiaberta, parecendo estar chocada. Os olhos arregalados se dirigiram para mim, e sorri, com certa aquiescência. Endireitando-se, ela girou nos calcanhares e saiu batendo as botas ruidosamente pelo assoalho do corredor e pelo santuário afora. Apertei os olhos com a pancada da porta ecoando pela igreja.

– Lamento – eu disse, achando que alguém tinha de se desculpar.

Keasley endireitou as costas dolorosamente.

– Ela está preocupada com você e não sabe expressar sem morder você. Ou é isso ou ela não gosta de estar fora do controle.

– Ela não é a única – respondi. – Estou começando a me sentir como um fracasso.

– Fracasso? – repetiu. – De onde tirou isso?

– Olhe só para mim – respondi bruscamente. – Sou um desastre. Perdi tanto sangue que não consigo me levantar. Não fiz nada por minha conta desde que saí da SI a não ser ter sido capturada por Trent e ter virado comida de rato. – Não me sentia mais como uma caça-recompensas. "Papai ficaria desapontado", pensei. Eu devia ter ficado onde estava, sã, salva e completamente entediada.

– Você está viva – apaziguou Keasley. – Não é nada fácil estar sob uma ameaça de morte da SI. – Ajustou a lâmpada até iluminar meu rosto. Fechei os olhos, levando um susto quando ele aplicou uma compressa fria sobre a pálpebra machucada. Matalina assumiu a sutura do pescoço, com repuxos pequeninos, quase imperceptíveis. Ela nos ignorou, com a desenvoltura de uma mãe experiente.

– Se não fosse por Nick, por duas vezes estaria morta – eu disse, olhando na direção do chuveiro, fora do alcance da vista.

Keasley mirou a lâmpada na minha orelha e aplicou de leve um quadrado de algodão macio umedecido, me fazendo sacudir. A compressa voltou suja de sangue velho.

– Você escaparia de Kalamack em algum momento – respondeu. – Em vez disso, aproveitou uma oportunidade e incluiu Nick nessa. Não vejo fracasso nisso.

Fitei-o, estreitando o olho bom.

– Como você sabe da briga de ratos?

– Jenks me contou no caminho para cá.

Satisfeita, eu me encolhi quando Keasley aplicou um líquido fedorento na orelha rasgada, que latejou discretamente, sob os três amuletos contra dor.

– Nada mais posso fazer quanto a isso – disse ele. – Sinto muito.

Eu não tinha como ignorar minha orelha. Matalina alcançou a altura dos meus olhos, o seu olhar indo de Keasley para mim.

– Está pronto – disse ela com sua voz de boneca de porcelana. – Se você puder finalizar sem problemas, gostaria de, hum... – Os olhinhos expressavam charmosamente um desejo. Um anjinho alvissareiro. – Quero contar a Jenks sobre a oferta de sublocar o jardim.

Keasley concordou com a cabeça.

– Vá em frente – respondeu. – Não tem muito mais coisas, só o pulso.

– Obrigada, Matalina – adiantei. – Não senti nada.

– Não tem de quê. – A minúscula mulher pixie voou em disparada até a janela e voltou. – Obrigada – sussurrou, antes de desaparecer pela janela e penetrar no jardim escuro.

Estávamos sozinhos na sala de estar, Keasley e eu. O silêncio era tão profundo que era possível ouvir as tampas pipocando sobre as panelas de água na cozinha. Keasley pegou a tesoura e cortou fora o algodão encharcado do meu pulso. Tudo pareceu distante e meu estômago revirou. Meu pulso ainda estava ali, mas tudo parecia fora do lugar. Não era de estranhar que o pó de pixie de Jenks não tivesse conseguido estancar o sangramento. Pedaços de carne branca estavam amontoados em protuberâncias e havia pequenas crateras cheias de sangue. Se meu pulso estava com aquela aparência, o que dizer do meu pescoço? Fechando os olhos, concentrei-me na respiração. Eu ia desmaiar. Sabia disso.

– Você fez uma forte aliada ali – disse ele com suavidade.

– Matalina? – segurei o fôlego para não entrar numa taquicardia. – Não consigo imaginar como – eu disse, expirando. – Venho continuadamente colocando o marido e a família dela em perigo.

– Hum. – Ele apoiou a panela de água sobre os joelhos e suavemente baixou meu pulso dentro dela. Deixei o ar escapar num silvo com o choque na água e, em seguida, relaxei conforme os amuletos para dor embotavam a sensação. Ele cutucou meu pulso e eu berrei, tentando puxá-lo para longe. – Quer um conselho?

– Não.

– Muito bem, ouça de qualquer forma. Tenho a impressão que você se tornou a líder por aqui. Aceite isso, mas saiba que tem um preço. As pessoas vão fazer coisas para você. Não seja egoísta. Deixe que façam.

– Devo minha vida a Nick e a Jenks – resmunguei, odiando aquilo. – O que há de tão grandioso nisso?

– Não, você não deve. Por sua causa, Nick não tem mais de matar ratos para ficar vivo e a expectativa de vida de Jenks quase duplicou.

Recuei e dessa vez ele me deixou fazer isso.

– Como descobriu? – perguntei, desconfiada.

Keasley colocou de lado a panela, ressoando um tom agudo ao bater sobre a mesa. Depois, dobrou uma toalha cor-de-rosa por baixo do meu pulso e forcei-me a olhá-lo. O tecido parecia mais normal. Um pequeno acúmulo de sangue se formou e escondeu o estrago, derramando-se sobre minha pele molhada e fluindo sobre a toalha, manchando-a.

– Você fez de Jenks seu parceiro – disse ele, abrindo uma compressa de gaze e aplicando-a em mim. – O pequeno pixie tem mais a arriscar do que um trabalho: tem um jardim. Esta noite você o ofereceu a ele pelo tempo que desejar. Nunca ouvi falar de aluguel de propriedade para um pixie, mas aposto que seria mantido num tribunal humano ou impercebido se outro clã o desafiasse. Você garantiu que *todos* os filhos dele tivessem um lugar para viver até a idade adulta, e não apenas os poucos que nasceram primeiro. Acho que, para ele, isso vale uma tarde de esconde-esconde numa sala cheia de grandalhões.

Observei-o enfiando uma agulha e forcei a vista para o teto. Os puxões e os apertos começaram num ritmo lento. Todos sabiam que pixies e fadas competiam entre si por um bom pedaço de terra, mas não imaginava que as razões fossem tão profundas. Pensei no que Jenks dissera sobre o risco de morrer com uma picada de abelha por duas míseras caixas de flores. Agora, ele tinha um jardim. Não era de se espantar que Matalina tivesse ficado tão despreocupada em relação ao ataque das fadas.

Keasley adotou um padrão de dois pontos e um puxão. A coisa não parava de sangrar. Eu me recusava a olhar; em vez disso, meus olhos reviravam pela sala de estar cinza até que fitaram a mesa vazia sobre a qual antes ficavam as revistas de Ivy. Engoli com dificuldade, sentindo uma náusea.

– Keasley, você já vive aqui há algum tempo, certo? – indaguei. – Quando Ivy se mudou para cá?

O vizinho ergueu os olhos da sutura. Seu rosto, escuro e enrugado, não trazia nenhuma expressão.

– No mesmo dia que você. As duas saíram do emprego no mesmo dia, não foi? Eu me segurei antes de assentir, concordando.

– Posso entender por que Jenks está arriscando a vida para me ajudar, mas... – fitei o corredor. – O que Ivy está tirando disto? – sussurrei.

Keasley olhou para o meu pescoço, com repugnância.

– Não é óbvio? Ela se alimentou de você com a sua permissão e não permitirá que a SI a mate.

Abri a boca, escandalizada.

– Já disse que não foi Ivy que fez isso! – exclamei, com o coração acelerado pelo esforço de elevar a voz. – Foi um demônio!

Ele não pareceu tão surpreso quanto imaginava. Ficou me olhando fixamente, esperando que eu prosseguisse.

– Saí da igreja para conseguir uma receita de feitiço – eu disse suavemente. – A SI mandou um demônio atrás de mim, e ele se transformou num vampiro para me matar. Nick o prendeu num círculo, do contrário ele teria conseguido. – Desabei, exausta. Minha pulsação martelava. Estava fraca demais, até para ficar zangada.

– A SI? – Keasley cortou o fio da agulha e me deu uma olhada por baixo da sobrancelha caída. – Tem certeza de que foi um demônio? Ela não usa demônios.

– Agora usam – respondi, azeda. – Olhei para meu pulso e rapidamente desviei o rosto. O sangue gotejando por entre os pontos verdes. Tentei alcançar o pescoço para ver se ao menos ali tinha estancado. – O demônio sabia meus três nomes. Meu nome do meio nem consta na minha certidão de nascimento. Como foi que a SI descobriu isso?

Os olhos de Keasley mostravam-se preocupados enquanto enxugava meu pulso.

– Bem, se foi um demônio, você não vai ter de se preocupar com quaisquer resíduos de vamp nas mordidas... imagino.

– Pequenos favores – acrescentei de forma amarga.

Ele pegou novamente meu pulso, aproximando a luz. Arrumou uma toalha em forma de concha por baixo dele para aparar o sangue que ainda pingava.

– Rachel? – murmurou.

Sinos de alerta soaram ao longe. Ele sempre tinha me chamado de senhorita Morgan.

– O quê?

– Sobre o demônio. Você fez um trato com ele?

Segui o olhar dele para meu pulso e fiquei amedrontada.

– Nick fez – revelei. – Concordou em livrar o demônio do círculo se ele me trouxesse de volta viva. Ele nos levou por dentro das linhas de ley.

– Ah – suspirou, e eu me senti esfriar com o tom monótono. Ele sabia de algo que eu desconhecia.

– Ah o quê? – perguntei. – Qual o problema?

Keasley respirou lentamente.

– Isto não vai se curar sozinho – disse, de maneira suave, colocando o pulso sobre meu colo.

– O quê? – exclamei, segurando o pulso enquanto meu estômago revirava e o chocolate ameaçava sair por onde tinha entrado. O chuveiro foi desligado e senti uma onda de pânico. O que Nick tinha feito comigo?

Keasley abriu um curativo adesivo e aplicou-o sobre meu olho.

– Demônios não fazem nada de graça – afirmou. – Você deve um favor a ele.

– Mas não concordei com nada! – exclamei. – Foi Nick! Eu pedi que não o soltasse!

– Não foi nada do que Nick fez – Keasley disse, pegando meu braço machucado e suavemente estimulando-o até eu inspirar, sibilando. – O demônio quer um pagamento adicional por tê-la levado pelas linhas de ley. No entanto, você tem uma escolha. Ou paga pela passagem aceitando que seu pulso pingue sangue pelo resto da vida ou concorda em dever um favor ao demônio e ele a cura. Sugiro a primeira opção.

Afundei nas almofadas.

– Maravilha. – Tinha dito a Nick que era uma má ideia. Que beleza.

Keasley puxou meu pulso para si e começou a enrolá-lo com uma bandagem de gaze, mas o sangue a ensopava tão logo ela passava pelo pulso.

– Não acredite se o demônio disser que você não pode opinar sobre o problema – explicou, usando o rolo inteiro e prendendo a ponta com um pedaço de esparadrapo. – Você pode negociar a forma de pagar pela passagem até que ambos cheguem a um acordo. Por anos, até. Os demônios sempre oferecem escolhas. E são pacientes.

– Escolhas! – berrei. – Concordar em dever um favor a ele ou sair por aí como se tivesse um estigma para o resto da vida?

O vizinho encolheu os ombros. Juntou as agulhas, o fio e a tesoura no jornal e embrulhou tudo.

– Acho que se saiu até bem para um primeiro embate com um demônio.

– Primeiro embate! – exclamei, e em seguida, recostei-me arfando. "Primeiro? Como se fosse haver um segundo." – Como você sabe de tudo isso? – sussurrei.

Ele enfiou o jornal dentro da sacola e fechou a abertura.

– Quando se vive muito tempo, você aprende coisas.

– Ótimo. – Olhei para cima, vendo Keasley retirar o amuleto forte contra dor do meu pescoço. – Ei, preciso disso. – protestei quando as dores recomeçaram, latejando...

– Você vai ficar bem com apenas dois. – Ele se levantou e deixou minha salvação cair dentro do bolso. – Assim, não se machuca tentando fazer alguma coisa. Deixe esses pontos aí por uma semana. Matalina vai dizer quando tirá-los. Sem transformações, por enquanto. – Em seguida, pegou uma tipoia e a deixou sobre a mesa.

– Use isso – disse, simplesmente. – Seu braço está machucado, e não quebrado. – Arqueou as sobrancelhas brancas. – Você é sortuda.

– Keasley, espere. – Inspirei rápido, tentando organizar as ideias. – O que posso fazer por você? Uma hora atrás achei que eu fosse morrer.

– Uma hora atrás você estava morrendo. – Ele deu uma risada e então se colocou sobre um pé, depois sobre o outro. – É importante que não deva nada a ninguém, não é? – hesitou. – Eu a invejo pelos amigos que tem. Já sou velho o suficiente para não ter medo de dizer isso. Amigos são um luxo a que não tenho me permitido por muito tempo. Se me deixar confiar em você, nos considere quites.

– Mas isso não é nada – protestei. – Quer mais plantas do jardim? Ou uma poção de pele de marta? Elas ainda vão estar boas por uns dias e não vou usá-las novamente.

– Eu não contaria com isso – disse ele, dando uma espiadela para o salão, depois de ouvir o ruído da porta do banheiro se abrindo. – E ser alguém em quem eu confio pode sair caro. Posso cobrar por isso um dia. Está disposta a arriscar?

– Claro – respondi, imaginando o que um homem velho como Keasley poderia temer. Não poderia ser pior do que aquilo que eu estava enfrentando. A porta do santuário se fechou com uma batida forte e me aprumei. Ivy tinha cansado de ficar emburrada e Nick saíra do banho. Eles estavam discutindo e eu me sentia muito cansada para bancar o juiz. Jenks entrou pela janela zumbindo e fechei os olhos, tentando reunir forças. Os três, assim de uma só vez... isso ia me matar.

Com a sacola na mão, Keasley mobilizou-se para sair.

– Por favor, não vá ainda – pedi. – Nick pode precisar de alguma coisa. Ele está com um corte feio na cabeça.

– Rachel – disse Jenks, voando em círculos em torno de Keasley, numa forma de cumprimento. – Que, diabos, você disse para Matalina? Ela está voejando pelo jardim como se tivesse tomado Enxofre, rindo e chorando ao mesmo tempo. Não consigo arrancar uma palavra daquela mulher. – Ele começou a pairar no ar e ali ficou escutando.

– Ah, ótimo – murmurou. – Eles já estão discutindo de novo.

Troquei um olhar desanimado com Keasley à medida que a conversa em murmúrios no vestíbulo terminava de maneira decidida, mas quieta. Ivy chegou com um ar de satisfação, seguida rapidamente por Nick, com o rosto contorcido numa careta. No entanto, sua expressão desfez-se num sorriso ao me ver sentada e visivelmente melhor. Ele estava vestindo uma camiseta branca grande e uma calça jeans folgada, recém-saída da secadora. Seu meio sorriso charmoso não surtiu efeito em mim. A razão pela qual meu pulso sangrava era real demais.

– Você deve ser Keasley...? – Nick perguntou, estendendo a mão por sobre a mesa como se não nada houvesse de errado. – Meu nome é Nick.

Keasley pigarreou, limpando a garganta, e retribuiu o gesto.

– Prazer em conhecê-lo – respondeu, as palavras contrariando o ar de desaprovação no rosto velho. – Rachel quer que eu examine sua testa.

– Estou bem. Parou de sangrar no chuveiro.

– Mesmo? – disse o velho estreitando os olhos. – O pulso de Rachel não vai estancar.

O rosto de Nick se desarmou. Ele olhou diretamente para mim, abriu e depois fechou a boca. Eu o encarei. Para o inferno com tudo aquilo! Ele sabia exatamente o que significava.

– Ele... hum... – sussurrou.

– O quê? – Ivy instigou. – Jenks pousou sobre o ombro dela, sendo afastado pouco depois.

309

Nick passou a mão pelo queixo e ficou calado. Ele e eu íamos conversar... Íamos ter uma conversa séria logo, logo. Agressivamente, Keasley empurrou a sacola em direção ao peito de Nick.

– Segure isso aqui enquanto preparo um banho para Rachel. Quero garantir que a temperatura do corpo dela esteja no ponto certo.

Nick se afastou, obediente. Ivy olhava com desconfiança para nós três.

– Um banho – repeti, exultante, sem querer que ela soubesse que havia algo de errado. Ivy provavelmente mataria Nick se descobrisse o que tinha acontecido. – Isso me parece ótimo. – Empurrei o cobertor e o casaco e coloquei os pés no chão. A sala escureceu e senti meu rosto esfriar.

– Mais devagar – disse Keasley, pousando a mão escura no meu ombro. – Espere até que esteja pronto.

Respirei fundo, me recusando a colocar a cabeça entre os joelhos. Era humilhante demais.

Nick parecia mal, ali de pé no canto da sala.

– Ahn. Talvez seja preciso esperar por esse banho. Acho que usei toda a água quente – ele avisou.

– Bom – respirei –, foi o que eu disse para fazer. – Por dentro, porém, eu estava passada.

– É para isso que serviam as panelas d'água – Keasley explicou, após pigarrear.

Ivy fechou a cara.

– Por que não disse? – ela resmungou, saindo. – Vou providenciar.

– Atente para que o banho não seja muito quente – o vizinho recomendou.

– Sei como tratar de perdas de sangue graves – ela gritou, de modo hostil.

– Isso você provavelmente faz, mocinha. – Endireitando-se, ele colocou Nick, assustado, contra a parede. – E você diga à senhorita Morgan o que ela pode esperar em relação ao pulso machucado – disse, pegando a sacola de volta.

Nick concordou com a cabeça uma vez, parecendo surpreso com o pequeno bruxo de aspecto inofensivo.

– Rachel – disse Jenks, zumbindo próximo –, o que está havendo com seu pulso?

– Nada.

– O que está havendo com seu pulso, delícia?

– Nada! – Eu o afastei com um aceno, quase ofegando com o esforço.

– Jenks? – Ivy chamou alto, com o ruído distante da água correndo ao fundo. – Me traga aquela sacola preta que está no meu guarda-roupa, pode ser? Quero colocar no banho da Rachel.

– Aquela que fede a verbena? – gritou, elevando-se e pairando à minha frente.

– Você fuçou as minhas coisas! – ela acusou, e Jenks riu acanhadamente. – E ande depressa com isso – acrescentou. – Quanto mais cedo Rachel tomar banho, mais cedo poderemos sair daqui. Tão logo ela esteja bem, precisamos ver como vamos concluir o trabalho dela.

A lembrança do carregamento de Trent veio à tona. Olhei para o relógio e suspirei. Ainda havia tempo para chegar ao FIB e prendê-lo. Mas eu não ia tomar parte nisso, qualquer que fosse o jeito, tipo ou forma.

Maravilha.

Vinte e oito

"Bolhas de sabão", pensei, "deviam ser vendidas como estimulante medicinal para o bem-estar." Suspirei, num movimento rápido antes de deslizar mais para dentro da banheira. Amortecidos pelos amuletos e pela água morna, os machucados tinham cedido e agora só latejavam. Até mesmo o pulso, erguido para fora da água e apoiado na borda da banheira, estava razoável. Dava para ouvir ao longe, através das paredes, Nick falando com a mãe ao telefone, dizendo que o trabalho tinha estado frenético nos últimos três meses e que sentia muito por não ter ligado antes. Fora isso, a igreja estava silenciosa. Jenks e Ivy tinham ido embora.

– Foram fazer meu trabalho – sussurrei, com o humor, até agora sereno, azedando.

– O que é, senhorita Rachel? – Matalina se pronunciou. – A mulherzinha pixie estava empoleirada no porta-toalhas, parecendo um anjo, num vestidinho esvoaçante de seda branca, bordando botões de corniso num xale sofisticado para a filha mais velha. Ela estava junto a mim desde que eu entrara na banheira, para garantir que não ia desmaiar e me afogar.

– Nada. – Com dificuldade, ergui o braço machucado e puxei um monte de bolhas para mais perto. A água estava esfriando e meu estômago roncava. O banheiro de Ivy lembrava de forma sinistra o da minha mãe, com sabonetinhos em formato de concha e cortinas de renda na janela de vitral. Havia um vaso de violetas sobre a cômoda e fiquei surpresa ao constatar que uma vamp se importava com esse tipo de coisa. A banheira era preta, fazendo um belo contraste com as paredes em tom pastel e o papel de parede florido.

Matalina deixou de lado o bordado e voou para baixo, pairando sobre a porcelana negra.

– Os amuletos podem ficar molhados assim?

Dei uma olhada nos talismãs para dor enrolados no pescoço, pensando que eu devia estar parecendo uma prostituta bêbada no Mardi Gras.

– Está tudo bem – murmurei. – Água e sabonete não vão dissolvê-los como a água salgada faria.

– A senhorita Tamwood não disse o que colocou no seu banho – disse Matalina com afetação. – Pode ser que tenha sal.

Ivy também não tinha me dito nada e, para ser franca, não me importava.

– Não tem sal. Eu perguntei.

Com um pequeno pigarro, Matalina pousou sobre o meu dedão, insinuando-se sobre a água. Suas asas aceleraram até quase sumirem e formou-se um ponto limpo conforme as bolhas se desfizeram. Segurando a saia, ela se inclinou cuidadosamente para tocar na água e recolher uma gota com o nariz. Pequeníssimos respingos se espalharam com o toque na água.

– Verbena – comentou com a voz aguda. – Meu Jenks acertou em cheio aí. Sanguinária. Hidraste. – Nossos olhares se cruzaram. – Isso é usado para encobrir algo muito poderoso. O que ela está tentando esconder?

Olhei para o teto. Se aquilo acabasse com a dor, realmente não me importava.

Houve um estalido de tábuas de assoalho no salão, me fazendo gelar.

– Nick? – chamei. Minha toalha estava fora de alcance. – Ainda estou na banheira. Não entre.

Ele arrastou os pés, parando, com a madeira fina de compensado entre nós.

– Hum, oi, Rachel. Eu estava apenas, eh, querendo saber de você. – Houve uma hesitação. – Eu... ahn... preciso falar com você.

Senti um aperto no estômago e minha atenção dirigiu-se para o meu pulso. Ainda estava sangrando através da atadura de gaze de mais de dois centímetros de espessura. O filete de sangue sobre a porcelana preta parecia uma decoração. Talvez fosse por isso que Ivy tinha uma banheira preta. O sangue não aparecia tanto sobre o preto quanto sobre o branco.

– Rachel? – ele chamou em meio ao silêncio.

– Estou bem – respondi alto, e minha voz ecoou. – Me dê um minuto para eu sair do banho, tudo bem? Também quero falar com você... pequeno mago.

Minhas últimas palavras foram maliciosas e ouvi os pés dele se moverem.

– Não sou um mago – arguiu debilmente e, então, hesitou. – Está com fome? Posso fazer alguma coisa para você comer? – Ele parecia estar se sentindo culpado.

— Sim. Obrigada — respondi, desejando que se afastasse da porta. Eu estava faminta. Provavelmente, meu apetite tinha tudo a ver com aquele bolinho que Ivy me dera antes de sair. Era apetitoso como uma panqueca e só depois que eu tinha engolido tudo é que Ivy resolveu me dizer que aquilo ia aumentar meu metabolismo, principalmente a produção de sangue. Eu ainda conseguia sentir o gostinho lá no fundo. Parecia uma mistura de amêndoas, banana e couro de sapato.

Nick saiu arranhando o chão; enquanto isso, estiquei o pé para alcançar a torneira e abrir a água quente. Provavelmente, àquela altura o aquecedor já teria esquentado a água.

— Não a esquente, querida — Matalina alertou. — Ivy disse para sair tão logo ela esfriasse.

Fui varrida por uma onda de irritação. Sabia o que Ivy tinha dito, mas me abstive de fazer comentários.

Lentamente, me apoiei e me levantei em seguida, sentando na beirada da banheira. O cômodo pareceu escurecer pelo entorno e eu, rapidamente, me enrolei numa toalha cor-de-rosa bem macia para o caso de eu desmaiar. Quando o ambiente parou de escurecer, tirei a tampa do ralo da banheira e observei com cuidado. A água escoou fazendo barulho e limpei o vapor do espelho, inclinando-me sobre a pia para me olhar.

Um suspiro chacoalhou meus ombros. Matalina pousou sobre um deles, me fitando com olhos tristes. Parecia que eu tinha caído da traseira de um caminhão. Um lado do meu rosto estava marcado com um roxo que ia até o olho. O curativo de Keasley tinha caído, deixando à mostra um talho vermelho que seguia o arco da sobrancelha e me fazia parecer torta. Eu nem mesmo lembrava de ter sido cortada. Inclinei-me ainda mais e a vítima no espelho me imitou. Reforçando minha determinação, afastei o cabelo úmido do pescoço.

Deixei escapar um murmúrio de resignação. O demônio não tinha feito perfurações regulares, mas sim três conjuntos de rasgos que se misturavam, que lembravam rios e afluentes. Os pequenos pontos dados por Matalina pareciam uma pequena malha ferroviária descendo até a clavícula.

A lembrança do demônio me fez tremer; eu tinha quase morrido nas suas garras. Só esse pensamento era suficiente para me deixar morta de medo, mas o que ia me manter acordada à noite era a compreensão irritante de que, com todo aquele terror e dor, a saliva que o vampiro injetara tinha sido prazerosa. Mentira ou não... aquilo tinha me feito sentir... assombrosamente maravilhada.

Apertei mais a toalha junto ao corpo e me virei.

– Obrigada, Matalina – sussurrei. – Não acho que as cicatrizes vão ficar muito perceptíveis.

– Não tem de quê, querida. Foi o mínimo que podia fazer. Gostaria que eu ficasse para garantir que você consiga se vestir sem problemas?

– Não. – O som de um processador de alimentos ecoou da cozinha. Abri a porta e espiei o salão. O ar cheirava fortemente a ovo. – Acho que dou conta, obrigada.

A pequena pixie concordou e alçou voo com seu bordado, as asas fazendo um zumbido suave. Fiquei à escuta por um tempo e, concluindo que Nick estava oportunamente ocupado, escapuli para o quarto, suspirando aliviada ao chegar lá sem ser notada.

Sentei na beirada da cama para recuperar o fôlego; meu cabelo pingava. Encolhi-me ao pensar em vestir calças. Tampouco queria usar saia e meia-calça. Finalmente, me enfiei num par de jeans largos e numa camisa xadrez azul, fácil o suficiente de vestir sem causar muita dor no ombro e no braço. Nem morta eu sairia de casa com uma roupa dessas, mas não estava tentando impressionar Nick.

O chão continuou oscilando sob meus pés enquanto me vestia, e as paredes se inclinavam se me movesse depressa, mas finalmente apareci com os amuletos molhados tilintando no pescoço. Fui arrastando o chinelo pelo corredor, imaginando se devia tentar cobrir o machucado com um feitiço para pele. Maquiagem convencional não ia resolver aquilo.

Nick saiu meio atordoado da cozinha e quase me derrubou. Trazia um sanduíche na mão.

– Você está aí – disse ele, com olhos arregalados ao me observar de cima a baixo. – Quer um sanduíche de ovo?

– Não, obrigada – respondi, com o estômago roncando de novo. – Tem enxofre demais. – O pensamento me ocorreu como um flash: o jeito como Nick tinha assumido, empunhando aquele livro preto e balançando a outra mão, e como tinha rendido completamente o demônio: amedrontado, temeroso... e poderoso. Nunca tinha visto um humano parecer poderoso. Foi surpreendente.

– Mas seria bom contar com uma ajuda para trocar a bandagem do pulso – concluí, de forma pungente.

Ele se encolheu, destruindo por completo o cenário em minha mente.

– Rachel, sinto muito...

Segui em frente, passando por ele, e fui para a cozinha. Leves, seus passos pararam atrás de mim. Inclinei-me, encostando na pia, e dei comida ao Senhor Peixe. Lá fora a escuridão era total, e vi pequeninas centelhas de luz produzidas por Jenks e por sua família, que patrulhavam o jardim. Gelei ao ver que o tomate tinha voltado para o parapeito da janela. Fui atingida por uma onda de preocupação, ao mesmo tempo em que praguejava contra Ivy. Franzi a testa. Por que me importar com o que Nick pensava? Essa era minha casa. Eu era uma impercebida. Se ele não gostasse disso, que se danasse.

Senti Nick atrás de mim, à mesa.

– Rachel, sinto muito mesmo – desculpou-se. Eu me virei, reunindo forças. Meu ultraje perderia todo o efeito se eu desmaiasse. – Não sabia que o demônio exigiria um pagamento de você. De verdade.

Zangada, afastei o cabelo molhado dos olhos e fiquei de pé, de braços cruzados.

– É a marca de um demônio, Nick. Uma marca desgraçada de demônio.

Nick dobrou o corpo esguio sentando-se em uma das cadeiras de espaldar. Com os cotovelos na mesa, repousou a cabeça nas mãos em concha e, olhando para a mesa, disse sem rodeios:

– A demonologia é uma arte morta. Não esperava colocar o conhecimento em prática. Era apenas para ser uma forma indolor de preencher um dos meus requisitos de línguas antigas.

Ele ergueu o olhar, que cruzou com o meu. A sua preocupação e a minha necessidade de ouvir e compreender bloquearam outro rompante cáustico.

– Sinto muito, muito mesmo – continuou. – Se pudesse passar a marca de demônio para mim, eu o faria. Mas pensei que você estivesse morrendo. Não podia deixá-la sangrando até a morte no banco traseiro de algum táxi.

Minha raiva se dissipou. Nick estava disposto a assumir uma marca de demônio para me salvar. Ninguém tinha pedido isso. Eu era uma idiota.

Ele retirou o cabelo de cima da testa.

– Olhe. Está vendo? – mostrou, animado. – Isso para.

Observei seu couro cabeludo. Bem onde o demônio o atingira havia uma ferida recém-fechada, com bordas avermelhadas, aparentando inflamação. A meia-lua tinha uma linha atravessada. Meu estômago se contraiu. A marca de um demônio. Que fossem todos para o inferno! Eu ia ficar com uma marca de demônio. As bruxas negras das linhas de ley tinham marcas de demônio; as bruxas brancas da terra, não. Não eu.

Nick deixou a mecha de cabelos escuros cair.

– Vai desaparecer depois que eu pagar pelo favor. Não é para sempre.

– Favor? – perguntei.

Nick tinha os olhos estreitados, implorando compreensão.

– Provavelmente será uma informação ou algo assim. Pelo menos é o que dizem os textos.

Com uma mão espalmada na cintura, apertei a ponta dos dedos contra a testa. Eu realmente não tinha escolha. Não havia absorvente íntimo para esse tipo de coisa.

– Então, como faço para que o demônio saiba que concordo em dever um favor?

– Você concorda?

– Sim.

– Você já concordou, então.

Fiquei mal, sem gostar da ideia de que um demônio tivesse uma ligação tão intensa comigo a ponto de saber o momento em que eu tinha concordado com suas condições.

– Nenhum documento? – perguntei. – Nenhum contrato? Não gosto de acordos verbais.

– Quer que ele venha aqui e preencha a papelada? – perguntou. – Pense bem forte sobre isso e ele virá.

– Não. – Olhei para meu pulso. Havia um ligeiro prurido. Meu rosto relaxou quando o prurido derivou para uma coceira e daí para um suave calor. – Onde está a tesoura? – perguntei de modo firme. Nick olhou à volta inexpressivamente e meu pulso começou a pegar fogo.

– Está queimando! – berrei. – A dor estava cada vez maior e empurrei a gaze freneticamente tentando arrancá-la fora. – Tire isso! Tire isso! – gritei. Puxei a gaze, abri a torneira ao máximo e coloquei o pulso sob a água fria, aliviando a sensação de queimadura. Inclinei-me sobre a pia, o pulso latejando conforme a água fluía, acabando com a dor.

O ar úmido da noite soprou pelas cortinas e olhei fixamente para o jardim escuro e dali para o cemitério, esperando as manchas negras desaparecerem. Sentia os joelhos fracos e era apenas o pico de adrenalina que me mantinha de pé. Houve um leve ruído de raspão quando Nick deslizou a tesoura por cima do balcão.

Fechei a torneira.

– Grata pelo aviso – cutuquei em tom amargo.

– A minha não doeu – retrucou. Ele parecia preocupado, confuso e muito desconcertado. Peguei um pano de prato e a tesoura e voltei para meu lugar à mesa. Passando a lâmina através da gaze, cortei o tecido encharcado. Arrisquei um olhar para Nick. Alto e estranho, de pé ao lado da pia, a culpa parecia exalar de sua figura encurvada. Desabei.

– Sinto muito por ser tão chata, Nick – comecei, desistindo de cortar fora o tecido e começando a desenrolá-lo. – Teria morrido se não fosse por você. Tive sorte de estar ali para detê-lo. Devo minha vida a você e estou imensamente agradecida pelo que fez. – Hesitei. – Aquela coisa me aterrorizou pra burro. Tudo que queria era esquecer tudo e agora não posso. Não sei como reagir e berrar com você é muito conveniente.

Nick sorriu com o canto da boca e virou uma cadeira para sentar-se diante de mim.

– Deixe-me ver isso – ele disse, estendendo a mão para pegar a minha.

Hesitei e então deixei que Nick puxasse meu pulso sobre o colo. Ele curvou a cabeça e nossos joelhos quase se tocaram. Eu realmente devia mais do que um simples agradecimento.

– Nick? É sério. Obrigada. É a segunda vez que você salva minha vida. Essa coisa do demônio vai ficar tudo bem. Sinto muito por você ter arranjado uma marca de demônio ao me ajudar.

Nick olhou para cima, os olhos castanhos buscando os meus. De repente tomei consciência de como estávamos próximos. Minhas lembranças retrocederam até a sensação dos braços dele à minha volta, me carregando para dentro da igreja. Fiquei imaginando se ele tinha me carregado daquele jeito por todo o todo-sempre.

– Fico feliz por ter estado ali para ajudar – respondeu de forma tranquila. – Foi um pouco minha culpa.

– Não, ele teria me encontrado onde quer que eu estivesse – complementei.

Finalmente, o último pedaço de gaze foi retirado. Engolindo com dificuldade, olhei meu pulso com atenção. Senti um frio no estômago. Estava completamente curado. Até mesmo os pontos verdes tinham desaparecido. A cicatriz esbranquiçada em relevo parecia antiga e tinha o formato de um círculo completo com a mesma linha o atravessando.

– Oh! – Nick exclamou, afastando-se. – O demônio deve gostar de você. Ele não me curou, só fez parar o sangramento.

– Maravilha. – Esfreguei a marca no pulso. Era melhor do que uma bandagem... acho. Não era como se qualquer um pudesse saber sua procedência; ninguém tinha lidado com demônios desde a Virada. – Agora é só esperar até que ele queira alguma coisa?

– Sim. – Nick descartou a cadeira ao levantar-se e dirigir-se ao fogão.

Apoiei os cotovelos na mesa e senti o ar entrando e saindo dos pulmões. De costas para mim, ao fogão, Nick mexia uma caçarola. Cresceu um silêncio desconfortável.

– Gosta de comida de universitário? – Nick perguntou de repente.

Eu me aprumei.

– Desculpe, o que disse?

– Comida de universitário. – Os seus olhos se fixaram no tomate sobre o parapeito. – Macarrão acompanhado de o que quer que tenha na geladeira.

Justificadamente preocupada, me empertiguei e me espichei para ver o que havia no fogão. Tinha macarrão cozinhando na caçarola e, ao lado, uma colher de pau. Ergui as sobrancelhas.

– Você está usando essa colher?

Nick concordou com a cabeça.

– Sim. Por quê?

Peguei o sal e despejei a vasilha toda dentro da panela.

– Epa! – ele gritou. – Já tinha salgado a água. Não precisa de tanto sal assim.

Ignorando-o, mergulhei a colher de pau na minha cuba de dissolução e retirei uma de metal.

– Até ter de volta minhas colheres de cerâmica, é metal para a comida e madeira para os feitiços. Lave bem o macarrão. Deve ficar bom.

Nick ergueu as sobrancelhas.

– Pensei que você usasse colheres de metal para os feitiços e de pau para a comida, já que feitiços não aderem ao metal.

Fui calmamente até a geladeira, sentindo o coração bater forte somente por esse pequeno esforço.

– E por que supõe que feitiços não aderem ao metal? A não ser o cobre, o metal estraga tudo. Se não se importar, eu fico com o preparo de feitiços e você prepara o jantar.

Para minha surpresa, Nick não bancou o machão e limitou-se a dar seu típico sorriso de canto de boca.

Um solavanco de dor trespassou os amuletos quando me esforcei para abrir a geladeira.

– Não acredito que eu esteja tão faminta – comentei enquanto procurava por algo que não estivesse envolto em papel ou isopor. – Acho que Ivy me deu alguma coisa.

Ouviu-se um barulho de água corrente quando Nick colocou o macarrão para escorrer.

– Uma espécie de bolinho?

Espichei a cabeça e dei uma piscadela para ele. Será que Ivy tinha dado um a ele também?

– Sim. – respondi.

– Eu vi. – Os seus olhos estavam fixos no tomate e o vapor o envolvia enquanto ele lavava o macarrão. – Quando estava escrevendo minha tese de mestrado, tive acesso ao pavilhão dos livros raros. – Franziu a testa. – Fica bem perto do armário dos livros antigos. Enfim, os desenhos arquitetônicos das catedrais da época pré-industrial eram entediantes, e certa noite encontrei o diário de um padre inglês do século dezessete que tinha sido julgado e condenado pelo assassinato de três de suas mais belas paroquianas. – Ele despejou a massa de volta na tigela e abriu um pote de molho branco. – O diário se referia a esse tipo de coisa, como o bolinho. Segundo ele, possibilitava as orgias de sangue e a luxúria dos vampiros, noite após noite. Do ponto de vista científico, você deveria se considerar sortuda. Imagino que só raramente sejam oferecidos a alguém que não esteja sob o domínio do vampiro e, portanto, obrigado a ficar de bico calado sobre o assunto.

Franzi a testa, sentindo um desconforto. Que diabos Ivy tinha me dado?

Com o olhar ainda no tomate, Nick despejou o molho sobre a massa. Um aroma encorpado tomou conta da cozinha e meu estômago roncou. Ele mexeu o macarrão e eu observei Nick observando o tomate. Ele começou a parecer muito mal. Exasperada com a aversão infundada da humanidade pelos tomates, fechei a geladeira e saí, claudicante, até a janela.

– Como é que isso veio parar aqui? – murmurei, empurrando-o, pela abertura dos pixies, para o escuro da noite. Caiu no chão fazendo um ruído abafado.

– Obrigado – agradeceu, respirando aliviado.

Retomei meu lugar com um suspiro profundo. Quem visse de fora poderia pensar que tínhamos uma cabeça de carneiro apodrecendo sobre o balcão. Mas era bom saber que ele tinha pelo menos uma insegurança típica de humanos.

Nick se distraiu, acrescentando à mistura cogumelos, molho inglês e calabresa. Sorri ao me dar conta de que era o que restava dos meus complementos para pizza. O aroma estava maravilhoso e, quando ele retirou a concha da prateleira, perguntei:

– É suficiente para dois?

– É suficiente para uma república de faculdade. – Colocou uma tigela na minha frente e sentou-se, rodeando a sua com o braço, como se a protegesse. – Comida de universitário – disse de boca cheia. – Experimente.

Olhei de relance para o relógio acima da pia enquanto mergulhava a colher no prato. Provavelmente, Ivy e Jenks estavam no FIB nesse momento, tentando convencer o cara da recepção de que não eram doidos, e eu aqui comendo macarrão com molho branco com um humano. Não parecia correto. A comida, quero dizer. Teria ficado melhor com molho de tomate. Meio em dúvida, provei um pouco.

– Ei, isso está bom – afirmei, satisfeita.

– Não falei?

Por alguns momentos, ouviu-se apenas o ruído das colheres raspando os pratos e o som de grilos no jardim. Nick diminuiu o ritmo e olhou de relance para o relógio sobre a pia.

– Ei, hum, tenho um grande favor a pedir – disse ele, hesitante.

Engoli, olhando para cima, já sabendo o que estava para acontecer.

– Pode passar a noite aqui se quiser – declarei. – Embora não haja garantias de que vá despertar com todos os seus fluidos intactos. Ou de que vá mesmo despertar. A SI ainda está fazendo feitiços contra mim. Agora são apenas aquelas fadas persistentes, mas tão logo se saiba que ainda estou viva, estaremos rodeados de assassinos. Você estaria mais seguro num banco de parque – concluí, ironicamente.

Nick deu um sorriso aliviado.

– Obrigado, mas vou arriscar. Amanhã saio da sua cola. Vou ver se meu senhorio ainda tem algo meu e vou visitar minha mãe. – Seu rosto alongado se enrugou, parecendo tão preocupado quanto no momento em que pensou que eu ia sangrar até morrer. – Direi a ela que perdi tudo num incêndio. Essa vai ser difícil.

Senti uma pontada de compaixão. Sabia o que era ficar na rua com apenas uma caixa contendo toda a sua vida.

– Tem certeza de que não quer ficar com a sua mãe esta noite? – perguntei. – Seria mais seguro.

Ele voltou a comer.

– Posso cuidar de mim mesmo.

"Aposto que pode", pensei, lembrando do livro de demônios que ele retirara da biblioteca. Não estava mais na minha bolsa e uma pequena mancha de sangue era a única prova de que tinha estado ali. Eu queria abrir o jogo e perguntar se Nick trabalhava com magia negra. No entanto, se ele dissesse que sim, eu teria que decidir o que faria a respeito. Não queria fazer isso justo agora. Gostava da sua autoconfiança e a novidade de constatar isso em um humano era decididamente... intrigante.

Uma parte de mim estava ciente e desprezava o fato de que essa atração provavelmente vinha da minha "síndrome do herói resgatando a donzela em perigo". Mas nesse exato momento eu precisava de algo seguro na minha vida, e um humano que trabalhava com magia capaz de evitar que demônios rasgassem meu pescoço caía como uma luva. Ainda mais quando o humano em questão parecia tão inofensivo.

– Além disso – Nick complementou, estragando tudo –, Jenks vai me cobrir de pó de pixie ruim se eu sair antes que ele chegue.

Deixei escapar um suspiro, aborrecida. Ele era uma babá. Que simpático.

O telefone ecoou através das paredes. Ergui a cabeça olhando para Nick e não me mexi. Eu estava doente, droga.

Ele deu aquele meio sorriso e levantou-se.

– Eu atendo.

Engoli mais uma colherada, vendo-o desaparecer de costas e pensando que deveria me oferecer para acompanhá-lo às compras. Ele precisava de roupas novas; aquela calça jeans era muito folgada.

– Alô – atendeu. Sua voz adquiriu gravidade e assumiu um tom surpreendentemente profissional. – Você ligou para Morgan, Tamwood e Jenks. Encantos Vampirescos Serviço de Caça-recompensas.

"Encantos Vampirescos Serviço de Caça-recompensas", pensei. Um pouco de Ivy, um pouco de mim. Tão bom quanto qualquer outra coisa, suponho. Engoli mais uma colherada, concluindo que suas habilidades culinárias também não eram ruins.

– Jenks? – disse ele. Hesitei, erguendo o olhar quando Nick surgiu no corredor com o telefone. – Ela está comendo. Você já está no aeroporto?

Houve um longo silêncio e suspirei. O FIB tinha mais cabeça aberta e estava mais ansioso para pegar Trent do que eu tinha previsto.

– O FIB? – Agora Nick falava num tom preocupado, e me aprumei quando acrescentou: – Ela fez o quê? Alguém morreu?

Fechei os olhos num piscar prolongado e pus a colher de lado. A refeição azedou no meu estômago e engoli com dificuldade.

– Hum, claro – disse Nick, a pele em volta dos olhos expressivos enrugando quando o olhar dele cruzou com o meu. – Nos dê meia hora. – O som do telefone sendo desligado soou alto. Nick virou-se para mim e expirou.

– Temos um problema.

Vinte e nove

Fui jogada para o canto do banco quando o táxi fez uma curva fechada. A dor superou meus amuletos e, entristecida, segurei firme a bolsa com uma das mãos. O motorista era humano e tinha deixado claro que não gostava de dirigir até Hollows depois do anoitecer. Seu resmungo constante não deu trégua até cruzarmos o rio Ohio e chegarmos onde "pessoas decentes moravam". Segundo ele, nossa única salvação – minha e de Nick – era que ele tinha nos pegado numa igreja e que estávamos indo para o FIB, "um estabelecimento fino e decente que apoia o lado certo da lei".

– Tudo bem – comecei, enquanto Nick me ajudava a me aprumar. – Então aquele pessoal fino e decente do FIB estava perseguindo Ivy, aplicando a técnica do policial bonzinho e policial durão. Alguém tocou nela e...

– Ela explodiu – Nick concluiu. – Foram necessários oito agentes para dominá-la. Jenks diz que três estão no hospital em observação. Outros quatro receberam cuidados médicos e foram liberados.

– Idiotas – murmurei. – E quanto a Jenks?

Nick colocou um braço para fora, aprumando-se quando paramos na frente de um prédio alto feito de pedra e de vidro.

– Vão liberá-lo para uma pessoa responsável. – O sorriso dele parecia um tanto nervoso. – E, na ausência desse alguém, disseram que você serviria.

– Ahá – eu disse secamente. – Espiando através do vidro sujo do carro, li o nome "Agência Federal de Investigação", esculpido nitidamente sobre os dois conjuntos de portas. Nick saiu do carro primeiro e estendeu a mão para me ajudar. Lentamente, tratei de sair também e tentar tomar meu rumo enquanto ele pagava o motorista com o dinheiro que eu tinha dado. Era intensa a claridade produzida pela iluminação das ruas, que apresentavam um trânsito notoriamente leve para o horário. Era evidente que estávamos bem no coração do bairro humano de Cincinnati. Ao olhar para cima em busca do topo do edifício imponente, senti de forma intensa ser parte da minoria e fiquei ansiosa.

Fiz uma varredura das janelas escuras à minha volta, à procura de algum sinal de ataque. Jax disse que as fadas assassinas tinham saído logo depois da minha ligação. "Para buscar reforços ou armar uma emboscada por aqui?" Não me agradava a ideia de catapultas de fadas sendo armadas enquanto eu esperava. Mesmo uma fada não seria tão ousada a ponto de me apanhar dentro do prédio do FIB, mas na calçada eu era presa fácil.

Se bem que elas poderiam ter sido dispensadas, tendo em vista que a SI agora enviava demônios. Senti um lampejo de satisfação, sabendo que o demônio tinha dilacerado quem o enviara. Eles não mandariam outro tão cedo. A magia negra sempre volta para pegar quem a pratica. Sempre.

– Você devia mesmo cuidar mais da sua irmã – comentou o motorista ao pegar o dinheiro, e eu e Nick nos entreolhamos sem entender. – Mas acho que vocês, imperceptidos, não se importam muito com os outros assim como nós, gente decente. Eu arrebentaria qualquer um que ousasse encostar a mão na minha irmã – acrescentou antes de dar a partida.

Fiquei olhando fixamente para as luzes traseiras, meio confusa, até Nick dizer:

– Ele acha que alguém bateu em você e que a estou trazendo aqui para registrar uma queixa.

Estava nervosa demais para rir – e, além do mais, isso teria me feito desmaiar –, mas controlei uma risadinha asfixiante, segurando no braço dele antes que eu caísse. Com a testa franzida, Nick puxou a porta de vidro e, educadamente, segurou-a aberta para mim. Uma onda de angústia me atingiu ao cruzar a soleira. Eu tinha me colocado na posição duvidosa de ter que confiar num estabelecimento dirigido por humanos. Não era uma base sólida. Aquilo não me agradava.

Entretanto, o som de conversas em tom alto e o aroma do café fresco eram familiares e reconfortantes. O caráter institucional se fazia presente por toda parte, desde o piso cinzento até o vozerio da conversa alta, passando pelos assentos laranjas em que pais ansiosos e bandidos impenitentes se sentavam. Eu me senti como se tivesse voltado à minha casa, e meus ombros relaxaram.

– Hum, ali – disse Nick, apontando para o balcão da frente. – Na tipoia, meu braço latejava e o ombro doía. Ou o suor estava dissolvendo os amuletos ou meus esforços estavam começando a neutralizá-los. Nick andava quase colado em mim e isso era desagradável.

A atendente da recepção olhou para cima ao nos aproximarmos, arregalando os olhos.

– Oh, meu bem! – ela exclamou suavemente. – O que houve com você?

– Eu, ahn... – Tentei me encolher, colocando os cotovelos sobre o balcão para encontrar apoio. Meu talismã para pele não era suficiente para disfarçar o olho roxo ou os pontos. O que devia dizer a ela? Que os demônios estavam à solta em Cincinnati novamente? Dei uma olhadela atrás de mim, mas Nick não podia ajudar, virado para o lado das portas. – Hum – oscilei. – Vim buscar alguém.

Ela ergueu a mão e coçou o pescoço.

– Espero que esse alguém não seja o responsável por esses machucados.

Não pude deixar de sorrir com a demonstração de preocupação. Pena é algo que sempre me deixa mole.

– Não.

A mulher ajeitou uma mecha de cabelo grisalho atrás da orelha.

– Detesto ter de dizer isso, mas você precisa se dirigir ao escritório da rua Hillman. E terá de esperar até amanhã. Ninguém é liberado depois do horário regular de expediente.

Suspirei. Odiava o labirinto da burocracia com todas as forças, mas concluí que a melhor forma de lidar com ela era sorrir e agir como idiota. Assim, ninguém ficava confuso.

– Mas eu falei com uma pessoa há menos de vinte minutos – objetei. – Disseram para eu vir aqui.

A boca da mulher se abriu numa expressão compreensiva. Os olhos ganharam um ar de cautela.

– Ah – ela respondeu, olhando de lado para mim. – Você veio aqui buscar o... – Hesitou – ... pixie. – Em seguida, esfregou os sinais de uma pequena bolha atrás do pescoço. Tinha sido atacada com pó de pixie.

Nick pigarreou, limpando a garganta:

– O nome dele é Jenks – esclareceu firmemente, baixando a cabeça. Ele tinha percebido a hesitação da mulher, que, aparentemente, quase dissera "inseto".

– Sim – respondeu ela lentamente, inclinando-se para coçar o tornozelo. – O senhor Jenks. Queiram sentar-se num daqueles lugares – apontou –, e alguém virá até vocês assim que o capitão Edden estiver disponível.

– Capitão Edden. – Segurei no braço de Nick. – Obrigada. – Sentindo-me velha e antiquada, dirigi-me às monstruosidades laranjas alinhadas contra as paredes do saguão. A mudança na atitude da mulher não era inesperada. Em questão de segundos, eu passara de queridinha para vadia.

Embora humanos e impercebidos estivessem convivendo abertamente há quarenta anos, às vezes as tensões se elevavam. Humanos tinham medo e provavelmente por uma boa razão. Não é fácil acordar um dia e se dar conta de que seus vizinhos são vampiros e de que sua professora da quarta série era, na verdade, uma bruxa.

Nick correu os olhos pelo saguão enquanto me ajudava a sentar. Como era de se esperar, as cadeiras eram desagradáveis: duras e desconfortáveis. Nick sentou-se ao meu lado, acomodado na beirada com as longas pernas dobradas na altura dos joelhos.

– Como está se sentindo? – perguntou enquanto eu gemia, tentando encontrar uma posição que fosse razoavelmente confortável.

– Bem – respondi sumariamente. – Ótima, mesmo. – Eu me retraí, percebendo dois homens uniformizados que passavam pelo saguão. Um deles usava muletas. O olho escuro do outro estava começando a arroxear e ele coçava vigorosamente os ombros. "Obrigadíssima, Jenks e Ivy." Meu desconforto diminuiu. Como é que eu ia convencer o capitão do FIB a me ajudar agora?

– Quer comer alguma coisa? – Nick perguntou, recuperando minha atenção. – Eu, eh, podia ir até o outro lado da rua e comprar um sorvete. Você gosta de sorvete de noz-pecã?

– Não. – Aquilo saiu mais brusco do que pretendia e sorri para suavizar as palavras. – Não, obrigada – acrescentei, com o estômago virado de preocupação.

– Que tal alguma coisa da máquina de doces, então? Sal e carboidratos? – tentou, esperançoso. – O alimento dos campeões.

Balancei a cabeça negativamente e coloquei a bolsa entre os pés. Tentando manter a respiração fraca, fitei o piso de cerâmica arranhado. Se comesse mais alguma coisa, eu vomitaria. Tinha comido outra porção de macarrão antes que o táxi nos pegasse, mas não era esse o problema.

– Os amuletos estão perdendo o efeito? – Nick tentou adivinhar e eu concordei com a cabeça.

Um par de sapatos marrons gastos se aproximou e parou na minha fileira. De braços cruzados, Nick deslizou até o encosto da cadeira e eu lentamente ergui a cabeça.

O dono dos sapatos era um homem troncudo vestindo uma camisa social branca e calça cáqui. Tinha o corpo definido e exibia a boa aparência de um ex--fuzileiro, agora civil. Em seu rosto, envoltos por uma armação de plástico, óculos cujas lentes pareciam muito pequenas em contraste com o rosto redondo. O homem cheirava a sabonete, e seu cabelo bem curto estava molhado e arrepiado, dando uma aparência de filhote de orangotango. Minha aposta era de que ele tinha sido coberto com pó de pixie e tinha conhecimento de causa o suficiente para se lavar antes que as bolhas aparecessem. Enfaixado, o pulso direito estava apoiado numa tipoia idêntica à minha. Cabelo preto curto, bigode grisalho curto. Esperava que ele fosse paciente.

– Senhorita Morgan? – ele disse, e me aprumei com um suspiro. – Sou o capitão Edden.

"Ótimo", pensei, lutando para levantar. Nick me ajudou. Percebi que Edden tinha a minha altura, o que significava que ele era um pouco baixo para seu cargo de autoridade. Eu até diria que ele tinha sangue de trasgo se tal coisa fosse biologicamente possível. Meus olhos se demoraram sobre a arma em seu coldre, e senti saudades das minhas algemas dos tempos de SI. Já os olhos dele se estreitaram por causa do meu perfume forte demais, e o capitão estendeu a mão esquerda no lugar da direita, já que ambos estávamos sem condições com a direita comprometida.

Minha pulsação se acelerou quando apertamos as mãos; aquilo doeu e eu teria preferido usar meu braço direito machucado a repetir o cumprimento.

– Boa noite, capitão – eu disse, tentando esconder o nervosismo. – Este é Nick Sparagmos. Ele está ajudando a me manter de pé hoje.

Edden dirigiu um breve cumprimento a Nick e em seguida hesitou.

– Senhor Sparagmos? Já nos vimos antes?

– Não. Acho que não.

As palavras de Nick foram um tanto rápidas demais e olhei-o detidamente de alto a baixo, percebendo a intencionalidade de sua postura descontraída. Nick tinha estado ali antes, e não creio que tivesse sido para pegar seu convite para o jantar anual beneficente do FIB.

– Tem certeza? – o homem perguntou, passando a mão rapidamente sobre o cabelo eriçado.

– Sim.

O homem mais velho olhou-o diretamente.

– Sim – repetiu de forma abrupta. – Estou confundindo com outra pessoa.

Nick relaxou a postura de maneira quase imperceptível, instigando ainda mais meu interesse.

O olhar do capitão desviou-se para meu pescoço, e fiquei pensando se não deveria cobrir os pontos com um lenço ou algo parecido.

– Por favor, poderiam me acompanhar? – disse o sujeito atarracado. – Gostaria de conversar com vocês antes de liberar o pixie sob sua guarda.

Nick se aprumou.

– O nome dele é Jenks – murmurou, alto o suficiente para ser entendido apesar do barulho no saguão.

– Sim. O senhor Jenks. – Edden fez uma pausa. – Pode me acompanhar até o escritório?

– E quanto a Ivy? – perguntei, relutando em deixar o saguão público para trás. Minha pulsação estava acelerada só com o esforço de ficar ali de pé. Se tivesse que me mover com rapidez, desmaiaria.

– A senhorita Tamwood vai ficar onde está e deve voltar amanhã de manhã à SI para ser julgada.

A raiva superou minha cautela.

– O senhor deveria saber que não se toca num vamp enraivecido – observei. Nick agarrou meu braço com mais força e isso foi tudo o que pude fazer para não tentar me soltar dele.

Edden expressou um ar de riso.

– Ainda há o fato de que ela atacou funcionários do FIB – disse ele. – Estou de mãos atadas em relação à Tamwood. Não estamos equipados para lidar com impercebidos. – Hesitou. – Poderia me acompanhar até meu escritório? Podemos conversar sobre as opções que você tem.

Minha preocupação se intensificou; Denon adoraria prender Ivy em flagrante. Nick me entregou a bolsa e eu assenti. Aquilo não era bom. Era quase como se Edden tivesse induzido Ivy a perder a cabeça para conseguir me trazer até ali, humilhada. Segui-o até um escritório envidraçado de canto, fora do saguão. A princípio parecia escondido da passagem, mas, suspendendo as cortinas, o capitão tinha uma visão panorâmica. Nesse momento, elas estavam fechadas, tornando o escritório menos parecido com um aquário. Ele deixou a porta aberta, de modo que o ruído de fora penetrava no escritório.

– Sentem-se – disse ele, apontando para duas cadeiras verdes de espaldar alto do outro lado da mesa. Sentei-me agradecida, achando o encosto reto ligeiramente mais confortável do que os assentos de plástico do saguão. Enquanto Nick abaixava-se de modo rígido, corri os olhos pelo escritório de Edden, percebendo os troféus de boliche empoeirados e as pilhas de pastas de arquivo. Os armários estavam alinhados contra uma parede, sob álbuns de fotos empilhados quase até o teto. O tique-taque do relógio de parede soava alto. Avistei uma foto dele e do meu antigo chefe, Denon, cumprimentando-se do lado de fora da Prefeitura. O capitão parecia baixo e comum ao lado da elegância vampiresca de Denon. Ambos sorriam.

Voltei minha atenção para Edden, que estava jogado na cadeira, claramente esperando que eu terminasse minha avaliação do escritório. Se ele perguntasse, diria que era um relaxado. No entanto, o escritório tinha um quê de eficiência bagunçada, deixando claro que ali se trabalhava de verdade. Estava tão distante do escritório estéril, todo cheio de aparelhos eletrônicos de Denon quanto minha velha mesa estava de um pátio de igreja. Gostei dali. Se tivesse que confiar em alguém, preferiria que esse alguém fosse tão desorganizado quanto eu.

Edden se empertigou.

– Devo admitir que a conversa com Tamwood foi intrigante, senhorita Morgan – disse ele. – Como ex-funcionária da SI, tenho certeza de que sabe o que significaria para a imagem do FIB colocar Trent Kalamack sob suspeita do que quer que seja, ainda mais pela produção e distribuição de bioprodutos ilegais.

Direto ao ponto. Já estava começando a gostar do sujeito. Fiquei calada, com um nó no estômago. Ele ainda não tinha acabado.

Edden colocou um braço sobre a mesa, escondendo a tipoia no colo.

– Mas você compreende que não posso pedir a meus homens que prendam Kalamack sob a recomendação de uma ex-caça-recompensas da SI. Você está sob ameaça de morte, ilegal ou não.

Minha respiração se acelerou de forma a acompanhar os pensamentos que rodopiavam na minha cabeça. Eu estava certa. Edden tinha colocado Ivy sob custódia para me atrair. Por um segundo de pânico, fiquei imaginando se ele não estaria me enrolando. E se tivesse acionado a SI para me pegar? O pensamento desapareceu num pico doloroso de adrenalina. O FIB e a SI viviam em amarga rivalidade. Se Edden fosse reivindicar o prêmio pela minha cabeça, o faria pessoalmente, sem convidar o pessoal da SI a entrar no seu quartel-general. Ele tinha me levado ali para me avaliar. Por quê? Enquanto pensava nisso, minhas preocupações ganhavam corpo.

Sorri, decidida a assumir o controle da situação, mas acabei me encolhendo ao sentir o inchaço do olho repuxar. Desisti da abordagem "ofuscar para distrair", encarei-o bem e desloquei a tensão dos ombros para o estômago, para que não notasse meu nervosismo.

— Gostaria de me desculpar pelo comportamento da minha parceira, capitão Edden. — Olhei para seu pulso enfaixado. — Ela o quebrou?

Ele expressou um sinal ínfimo de surpresa.

— Pior. Fraturou-o em quatro pontos. Vão me dizer amanhã se vou ter que colocar um gesso ou simplesmente esperar melhorar. Diabo de enfermagem que não me deixa tomar nada mais forte do que aspirina. Semana que vem é lua cheia, senhorita Morgan. Já imaginou como vou ficar prejudicado se tiver de tirar um único dia de folga?

Aquele falatório não ia levar a parte alguma. Minha dor estava voltando e eu precisava descobrir o que Edden queria antes que fosse tarde demais para abordar Kalamack. Devia ser algo além de Trent; o capitão poderia ter lidado com Ivy sozinho, se era só isso que queria.

Aprumando-me, tirei um dos amuletos e estendi-o sobre a mesa. Minha bolsa estava cheia de feitiços, mas nenhum deles era para dor.

— Compreendo, capitão Edden. Tenho certeza de que podemos chegar a um acordo que beneficie a ambos. — Larguei o pequeno disco, lutando para não arregalar os olhos devido ao acesso de dor. A náusea embrulhou meu estômago e me senti três vezes mais fraca. Esperava não ter cometido um erro ao oferecer o amuleto. Conforme pude confirmar com a atendente da recepção, poucos humanos aprovavam os impercebidos, muito menos sua magia. Achei que valia a pena. Edden demonstrava uma abertura atípica. Restava saber até onde ela iria.

Havia apenas curiosidade nos olhos dele ao pegar o talismã.

– Sabe que não posso aceitar isso – disse ele. – Sendo um agente do FIB, isso seria considerado... – Seu rosto ficou relaxado ao envolver o amuleto com os dedos e a dor no pulso ceder. – ... propina – concluiu suavemente.

Os olhos escuros de Edden se cruzaram com os meus e sorri, apesar da dor.

– Uma troca. – Ergui as sobrancelhas, ignorando o repuxar do curativo. – Uma aspirina por uma aspirina? – Se ele fosse esperto, saberia que isso era um teste. Se fosse tapado, não importaria e eu estaria morta no final da semana. No entanto, se houvesse uma possibilidade de ele ficar completamente alheio à minha "dica", eu não estaria ali, sentada em seu escritório.

Por um momento, Edden ficou parado com medo de se mexer e quebrar a magia. Finalmente, exibiu um sorriso honesto. Inclinou-se na direção da porta aberta para o corredor e urrou:

– Rose! Traga aí umas aspirinas. Estou morrendo aqui. – Em seguida, recostou-se, sorrindo ao colocar o amuleto ao redor do pescoço, escondendo-o por debaixo da camiseta. O seu alívio era óbvio. Aquilo já era um começo.

Minha preocupação aumentou quando uma mulher estressada entrou, os saltos do sapato batendo ruidosamente no piso cinza. Ela estremeceu ostensivamente ao nos ver no escritório de Edden. Desviando os olhos de mim, estendeu dois copos com comprimidos no fundo e ele apontou para a mesa. A mulher franziu a testa, colocou-os perto da mão do chefe e saiu em silêncio. Edden foi logo atrás dela e chutou a porta, fechando-a. Então esperou, ajeitando os óculos antes de cruzar o braço bom sobre o avariado.

Engoli com dificuldade ao estender a mão para pegar os dois copos. Agora era minha vez de confiar. Podia haver qualquer coisa ali, naqueles comprimidos brancos, mas eu queria apenas encontrar algum alívio para a dor. Os comprimidos chacoalharam quando aproximei um copo para espiá-los.

Eu tinha ouvido falar de comprimidos. Tive uma colega de quarto que dava tudo por eles, e tinha sempre um vidro de comprimidos brancos ao lado da escova de dentes. Ela dizia que funcionavam melhor do que amuletos, e não era preciso furar o dedo. Certa vez eu a vi tomando um desses. Era preciso engoli-los inteiros, de uma vez.

Nick se inclinou, aproximando-se.

– Pode jogar fora se quiser – ele sussurrou e eu balancei a cabeça negativamente. Virei logo o copo com a aspirina, sentindo o amargor total da casca de salgueiro ao engoli-la com um gole de água tépida. Fiz um esforço para não tossir, pois senti os comprimidos descendo, e encurvei-me devido à dor que o movimento repentino produzira. Aquilo devia fazer com que me sentisse melhor?

Hesitante, Nick bateu nas minhas costas. Lacrimejando, ainda conseguia ver Edden rindo da minha inépcia. Dispensei a ajuda de Nick e me forcei a sentar de forma ereta. Foi-se um momento e depois outro. A aspirina ainda não estava fazendo efeito. Suspirei. Nada. Não era de admirar que os humanos fossem tão desconfiados. Os remédios deles não funcionavam.

– Posso entregar Kalamack, capitão Edden. – Espiei o relógio por trás dele. Dez e quarenta e cinco. – Posso provar que ele está traficando drogas ilegais. No comando tanto da produção quanto da distribuição.

Seus olhos se iluminaram.

– Se me der uma prova disso, iremos até o aeroporto.

Senti minha expressão congelar. Ivy tinha contado quase tudo a Edden e o sujeito ainda queria falar comigo? Por que não tinha se apossado das informações e angariado alguma glória para si mesmo? Seria muito mais barato. O que será que ele pretendia?

– Não tenho todas elas – admiti. – Mas eu o ouvi falando sobre as providências. Se acharmos as drogas, será prova suficiente.

Edden apertou os lábios, mexendo com o bigode.

– Não vou sair com evidências circunstanciais. Já agi como um tolo com a SI antes.

Espiei novamente o relógio. Dez e quarenta e seis. Nossos olhares se cruzaram, e seguida, desviei os olhos e expressei um ar de aborrecimento. Agora ele sabia que eu estava com pressa.

– Capitão – comecei, tentando conter o tom suplicante na voz. – Invadi o escritório de Trent Kalamack para conseguir provas, mas fui pega. Passei os últimos três dias como uma hóspede forçada. Ouvi por acaso várias reuniões que comprovam minhas suspeitas. Ele é produtor e distribuidor de biodrogas ilegais.

Calmo e reservado, Edden inclinou-se e girou sua cadeira.

– Você passou três dias com Kalamack e espera que eu acredite que ele estava dizendo a verdade na sua frente?

– Fui esperta – disse, secamente. – Era para eu morrer nas brigas de ratos da cidade. Ele não imaginava que eu ia escapar.

Ao meu lado, Nick se remexeu, inquieto, mas Edden concordou com a cabeça como se eu tivesse confirmado suas suspeitas.

– Trent está distribuindo uma variedade de biodrogas quase toda semana – continuei, forçando a mão para baixo, para não ficar mexendo no cabelo. – Chantageando qualquer um que não possa comprar e que esteja na infeliz situação de precisar delas. Dá para projetar todos os lucros secretos rastreando as apreensões de Enxofre que a SI faz. Ele as usa como uma...

– Distração – Edden interrompeu, concluindo. Deu uma pancada no armário de arquivos próximo, deixando uma pequena marca. Eu e Nick pulamos. – Diabos! Não é de espantar que a gente nunca tenha sorte com isso.

Fiz que sim com a cabeça. Era agora ou nunca. Não importava se eu acreditava em Edden ou não. Se ele não me ajudasse, eu estaria morta.

– E ainda tem mais – eu disse, rezando para que estivesse fazendo a coisa certa. – Trent tem um agente da SI em sua folha de pagamento encabeçando a maior parte das apreensões de Enxofre da empresa.

O rosto redondo de Edden se tornou grave, por trás dos óculos.

– Fred Perry.

– Francis Percy – corrigi, com uma onda de raiva me esquentando.

Estreitando os olhos, Edden remexeu-se na cadeira. Estava claro que detestava um policial corrupto tanto quanto eu. Inspirei forte.

– Um carregamento de biodrogas vai sair esta noite. Comigo, você pode pegar os dois. O FIB leva o crédito pela captura, a SI fica com cara de otária e o seu departamento discretamente paga meu contrato. – Minha cabeça doía e eu rezei para que não tivesse jogado minha última chance pela privada. – Você pode fazer disso uma taxa de consultoria. Uma aspirina por uma aspirina.

Com os lábios tensos, Edden olhou para o teto rebaixado. Lentamente, seu rosto se acalmou e esperei, me aquietando ao notar que tamborilava as unhas no ritmo do tique-taque do relógio.

– Estou tentado a burlar as regras por você, senhorita Morgan – o capitão respondeu, e meu coração deu um salto. – Mas preciso de mais. Algo que os mandachuvas possam lançar em suas declarações de lucros e prejuízos e que tenha valor por mais de um trimestre.

– Mais?! – exclamou Nick, parecendo zangado.

Minha cabeça latejou. "Ele queria mais?"

— Eu não tenho mais nada, capitão — afirmei vigorosamente, enquanto a frustração corria com força por mim.

Ele sorriu maliciosamente.

— Sim, você tem.

Tentei erguer as sobrancelhas, que foram barradas pelo curativo.

Edden olhou fixamente para a porta fechada.

— Se isso funcionar... pegar o Kalamack, quero dizer... — Levou a mão grossa até a testa, roçando-a. Ao baixá-la, a autoconfiança de um capitão do FIB se fora, ficando em seu lugar um brilho inteligente e ávido que me fez recuar. — Tenho trabalhado para o FIB desde que saí da ativa — disse mansamente. — Fiz minha trajetória percebendo o que estava faltando e o encontrando.

— Não sou uma mercadoria, capitão — declarei, exaltada.

— Todo mundo é uma mercadoria — arguiu. — Meus departamentos no FIB estão em grande desvantagem, senhorita Morgan. Os impercebidos evoluíram por conhecerem as fraquezas humanas. Diabos, vocês provavelmente são responsáveis por metade de nossas inseguranças. A verdade frustrante é que não podemos competir com isso.

O capitão queria que eu traísse meus colegas impercebidos. Ele devia ter mais noção das coisas.

— Não sei de nada que não possa ser encontrado numa biblioteca — respondi, agarrando firme minha bolsa. Queria levantar e sumir dali, mas ele me tinha onde queria que eu estivesse e só me restava observá-lo sorrindo. Os dentes alinhados eram espantosamente humanos comparados ao brilho predador do seu olhar.

— Tenho certeza de que isso não é inteiramente verdade — disse ele. — Mas estou pedindo conselhos, não uma traição. — Recostou-se na cadeira, parecendo organizar os pensamentos. — Ocasionalmente, como aconteceu esta noite com a senhorita Tamwood, um impercebido vem até nós buscando ajuda ou com informações que não considera... prudente... que sejam levadas à SI. Para ser franco, não sabemos como lidar com eles. Meu pessoal é tão desconfiado que não consegue obter nenhuma informação útil. Nas raras ocasiões em que de fato as compreendemos, não sabemos como tirar proveito delas. Só conseguimos deter a senhorita Tamwood porque ela concordou em ser aprisionada depois de explicarmos que estaríamos mais dispostos a ouvir você se ela o fizesse. Até hoje, relutantemente, temos passado situações como essa para a SI. – Nossos olhares se cruzaram. – Eles fazem com que nos sintamos idiotas, senhorita Morgan.

Ele estava me oferecendo um emprego, mas minha tensão se intensificou em vez de abrandar.

– Se quisesse um patrão, eu teria ficado na SI, capitão.

– Não – ele protestou rapidamente, e a cadeira rangeu quando se sentou, aprumado. – Seria um erro tê-la aqui. Não apenas meus agentes iriam querer me crucificar, mas é contra a convenção entre a SI e o FIB colocá-la na folha de pagamento. – Seu sorriso ficou mais maldoso, e aguardei. – Eu a quero como uma consultora... ocasional... conforme a necessidade.

Lentamente, soltei a respiração, percebendo pela primeira vez o que ele queria.

– Como disse que sua empresa se chamava? – Edden perguntou.

– Encantos Vampirescos – disse Nick.

Edden deu uma risada.

– Parece um serviço de encontros.

Eu me encolhi, mas já era tarde demais para mudar o nome.

– E vou ser remunerada por esses serviços *ocasionais*? – indaguei, mordendo o lábio inferior. "Aquilo poderia funcionar."

– Claro.

Agora era minha vez de olhar para o teto, com o coração disparando, ante a oportunidade de encontrar uma saída para aquilo.

– Sou parte de uma equipe, capitão Edden – respondi, imaginando o que Ivy estaria pensando a respeito de nossa parceria. – Não posso falar por eles.

– A senhorita Tamwood já concordou. Acho que ela disse: "Se a bruxinha disser sim, eu acompanho". O senhor Jenks manifestou um sentimento semelhante, sendo que suas exatas palavras foram substancialmente mais... fervorosas.

Olhei fixo para Nick, que encolheu os ombros, desconfortável. Não havia garantia de que, depois de tudo resolvido, Edden não iria convenientemente se esquecer de honrar meu contrato. No entanto, algo em seu humor seco e em suas reações francas tinha me convencido de que isso não aconteceria. Além disso, eu já havia feito um pacto com um demônio nesta noite. Nada poderia ser pior do que isso.

– Estamos combinados, capitão Edden – concordei de repente. – É o voo das onze e quarenta e cinco da Southwest, para Los Angeles.

– Ótimo! – comemorou, dando uma pancada na mesa com a mão boa, que me fez dar outro pulo. – Sabia que você diria sim. Rose! – gritou na direção da porta fechada e, sorrindo de uma orelha à outra, se inclinou para abri-la. – Rose! Mande uma brigada de cães de Enxofre para... – Olhou para mim. – Onde será a apreensão de Enxofre? – perguntou.

– Ivy não disse? – indaguei, surpresa.

– É possível. Quero ver se ela estava mentindo.

– Na estação principal dos ônibus – informei, com o coração batendo ao máximo. "Íamos fazer aquilo. Eu ia pegar o Trent e ter minha ameaça de morte removida."

– Rose! – gritou novamente. – A velha estação de ônibus. Quem está de plantão hoje que não tenha ido para o hospital?

Uma voz feminina, porém forte, cortou o ruído do ambiente.

– Kaman, mas ele está no chuveiro retirando aquele pó de inseto. Dillon, Ray...

– Chega – disse Edden. Ficou de pé e, gesticulando para que nós o acompanhássemos, saiu às pressas do escritório. Respirei fundo e cambaleei para me firmar em pé. Para minha grande surpresa, as dores tinham cedido, passando a um leve latejar. Seguimos Edden pelo corredor abaixo, o entusiasmo fazendo meu ritmo acelerar.

– Acho que a aspirina finalmente está funcionando – sussurrei para Nick quando alcançamos Edden. Ele estava curvado sobre uma mesa limpíssima, falando com a mesma mulher que tinha trazido os comprimidos.

– Chame Ruben e Simon aqui – o capitão disse. – Preciso de alguém com cabeça mais fria. Mande-os para o aeroporto e diga para esperarem por mim.

– Pelo senhor? – Rose olhou por cima dos óculos para Nick e para mim. O cenho franzido dizia tudo. Ela não estava nada feliz vendo dois impercebidos no edifício, muito menos andando atrás do chefe dela.

– Sim, por mim. Mande a van de placa fria vir para a frente. Vou sair hoje à noite. – Ele ajeitou o cinto. – Sem falhas. Essa operação precisa sair direito.

Trinta

O chão da van do FIB estava surpreendentemente limpo. Pairava no ar um leve odor de fumaça de cachimbo, me lembrando do meu pai. O capitão Edden e o motorista, apresentado como Clayton, estavam na frente. Nick, Jenks e eu, no banco do meio. As janelas entreabertas diluíam meu perfume. Se soubesse que Ivy não seria libertada até que tudo acabasse, não o teria posto. Do jeito que estava, eu cheirava forte.

Jenks estava irrequieto e sua tagarelice arranhava o interior do meu crânio com uma vozinha aguda que só fazia aumentar minha ansiedade.

– Cale a boca, Jenks – sussurrei, passando a ponta do dedo no fundo do saquinho de celofane para aproveitar o sal que sobrara das nozes. Depois que a aspirina melhorara minha dor de cabeça, a fome tinha aparecido. Eu teria passado sem a aspirina se isso significasse não ficar faminta.

– Vá se Virar! – retrucou Jenks, acomodado no porta-copo onde eu o pusera. – Enfiaram-me no bebedouro, como se eu fosse uma aberração em exibição! Quebraram a ponta da minha asa. Veja isto! Romperam a artéria. Tenho manchas de mineral na camisa. Está arruinada! E viu minhas botas? Jamais conseguirei remover essa mancha de café!

– Pediram desculpas – ponderei, sabendo, no entanto, que aquela era uma causa perdida. O pixie estava furioso.

– Terei de esperar por uma semana até que minha asa cresça de novo. Matalina vai me matar. Todo mundo foge de mim quando não consigo voar. Sabia disso? Até meus filhos.

Ignorei-o. A bronca começara quando Jenks tinha sido solto e ainda estava rolando. Embora não fosse acusado de nenhum crime – pois ficara no teto apoiando Ivy enquanto ela esmurrava os funcionários do FIB –, ele insistira em xeretar onde não devia até que o puseram num jarro vazio.

Eu começava a entender o que Edden tinha dito. Nem ele nem seus homens sabiam lidar muito bem com impercebidos. Poderiam tê-lo metido num armário ou numa gaveta para impedi-lo de incomodar. Suas asas não ficariam molhadas e não se tornariam frágeis como papel. Não teria sido necessária a caçada de dez minutos com uma rede. E metade das pessoas ali permaneceria imune ao pixie. Ivy e Jenks compareceram ao FIB voluntariamente, mas acabaram deixando atrás de si um rastro de confusão. O que um impercebido violento e rebelde pode aprontar é de meter medo.

– Não faz sentido – disse Nick, alto o bastante para que Edden, na frente, o ouvisse. – Por que o senhor Kalamack está enchendo os bolsos com dinheiro sujo? Ele já é rico, não precisa disso.

Edden girou na cadeira, agitando o paletó de náilon cáqui. Estava com um boné amarelo da agência, único sinal de sua autoridade.

– Deve estar financiando algum projeto que deseja manter em segredo. O dinheiro é difícil de rastrear quando sua origem e aplicação são ilegais.

Perguntei-me que aplicação seria essa. Alguma outra coisa estaria acontecendo no laboratório de Faris?

O capitão do FIB levou a mão grossa ao queixo, o rosto redondo iluminado pelos faróis dos carros atrás de nós.

– Senhor Sparagmos, você alguma vez tomou o barco no cais? – perguntou Edden.

– Como? – Nick fechou a cara.

– Diabos, estou certo de que já o vi antes. – o capitão respondeu, balançando a cabeça.

– Não – assegurou Nick, recostando-se de lado na cadeira. – Não gosto de barcos.

Resmungando alguma coisa, Edden voltou à posição normal. Troquei um olhar com Jenks. O pequeno pixie fez uma careta astuta, de quem entendera tudo mais depressa que eu. Amassei ruidosamente uma embalagem vazia de salgadinhos e coloquei-a na bolsa, para não jogá-la no chão limpo. Nick parecia sombrio e retraído, a luz ofuscante dos carros de passagem confundindo o perfil de seu nariz afilado e de sua face comprida. Inclinando-me, murmurei:

– O que você fez?

Seus olhos não se afastavam da janela, e uma respiração contida erguia e baixava seu peito.

– Nada.

Fitei a nuca de Edden. "Sim, é claro. E eu sou a garota-propaganda da SI."

– Olhe, lamento tê-lo metido nisto. Se quiser ir embora quando chegarmos ao aeroporto, vou entender. – No fundo, não queria saber o que ele tinha feito.

Nick sacudiu a cabeça, endereçando-me um meio sorriso.

– Tudo bem – disse. – Estarei com você à noite. Devo isso por me ajudar a sair da rinha de ratos. Mais uma semana lá e eu ficaria louco.

Só de pensar naquilo senti um calafrio. Havia destinos piores do que figurar na lista negra da SI. Toquei o seu ombro de leve e recostei-me na cadeira, observando-o de lado enquanto ele se descontraía e começava a respirar normalmente. Quanto mais tempo passava com ele, mais visíveis se tornavam seus contrastes com o resto da humanidade. Mas isso, longe de ser motivo de preocupação, me dava segurança. De novo a velha "síndrome do perigo que ronda o herói e a donzela". Eu lera muitos contos de fadas quando criança e tinha problemas demais para resolver para não gostar de ser salva de vez em quando.

Fez-se um silêncio constrangedor e minha ansiedade aumentou. E se estivéssemos atrasados? E se Trent tivesse trocado de voo? E se aquilo fosse apenas uma grande armação? "Deus do céu!", pensei. Eu iria arriscar tudo nas próximas horas. Se nada acontecesse, não conseguiria nada.

– Bruxa! – exclamou Jenks, para chamar minha atenção. E chamar minha atenção, logo percebi, era o que ele vinha tentando fazer nos últimos minutos. – Me carregue – pediu. – Não consigo ver merda nenhuma daqui.

Dei a mão e ele subiu.

– Não posso imaginar por que todos o evitam quando você não consegue voar – disse a a Jenks, secamente.

– Isso *jamais* teria acontecido – bradou, em resposta – se *alguém* não houvesse arrancado minha *asa*.

Coloquei-o no ombro, para podermos ambos observar o trânsito a caminho do Aeroporto Internacional de Cincinnati-Kentucky do Norte. Muitos o chamavam de Internacional de Hollows ou, mais abreviadamente, de "Grande IH". Os carros eram iluminados pelas luzes dos postes, que ficavam mais numerosos à medida que nos aproximávamos do terminal. Um alvoroço percorreu meu corpo e empertiguei-me no banco. Nada iria dar errado. Eu o pegaria. Não importava quem fosse Trent, eu poria as mãos nele.

– Que horas são? – perguntei.

– Onze e quinze – informou Jenks.

– Onze e vinte – corrigiu Edden, mostrando o relógio da van.

– Onze e quinze – teimou o pixie. – Sei onde o sol está melhor do que você sabe por qual buraco se faz xixi.

– Jenks! – recriminei, irritada. Nick descruzou os braços, mais confiante.

Edden levantou uma mão conciliadora.

– Não foi nada, senhorita Morgan.

Clayton, um policial irritadiço que parecia não confiar em mim, me olhou pelo retrovisor.

– Na verdade, senhor – disse relutantemente –, este relógio está cinco minutos adiantado.

– Viu só? – vangloriou-se Jenks.

Edden apanhou o telefone do carro e apertou o botão do viva-voz para que ouvíssemos a conversa.

– Vamos conferir se o avião está esperando e se todos se acham a postos – explanou.

Ansiosa, ajustei a alça da bolsa enquanto Edden discava três números.

– Ruben – disse ao aparelho, segurando-o como se fosse um microfone –, responda.

Após um curto silêncio, uma voz masculina vibrou no alto-falante.

– Capitão, estamos esperando na porta, mas o avião ainda não está aqui.

– Não está?! – gritei, deslizando para a borda do banco. – Eles já deveriam ter embarcado.

– Ainda não saiu para a pista, senhor – prosseguiu Ruben. – Todos estão esperando no terminal. A informação é que se trata de um pequeno reparo, que não levará mais de uma hora. É um contratempo sério, senhor?

Desviei o olhar do alto-falante para Edden. Quase podia ver as ideias circulando por trás de sua expressão intrigada.

– Não – respondeu, finalmente. – Fique aí. – Desligou o aparelho e o zumbido desapareceu.

– Qual é o problema? – gritei em seu ouvido e recebi de volta um olhar de repreensão.

– Ponha de novo esse traseiro no banco, Morgan – disse ele. – Provavelmente trata-se das tais restrições diurnas de seu amigo. A companhia não deixaria ninguém esperando com o terminal vazio.

Olhei para Nick, que tamborilava com dedos nervosos alguma música inaudível. Ainda inquieta, sentei-me direito. Os raios do farol de pouso do aeroporto descreviam um arco sob as nuvens. Estávamos quase chegando.

Edden discou um número gravado na memória do telefone, sorrindo levemente ao empunhar o telefone.

– Alô, Chris? – Ouvi muito ao longe uma voz de mulher responder. – Tenho uma pergunta. Parece que há um avião da Southwest retido. Voo das onze e quarenta e cinco para Los Angeles. Que aconteceu com ele? – Ficou ouvindo por alguns instantes, nervoso, enquanto eu roía um canto da unha. – Obrigado, Chris. O bife mais suculento da cidade? – brincou. E eu juraria que as orelhas dele estavam ardendo.

Jenks disse alguma coisa que não entendi. Olhei para Nick, mas fui ignorada.

– Chrissy – pronunciou o nome lentamente –, minha mulher não gostaria muito disso. – Jenks acompanhou-o na risada, enquanto eu enrolava nervosamente uma mecha de cabelo. – Falo com você depois – concluiu, desligando o aparelho.

– E então? – perguntei, sentada novamente na beirada do banco.

O restinho do sorriso de Edden se recusava a abandoná-lo.

– O avião continua na pista. A SI, segundo parece, suspeita que ele contém uma mala de Enxofre.

– Merda! – praguejei. – A isca era o ônibus, não o aeroporto. Que será que Trent fez?

Os olhos de Edden faiscaram.

– A SI só chegará em quinze minutos. Podemos pegá-la antes.

Jenks, em meu ombro, começou a resmungar.

– Não estamos aqui atrás de Enxofre – protestei, como se tudo começasse a desmoronar. – Estamos atrás de biodrogas! – Furiosa, me calei enquanto um carro barulhento passava em direção à cidade.

– Esse aí está fora do regulamento – disse Edden. – Clayton, veja se consegue anotar o número da placa.

Confusa, esperei que o carro se afastasse antes de falar novamente. O motor roncava como se o motorista estivesse muito acima do limite de velocidade, mas o veículo mal se movia. A engrenagem emitia, nas mudanças de marcha, um som bastante conhecido. "Francis", pensei, segurando o fôlego.

– É Francis! – gritamos Jenks e eu ao avistarmos o farol traseiro espatifado. Fiz um movimento brusco, embaralhando minha vista, mas recostei-me de novo no banco, quase me arrastando, com Jenks ainda em meu ombro. – É Francis! – repeti, com o coração aos pulos. – Volte! Pare! É Francis!

Edden mostrou o painel.

– Não, com os diabos, estamos muito atrasados.

– Não! – esbravejei. – Não está percebendo? Trent trocou as biodrogas pelo Enxofre. A SI ainda não chegou. Francis fez a troca!

Edden me fitou com uma expressão alternadamente sombria e luminosa, enquanto continuávamos a caminho do aeroporto.

– Francis está com os medicamentos! Volte! – insisti.

A van parou num semáforo.

– Capitão? – inquiriu o motorista.

– Morgan – disse Edden –, está louca se pensa que vou deixar escapar a chance de arrebatar uma presa de Enxofre da SI. Você nem viu direito se era ele ou não.

– Era Francis. Rachel o conhece muito bem. – Jenks disse após dar uma risadinha.

– Francis está com os medicamentos. Vão de ônibus. Aposto minha vida nisso. – Fiz uma careta.

Edden estreitou as pálpebras e enrijeceu a mandíbula.

– Você ganhou – disse rapidamente. – Clayton, dê a volta.

Afundei-me no banco, expirando um ar que nem percebera ter retido.

– Capitão?

– Você me ouviu! – resmungou Edden, claramente pouco satisfeito. – Dê a volta. Faça o que a bruxa pediu. – Virou-se para mim, o rosto contraído. – Reze para estar certa, Morgan – ameaçou num tom que mais parecia um rugido.

– Estou certa. – Com o estômago enjoado, recostei-me cruzando fortemente os braços quando o carro descreveu a curva em U. "Tomara que esteja", pensei, olhando de esguelha para Nick.

Um caminhão da SI nos ultrapassou a caminho do aeroporto, silencioso e com as luzes piscando. Edden bateu no painel com tanta força que foi um milagre não ter acionado o air bag. Ligou o rádio.

– Rose! – berrou. – Os cães farejaram alguma coisa no porta-malas do ônibus?

– Não, capitão. Ainda não chegaram.

– Tire-os de lá – ordenou ele. – Quem temos à paisana em Hollows?

– Como? – A voz parecia confusa.

– Quem, em Hollows, não mandamos para o aeroporto? – continuou Edden.

– Briston está no shopping de Newport à paisana – respondeu ela. Ouvi o toque distante de um telefone e ela gritou "Alguém atenda!". Hesitou por um instante. – Gerry está com ela, mas de uniforme.

– Gerry – resmungou Edden, nem um pouco satisfeito. – Mande-os para a garagem de ônibus.

– Briston e Gerry para a garagem de ônibus – repetiu ela pausadamente.

– Peça que usem seus ATS – acrescentou Edden, lançando-me um olhar.

– ATS? – perguntou Nick.

– Aparelhos antitalismã – expliquei. Ele sacudiu a cabeça, compreendendo.

– Procuramos um homem branco, com trinta e poucos anos. Bruxo. O nome é Francis Percy. Caçador da SI.

– Um bruxo de merda – intervi, segurando-me quando freamos abruptamente num semáforo.

– O suspeito provavelmente carrega feitiços – prosseguiu Edden.

– É inofensivo – murmurei.

– Não se aproxime a menos que ele tente escapar – recomendou severamente Edden.

– Sim – concordei, começando a me movimentar de novo. – O tédio que ele emite é mortal.

Edden virou-se para mim.

– Quer calar a boca?

Dei de ombros; e logo desejei não ter feito isso, pois eles começaram a doer.

– Entendeu, Rose? – perguntou Edden.

– Armado, perigoso, não se aproxime a menos que tente escapar. Entendi.

Emitindo uma espécie de grunhido, o capitão agradeceu e desligou o aparelho com seu dedo grosso.

Jenks puxou minha orelha, arrancando um gemido.

– Lá está ele! – exclamou o pixie. – Olhe! Bem à nossa frente.

Nick e eu nos debruçamos para ver. A lanterna traseira quebrada parecia um farol. Francis deu seta e cantou os pneus ao entrar no estacionamento. Estremeci ao ouvir uma buzina. Ele quase fora atropelado por um ônibus.

– Muito bem – disse Edden baixinho, enquanto manobrávamos para parar no canto mais afastado do estacionamento. – Os cães chegarão aqui em cinco minutos; Briston e Gerry, em quinze. Ele terá de registrar as bagagens no balcão, para provar que são dele. – Desatou o cinto de segurança e puxou o assento reclinável enquanto a van freava. Parecia impulsivo como um vamp, mostrando os dentes num sorriso. – Ninguém deve sequer olhar para ele antes da chegada dos outros. Entenderam?

– Sim, entendi. – Estava nervosa. Não gostava de obedecer às ordens de ninguém, mas o que ele dissera fazia sentido. Deslizei no banco e encostei o rosto na janela de Nick: Francis carregava três caixas retangulares.

– É ele? – perguntou Edden num tom frio.

Fiz que sim. Jenks desceu do meu ombro e postou-se no peitoril da janela. Suas asas, vibrando para conseguir equilíbrio, eram um borrão só.

– Sim – grunhiu o pixie. – É o próprio.

Erguendo a cabeça, descobri que estava quase no colo de Nick. Embaraçada, voltei apressadamente para meu lugar. O efeito da aspirina passara e, embora o amuleto que me restava ainda fosse funcionar por alguns dias, a dor vinha reaparecendo com desagradável frequência. Entretanto, o que mais me preocupava era o cansaço. Meu coração pulsava como se eu tivesse terminado uma maratona. Aquilo não podia ser consequência apenas da ansiedade.

Francis bateu a porta do carro e se pôs em movimento. Era a arrogância em pessoa ao entrar no estacionamento com uma camisa berrante, de colarinho alto. Achei graça quando sorriu para uma mulher que saía e que nem lhe deu bola. Mas, me lembrando de seu medo no escritório de Trent, meu desprezo se transformou em piedade por aquele homem tão inseguro.

– Muito bem, moças e rapazes – disse Edden, chamando minha atenção. – Clayton, fique aqui. Peça que Briston entre quando chegar. Não quero que ninguém à paisana seja visto das janelas. – Viu Francis entrando pelas portas duplas. – Faça com que Rose chame todos do aeroporto. Parece mesmo um bruxo, a senhorita Morgan estava certa.

– Sim, senhor. – Clayton relutantemente estendeu a mão para o telefone do carro.

As portas começaram a se abrir. Não parecíamos, é claro, um grupo de passageiros, mas Francis era provavelmente estúpido demais para reparar nisso. Edden guardou o boné amarelo do FIB no bolso traseiro da calça. Nick parecia uma pessoa qualquer. Mas meus ferimentos e minha tipoia chamavam mais atenção do que se eu tivesse uma sineta no pescoço e um cartaz no peito com a frase: "Faço feitiços".

– Capitão Edden? – chamei quando ele saiu e permaneceu de pé, esperando. – Me dê um minuto.

Edden e Nick se viraram curiosos para mim, observando-me remexer na bolsa.

– Rachel – disse Jenks, que pousara no ombro de Nick. – Você deve estar brincando. No estado em que se encontra nem dez feitiços de maquiagem a farão parecer melhor.

– Vá se Virar – resmunguei. – Francis pode me reconhecer. Preciso de um amuleto.

Edden me fitou, intrigado. Sentindo a pressão da adrenalina, vasculhei nervosamente a bolsa com a mão boa, atrás de um feitiço envelhecedor. Por fim, esvaziei-a sobre o banco, achei o amuleto certo e o invoquei. Quando o dependurei no pescoço, Edden emitiu um murmúrio de descrença e admiração. Sua aceitação – não, sua aprovação – era gratificante. O fato de ele ter pegado meu amuleto de dor antes significava que eu lhe devia um favor ou dois. Sempre que um humano reconhecia meus talentos, eu ficava feliz e agradecida. "Boba."

Recolocando tudo na bolsa, me apressei a sair da van.

– Pronta? – perguntou Jenks sarcasticamente. – Não quer pentear o cabelo?

– Dê o fora, Jenks – ralhei. E, quando Nick me ofereceu a mão: – Obrigada, posso sair sozinha.

Jenks saltou do ombro de Nick para o meu.

– Você quer ser uma velhota – o pixie disse. – Então, aja como uma.

– Ela está parecendo mesmo uma velha. – Edden me segurou pelo ombro quando quase caí ao pousar minhas botas de vamp no chão. – Me lembra da minha mãe. – Semicerrou os olhos e fez uma careta, agitando a mão diante do nariz. – Até cheira como ela.

– Calem-se, todos – pedi. Cambaleei, pois a respiração profunda me deixara tonta. A dor que sentira ao pôr os pés no chão tinha subido diretamente pela coluna e se instalara em meu crânio, onde ficaria não sei por quanto tempo.

Mas, me recusando a ser dominada pelo cansaço, me afastei de Edden e caminhei em direção à porta. Os dois homens vieram atrás, a uma distância de três passos. Sentia-me esquisita naquelas calças largas e naquela horrorosa camisa xadrez. Alimentar a ilusão de ser velha não ajudaria muito. Puxei a porta, mas não consegui abri-la.

– Alguém abra esta maldita porta para mim! – exclamei. Jenks riu.

Nick me pegou pelo braço enquanto Edden escancarava a porta e uma golfada de ar quente nos envolvia.

– Aqui – disse Nick. – Apoie em mim. Assim, parecerá mais com uma velhinha.

Com a dor eu podia lidar. A fadiga é que venceu meu orgulho e me obrigou a aceitar seu braço. Era isso ou me arrastar até o estacionamento. Entrei, a exaltação acelerando meu pulso quando passei os olhos pelo comprido balcão à procura de Francis.

– Lá está ele – sussurrei.

Quase escondido atrás de uma planta artificial, Francis conversava com uma jovem uniformizada. O talismã de Percy fazia seu efeito habitual; a jovem parecia enfastiada. Três caixas se alinhavam no balcão, perto dele. Minha vida estava dentro delas.

Nick pressionou delicadamente meu cotovelo bom.

– Sente-se aqui, mamãe – disse ele.

– Me chame assim mais uma vez e você fica estéril – ameacei.

– Mãe – alfinetou Jenks, abanando minha nuca com a vibração frenética de suas asas.

– Já chega – ordenou Edden baixinho, em tom resoluto. Seu olhar não se desviava de Francis. – Vocês três, sentem-se aí e esperem. Ninguém se mexe até Percy fazer menção de sair. Vou cuidar para que as caixas não sejam levadas para o ônibus. – Sempre de olho em Francis, apalpou a arma escondida sob o paletó e, como quem não queria nada, aproximou-se do balcão. Antes de chegar, sorriu para outro funcionário.

"Sentar e esperar? Sim, eu podia fazer isso."

Aceitei o apoio gentil de Nick e me dirigi para a fileira de assentos. Eram laranjas, como os do FIB, e à primeira vista igualmente confortáveis. Depois que me acomodei, graças à ajuda de Nick, ele se sentou ao meu lado. Espreguiçou-se e fingiu cochilar, de olhos semicerrados para não perder Francis de vista. Sentei-me empertigada, segurando a bolsa no colo com firmeza, como vira outras velhinhas fazer. Agora eu sabia por quê. Tudo me doía e achava que iria desmoronar se relaxasse.

Uma criança gritou e respirei rápido. Meus olhos se desviaram de Francis, que continuava se exibindo para outros coitados. Uma mãe esgotada, com três crianças – a menor ainda usava fralda –, discutia com um funcionário sobre algum problema com seu bilhete. Empresários se ocupavam de seus negócios, com ar importante, como se aquilo fosse apenas um pesadelo, e não a realidade de sua existência cotidiana. Jovens namorados, bem juntinhos, pareciam estar fugindo dos pais. Havia também vagabundos. Um velho esfarrapado chamou minha atenção e piscou para mim.

Estremeci. Aquilo era perigoso. A SI podia estar em qualquer lugar, pronta para me deter.

– Fique fria, Rachel – sussurrou Jenks, como se lesse meus pensamentos. – A SI não vai pegá-la com um capitão do FIB por perto.

– Como pode ter certeza? – resmunguei.

Senti uma aragem no pescoço, enquanto o pixie agitava as asas inúteis.

– Não tenho.

Nick abriu os olhos e endireitou-se na cadeira.

– Como está se sentindo? – perguntou educadamente.

– Bem – intrometeu-se Jenks. – Obrigado pelo interesse. Sabia que um grandalhão do FIB estragou a droga da minha asa? Minha mulher vai me matar.

Sorri.

– Faminta – respondi a Nick. – Exausta.

Ele olhou para mim e depois para Francis.

– Quer comer? – Agitou as moedas que tinha no bolso, troco da corrida de táxi até o FIB. – Tenho o suficiente para pegar alguma coisa naquelas máquinas.

Esbocei um sorriso débil. Era ótimo ter alguém que se preocupasse comigo.

– Quero, obrigada. Alguma coisa com chocolate.

– Com chocolate – repetiu Nick, levantando-se. Olhou para as máquinas de guloseimas ao fundo e em seguida para Francis. O panaca estava debruçado sobre o balcão, provavelmente pedindo o telefone da moça. Acompanhei Nick com o olhar. Para alguém tão magro, ele certamente se movia com elegância. Perguntei-me o que teria feito para ir parar no FIB.

– Alguma coisa com chocolate – macaqueou Jenks com voz de falsete. – Ah, Nick, você é meu herói!

– Cale a boca – ordenei, mais por hábito que por irritação.

– Pode ter certeza, Rachel – continuou Jenks, acomodando-se em meu ombro –, de que você vai ser uma velhinha fantástica.

Estava cansada demais para retrucar. Respirei fundo, mas lentamente, para que nada doesse. Meu olhar se desviou de Jenks para Nick; um pressentimento fez meu estômago se contrair.

– Jenks – disse eu, observando o torso esbelto de Nick diante da máquina de doces, com a cabeça baixa para contar o troco na palma da mão. – O que você acha dele?

O pixie resmungou alguma coisa, mas, percebendo que eu falava a sério, conteve-se.

– É um bom sujeito – respondeu. – Não fará nada para prejudicá-la. Tem pinta de herói e você talvez precise ser salva. Tinha de ver a cara dele quando estava estirada no sofá na igreja. Pensei que o cara ia morrer. Só não espere que concorde com suas ideias sobre certo e errado.

Minhas sobrancelhas se arquearam, repuxando o rosto dolorido.

– Magia negra? – sussurrei. – Meu Deus, será que ele é um praticante?

Jenks riu, emitindo um som parecido ao de um sino de vento.

– Não. Só quis dizer que ele não hesita em roubar livros de biblioteca.

– Ora! – Lembrei-me de seu nervosismo no escritório do FIB e na van. Seria só nervosismo? Não sei por que, mas parecia algo mais. Porém, os pixies tinham fama de avaliar muito bem o caráter das pessoas, por mais levianos, irritantes e tagarelas que fossem. Será que Jenks mudaria de opinião se soubesse da minha marca demoníaca? Estava com medo de perguntar. Diabos, não conseguiria mostrá-la para ele.

Ergui os olhos ao ouvir a risada de Francis, que escrevia alguma coisa num papel e o empurrava para a moça. Esfregou a mão sob o nariz afilado e fez uma cara ridícula.

– Boa menina – murmurei quando a vi pegar o papel, amassá-lo e jogá-lo no lixo, enquanto Francis se encaminhava para a porta.

Minha pulsação disparou. Ele ia sair! "Maldição!"

Olhei em volta, buscando ajuda. Nick continuava às voltas com a máquina e Edden conversava animadamente com um homem que parecia policial, apesar do uniforme de motorista de ônibus. Com o rosto vermelho, o capitão não tirava os olhos das caixas atrás do balcão.

– Jenks, chame Edden – pedi.

– Como? Quer que eu rasteje até lá?

Francis já estava a meio caminho da porta. Clayton, lá fora, não devia ser capaz sequer de impedir um cachorro de fazer xixi. Esperei, ansiosa, que Edden se virasse para mim. Não se virou.

– Chame-o – insisti, ignorando os melindres de Jenks e pondo-o no chão.

– Rachel! – gritou quando comecei a andar o mais depressa que podia, na tentativa de me interpor entre Francis e a porta. Mas eu era lenta e o cara estava a uma distância razoável de mim.

– Com licença, rapaz – balbuciei ao chegar mais perto, o coração aos pulos. – Sabe me dizer onde é o depósito de bagagem?

Francis virou-se rapidamente. Me esforcei para não revelar o medo de ser reconhecida e o ódio por tudo o que ele me fizera.

– Isto aqui é uma garagem, senhora – explicou Francis, os lábios finos esboçando uma expressão de contrariedade. – Não há depósito de bagagem. O que a senhora procura fica lá fora.

– Onde? – gritei, amaldiçoando mentalmente Edden. "Onde, diabos, está ele?" Apertei o braço de Francis, que olhou para minha mão enrugada pelo feitiço.

– Lá fora! – bradou, tentando se soltar e cambaleando quando meu perfume o alcançou.

Mas não iria soltá-lo. Pelo canto do olho, avistei Nick ao lado da máquina de doces. Curioso, fitava minha cadeira vazia e, em seguida, passeou o olhar pelas pessoas até, enfim, me descobrir. Arregalou os olhos e correu na direção de Edden.

Francis tinha colocado seu maço de papéis sob o braço e, com a outra mão, tentava se livrar de mim.

– Me solte, senhora – pediu. – Aqui não há depósito de bagagem.

Meus dedos se abriram e ele se safou. Em pânico, vi-o ajeitar a camisa.

– Morcega velha – rugiu Francis. – Por que vocês, bruxas, usam tanto perfume? – Então, seu queixo caiu. – Morgan – sibilou, ao me reconhecer. – Me disseram que tinha morrido.

– Não morri – consegui dizer, quase curvando os joelhos. Era a adrenalina que me mantinha firme.

Seu sorriso idiota me deu a certeza de que não fazia ideia do que estava acontecendo.

– Você vem comigo. Denon me dará uma promoção ao vê-la.

Sacudi a cabeça. Deveria agir de acordo com as regras, para não aborrecer Edden.

– Francis Percy, com base na autoridade a mim outorgada pelo FIB, o acuso de praticar o comércio ilegal de biodrogas.

O sorriso desapareceu do rosto de Francis, que se tornou subitamente lívido sob a barba por fazer. Seu olhar se dirigiu, por cima do meu ombro, para o balcão.

– Merda – praguejou, preparando-se para correr.

– Pare! – ordenou Edden, mas longe demais para que isso tivesse algum efeito.

Saltei sobre Francis, agarrando-o pelos joelhos. Caímos juntos, num baque doloroso. Ele se contorceu todo, golpeando meu peito no desespero para escapar. Ofegante, eu sentia o corpo inteiro doer.

Uma lufada de ar passou por cima de nós, bem no lugar onde estivera minha cabeça. Ergui os olhos. Estrelas cruzaram meu campo de visão, enquanto Francis continuava lutando para se soltar.

"Não", pensei ao ver uma bola azul de fogo bater na parede e explodir. "São estrelas de verdade."

O chão estremeceu com o impacto da explosão. Mulheres e crianças gritavam, encostadas às paredes.

– Q-q-que foi isso? – gaguejou Francis. Virou-se de costas debaixo de mim e, por um instante, como que hipnotizados, ficamos observando a chama azul deslizar pela parede amarela, recolher-se sobre si mesma e sumir com um pequeno estalido.

Bastante assustada, me virei para ver o que acontecia às minhas costas. Confiantemente postado no corredor que levava aos escritórios dos fundos estava um homem baixo e elegante, vestido de preto, com uma bola vermelha do todo-sempre na mão. Vestida da mesma forma, uma mulher minúscula bloqueava a porta principal, com as mãos no quadril e dentes muito brancos à mostra. Junto ao balcão, avistei uma terceira figura, um homem forte como uma rocha.

Aparentemente, a conferência das bruxas na costa já tinha terminado.

Maravilha.

Trinta e um

A respiração de Francis veio num grande arfar de compreensão.

– Me deixe ir! – gritou, o medo tornando sua voz aguda e feia. – Rachel, me deixe ir! Eles vão matá-la.

Cravei os dedos em Francis enquanto se debatia. Com a mandíbula cerrada, grunhi de dor quando seu esforço para fugir rompeu meus pontos. O sangue fluiu e remexi minha bolsa em busca de um amuleto, observando com a visão periférica quando os lábios do homem baixo se moveram e a bola em sua mão passou do vermelho do todo-sempre para azul. "Droga." Ele estava invocando um talismã.

– Não tenho tempo para isso! – murmurei, brava e sobre Francis, tentando capturá-lo.

As pessoas estavam correndo. Espalhavam-se pelos corredores e moviam-se para além da mulher, entrando no estacionamento. Quando bruxos duelavam, só os rápidos sobreviviam. Minha respiração saiu silvando pelo nariz no momento em que os lábios do homem pararam de se mover. Puxando o braço para trás, ele lançou o feitiço.

Arfando, levantei Francis e o coloquei diante de mim.

– Não! – gritou. Sua boca e seus olhos estavam contorcidos numa careta de medo, por causa do talismã que vinha em sua direção.

A força do talismã nos fez deslizar pelo chão até as cadeiras. O cotovelo de Francis se chocou com meu braço machucado e grunhi de dor. Seu grito irrompeu num gorgolejo assustador.

Meu ombro doía imensamente enquanto empurrava Francis de maneira frenética para longe de mim. Ele afundou no chão, inconsciente. Recuando, o encarei. Estava coberto por uma película azul, presente, numa mancha fina, em minha manga. A névoa de realidade azul do todo-sempre deslizou dela e se juntou à que recobria Francis, fazendo minha pele formigar. Coberto pela película, ele estava tendo uma convulsão e, então, ficou parado.

Respirando rápido, levantei o olhar. Em uníssono, os três assassinos falavam em latim, suas mãos fazendo imagens invisíveis no ar. Os movimentos eram graciosos e deliberados, parecendo obscenos.

– Rachel! – Jenks berrou estridentemente a três cadeiras de distância. – Eles estão fazendo uma rede. Caia fora! Você tem que cair fora!

"Cair fora?", pensei, olhando para Francis. O azul tinha sumido, deixando seus braços e pernas esparramados no chão em ângulos esdrúxulos. O horror relampejou em mim. Eu tinha feito Francis ser atingido no meu lugar. Fora um acidente. Não pretendia matá-lo.

Meu estômago se contraiu e achei que ia vomitar. Colocando o medo de lado, usei a raiva para me colocar de joelhos. Estendi a mão para agarrar uma cadeira laranja, apoiando-me nela de forma a ficar ereta. Eles tinham feito com que eu deixasse Francis ser acertado em meu lugar. "Oh, Deus. Ele estava morto por minha causa."

– Por que me fez fazer isso? – disse baixinho, virando-me para o homem baixo. Dei um passo à frente conforme o ar começou a me pinicar. Não podia dizer que o que eu tinha feito era errado... eu estava viva... mas não queria ter feito aquilo. – Por que você me obrigou a isso? – disse mais alto. A raiva aumentava conforme uma sensação de picadas passava por mim como uma onda. Era o começo de uma rede. Não me importava. Peguei minha bolsa quando passei por ela, chutando o amuleto não invocado para fora do caminho.

Os olhos do bruxo de linha de ley se arregalaram em surpresa quando me aproximei dele. Com o rosto voltando ao estado de determinação, começou a entoar mais alto. Podia ouvir os dois sussurrando como um vento coberto de cinzas. Era fácil mover-se no centro da rede, mas quanto mais perto se chegava da beirada, mas difícil se tornava. Estávamos de pé numa espécie de tigela de ar tingido de azul. Fora dela, Edden e Nick se debatiam, tentando abrir uma entrada.

– Você me fez fazer isso! – gritei.

Meu cabelo se levantou e caiu num fôlego do todo-sempre quando a rede ficou sólida. Com a mandíbula cerrada, dei uma olhada rápida além da névoa azul, vendo a montanha musculosa de um homem fora dela, mantendo-a no lugar ao mesmo tempo em que lançava feitiços de linhas de ley contra os oficiais do FIB, que haviam se aglomerado em torno dele, claramente em desvantagem. Não importava. Dois deles estavam ali comigo e não iam a lugar nenhum.

Eu estava com raiva e frustrada. Tinha cansado de me esconder numa igreja, de fugir de bolas de quebra com impacto, de mergulhar as cartas do correio em água salgada e de ter medo. E, por minha causa, Francis se encontrava deitado no chão frio e sujo de um ponto de ônibus fétido. Por mais que fosse um verme, o sujeito não merecia isso.

Balancei minha bolsa para a frente enquanto mancava em direção ao homem baixo. Sem olhar, enfiei a mão na bolsa, sentindo os entalhes dos amuletos em busca de um talismã de sono. Pra lá de brava, o pendurei em meu pescoço, deixando-o pender do cordão. Os lábios do homem se moviam, e suas longas mãos começaram a desenhar figuras. Se fosse um feitiço dos ruins, eu tinha quatro segundos. Cinco, se fosse forte o suficiente para me matar.

– Ninguém! – exclamei, cambaleando para a frente com toda a minha força de vontade. Seus olhos se arregalaram no momento em que viu minha cicatriz demoníaca quando fechei o punho. – Ninguém me faz cometer um assassinato! – gritei, dando um golpe.

Ambos cambaleamos quando acertei sua mandíbula. Balançando a mão por causa da dor, curvei-me sobre mim mesma. O homem pisou em falso para trás, se firmando em seguida, e a junção de poder diminuiu de maneira abrupta. Furiosa, cerrei os dentes e o golpeei de novo. Como a maioria dos bruxos de linhas de ley, ele não esperava um ataque físico e levantou o braço para me bloquear. Agarrei e torci seus dedos, quebrando ao menos três deles.

Seu grito de dor foi ecoado pelo grito de horror da mulher do outro lado do salão, que começou a correr em minha direção. Ainda agarrando a mão dele, girei o pé para cima, puxando o homem para a frente para que batesse contra ele. Seus olhos se esbugalharam e, agarrando o estômago, ele foi para trás. O olhar cheio de lágrimas acompanhava alguém atrás de mim. Ainda sem respirar, ele caiu no chão e rolou para a direita.

Arfando, me joguei no chão e rolei para a esquerda. Houve um estrondo, e meu cabelo foi soprado para trás. Levantei a cabeça e me virei quando a bola de todo-sempre verde se espalhou sobre a parede e seguiu pelo corredor. A pequena mulher ainda vinha em minha direção, com o rosto tenso e a boca se mexendo sem parar. A bola vermelha de todo-sempre em sua mão inchou, listrada com a sua aura verde enquanto a mulher tentava forçar sua vontade sobre ela.

– Quer me pegar? – gritei. – Quer? – Cambaleando, levantei e coloquei uma das mãos contra a parede a fim de permanecer de pé.

O outro homem, atrás de mim, disse uma palavra que não consegui ouvir. Era estranha demais para minha mente compreender. Revirei a palavra em minha cabeça e lutei para compreendê-la. Então, meus olhos se abriram bem e fiquei boquiaberta quando um grito silencioso explodiu dentro de mim.

Agarrando minha própria cabeça, caí de joelhos, gritando.

– Não! Caia fora! – Cortes vermelhos incrustados de negro. Vermes se contorcendo. O gosto amargo de carne apodrecida.

A memória disso queimou saindo de meu subconsciente. Levantei os olhos, ofegante. Eu estava acabada. Não restava nada. Meu coração bateu forte contra os pulmões. Pontos pretos dançaram nas beiradas da minha vista. Minha pele parecia latejar, como se pertencesse a outra pessoa. "Que diabos tinha sido aquilo?"

O homem e a mulher estavam de pé, juntos. Com a mão sob o cotovelo do homem, ela o apoiava curvada sobre a mão quebrada dele. Seus rostos estavam cheios de raiva, confiança – e satisfação. Ele não podia usar a mão, mas estava claro que não precisava dela para me matar. Só precisava dizer aquela palavra de novo.

Eu estava morta. De verdade, mais morta do que de costume. Mas ia levar um deles comigo.

– Agora! – ouvi ao longe Edden gritar através da névoa.

Nós três nos assustamos quando a rede parou de funcionar. A névoa azul no ar caiu sobre si mesma e desapareceu. Aquele grande bruxo fora da rede estava no chão com as mãos presas atrás da cabeça, rodeado por seis oficiais do FIB. Senti uma pontada de esperança, quase dolorosa.

Uma figura correndo atraiu minha atenção. Nick.

– Aqui! – gritei, resgatando do chão a corda do talismã de sono invocado que tinha deixado cair e a jogando para ele.

O assassino se virou, mas era tarde demais. Com o rosto pálido, Nick jogou o laço sobre a cabeça da mulher e recuou. Ela desabou. O homem tateou tentando agarrá-la, forçando-a para o chão com cuidado. Boquiaberto, ele lançou um olhar rápido pela sala.

– Aqui é o FIB! – Edden gritou, parecendo desajeitado com sua tipoia e segurando a arma com a mão esquerda. – Coloque as mãos atrás da cabeça e pare de mover a boca ou vou fazê-la em pedaços!

O homem piscou, chocado, e olhou para a mulher a seus pés. Respirando fundo, correu.

– Não! – gritei. Ainda no chão, esvaziei a bolsa. Agarrei um amuleto, bati-o contra meu pescoço sangrando, e o joguei nos pés dele. Metade dos talismãs da minha bolsa estava enrolada nesse amuleto que, como uma boleadeira, voou pelo ar na altura do joelho e atingiu o homem, enrolando-se em torno de sua perna como se ele fosse um touro. Tropeçando, ele caiu.

O pessoal do FIB o rodeou. Segurando a respiração, o observei, esperando. Ele permaneceu no chão. Meu talismã o tinha colocado para dormir, doce e indefeso.

O barulho do pessoal do FIB me atingiu. Decidida, rastejei até Francis, que estava deitado sozinho próximo das cadeiras. Temendo o pior, rolei seu corpo e vi os olhos sem foco encarando o teto. Meu rosto ficou sem expressão. "Deus, não."

Mas, então, seu peito se moveu e um sorriso estúpido surgiu em seus lábios finos quando se mexeu por causa de um sonho qualquer que estava tendo. Francis estava vivo e respirando profundamente sob a ação do feitiço da linha de ley. O alívio tomou conta de mim. Eu não o tinha matado.

– Peguei você! – gritei para seu rosto estreito de rato inconsciente. – Você está me ouvindo, seu saco molhado de estrume de camelo? Peguei você! Agora é sua vez! – "Eu não o tinha matado."

Os sapatos marrons gastos de Edden pararam a meu lado. Meu rosto ficou tenso, e passei uma mão manchada de sangue sob meu olho. "Eu não tinha matado Francis." Franzindo o cenho, passei os olhos pela calça cáqui vincada e a tipoia azul de Edden. Ele estava de boné e eu não conseguia tirar os olhos das letras azuis que escreviam FIB brilhando contra o fundo amarelo. Ele deu um pigarro de satisfação, e seu sorriso largo o fez parecer ainda mais com um trasgo. Entorpecida, pisquei enquanto meus pulmões se pressionavam um contra o outro. Parecia ser necessária uma quantidade de esforço enorme para preenchê-los.

– Morgan – o homem disse, feliz, estendendo uma mão grossa para ajudar a me levantar. – Você está bem?

– Não – disse, rouca. Estendi a mão para ele, mas o chão se inclinou. Ao mesmo tempo em que Nick gritava em sinal de alerta, eu desmaiei.

Trinta e dois

— Ouçam! — gritou Francis, a saliva voando dado seu fervor. — Vou contar tudo para vocês. Quero fazer um trato. Quero proteção. Eu só tinha que fazer as apreensões de Enxofre. Só isso. Mas alguém se assustou e o senhor Kalamack quis que as drogas fossem trocadas. Ele me disse para trocar as drogas. Só isso! Não sou um traficante de biodrogas. Por favor. Vocês têm que acreditar em mim.

Sentado do outro lado da mesa em frente a mim, Edden não disse nada, bancando o policial durão silencioso. Trazia na mão grossa os documentos de expedição assinados por Francis como uma acusação tácita. Francis estava acuado, sentado na ponta da mesa, a duas cadeiras de nós. Tinha os olhos arregalados e cheios de medo. Era patética a sua imagem, na camisa brilhante com um blusão de tecido sintético de mangas arregaçadas, tentando viver o sonho que gostaria que fosse sua vida.

Com cuidado, alonguei o corpo dolorido, os olhos voltados para as três caixas de papelão ostensivamente empilhadas numa das pontas da mesa. Esbocei um sorriso. Escondido debaixo da mesa, no meu colo, estava um amuleto que eu tinha surrupiado do assassino-chefe. Ele irradiava um vermelho feio, mas, se era o que eu desconfiava que fosse, ficaria preto quando eu morresse ou se meu contrato fosse quitado. Eu iria para casa dormir uma semana assim que a coisinha se apagasse.

Edden tinha transferido Francis e eu para a sala de descanso dos funcionários, precavendo-se de uma repetição do ataque das bruxas. Graças à van da imprensa local, todos na cidade conheciam minha localização... e eu estava só esperando que as fadas saíssem rastejando das tubulações. Eu tinha mais fé no cobertor que me cobria do que nos dois agentes do FIB nas imediações, que só faziam com que a longa sala parecesse apertada.

Puxei o cobertor mais para perto do pescoço, gostando daquela proteção mínima e do calor. Fios de titânio, finos como teia de aranha e entrelaçados na trama, garantiam a neutralização de feitiços fortes e a quebra de outros mais fracos. Vários dos funcionários do FIB usavam macacões amarelos feitos do mesmo tecido, e eu esperava que Edden se esquecesse de pedi-lo de volta.

Enquanto Francis dava com a língua nos dentes, corri os olhos pelas paredes encardidas decoradas com dizeres melosos sobre ambientes de trabalho felizes e sobre como processar um empregador. Um micro-ondas e uma geladeira castigada ocupavam uma parede e um balcão manchado de café tomava a outra. Novamente faminta, olhei para a decrépita máquina de doces. Nick e Jenks estavam no canto, ambos tentando ficar fora do caminho.

A porta pesada de acesso à sala de descanso se abriu e me virei quando um funcionário do FIB e uma mulher jovem com um vestido vermelho provocativo se insinuaram. Ela tinha um crachá do FIB pendurado no pescoço, e o chapéu amarelo da agência assentado sobre o penteado rebuscado parecia um acessório barato. Imaginei que fossem Gerry e Briston. A mulher franziu o rosto e sussurrou a palavra "perfume" de forma debochada. Relaxei a respiração. Eu adoraria explicar, mas provavelmente faria mais mal do que bem.

Os sussurros dos funcionários do FIB tinham diminuído tremendamente depois que eu abandonara meu disfarce de velha senhora e voltara a ser uma mulher estressada de vinte e poucos anos com cabelo ruivo encaracolado e curvas nos devidos lugares. Eu me sentia como uma conta dentro de um chocalho e, com aquela tipoia, o olho roxo e envolta em um cobertor, provavelmente parecia refugiada de alguma tragédia.

— Rachel! — Francis gritou aflito, chamando minha atenção de volta a ele. Seu rosto triangular estava pálido e o cabelo escuro, pegajoso. — Preciso de proteção. Não sou como você. Kalamack vai me matar. Eu faço qualquer coisa! Você quer Kalamack; eu quero proteção. Eu era apenas encarregado do Enxofre. Não é culpa minha, Rachel, tem que acreditar em mim.

— Sim. — Cansada além da conta, respirei fundo e consultei o relógio. Passava pouco da meia-noite, mas sentia como se o sol estivesse prestes a raiar.

Edden sorriu e se pôs de pé, fazendo a cadeira ranger.

– Vamos abri-las, pessoal.

Dois funcionários do FIB avançaram com avidez. Agarrei o amuleto no colo e, ansiosamente, me inclinei para ver. A fita adesiva fez um barulho alto ao ser rasgada. Francis esfregou a boca, observando como se estivesse sob um fascínio mórbido de medo.

– Minha Nossa Senhora – um dos oficiais invocou, afastando-se da mesa quando a caixa foi aberta. – São tomates.

"Tomates?" Eu me esforcei para me colocar de pé, gemendo de dor. Edden estava a centímetros de mim.

– Está dentro deles! – Francis balbuciou. – As drogas estão dentro. Trent esconde as drogas dentro dos tomates para que passem despercebidas pelos cães farejadores. – Pálido e com a barba por fazer, ele arregaçou mais as mangas. – As drogas estão aí dentro. Olhem!

– Tomates? – disse Edden, transparecendo desgosto. – Ele as embala dentro de tomates?

Tomates vermelhos perfeitos com cabos verdes me encarando de suas bandejas de papelão. Impressionada, entreabri a boca. Trent devia ter forçado as ampolas dentro do tomate e, quando estivesse maduro, a droga estaria escondida com segurança dentro de um fruto perfeito em que nenhum humano tocaria.

– Vá até lá, Nick – Jenks ordenou, mas Nick não se moveu. Seu rosto comprido estava pálido. Junto à pia, os dois oficiais que tinham aberto as caixas esfregavam violentamente as mãos.

Parecendo que ia passar mal, Edden se esticou para pegar um tomate e examinou o fruto vermelho. Não havia qualquer amassado ou corte na pele perfeita.

– Suponho que provavelmente teremos de abrir um – ele disse relutante, colocando-o sobre a mesa e esfregando a mão nas calças.

– Eu faço isso – me ofereci quando ninguém se dispôs, e alguém do outro lado da mesa deslizou uma faca de mesa manchada na minha direção. Peguei-a com a mão esquerda, só então lembrando que a outra estava na tipoia. Olhei em volta em busca de ajuda. Nenhum dos funcionários do FIB me olhou nos olhos. Ninguém estava disposto a tocar no fruto. Franzindo a testa, coloquei a faca de lado. – Vamos lá! – tomei fôlego, ergui a mão e baixei-a bem em cima do tomate.

Ele foi atingido, espatifando-se. A gosma vermelha se esparramou sobre a camisa branca de Edden, fazendo seu rosto ficar branco como o bigode. Os funcionários do FIB que observavam gritaram, enojados. Alguém engasgou. Sentindo o coração bater forte, peguei o tomate na mão e o apertei. A polpa e as sementes escorreram por entre os dedos. Prendi a respiração ao sentir contra a palma da mão um cilindro do tamanho do meu mindinho. Deixei cair a polpa e sacudi a mão. Ouviram-se gritos aterrorizados quando a massa vermelha se esparramou na mesa. Era apenas um tomate, mas parecia até que eu estava amassando um coração em decomposição tamanho era o escarcéu que aqueles agentes do FIB grandes e fortes faziam.

– Olhe aqui! – Triunfante, retirei uma ampola envolta em gosma de tomate e a ergui. Nunca tinha visto biodrogas antes. Pensava que ia ser um espetáculo maior.

– Bem, eu assumo daqui. – disse Edden suavemente, pegando a ampola com um guardanapo. A satisfação da descoberta tinha superado a repugnância.

Um fio de medo estreitou os olhos de Francis conforme ele me fitou diretamente e em seguida as caixas.

– Rachel? – choramingou. – Você vai conseguir proteção para mim contra o senhor Kalamack, certo?

A raiva enrijeceu minhas costas. Por dinheiro, ele tinha traído a mim e a tudo em que eu acreditava. Com a vista embaçada, virei em sua direção, inclinei sobre a mesa e me coloquei bem na frente dele.

– Eu vi você na casa de Kalamack – revelei. Seus lábios perderam a cor. Agarrando a frente da sua camisa, deixei uma mancha vermelha no tecido colorido. – Você é um caça-recompensas do mal e vai penar por isso. – Empurrei-o de volta à cadeira e me sentei, meu coração batendo com o esforço. Estava satisfeita.

– Ei, alguém o prenda e leia seus direitos – disse Edden com calma.

Alarmado, Francis abriu e fechou a boca enquanto Briston tirava as algemas da cintura e as aplicava nos pulsos dele. Alcancei a tipoia e, desajeitadamente, desprendi meu bracelete-talismã. Arremessei-o para que caísse perto delas, para o caso de Francis ter alguma artimanha nas mangas arregaçadas, e, ante a aprovação de Edden, ela também o prendeu ao pulso de Edden.

O padrão regular e suave da recitação dos direitos de Francis fluía num ritmo reconfortante. Seus olhos estavam arregalados e fixos na ampola. Acho que nem ouviu o agente falar.

– Rachel! – gritou quando recuperou a voz. – Não deixe que ele me mate. Ele vai me matar. Entreguei Kalamack a vocês. Quero fazer um trato. Quero proteção! É assim que funciona, certo?

Meu olhar cruzou com o de Edden e limpei minha mão livre do resto do tomate num guardanapo áspero.

– Temos que ouvir isso neste momento?

Edden deu um sorriso malicioso, nada simpático.

– Briston, coloque esse merda dentro da van. A confissão dele deve ser gravada e registrada por escrito. E leia seus direitos novamente. Nada de erros.

Francis se pôs de pé, arrastando a cadeira sobre o piso sujo. Seu rosto estreito estava abatido e os cabelos caíam dentro dos olhos.

– Rachel, diga a eles que Kalamack vai me matar!

Olhei para Edden, apertando os lábios.

– Ele está certo.

Ao ouvir minhas palavras, Francis choramingou. Seus olhos escuros pareciam assombrados, como se não soubesse se devia ficar feliz ou contrariado pelo fato de alguém levar suas preocupações a sério.

– Arranje um cobertor AT para ele – Edden disse num tom aborrecido. – Mantenha-o seguro.

Relaxei os ombros. Francis estaria a salvo, se eles fossem bem rápidos em tirá-lo de vista.

O olhar fixo de Briston focou as caixas.

– E os... err.. tomates, capitão?

Ele abriu um sorriso ao se inclinar sobre a mesa, cuidando para que os braços não encostassem naquela bagunça esparramada.

– Vamos deixar isso para a equipe de análise de provas.

Nitidamente aliviada, Briston gesticulou para Clayton.

– Rachel! – Francis balbuciou ao empurrarem-no para a porta. – Você vai me ajudar, não é? Vou contar tudo a eles!

Os quatro oficiais do FIB escoltaram-no grosseiramente para fora, os saltos de Briston batendo forte. A porta deslizou até bater e fechei os olhos ante o silêncio abençoado.

– Que noite – suspirei.

A gargalhada de Edden me fez arregalar os olhos.

– Te devo uma, Morgan – disse ele, com três guardanapos de papel entre os dedos e a ampola branca retirada do tomate. – Depois de vê-la com aqueles dois bruxos, não sei por que Denon estava tão determinado a acabar com a sua vida. Você é uma bela de uma caça-recompensas.

– Obrigada – sussurrei com um longo suspiro, segurando um tremor quando meus pensamentos se voltaram para a tentativa de lutar contra dois bruxos das linhas de ley ao mesmo tempo. Tinha sido por pouco. Se Edden não tivesse tirado a concentração daquele terceiro bruxo para quebrar a rede, eu estaria morta. – Grata por me proteger, quero dizer – corrigi baixinho.

A ausência dos agentes do FIB tinha feito com que Nick saísse do canto e me oferecesse uma caneca de um líquido espumante que em algum momento teria sido café. Com cuidado, abaixou-se para ocupar a cadeira a meu lado; seu olhar oscilava entre as três caixas e a mesa manchada de tomate. Ver Edden tocar em um parecia ter lhe dado uma determinação corajosa. Dirigi a ele um sorriso breve e cansado e aconcheguei a caneca de café na mão boa, aproveitando o calor.

– Agradeceria muito se você informasse à SI que vai quitar meu contrato – disse ao capitão. – Antes que eu tire o pé desta sala – acrescentei, puxando o cobertor AT mais para perto.

Edden pousou a ampola com uma lentidão respeitosa.

– Com a confissão de Percy, Kalamack não tem como encontrar uma saída para isso. – Um sorriso estampou-se no rosto quadrado. – Clayton me disse que pegamos Enxofre no aeroporto também. Preciso sair da minha mesa com mais frequência.

Beberiquei o café. A lavagem amarga encheu minha boca e engoli, relutante.

– E quanto àquela chamada? – perguntei, baixando a xícara e olhando para o amuleto vermelho que brilhava no meu colo.

Edden aprumou-se com um grunhido e pegou um celular. Acomodou-o na mão esquerda e digitou um único algarismo com o polegar. Olhei para Jenks para conferir se ele tinha percebido. Suas asas viraram um borrão, e, com um ar impaciente, o pixie deslizou de Nick e caminhou empertigado pela mesa na minha direção. Ergui-o até meu ombro antes que pedisse. Alçando a minha orelha, sussurrou:

– Ele tem o número da SI na discagem rápida.

– Quem diria... – comentei, o esparadrapo repuxando a sobrancelha ao tentar erguê-la.

– Vou contar vantagem por cada coisinha que puder sobre isso aqui. – Edden disse, jogando-se contra o encosto da cadeira, quando o telefone tocou. A ampola branca estava bem à sua frente como um pequenino troféu. Começou a falar ao telefone. – Denon! – gritou. – Lua cheia semana que vem. Como vai indo?

Meu queixo caiu. Não era a SI que ele tinha na discagem rápida. Era meu ex-chefe. E ele estava vivo? O demônio não o tinha matado? Ele devia ter arranjado outro para fazer seu serviço sujo.

Edden pigarreou, nitidamente sem entender minha surpresa, antes de voltar a atenção novamente para o telefone.

– Isto é ótimo – comemorou, interrompendo Denon. – Ouça. Quero que cancele o contrato de morte sobre uma certa senhorita Rachel Morgan. Talvez a conheça? Ela costumava trabalhar para você.

Houve uma breve pausa, e quase ouvi o que Denon dizia, de tão alto o som. Sobre meu ombro, Jenks batia as asas, agitado. Um sorriso malicioso apareceu no rosto de Edden.

– Você se lembra *mesmo* dela? – Edden perguntou. – Ótimo. Cancele o seu pessoal. Vamos pagar por isso. – Mais uma hesitação e o sorriso dele se alargou. – Denon, assim fico ofendido. Ela não pode trabalhar para o FIB. Vou fazer a transferência de valores amanhã, assim que o banco abrir. Ah, e será que poderia mandar um dos seus camburões para a garagem principal de ônibus? Tenho três bruxos precisando de extradição para custódia. Estavam causando tumulto e, já que estávamos por perto, os capturamos para vocês.

Houve um dilúvio de palavras furiosas do outro lado e Jenks arfou.

– Oh, Rachel. O cara está uma fera.

– Não – disse Edden com firmeza, sentando-se mais aprumado. Ele estava claramente gostando daquilo. – Não – repetiu, rindo. – Você deveria ter pensado sobre isso antes de mandá-los atrás dela.

As borboletas no meu estômago queriam escapar.

– Diga a ele para neutralizar o amuleto mestre conectado a mim – pedi, colocando o amuleto ruidosamente sobre a mesa como um segredo escuso.

– O quê? – Edden perguntou, com a mão sobre o celular, abafando a voz irada de Denon.

Meus olhos estavam fixos no amuleto. Ele ainda brilhava.

– Diga a ele – disse, tomando um discreto fôlego – que o amuleto conectado a mim deve ser neutralizado. Todas as equipes assassinas cujo alvo sou eu têm um amuleto exatamente como este. – Eu o toquei com um dedo, me perguntando se a picada que senti seria imaginação ou realidade. – Enquanto o amuleto estiver reluzindo elas não vão parar.

Ele arqueou as sobrancelhas.

– Um amuleto para monitorar sinais vitais? – perguntou. Assenti, devolvendo um sorriso azedo. Era uma cortesia para que ninguém perdesse tempo tramando assassinar alguém já morto.

– Hum – começou Edden, colocando o telefone no ouvido. – Denon – disse alegremente. – Seja bonzinho e desligue o talismã que monitora os sinais vitais de Morgan para que ela possa ir para casa descansar.

A voz zangada de Denon ecoou pelo pequeno microfone. Estremeci quando Jenks riu, elevando-se para alcançar meu brinco. Passando a língua pelos lábios, fitei o amuleto desejando que se apagasse. Nick tocou meu ombro e dei um pulo. Meus olhos estavam fixos no amuleto com ávida intensidade.

– Pronto! – exclamei quando o disco piscou e se apagou. – Veja! Desligou! – Com a pulsação martelando, fechei os olhos num longo piscar ao imaginá-los se desligando por toda a cidade. Denon devia carregar o amuleto-mestre consigo, para saber o exato momento em que os assassinos tivessem êxito. O cara era doente.

Com os dedos trêmulos, peguei o amuleto. O disco pesava na minha mão. Meu olhar cruzou com o de Nick, que, com um sorriso escancarado no rosto, parecia tão aliviado quanto eu. Expirando, caí recostada na cadeira e enfiei o disco dentro da bolsa. Minha ameaça de morte se fora.

As perguntas iradas de Denon ecoaram pelo celular. Edden caiu na gargalhada.

– Ligue a tevê, meu amigo Denon – disse ele, segurando o fone longe do ouvido por um momento. Aproximando-o, gritou – Ligue sua tevê. Eu disse para ligar a tevê! – Edden piscou para mim. – Tchau, Denon – encerrou, em voz de falsete debochada. – Nos vemos por aí.

O bip ao final da ligação soou alto. Edden recostou-se na cadeira e cruzou o braço bom sobre o outro na tipoia. Trazia um sorriso de satisfação.

– Você é uma bruxa livre, senhorita Morgan. Como se sente voltando do mundo dos mortos?

Meu cabelo caiu para a frente quando me olhei, cada ferimento e cada machucado reclamando atenção. Meu braço latejava na tipoia e meu rosto era uma dor só.

– Ótima – respondi, conseguindo sorrir. – Me sinto ótima. – Estava acabado. Eu podia ir para casa e ficar debaixo das cobertas.

Nick levantou-se e colocou a mão no meu ombro.

– Vamos, Rachel – ele disse suavemente. – Vou levar você para casa. – Seus olhos escuros encontraram os de Edden por um instante. – Ela pode cuidar da papelada amanhã?

– Claro. – Edden ficou de pé, pegando a ampola cuidadosamente com dois dedos e soltando-a no bolso da camisa. – Gostaria que você estivesse no interrogatório do senhor Percy, se conseguir. Você tem um amuleto detector de mentiras, não é? Estou curioso para compará-lo aos nossos artefatos eletrônicos.

Minha cabeça oscilou e tentei encontrar forças para me levantar. Não queria contar a Edden como era complicado fazer aquelas coisas, mas não ia comprar feitiços por pelos menos um mês, esperando os talismãs direcionados a mim saírem de circulação. Talvez isso fosse acontecer em dois meses. Olhei o amuleto negro sobre a mesa e contive um tremor. "Talvez nunca."

O ruído abafado de um estrondo atravessou o ar e o chão tremeu. Um instante de absoluto silêncio e, em seguida, o barulho ao longe de gente gritando trespassou as paredes grossas. Olhei para Edden.

– Isso foi uma explosão – disse, suspirando, com mil pensamentos na cabeça. No entanto, apenas um me perturbava. "Trent."

A porta da sala de descanso abriu-se abruptamente, batendo com força na parede. Briston entrou, agarrando-se à cadeira que Francis tinha acabado de ocupar.

– Capitão Edden – ela arquejou. – Clayton! Meu Deus, Clayton!

– Fique com as provas – disse ele e, em seguida, disparou em direção à porta quase tão rápido quanto um vamp. O som de pessoas gritando se insinuou antes que a porta se fechasse majestosamente. De pé em seu vestido vermelho, Briston tinha as articulações dos dedos brancas de apertar as costas da cadeira. Sua cabeça estava curvada, mas eu podia ver seus olhos cheios de lágrimas, aparentemente num misto de lamento e frustração.

– Rachel – Jenks cutucou minha orelha. – Levante. Quero ver o que aconteceu.

– Trent aconteceu – sussurrei, minhas entranhas se contorcendo. "Francis!"

– Levante! – Jenks berrou, esforçando-se como se pudesse me pôr de pé pela orelha. – Rachel, levante!

Sentindo-me exausta, me levantei. Com o estômago revirado e, com a ajuda de Nick, saí mancando na direção do barulho e do caos. Encolhi-me debaixo do cobertor e mantive o braço machucado bem firme contra mim. Sabia o que ia encontrar. Já tinha visto Trent matar um homem por menos. Seria ridículo esperar que ele ficasse sentado esperando o laço da forca no pescoço. Mas como ele teria vindo tão rápido?

O saguão era uma enorme confusão, apinhado de gente e salpicado de vidros quebrados. O ar fresco da noite penetrava pela abertura escancarada na parede onde antes havia vidro. Havia uniformes azuis e amarelos do FIB por toda a parte – não que estivessem ajudando muito. O fedor de plástico queimado atingiu minha garganta enquanto labaredas de fogo chamejavam no estacionamento, onde a van da agência tinha sido queimada. Luzes azuis e vermelhas reluziam contra as paredes.

– Jenks – murmurei, enquanto se esforçava para me instigar ao pé do ouvido. – Se continuar a fazer isso, eu mesma vou esmagá-lo.

– Então, mexa essa bunda de bruxa branca lá pra fora! – o pixie exclamou, frustrado. – Não posso ver nada daqui.

Nick defendeu-se dos esforços bem-intencionados de bons samaritanos que achavam que eu tinha me ferido na explosão, mas foi só depois que ele apanhou um boné abandonado do FIB e colocou-o na minha cabeça que todos nos deixaram em paz. Em apoio, Nick colocou o braço em torno da minha cintura e, aos trancos e barrancos, fomos pisoteando o vidro quebrado, nos afastando das luzes amarelas da estação de ônibus na direção das luzes mais agressivas e intermitentes dos veículos do FIB.

Do lado de fora, a mídia local estava fazendo a festa, arregimentada num canto, com luzes fortes e gestos frenéticos. Meu estômago revirou quando me dei conta de que a presença deles ali provavelmente teria sido responsável pela morte de Francis.

Estreitando os olhos devido ao calor do fogo, me encaminhei lentamente em direção a Edden, que observava em silêncio a cerca de dez metros da van em chamas. Sem nada dizer, me aproximei dele e parei ao seu lado. Ele não olhou para mim. O vento soprou forte de repente e tossi sentindo o gosto de borracha queimada. Não havia nada a dizer. Francis estava ali. Estava morto.

– Clayton tinha um filho de treze anos – disse Edden, com os olhos fixos na nuvem de fumaça.

Senti como se tivesse levado um soco na barriga e me esforcei para permanecer de pé. Treze anos não é uma boa idade para se perder o pai. Eu sabia disso.

Edden respirou fundo e virou-se para mim, com uma expressão grave que me fez gelar. As sombras intermitentes causadas pelo fogo davam destaque às poucas linhas de seu rosto.

– Não se preocupe, Morgan – disse. – O trato era: você me entregava Kalamack e o FIB honrava o contrato.

Uma emoção passou pelo rosto dele, mas não sabia dizer se era de raiva ou de dor.

– Você o entregou. Eu o perdi. Sem a confissão de Percy, tudo o que temos é a palavra de um bruxo morto contra a dele. E quando eu consiguir um mandado, as plantações de tomate de Kalamack estarão aradas. Sinto muito. Ele irá em frente. Isso... – gesticulou na direção do fogo. – Isso não é culpa sua.

– Edden... – comecei, mas o capitão levantou a mão.

Afastando-se de mim, ele se foi.

– Sem erros – disse para si mesmo, parecendo mais derrotado do que eu me sentia. Um agente do FIB em um macacão AT amarelo correu até ele, hesitando quando Edden não o reconheceu. Foram ambos completamente engolidos pela multidão.

Voltei-me para as fagulhas douradas e pretas, sentindo-me mal. Francis estava ali, junto com meus talismãs. Acho que eles não tinham tido tanta sorte, afinal.

– Isso não foi culpa sua – disse Nick, recolocando o braço à minha volta. Meus joelhos ameaçavam fraquejar. – Você os alertou. Fez tudo o que podia.

Apoiei-me nele antes que caísse.

– Eu sei – murmurei sem rodeios, acreditando no que dizia.

Um caminhão do corpo de bombeiros abriu caminho entre os carros estacionados, desocupando a rua e atraindo uma multidão ainda maior com a sirene.

– Rachel. – Jenks puxou minha orelha de novo.

– Jenks – respondi com amarga frustração. – Me deixe em paz.

– Pega sua vassoura e enfia – o pixie rosnou. – Jonathan está do outro lado da rua.

– Jonathan! – A adrenalina jorrou dolorosamente pelo meu corpo e me soltei de Nick. – Onde?

– Não olhe! – Nick e Jenks falaram ao mesmo tempo. Nick colocou o braço novamente à minha volta e começou a me virar.

– Pare! – gritei, ignorando a dor ao tentar ver por trás de mim. – Onde está ele?

– Continue andando, Rachel – Nick disse de modo firme. – Kalamack pode querer matá-la também.

– Vão todos vocês se Virar! – gritei. – Eu quero ver! – Capenguei num esforço para fazer Nick parar. Aquilo pareceu ter funcionado porque me soltei e caí na calçada num monte de lixo.

Torcendo o corpo, rastreei o outro lado da rua. Um jeito de andar rápido e familiar chamou minha atenção. Em disparada, entre os socorristas e os curiosos, vi Jonathan. O homem alto e refinado era fácil de ser localizado; sua cabeça e seus ombros destacavam-se da maior parte da multidão. Ele andava com muita pressa em direção a um carro estacionado na frente do caminhão dos bombeiros. Com o estômago encolhido de preocupação, fitei o grande automóvel preto, sabendo quem estava dentro.

Tirei Nick do caminho quando ele tentou me colocar de pé, enquanto maldizia os carros e as pessoas que continuavam ocupando meu campo de visão. A janela traseira foi baixada. Trent me olhou nos olhos e fiquei sem fôlego. Pela iluminação dos veículos de emergência, podia ver que seu rosto estava bastante ferido e a cabeça, enfaixada. A raiva contida em seus olhos angustiou meu coração.

– Trent – soprei quando Nick se agachou para me pegar por baixo dos braços e me ajudar a levantar.

Nick congelou e, do chão, vimos Jonathan alcançar a janela num piscar de olhos e se inclinar para ouvir Trent. Meu coração acelerou quando o sujeito alto se aprumou, seguindo o olhar fixo de Trent para mim, do outro lado da rua. Estremeci percebendo Jonathan destilando ódio.

Os lábios de Trent se moveram. Jonathan deu um salto e, com um último olhar na minha direção, caminhou firme até a porta do motorista. Ouvi-a bater, apesar do barulho ao redor.

Eu não conseguia tirar os olhos de Trent. Apesar da expressão zangada, ele sorria, e minha preocupação se agravou ante a promessa contida nela. A janela subiu e o carro se afastou lentamente.

Por um momento, não consegui fazer nada. A calçada estava aconchegante e, se eu me levantasse, só teria de seguir adiante. Denon não tinha mandado um demônio atrás de mim. Trent, sim.

Trinta e três

Eu me dobrei para pegar o jornal no degrau de cima da entrada da igreja. O cheiro de grama cortada e calçada úmida era quase um bálsamo preenchendo meus sentidos. Houve um movimento rápido e súbito na calçada. Com o pulso acelerado, assumi uma postura defensiva, e foi então que ouvi a risada de uma garotinha, que se seguiu ao som de uma bicicleta com sininhos. Que embaraçoso! Seus calcanhares reluziram enquanto pedalava como se fugisse do diabo. Fazendo uma careta, bati o jornal contra a palma da mão enquanto ela desaparecia na esquina. Podia jurar que ela esperava por mim todas as tardes.

Fazia uma semana que a ameaça de morte da SI tinha sido oficialmente anulada, e eu ainda via assassinos pelas esquinas. Na verdade, mais gente além da SI podia me querer morta.

Expirando sonoramente, me concentrei para eliminar a adrenalina enquanto fechava a porta da igreja atrás de mim com um puxão. O crepitar confortante do jornal ecoou pelas vigas de suporte grossas e pelas paredes austeras do santuário enquanto eu procurava pelos classificados. Enfiei o resto do jornal embaixo do braço e percorri o caminho até a cozinha, examinando os anúncios enquanto andava.

– Estava na hora de você acordar, Rachel – Jenks disse, suas asas fazendo barulho enquanto voava descrevendo círculos irritantes nos limites estreitos do corredor. Ele cheirava a jardim e estava vestido com sua roupa de briga, parecendo um alado Peter Pan em miniatura. – Vamos ou não pegar aquele disco?

– Oi, Jenks – respondi, com uma pontada de ansiedade e expectativa passando por mim. – Sim. Eles chamaram um exterminador ontem. – Estirei o jornal na mesa da cozinha, pondo de lado as canetas coloridas e mapas de Ivy para abrir espaço, e apontei. – Olhe. Recebi mais um.

– Deixe eu ver – o pixie exigiu. Pousou em cima do jornal, as mãos no quadril. Passando o dedo pelo papel, li em voz alta:

– "TK procurando reabrir comunicação com RM sobre possível empreitada de negócios." – Não havia número de telefone, mas era óbvio quem tinha escrito aquilo. Trent Kalamack.

Uma inquietação cheia de cansaço me fez sentar na cadeira, meu olhar se dirigindo para o jardim, além do Senhor Peixe nadando em sua nova taça de conhaque. Embora eu tivesse quitado meu contrato e estivesse razoavelmente segura quanto à SI, ainda era obrigada a lidar com Trent. Sabia que ele fabricava biodrogas, o que fazia de mim uma ameaça. Por enquanto, ele estava sendo paciente, mas, se eu não concordasse em entrar para sua folha de pagamento, o sujeito ia me enterrar.

Naquele momento, eu não queria a cabeça de Trent; só desejava que ele me deixasse em paz. Chantagem era completamente aceitável e, sem dúvida, algo mais seguro do que tentar me livrar de Trent no tribunal. Não fosse por outro motivo, ele era um homem de negócios, e o trabalho de se livrar de um julgamento era provavelmente maior do que seu desejo em me ter trabalhando para ele ou de me ver morta. Mas eu precisava de mais do que uma página de sua agenda. E iria conseguir isso naquele dia.

– Bela calça, Jenks – comentou a voz rouca e fraca de Ivy, vinda do corredor.

Assustada, pulei, e então mudei o movimento para fingir que estava arrumando uma mecha de cabelo. Encostada à ombreira da porta, Ivy parecia um anjo da morte apático em seu roupão negro. Arrastando-se até a janela, fechou as cortinas e encostou no balcão sob a luz fraca.

Minha cadeira rangeu ao me recostar nela.

– Você acordou cedo.

Ivy serviu para si mesma uma xícara de café frio do dia anterior, afundando na cadeira à minha frente. Seus olhos estavam vermelhos e o roupão encontrava-se amarrado de maneira negligente em torno da cintura. Sem prestar atenção, alisou o jornal no lugar em que Jenks havia deixado pegadas de sujeira.

– Lua cheia hoje à noite. Vamos fazer isso?

Inspirei rapidamente, meu coração acelerando. Levantando-me, fui jogar o café e fazer mais antes que Ivy pudesse beber o resto. Até meus padrões eram mais elevados do que aquilo.

– Sim – confirmei, sentindo minha pele se retesar.

– Tem certeza de que está pronta para isso? – perguntou enquanto seus olhos se demoravam em meu pescoço.

Era minha imaginação, mas pensei sentir uma pontada onde seu olhar descansava.

– Estou bem. – Fiz um esforço para impedir que minha mão se erguesse para cobrir a cicatriz. – Melhor do que bem. Estou ótima. – Os bolinhos sem gosto de Ivy me deixavam alternadamente com fome e com náusea, mas meu vigor tinha voltado em alarmantes três dias em vez de três meses. Matalina já havia removido os pontos do meu pescoço e eles mal deixaram uma marca. Ter me curado tão rápido era preocupante. Eu me perguntava se, e como, pagaria por aquilo mais tarde.

– Ivy? – perguntei enquanto tirava o pó de café da geladeira. – O que tinha nesses bolinhos?

– Enxofre.

Eu me virei, chocada.

– O quê? – exclamei.

Jenks deu uma risadinha, e Ivy não desviou o olhar enquanto levantava.

– Estou brincando – ela disse, séria. Eu a encarei, com o rosto gelado. – Você não pode aceitar uma piada? – acrescentou, dirigindo-se ao corredor. – Me dê uma hora. Vou ligar para Carmen e fazê-la se mexer.

Jenks deu um salto no ar.

– Ótimo – o pixie disse, as asas zunindo. – Vou me despedir de Matalina. – Ele parecia brilhar, como se uma flecha de luz tivesse perfurado a cozinha enquanto ele deslizava para além das cortinas.

– Jenks! – gritei. – Gente, não vamos partir antes de uma hora, pelo menos! – Uma despedida não demorava todo esse tempo.

– É? Você acha que meus filhos brotaram do chão?

Corando, liguei a máquina e comecei a fazer o café. Meus movimentos eram rápidos por causa da expectativa, e um brilho se instalou, queimando no meio do meu corpo. Tinha passado a última semana planejando minha excursão com Jenks para o território de Trent em detalhes excruciantes. Eu tinha um plano A e um plano B. Na verdade, eu tinha tantos planos que me impressionava o fato de eles não explodirem dos meus ouvidos quando assoava o nariz.

Juntando minha ansiedade com o apego obsessivo de Ivy aos cronogramas, exatamente uma hora depois nos descobrimos no meio-fio. Nós duas estávamos vestindo roupas de couro, o que nos fazia parecer duronas dos pés à cabeça – e, se considerar a distância dos pés de Ivy à sua cabeça, isso era bastante. Uma versão de amuletos monitores de vida pendia de nossos pescoços, guardados longe da visão alheia. Era meu plano de segurança. Se eu tivesse problemas, ia quebrar o talismã, o que faria com que o amuleto de Ivy se tornasse vermelho. Ela insistiu em trazê-los – junto com uma porção de outras coisas que julguei desnecessárias.

Balancei atrás de Ivy em sua moto, com nada além de um amuleto de segurança, um frasco de água salgada para quebrá-lo, uma poção para virar marta e Jenks. Nick levaria o resto. Com o cabelo enfiado embaixo do capacete e a viseira fumê abaixada, dirigimos por Hollows, sobre a ponte e em Cincinnati. O sol era quente em meus ombros, e eu queria que realmente fôssemos apenas duas garotas em uma moto indo fazer compras numa tarde de sexta-feira.

Na verdade, nos dirigíamos a um estacionamento para encontrar a amiga de Nick e Ivy, Carmen. Ela ficaria no meu lugar ao longo do dia, fingindo ser eu enquanto as duas guiavam pelo campo. Achei que era exagero demais, mas, se isso tranquilizava Ivy, eu o faria.

Do estacionamento, eu entraria escondida no jardim de Trent com a ajuda de Nick, que, por sua vez, fingiria ser da empresa de jardinagem, lançando spray de inseticidas nas pragas que Jenks colocara nas roseiras premiadas de Trent no sábado anterior. Uma vez dentro da propriedade de Trent, seria fácil. Pelo menos era o que eu continuava dizendo a mim mesma.

Quando saímos da igreja, eu estava calma e controlada, mas a cada novo quarteirão ficava mais tensa. Não parava de repassar o plano em minha mente, encontrando buracos nele e vários "e se". Tudo que pensamos em fazer parecia à prova de falhas na segurança da mesa de nossa cozinha, mas o plano dependia muito de Nick e Ivy. Eu confiava neles, mas isso ainda me deixava inquieta.

— Relaxe — Ivy disse alto quando saímos da rua movimentada e entramos no estacionamento próximo à praça da fonte. — Isso vai funcionar. Um passo por vez. Você é uma boa caça-recompensas, Rachel.

Meu coração bateu forte, e concordei com a cabeça. Ela não tinha conseguido esconder a preocupação em sua voz.

O estacionamento estava frio e Ivy contornou o portão evitando pegar o bilhete de entrada. Ela dirigiu direto como se estivesse numa rua lateral. Tirei o capacete ao vislumbrar a van branca decorada com uma imagem de grama e cãezinhos. Não tinha perguntado a Ivy onde ela conseguira uma perua de serviços de jardinagem. E não ia perguntar.

A porta de trás se abriu quando a moto de Ivy se aproximou roncando, e saiu dela uma vamp magra vestida como eu, estendendo a mão para pegar o capacete. Entreguei-lhe e saí da moto ao mesmo tempo em que ela começava a subir nela. Ivy não diminuiu a velocidade. Cambaleando, observei Carmen enfiar seu cabelo loiro sob o capacete e agarrar a cintura de Ivy. Perguntei a mim mesma se eu realmente parecia daquele jeito. Não. Eu não era tão magra.

— Vejo você hoje à noite, certo? — Ivy disse sobre o ombro enquanto dirigia para longe.

— Entre — Nick disse baixinho de dentro da van. Dando a Ivy e Carmen uma última olhada, pulei atrás, fechando a porta com cuidado quando Jenks voou para dentro.

— Minha nossa! — o pixie exclamou, disparando para a frente. — O que aconteceu com você?

Nick se virou no assento do motorista, seus dentes bem destacados contra a pele escurecida pela maquiagem.

— Mariscos — ele disse, dando um tapinha nas bochechas. Sem um amuleto, ele tinha ido longe em seu disfarce, tingindo o cabelo num tom de negro metálico. Com a pele escura e o rosto inchado, não parecia nada com o Nick que eu conhecia. Era um ótimo disfarce e não ia ativar um detector de feitiços. Virou-se para mim, com os olhos brilhando. — Oi, Ray-Ray. Como está?

— Ótima — menti, nervosa. Não devia tê-lo envolvido, mas o pessoal de Trent conhecia Ivy, e ele havia insistido. — Certeza de que você quer fazer isso?

Ele engatou a ré da van.

— Tenho um álibi incontestável. Meu cartão de ponto diz que estou no trabalho.

Olhei para ele incrédula enquanto tirava as botas.

— Você está fazendo isso no horário de serviço?

— Ninguém vai vir aqui para checar minha produtividade. Contanto que o trabalho seja feito, a chefia não se importa.

Assumi uma expressão irônica. Sentando numa lata de inseticida, escondi as botas. Nick tinha encontrado um emprego de limpador de artefatos no museu de Eden Park. Sua adaptabilidade era uma surpresa contínua. Numa semana, ele alugara um apartamento e o mobiliara, comprara uma caminhonete caindo aos pedaços, conseguira um emprego e me levara para sair – um encontro surpreendentemente legal que incluíra um rápido tour de helicóptero pela cidade. Ele disse que sua conta bancária tinha muito a ver com quão rápido ele se recuperara. Bibliotecários devem ser mais bem pagos do que eu pensava.

– Melhor se trocar – ele disse, seus lábios quase não se movendo enquanto pagava o estacionamento ao portão automatizado e saíamos aos trancos no sol. – Vamos estar lá em menos de uma hora.

A expectativa me deixou nervosa, e estendi a mão para pegar a bolsa de pano com o logo do serviço de jardinagem estampado. Nela estavam meu par de sapatos superleves, meu amuleto de segurança num saco plástico com fecho hermético e meu collant de seda e náilon dobrados numa trouxa pequena. Arrumei tudo para abrir espaço para uma marta e um pixie irritante, colocando os macacões protetores descartáveis de papel em cima. Eu ia como uma marta, mas de jeito nenhum ia permanecer daquele jeito.

Ausentes estavam meus talismãs de costume, sem os quais me sentia nua. No entanto, se fosse pega, seria no máximo acusada de invasão. Se eu carregasse um talismã que pudesse ser usado numa pessoa – mesmo algo bobo como um talismã de mau cheiro –, a acusação aumentava para intenção de causar danos corporais, um delito grave. Eu era uma caça-recompensas, conhecia a lei.

Enquanto Nick mantinha Jenks ocupado no banco da frente, me despi rapidamente e enfiei cada pedaço de evidência que tinha restado na van numa lata rotulada "Substâncias químicas tóxicas". Tomei a poção de marta com uma pressa embaraçada, cerrando os dentes pela dor da transformação. Jenks caçoou de Nick até não poder mais quando percebeu que eu estava pelada no fundo de sua van. Não estava ansiosa por me transformar de volta, aguentando as críticas e piadas de Jenks até conseguir vestir o collant.

E a partir dali tudo foi certo como relógio.

Nick tinha conseguido entrar com facilidade, já que era esperado no local – o verdadeiro serviço de jardinagem recebera uma ligação de cancelamento minha naquela manhã. Os jardins se encontravam vazios em razão da lua cheia e estavam fechados para manutenção. Transformada em marta, corri pelas roseiras grossas em que Nick devia usar um spray inseticida tóxico – que, na verdade, era água salgada destinada a me transformar de novo numa pessoa. O barulho de Nick jogando o amuleto, os sapatos e as roupas nas moitas era inacreditavelmente bem-vindo. Especialmente com os pavorosos comentários de Jenks sobre grandes mulheres pálidas e nuas enquanto se sentava na haste de uma rosa e balançava de um lado para o outro achando graça. Tinha certeza de que a água salgada ia matar as rosas em vez das pragas, mas isso fazia parte do plano. Se por acaso eu fosse capturada, Ivy ia entrar com uma nova remessa de plantas.

Jenks e eu passamos a maior parte da tarde esmagando insetos, fazendo mais do que a água salgada fizera para livrar as rosas de Trent das pragas. Os jardins permaneceram tranquilos, e as outras equipes de manutenção se mantiveram longe das bandeiras de advertência fincadas em torno do canteiro. Quando a lua apareceu no céu, eu estava mais tensa que um trasgo virgem em sua noite de núpcias. O fato de estar muito frio não ajudava em nada.

– Agora? – Jenks perguntou de maneira sarcástica, suas asas invisíveis exceto por uma cintilação prateada na escuridão enquanto pairava sobre mim.

– Agora – afirmei, os dentes batendo enquanto escolhia meu caminho cuidadosamente entre os espinhos.

Com Jenks voando na frente, nos esgueiramos da moita aparada para uma árvore majestosa, encontrando caminho pela porta dos fundos da despensa. Dali, foi uma corrida rápida para o saguão de entrada, enquanto Jenks colocava todas as câmeras num loop de quinze minutos.

A nova trava no escritório de Trent nos deu trabalho. Com a pulsação acelerada, fiquei inquieta próxima à porta enquanto Jenks passava cinco minutos surreais trabalhando nela. Xingando feito um torcedor de futebol, ele finalmente me pediu ajuda. Fiquei segurando um clipe de papel destorcido contra um interruptor e o pixie não se deu ao trabalho de me dizer que estava fechando um circuito até um choque elétrico me fazer cair sentada no chão.

– Seu babaca! – xinguei, ríspida, apertando minha mão em vez de apertar o seu pescoço, como era minha vontade. – Que diabos acha que está fazendo?

– Você não teria segurado o clipe se eu tivesse contado – ele disse enquanto estava no teto, em segurança.

Franzindo os olhos, ignorei suas justificativas sarcásticas e abri a porta. Eu tinha a impressão de que ia encontrar Trent esperando por mim e respirei tranquila ao descobrir a sala vazia, iluminada fracamente pelo aquário atrás da mesa. Cheia de expectativa, me agachei e segui até a gaveta de baixo, aguardando até Jenks acenar sinalizando que ela não tinha sido adulterada. Respirando fundo, a puxei e encontrei... nada.

Sem me surpreender, levantei os olhos para Jenks e dei de ombros.

– Plano B – dissemos ao mesmo tempo, enquanto eu puxava um pano umedecido do bolso e limpava tudo. – Para o escritório dos fundos.

Jenks voou pela porta e voltou.

– Restam cinco minutos no loop. Vamos nos apressar.

Balancei a cabeça, dando uma última olhada no escritório de Trent antes de seguir Jenks, que zumbia à minha frente pelo corredor. Com o coração aos pulos, segui numa distância discreta; meus sapatos eram silenciosos enquanto corria pelo prédio vazio. No amuleto de segurança em torno do pescoço brilhava um contínuo e favorável verde.

Minha pulsação acelerou e um sorriso se desenhou em meu rosto quando descobri Jenks na porta do segundo escritório. Era esse o motivo pelo qual eu tinha deixado a SI, a falta que sentia de me sentir assim. A falta do alvoroço, da empolgação em vencer as probabilidades. De provar que era mais esperta que o cara mau. Dessa vez, eu ia conseguir o que tinha ido buscar.

– Qual é nosso tempo? – sussurrei ao parar, tirando uma mecha de cabelo para fora da boca.

– Três minutos. – Voou para cima e depois para baixo. – Nenhuma câmera no escritório particular. Ele não está lá. Já chequei.

Feliz, me esgueirei pela porta, fechando-a com cuidado depois de Jenks voar atrás de mim.

O cheiro do jardim era um bálsamo. A luz da lua invadia, brilhante como o começo da manhã. Andei de fininho até a mesa, e meu sorriso se tornou malicioso, já que agora ela estava bagunçada, mostrando sinais de uso. Só levou um momento para encontrar a pasta de documentos. Jenks arrombou a trava e eu a abri, suspirando com a visão dos discos em fileiras perfeitas e arrumadas.

– Tem certeza de que esses são os discos certos? – Jenks murmurou do meu ombro enquanto eu escolhia um e enfiava no bolso.

Sabia que eram os certos, mas quando abri a boca para responder um graveto se quebrou no jardim.

Sentindo o coração acelerar, fiz o gesto de "esconder" para Jenks, que, silenciosamente, voou até a fileira de luminárias. Sem respirar, me agachei com cuidado ao lado da mesa.

Minha esperança de que pudesse ser um animal noturno morreu à medida que as passadas macias e quase inaudíveis foram ficando mais altas. A sombra alta se moveu com uma rapidez confiante pelo caminho até a varanda, num salto, deslocando-se com um movimento contente e feliz. Meus joelhos ficaram bambos ao reconhecer a voz de Trent. Ele cantava uma canção que eu não reconhecia, seus pés se movendo num ritmo de formigar a espinha. "Droga", pensei, tentando me encolher ainda mais atrás da mesa.

Trent virou as costas para mim e mexeu no armário. Um silêncio desconfortável substituiu seu assobio quando se sentou na beirada de uma cadeira entre mim e a varanda, calçando o que pareciam ser botas de equitação. A luz da lua fazia com que sua camisa branca brilhasse além da jaqueta de corte justo. Era difícil saber ao certo na luz fraca, mas parecia que sua roupa de equitação inglesa era verde, não vermelha. "Trent criava cavalos", pensei, "e os cavalgava à noite?"

O barulho das esporas era alto. Minha respiração se tornava mais rápida e o vi se levantar, parecendo mais alto do que os três centímetros extras que o calçado proporcionava. A luz diminuiu quando uma nuvem passou diante da lua. Quase não o vi estender a mão por baixo da cadeira onde tinha estado sentado.

Num movimento fluido e gracioso, puxou uma arma e a apontou para mim. Minha garganta fechou.

– Consigo ouvi-la – ele disse calmamente. Sua voz se elevava e abaixava como água. – Saia. Agora.

Calafrios percorreram meus membros, fazendo a ponta dos dedos formigar. Estava agachada ao lado da mesa e não podia acreditar que ele tinha sentido minha presença. Mas ele estava me encarando, seus pés bem separados e sua sombra parecendo formidável.

– Abaixe a arma primeiro – sussurrei.

– Senhorita Morgan? – A sombra se aprumou. Trent estava realmente surpreso, e me perguntei quem ele esperava que fosse. – Por que eu deveria fazer isso? – indagou. Sua voz era suave e tranquilizadora apesar do tom de ameaça.

– Meu parceiro tem um feitiço bem em cima de sua cabeça – blefei.

A sombra que era Trent mudou de posição quando ele olhou para cima.

– Luzes, quarenta e oito por cento – ele disse, a voz áspera. A sala se iluminou, mas não o suficiente para arruinar minha visão noturna. Com os joelhos bambos, levantei, tentando fingir que tinha planejado aquilo enquanto me reclinava na mesa em meu collant de seda e elastano. Cruzei os tornozelos.

Com a arma firme na mão, Trent passou os olhos por mim, parecendo absurdamente refinado e elegante em seu traje de equitação. Forcei-me a não olhar para a arma apontada para mim enquanto sentia o estômago se contrair.

– Sua arma? – questionei, mandando um olhar para o teto, onde Jenks esperava.

– Largue, Kalamack! – Jenks gritou, estridente, da luminária, as asas batendo num som agressivo.

A posição de Trent relaxou para combinar com minha postura casual, mas repleta de tensão. Com movimentos ríspidos e abruptos, tirou as balas da arma e jogou o metal pesado a meus pés. Eu não o toquei, sentindo minha respiração sair mais tranquila. As balas tiniram num som abafado, sendo colocadas num bolso de sua jaqueta de equitação. Na luz mais forte, pude ver que ele estava se curando do ataque do demônio. Um machucado amarelado decorava sua bochecha, a ponta de um molde ortopédico azul aparecia além da manga do punho de sua jaqueta e seu queixo contava com um arranhão em vias de se curar. Eu me peguei pensando que, apesar de tudo, o sujeito estava com uma boa aparência. Não era muito lógico que ele se mostrasse tão confiante quando achava que tinha um feitiço letal pendendo sobre si.

– Basta eu dizer uma palavra e Quen vai estar aqui em três minutos – ele disse num tom baixo.

– Quanto tempo você leva para morrer? – blefei.

Sua mandíbula se cerrou de raiva, fazendo-o parecer mais jovem.

– É para isso que você está aqui?

– Se fosse, você já estaria morto.

Ele concordou com a cabeça, aceitando isso como verdade. Tenso como um elástico esticado, deteve o olhar por um instante em sua pasta aberta.

– Que disco você pegou? – perguntou.

Fingindo confiança, afastei uma mecha de cabelo da frente dos olhos.

– Huntington. Se algo acontecer comigo, ele vai para seis jornais e três agências de notícias junto com a página que está faltando da sua agenda. – Eu me desloquei para longe da mesa e ameacei de maneira categórica. – Deixe-me em paz.

Seus braços penderam imóveis dos lados do corpo, o braço quebrado num ângulo. Minha pele formigou, embora ele não tivesse feito nenhum movimento, e minha aparência de confiança fraquejou.

– Magia negra? – zombou. – Demônios mataram seu pai. Triste ver a filha seguir pelo mesmo caminho.

Inspirei com força, fazendo um silvo.

– O que sabe sobre meu pai? – questionei, chocada.

Seus olhos baixaram até meu pulso – o que tinha a cicatriz demoníaca – e meu rosto ficou gelado. Senti um nó no estômago ao me lembrar do demônio tentando me matar lentamente.

– Espero que o demônio tenha te machucado – desafiei, sem ligar para o tremor em minha voz. Talvez ele achasse que era de raiva. – Não sei como você sobreviveu. Eu quase morri.

O rosto de Trent ficou vermelho e ele apontou um dedo para mim. Era bom vê-lo agir como uma pessoa real.

– Mandar um demônio me atacar foi um erro – respondeu, suas palavras saindo ásperas. – Não uso magia negra, nem permito que meus funcionários o façam.

– Você é um baita de um mentiroso! – exclamei, não me importando se parecia infantil. – Teve o que merecia. Eu não comecei isso, mas pode ter certeza de que vou terminar!

– Não sou eu que tenho uma marca de demônio, senhorita Morgan – retrucou friamente. – Além de tudo, é mentirosa? Que desapontador. Estou pensando seriamente em retirar minha oferta de emprego. Reze para que isso não aconteça, ou não vou ter mais nenhum motivo para tolerar mais suas ações.

Furiosa, respirei fundo para dizer a ele que era um idiota, mas parei antes disso. Trent achava que eu tinha conjurado o demônio que o havia atacado. Meus olhos se arregalaram enquanto eu refletia sobre isso. Alguém convocara dois demônios – um para mim, outro para ele – e não havia sido ninguém na SI, podia apostar minha vida nisso. Com o coração disparado, me preparei para explicar, então calei a boca.

Trent ficou desconfiado.

– Senhorita Morgan? – questionou baixinho. – Que pensamento acabou de passar por essa sua cabecinha?

Balancei a cabeça, lambendo os lábios enquanto dava um passo para trás. Se achasse que eu usava magia negra, ele ia me deixar em paz. E contanto que eu tivesse prova de sua culpa, não ia arriscar me matar.

– Não me coloque contra a parede – ameacei –, e não vou incomodá-lo de novo.

A expressão questionadora de Trent se endureceu.

– Caia fora – ordenou, movendo-se da varanda num movimento gracioso. Mudando de posição ao mesmo tempo, trocamos de lugar. – Vou lhe dar uma vantagem inicial generosa – disse enquanto estendia a mão até a mesa, fechando a pasta. Sua voz era sombria, tão rica e constante quanto o cheiro de folhas de bordo se decompondo. – Pode levar uns dez minutos para eu alcançar meu cavalo.

– Como é? – perguntei, confusa.

– Não boto para correr presas que andam em duas patas desde que meu pai morreu. – Trent ajustou o casaco com um movimento agressivo. – É lua cheia, senhorita Morgan – disse, a voz pesada com a promessa. – Os cães estão soltos. Você é uma ladra. A tradição diz que você deve correr... rápido.

Meu coração acelerou e meu rosto ficou frio. Eu tinha o que fora buscar, mas não adiantaria nada se não pudesse escapar com aquilo. Havia mais de setenta quilômetros entre mim e a ajuda mais próxima. Quão rápido um cavalo corria? Quanto tempo antes de eu cair de exaustão? Talvez eu devesse contar que não tinha mandado o demônio.

O som distante de uma corneta irrompeu pela escuridão, e um cão ganindo respondeu o chamado. O medo tomou conta de mim, tão doloroso quanto uma faca. Era um medo antigo e ancestral, tão primal que não podia ser tranquilizado com ilusões autoinduzidas. Eu nem sabia de onde aquilo viera.

– Jenks – sussurrei. – Vamos embora.

– Vou atrás de você, Rachel – ele disse do teto.

Dei três passos correndo e pulei da varanda de Trent e caí me agachando e rolando entre as samambaias. Ouvi o estampido de uma arma. A folhagem ao lado da minha mão se estilhaçou. Dando um bote contra o verde, disparei numa corrida.

"Maldito!", pensei, meus joelhos quase desmoronando. O que tinha acontecido com os dez minutos?

Correndo, tateei em busca do frasco de água salgada. Mordi a parte de cima e encharquei meu amuleto. Ele piscou e se apagou. O de Ivy ia ligar e permanecer vermelho. A estrada estava a menos de dois quilômetros. A guarita estava a cinco e a cidade, a quarenta e cinco. Quanto tempo ia levar para Ivy chegar até ali?

– Quão rápido você consegue voar, Jenks? – eu disse, arfando entre pisadas fortes.

– Rápido pra caramba, Rachel.

Eu corri até alcançar o muro do jardim. Um cão ganiu quando escalei o muro. Outro respondeu. "Droga."

Respirando no ritmo das minhas passadas, corri pelo gramado bem cuidado, rumo à mata sombria. O som dos cães me acompanhou logo atrás. O muro era um obstáculo para eles, que teriam de contorná-lo. Talvez eu conseguisse fazer isso.

– Jenks – arfei quando minhas pernas começaram a protestar. – Há quanto tempo estou correndo?

– Cinco minutos.

"Deus, me ajude", implorei silenciosamente, sentindo minhas pernas começarem a doer. Parecia o dobro de tempo.

Jenks voou à frente, deixando cair pó de pixie para me mostrar o caminho. Os pilares silenciosos das árvores escuras pairavam sobre mim e sumiam. Meus pés batiam contra o chão de forma rítmica. Os pulmões ardiam e a lateral do corpo doía. Se eu sobrevivesse àquela situação, prometia a mim mesma que ia correr oito quilômetros por dia.

Os latidos dos cachorros mudaram. Embora tênues, suas vozes soavam mais doces, prometendo que logo estariam comigo. Parecia uma provocação. Redobrei meu esforço, encontrando a vontade para manter o ritmo.

Corri, impulsionando minhas pernas pesadas para cima e para baixo. Meu cabelo grudou no rosto, e espinhos e arbustos rasgaram minhas roupas e mãos. O som da corneta e dos cachorros se aproximava. Fixei o olhar em Jenks conforme ele voava na minha frente. Uma ardência nos pulmões crescia, me consumindo. Parar significaria a morte.

A correnteza foi um oásis inesperado. Caí na água e saí dela ofegante. Os pulmões pesados, empurrei a água para longe do rosto para poder respirar. A batida forte do meu coração tentou superar o barulho rouco da respiração. As árvores seguravam uma quietude assustada. Eu era a presa, e todos na floresta observavam de forma silenciosa, felizes por não serem eles.

Minha respiração ficou estridente com o som dos cães, que estavam mais próximos. Uma corneta soou, instilando o medo em mim. Não sabia que som era pior.

– Levante, Rachel! – Jenks insistiu, brilhando como um fogo-fátuo. – Desça pela correnteza.

Eu me esforcei para levantar, cambaleando e tentando correr na parte rasa. A água diminuiria minha velocidade, mas também atrasaria os cães. Seria só uma questão de tempo antes de Trent dividir a matilha para realizar uma busca em ambos os lados da correnteza. Eu não ia escapar dessa.

O tom dos cachorros latindo vacilou. Surtei na margem em pânico. Eles tinham perdido meu rastro, mas estavam logo atrás de mim. Visões de mim sendo estraçalhada por cães me impulsionaram para a frente, embora minhas pernas mal pudessem se mover. Trent ia pintar a testa com meu sangue. Jonathan ia guardar uma mecha do meu cabelo na gaveta de cima da penteadeira. Eu devia ter dito a Trent que eu não mandara o demônio. Teria ele acreditado em mim? Bom, ele não acreditaria agora.

O ronco de uma motocicleta fez com que eu gritasse.

– Ivy – grasnei, estendendo a mão para me apoiar contra uma árvore. A estrada estava bem à frente. Ela já devia estar a caminho.

– Jenks, não deixe ela me ultrapassar – Arfei, tentando puxar o ar. – Vou estar logo atrás de você.

– Entendido.

Ele se fora, e, cambaleante, me pus em movimento. Os cães latiam baixinho e farejavam. Era possível ouvir o som de vozes e instruções sendo dadas. Isso me impeliu a correr. Um cão deu um latido alto e puro. Outro respondeu. Senti a adrenalina percorrer meu corpo.

Ramos fustigaram meu rosto e caí na estrada, ralando a palma das mãos. Sem fôlego suficiente para gritar, forcei-me a me levantar. Andando vacilante, olhei para baixo, em direção à estrada. Uma luz branca me banhou. O rugido da motocicleta era a bênção de um anjo. Ivy. Tinha que ser. Ela devia estar a caminho mesmo antes de eu ter quebrado o amuleto.

Eu me coloquei de pé, mancando, enquanto meus pulmões expandiam e contraíam meu peito. Os cães estavam vindo. Eu podia ouvir o baque dos cascos do cavalo. Comecei uma corrida, balançando e me movendo aos solavancos em direção à luz que se aproximava. Ela acelerou em minha direção com um barulho súbito e parou ao meu lado.

– Suba! – Ivy gritou.

Eu mal conseguia levantar a perna quando ela me puxou. O motor roncou embaixo de mim. Agarrei sua cintura e me esforcei para controlar a ânsia de vômito. Jenks se enterrou no meu cabelo; seu agarrão forte era quase imperceptível. A moto deu uma guinada brusca, girou e pulou para a frente.

O cabelo de Ivy voou para trás, ardendo em mim quando me golpeava.

– Você conseguiu? – ela gritou acima do vento.

Eu não conseguia responder. Meu corpo tremia, resultado de como o estivera maltratando. A adrenalina tinha se esgotado, e eu ia pagar por isso. A estrada zunia embaixo de mim. O vento levava para longe o calor, deixando meu suor gelado. Lutando contra a náusea, estendi os dedos amortecidos e senti a protuberância reconfortante de um disco no bolso da frente. Dei um tapinha em seu ombro, incapaz de usar meu fôlego para qualquer outra coisa que não respirar.

– Bom! – exclamou acima do vento.

Exausta, descansei a cabeça contra as costas de Ivy. Amanhã eu ia ficar na cama e tremer até tarde. Amanhã eu ia estar dolorida e incapaz de me mover. Amanhã eu ia colocar bandagens nos vergões feitos pelos ramos e espinhos. Amanhã à noite... eu não ia pensar sobre amanhã à noite.

Tiritei. Ivy sentiu meu movimento e virou a cabeça.

– Você está bem? – gritou.

– Sim – afirmei em seu ouvido para que pudesse ouvir. – Sim, estou. Obrigada por vir me pegar. – Tirei o seu cabelo da minha boca e olhei para trás.

Encarei, fascinada. Três cavaleiros estavam parados no laço de estrada iluminada pela lua. Os cães de caça perambulavam em torno dos cavalos enquanto estes andavam com os pescoços nervosos e arqueados. Eu tinha conseguido. Gelada até a alma, observei o cavaleiro do meio tocar a testa numa saudação casual.

Uma atração inesperada passou por mim. Eu tinha o superado. Ele sabia e aceitava isso, e tivera a nobreza de reconhecer. Como eu não ficaria impressionada com alguém tão certo de si?

– Quem, diabos, é ele? – sussurrei.

– Não sei – Jenks disse do meu ombro. – Simplesmente não sei.

Trinta e quatro

"Jazz combina com grilos", pensei enquanto espalhava o tomate picado sobre a salada. Hesitante, encarei os pedaços vermelhos em meio às folhas verdes. Olhando pela janela, para Nick parado diante da churrasqueira, os tirei e remexi o repolho de forma a esconder o que tinha deixado escapar. Nick nunca saberia. Não ia matá-lo ou nada parecido.

Fui atraída pelo som e pelo cheiro de carne assando, e me inclinei para além do Senhor Peixe na soleira tentando dar uma olhada melhor. Nick usava um avental com a frase "Não beba o sangue do cozinheiro, coma um bife malpassado". Pertencia a Ivy, é claro. Ele parecia relaxado e confortável de pé junto ao fogo sob a luz da lua. Jenks estava em seu ombro, disparando quando o fogo era atiçado.

Ivy se encontrava à mesa, parecendo sombria e trágica enquanto lia a edição noturna do *Cincinnati Enquirer* à luz de uma vela. Crianças pixies estavam por toda parte; suas asas transparentes geravam lampejos reluzentes quando refletiam a lua, há três dias na fase cheia. Seus gritos atormentavam os vaga-lumes e interrompiam o rugido abafado do tráfego de Hollows, criando uma mistura de sons confortável. Simbolizava segurança, pois me lembrava dos piqueniques que minha família costumava fazer. Uma vamp, um humano e um bando de pixies era um tipo estranho de família, mas era bom estar viva com meus amigos.

Contente, peguei a salada, o molho e os temperos e saí. Com o som da batida da porta de tela atrás de mim, as crianças de Jenks deram uns gritinhos, espalhando-se pelo cemitério. Ivy levantou os olhos do jornal assim que coloquei a salada e os frascos ao lado dela.

– Oi, Rachel – ela disse. – Você acabou não me explicando como conseguiu aquela van. Teve algum problema para devolvê-la?

Levantei as sobrancelhas.

– Não peguei a van. Achei que você tinha feito isso.

A um só tempo, ambas viramos para Nick, parado na churrasqueira com as costas para nós.

– Nick – perguntei, e ele se enrijeceu de maneira quase imperceptível. Especulativa, agarrei o molho de carne e andei devagar em sua direção. Acenando para que Jenks se afastasse, passei um braço em torno da cintura de Nick e me inclinei, contente quando ele prendeu a respiração e me deu um olhar inquiridor, demonstrando surpresa. "Caramba. Ele era um sujeito legal para um humano."

– Você roubou aquela caminhonete para mim? – perguntei.

– Peguei emprestado – respondeu, piscando ao mesmo tempo em que mantinha o resto do corpo cuidadosamente imóvel.

– Obrigada – agradeci, sorrindo ao entregar o frasco de molho para ele.

– Oh, Nick – Jenks zombou num falsete agudo. – Você é meu herói!

Deixei a respiração escapar com irritação. Suspirando, tirei a mão que estava em volta da cintura de Nick e dei um passo para trás. Ivy soltou uma risadinha de quem estava se divertindo com a nossa cara. Jenks fez barulhos de beijo enquanto circundava Nick e eu, e, de saco cheio, disparei minha mão para acertá-lo.

O pixie deu um impulso para trás, pairando surpreso, pois quase o acertei.

– Legal – ele disse, acelerando para irritar Ivy. – E como está indo seu novo trabalho? – perguntou, num tom arrastado quando pousou diante dela.

– Cale a boca, Jenks – Ivy avisou.

– Trabalho? Você tem um serviço? – perguntei enquanto ela tentava abrir o jornal e se esconder atrás dele.

– Você não sabia? – Jenks disse, animado. – Edden fez com que o juiz desse a Ivy trezentas horas de serviço comunitário por ter detonado metade do departamento. Ela está trabalhando no hospital por toda esta semana.

Com os olhos arregalados, fui até a mesa de piquenique. O canto do jornal estava tremendo.

– Por que não me contou? – perguntei enquanto colocava minhas pernas além do banco e sentava na frente dela.

– Talvez porque a tenham colocado para trabalhar no hospital como serviço comunitário – Jenks disse, e Nick e eu trocamos olhares duvidosos. – Eu a vi a caminho do trabalho ontem e a segui. Ela tem que usar uma saia com listras cor-de-rosa e brancas e uma blusa com babados.

Jenks riu, ajeitando-se depois de cair do meu ombro.

– E meias-calças brancas para cobrir esse bumbum firme. Estava ótima em cima da moto.

"Uma funcionária de hospital vampira?", pensei, tentando imaginar.

Nick deixou escapar uma risadinha, que rapidamente virou uma tosse. As articulações da mão de Ivy agarrando o jornal tinham ficado brancas. Entre a hora tardia e a atmosfera relaxada, eu sabia que era difícil para ela evitar lançar uma aura. Aquilo não estava ajudando.

– Ela está no Centro Médico Infantil, cantando e participando de festinhas com as crianças – Jenks arfou.

– Jenks – Ivy sussurrou. O jornal se abaixou lentamente e forcei meu rosto a ficar impassível enquanto a névoa negra a envolvia.

Batendo as asas tão rápido que pareciam uma mancha indistinta, Jenks sorriu e abriu a boca. Ivy rolou o jornal e, mais veloz do que o som, o golpeou. O pixie disparou para o carvalho, rindo.

Nós todos viramos com o rangido do portão de madeira na entrada da frente.

– Olá. Estou atrasado? – veio a voz de Keasley.

– Estamos aqui atrás! – gritei quando vi a sombra de Keasley se movendo lentamente e atravessando a grama molhada de orvalho para além das árvores e moitas silenciosas.

– Trouxe o vinho – comentou assim que chegou mais perto. – Tinto combina com carne vermelha, certo?

– Obrigada – agradeci, aceitando a garrafa. – Não precisava.

Ele sorriu, estendendo o envelope acolchoado enfiado embaixo de seu braço.

– Isso é seu também – ele disse. – O entregador não queria deixar nos degraus da frente hoje à tarde, então assinei para receber no seu lugar.

– Não! – Ivy gritou, esticando a mão pela mesa para interceptar a carta. Jenks desceu do carvalho, suas asas fazendo um estrépito áspero. Parecendo irritada, Ivy a tirou com força da mão dele.

Keasley deu a ela um olhar sombrio, e então foi ver como Nick estava indo com a carne.

— Faz mais de uma semana — reclamei, irritada, enquanto limpava a mão da condensação do vinho de Keasley. — Quando vai me deixar abrir minhas próprias cartas?

Ivy não disse nada, puxando a vela de citronela mais para perto para ler o endereço de devolução.

— Tão logo Trent pare de mandar cartas — ela disse baixinho.

— Trent! — exclamei. Preocupada, enfiei uma mecha de cabelo atrás da orelha, pensando sobre a pasta que tinha dado a Edden dois dias atrás. Nick virou de costas para a carne, o rosto comprido mostrando preocupação.

— O que o sujeito quer? — murmurou, esperando que sua agitação não fosse notada.

Ivy olhou para Jenks e o pixie deu de ombros.

— Está limpo — ele disse. — Pode abrir.

— É claro que está limpo — Keasley reclamou. — Você acha que eu ia entregar uma carta enfeitiçada?

O envelope parecia leve na minha mão quando o peguei de Ivy. Nervosa, deslizei uma unha recém-pintada de esmalte embaixo da dobra, rasgando-a. Havia uma protuberância dentro, e balancei o envelope.

Meu anel do mindinho deslizou para fora e caiu na minha mão. Meu rosto ficou sem expressão tamanho o choque.

— É meu anel! — exclamei. Com o coração disparado, olhei para a outra mão, assustada por não vê-lo no dedo em que sempre estivera. Levantando os olhos, captei a surpresa de Nick e a preocupação de Ivy. — Como... — balbuciei, sem me lembrar de ter sentido falta dele. — Quando ele... Jenks, eu não o perdi no escritório de Trent, perdi?

Minha voz estava aguda, e o estômago se contraiu quando ele balançou a cabeça negativamente, suas asas ficando escuras.

— Você não tinha nenhuma joia naquela noite — ele disse. — Trent deve ter pegado depois.

— Há alguma outra coisa? — Ivy perguntou, num tom cuidadosamente neutro.

— Sim. — Engoli em seco e coloquei o anel, me sentindo estranha por um momento e então confortável. Com os dedos frios, tirei o pedaço grosso de papel de linho cheirando a pinho e maçãs.

– "Senhorita Morgan" – li baixinho, inquieta. – "Felicitações por sua independência recém-descoberta. Quando descobrir a ilusão que ela é, eu vou mostrar a real liberdade."

Deixei o papel cair sobre a mesa. A sensação forte de inquietação por ele ter me visto dormir se decompôs ao perceber que fora tudo que ele fizera. Minha chantagem era sólida. Tinha funcionado.

Afundando no banco, coloquei os cotovelos sobre a mesa e abaixei a testa até as mãos, aliviada. Trent tinha tirado o anel do meu dedo enquanto eu adormecia por uma única razão. Para provar que ele podia fazê-lo. Eu me infiltrara na sua "casa" três vezes, a cada visita chegando cada vez mais perto dele e com Trent cada vez mais desprotegido. A ideia de que eu poderia fazer isso de novo quando quisesse devia ser intolerável para Trent, que tinha sentido a necessidade de retaliar, de mostrar que podia fazer o mesmo. Eu o atingira, e saber disso me ajudara muito a me livrar da raiva e vulnerabilidade que sentia.

Jenks voou e foi pairar sobre o bilhete.

– Aquele saco de sal de lesma – ele disse, deixando cair pó de pixie bravo. – O cara passou por mim! Como conseguiu fazer isso?

Fechando o rosto, peguei o envelope, notando que o carimbo do correio era do dia posterior à minha escapada dele e de seus cães. O homem trabalhava rápido, precisava admitir. Eu estava me perguntando se havia sido ele ou Quen que fizera o furto. Apostava em Trent.

– Rachel? – Jenks pousou no meu ombro, provavelmente preocupado com meu silêncio. – Você está bem?

Olhei para a expressão preocupada de Ivy, pensando em como eu faria uma piada com a situação.

– Vou pegá-lo – blefei.

Jenks voou para cima e para longe, suas asas fazendo barulho em alarme. Nick se virou da churrasqueira e Ivy enrijeceu.

– Opa, espere um momento – ela disse, dando um olhar para Jenks.

– Ninguém faz isso comigo! – acrescentei, cerrando a mandíbula para não sorrir e arruinar tudo.

Keasley franziu a testa e, com os olhos apertados, se recostou no assento.

À luz de velas, Ivy ficou ainda mais pálida do que de costume.

– Espere aí, Rachel – avisou. – Ele não fez nada, só queria ter a última palavra. Deixe para lá.

– Vou voltar lá! – gritei, levantando para colocar uma distância entre nós caso eu estivesse indo longe demais com a brincadeira e ela quisesse vir atrás de mim. – Vou mostrar a ele – disse, acenando com o braço. – Vou entrar de fininho, roubar a droga de seus óculos e mandá-lo pelo correio junto com um cartão de aniversário!

Ivy se levantou, os olhos ficando negros.

– Se fizer isso, ele vai matá-la!

"Ivy achava que eu realmente iria lá de novo? Ela era louca?" Meu queixo tremeu enquanto eu tentava não rir. Keasley viu e deu uma pequena risada, estendendo a mão para a garrafa de vinho ainda fechada.

Ivy girou com uma rapidez de vamp.

– Do que está rindo, bruxo? – ela disse, inclinando-se para a frente. – Ela vai se matar. Jenks, diga que ela vai se matar. Não vou deixar você fazer isso, Rachel. Juro que vou amarrá-la no toco de árvore de Jenks antes de deixá-la voltar lá!

Seus dentes reluziam à luz da lua e ela estava a ponto de explodir. Mais uma palavra e ela poderia cumprir sua promessa.

– Certo – concordei, calma. – Você está certa. Vou deixá-lo quieto.

Ivy congelou. Um suspiro pesado escapou de Nick próximo da churrasqueira. Os dedos nodosos de Keasley eram lentos enquanto puxava a rolha da garrafa de vinho.

– Oh, cachorrinhos, ela enganou você, Tamwood! – ele disse, sua risada grave e rica. – Enganou mesmo.

Ivy o encarou, seu rosto pálido e perfeito marcado pelo choque e pela súbita percepção de que tinha sido enganada. Uma perplexidade intensa, rapidamente seguida de alívio e então de irritação cruzaram seu rosto. Ela respirou fundo. Retendo o ar, assumiu uma expressão mal-humorada. Com os olhos apertados e raivosos, se sentou no banco da mesa de piquenique e balançou o jornal.

Jenks estava rindo, enquanto fazia círculos de pó de pixie, que caíam como raios de sol transformados em glitter nos ombros dela. Sorrindo, levantei e fui até a churrasqueira. Aquilo tinha sido bom. Quase tão bom quanto roubar o disco.

– Ei, Nick – eu disse, deslizando para trás dele. – Esses bifes já estão prontos?

Ele me deu um sorriso de soslaio.

– Quase lá, Rachel.

Bom. Eu ia pensar em todo o resto mais tarde.

Agradecimentos

Gostaria de agradecer às pessoas que sofreram durante o processo de escrita deste livro. Vocês sabem a quem me refiro, e eu os saúdo. E gostaria de fazer um agradecimento especial à minha editora, Diana Gill, por suas maravilhosas sugestões que abriram encantadoras possibilidades de pensamento, e a meu agente, Richard Curtis.